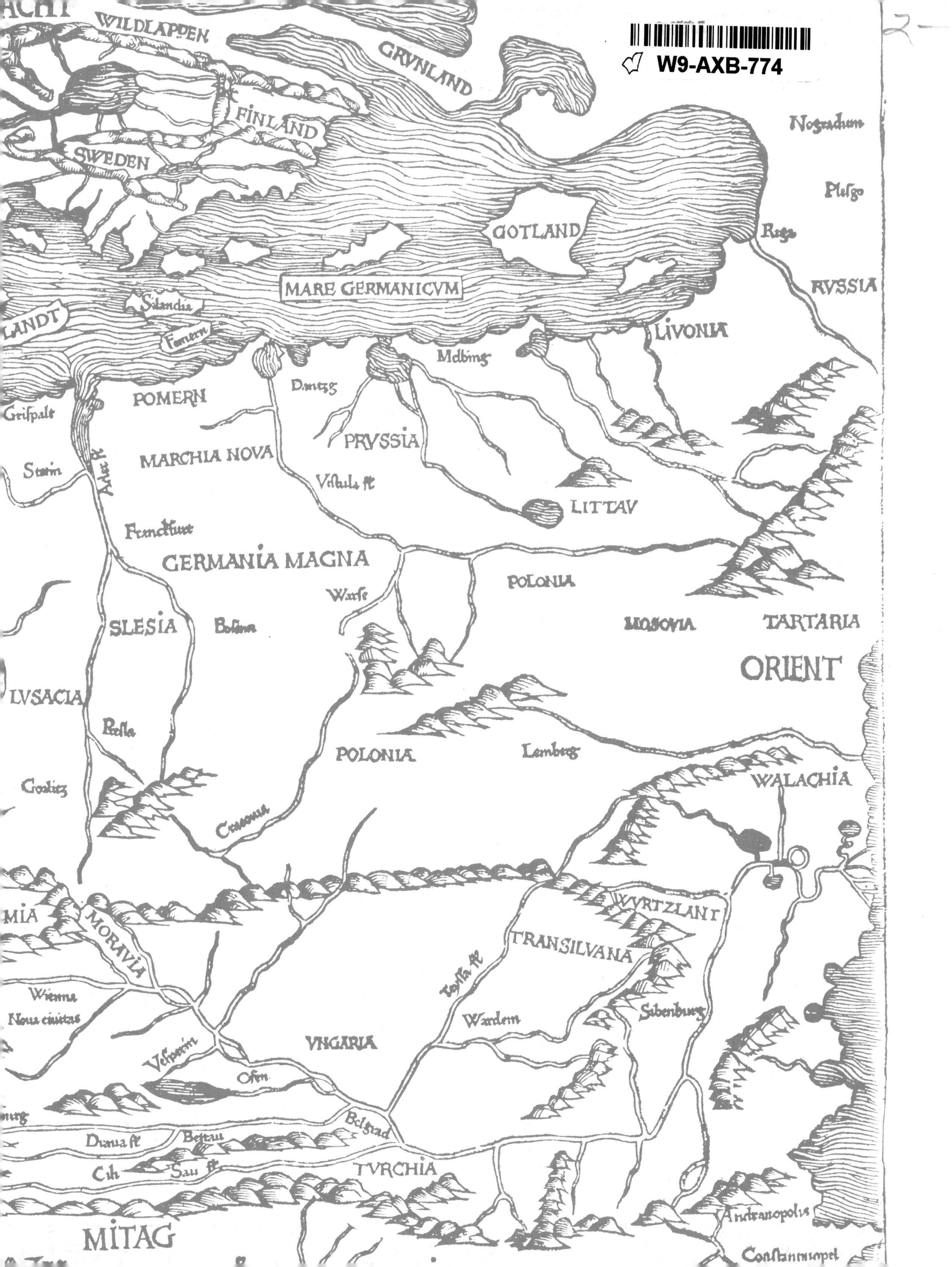
WILDLAPPEN
GRVNLAND
FINLAND
SWEDEN
GOTLAND
Riga
RVSSIA
MARE GERMANICVM
Silandia
LANDT
Femern
LIVONIA
Dantzg
POMERN
PRVSSIA
MARCHIA NOVA
Vistula fl
LITTAV
Franckfurt
GERMANIA MAGNA
POLONIA
Warse
SLESIA
MOSOVIA
TARTARIA
ORIENT
LVSACIA
POLONIA
Lemburg
WALACHIA
MORAVIA
TRANSILVANA
Wienna
Noua ciuitas
Wardein
Sibenburg
VNGARIA
Ofen
Draua fl
Sau fl
TVRCHIA
Andranopolis
MITAG
Constantinopel

Deutschland

Deutschland

Ferdinand Seibt Reiner Hildebrandt
Alfred Herold Wilfried von Bredow Manfred Wundram

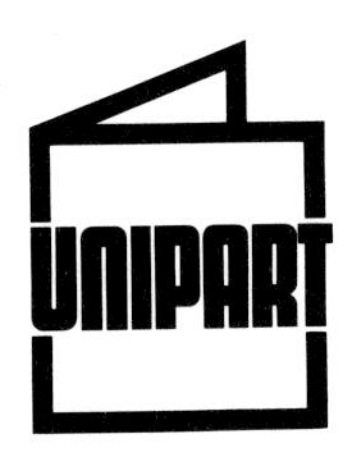

Unipart-Verlag · Stuttgart

Lizenzausgabe für den Unipart-Verlag GmbH,
Remseck bei Stuttgart, 1984

Konzeption, Redaktion und Lektorat:
Rabe Verlagsgesellschaft, Königstraße 18, 7000 Stuttgart 1
Lektorat: Dr. Gerhard Wiese

Printed in Germany

ISBN 3 8122 0146 1

Tønder
Als
Svendborg
Vordingborg
Nordfriesische In.
Sylt
Sønderborg
Ærø
Møn
Föhr
Flensburg
Nakskov
Maribo
Falster
Ostsee
Langeland
Lolland
Schleswig
Kieler Bucht
Puttgarden
Gedser
Saßnitz
Husum
Fehmarn
Rügen
Mecklenburger Bucht
Barth
Pommersche Bucht
Rendsburg
Kiel
Stralsund
Kolobrzeg
(Kolberg)
St. Peter
Oldenburg
Warnemünde
Nord-Ostsee-Kanal
Heide
Eutin
Greifswald
Helgoland
Neumünster
Rostock
Wolin
(Wollin)
Karmien Pom.
(Cammin)
Nordsee
Deutsche Bucht
Usedom
Itzehoe
Travemünde
Wismar
Demmin
Peene
Swinoujście
(Swinemünde)
Gryfice
(Greifenberg)
Lübeck
Güstrow
Zalew Szczeciński
Ostfriesische In.
Cuxhaven
Bad Oldesloe
Pommern
(Pomorze)
Elmshorn
Malchin
Goleniów
(Gollnow)
Norden
Stade
Schwerin
Neubrandenburg
Friese Eilanden
Wilhelmshaven
Bremerhaven
Hamburg
Mecklenburg
Szczecin
(Stettin)
Terschelling
Varel
Nordenham
Bremervörde
Waren
Delfzijl
Emden
Ludwigslust
Müritz
Neustrelitz
Prenzlau
Stargard Szcz
(Stargard)
Leeuwarden
Brake
Wilseder-B.
169
Lüneburg
Leer
Groningen
Elbe
Delmenhorst
Pritzwalk
Schwedt
Oldenburg
Bremen
Lüneburger Heide
Papenburg
Hunte
Wittenberge
Angermünde
Assen
Soltau
Uelzen
Heerenveen
Cloppenburg
Verden
Neuruppin
Havel
Elbe-Seiten-Kanal
Salzwedel
Oder
Gorzów Wlk. Polski
(Landsberg)
Eberswalde
Emmen
Warta
(Warthe)
Altmark
Oranienburg
Meppen
Nienburg
Diepholz
Celle
Stendal
Kampen
Zwolle
Rathenow
Berlin
Kostrzyn
(Küstrin)
Aller
Potsdam
Lingen
Vechte
Mittelland-Kanal
Brandenburg
Almelo
Hannover
Fürstenwalde
Frankfurt
Wolfsburg
Deventer
Rheine
Osnabrück
Burg
Apeldoorn
Minden
Braunschweig
Helmstedt
Lückenwalde
Eisen-
hüttenstadt
Odra
Enschede
Teutoburger Wald
Hildesheim
Salzgitter
Magdeburg
Belzig
Herford
Weser
Arnhem
Bielefeld
Hameln
Jüterbog
Guben
Münster
Lübben
Emmerich
Detmold
Goslar
Dessau
Wittenberg
Spree
Bobr (Bober)
Gütersloh
Harz
Wernigerode
Höxter
Nijmegen
Einbeck
Bernburg
Herzberg
Cottbus
Rhein
Wesel
1142
Brocken
Paderborn
Neiße
Hamm
Saale
Mulde
Nysa
's Hertogenbosch
Recklinghausen
Lippstadt
Eisleben
Torgau
Lauchhammer
Gelsenkirchen
Dortmund
Göttingen
Halle
Nordhausen
Duisburg
Bochum
Essen
Ruhr
Meschede
Wurzen
Riesa
Eindhoven
Krefeld
Münden
Hagen
Leipzig
Görlitz
Kassel
Mühlhausen
Sauerland
Meißen
Düsseldorf
Wuppertal
Kahler Asten
750
Elbe
Mönchengladbach
Neuss
841
Bad Wildungen
Unstrut
Naumburg
Dresden
Solingen
Altenburg
Maastricht
Olpe
Eder
Eisenach
Weimar
Pirna
Zittau
1129
Leverkusen
Fulda
Karl-Marx-Stadt
Köln
Gotha
Erfurt
Jena
Gera
Liberec
Bad Hersfeld
Aachen
Düren
Siegburg
Siegen
Beerbg.
982
Marburg
Zwickau
Usti n. Labem
Bonn
Thüringer Wald
Bad Godesberg
Westerwald
Saalfeld
Most
657
Gießen
Plauen
Fulda
Vogelsberg
772
Suhl
Erzgebirge
Mladá Boleslav
Neuwied
Wetzlar
950
Wasserkuppe
1244
Klinovec
Malmedy
Hohe Acht
746
Koblenz
Hof
Ohre
Labe
Limburg
Coburg
Karlovy Vary
Kladno
Rhön
Praha
ČSSR
Prüm
Taunus
880
Bad Homburg
Bad Kissingen
Fichtel-
gebirge
1051
Gr. Feldberg
Cochem
Wiesbaden
Offenbach
Schweinfurt
Kulmbach
Cheb
Eifel
Frankfurt
Mariánske Lázně
Beroun
Bastogne
Hunsrück
Bingen
Mainz
Darmstadt
Bayreuth
Mosel
Bamberg
Benešov
Aschaffenburg
Nahe
Main
Rhein-Main-Donau-Kanal
Ludwig-Kanal
816
Bad Kreuznach
Odenwald
Würzburg
Weiden
Plzeň
Příbram
Trier
Idar-Oberstein
Kitzingen
Arlon
Miltenberg
Böhmerwald
Worms
687
Pfalz
Erlangen
Naab
Tábor
Luxembourg
Ludwigshafen
Mannheim
Bad Mergentheim
Fürth
657
1039
Klatovy
Amberg
Nürnberg
Fränkischer Jura
Furth i. W.
Thionville
Kaiserslautern
Heidelberg
Jagst
Písek
Speyer
Ansbach
Neumarkt
Schwandorf
Vltava
Saarbrücken
Kocher
Cham
Crailsheim
Arber
1457
Vimperk
Pirmasens
Heilbronn
Zwiesel
Metz
Rhein
Regensburg
Bayerischer Wald
České Budějovice
Karlsruhe
Schwäbisch Hall
Wissembourg
Weißenburg
Pont-à-Mousson
Straubing
Gmünd
Pforzheim
Altmühl
Hagenau
Ludwigsburg
Aalen
Kaplice
Nancy
Sarrebourg
Heidenheim
Ingolstadt
Baden-Baden
Stuttgart
Schwäbische Alb
Isar
Donau
Toul
Esslingen
Passau
Freistadt
Lorraine
Can. de la Marne au Rhin
Donauwörth
Lunéville
Strasbourg
Pfaffenhofen
Landshut
Kehl
Moselle
Tübingen
Neckar
Inn
Horb
Reutlingen
Günzburg
Offenburg
882
Linz
Österreich
Neufchâteau
Freudenstadt
Ulm
Augsburg
Freising
Mühldorf
Ried
Enns
Schwarzwald
Amstetten
Schwaben
Dachau
Braunau
Wels
Steyr
Lech
Epinal
Rottweil
1015
München
Vöcklabruck
Enns
Colmar
Biberach
Landsberg
Salzach
Gmunden
Vosges
Attersee
Sigmaringen
Memmingen
Ammersee
Starnberger See
Traunstein
Plombières
Alsace
Iller
Chiemsee
Kastenreith
1424
Freiburg
Donaueschingen
Rosenheim
Ravensburg
Kaufbeuren
Weilheim
Salzburg
Bad Ischl
Mulhouse
Feldberg
1493
Schaffhausen
Kempten
Bad Tölz
Liezen
Salzkammergut
Friedrichshafen
2344
Dachstein
2996
Vesoul
Montbéliard
Can. du Rhône au Rhin
Konstanz
Bodensee
Füssen
Forggensee
Kufstein
Loeben
Basel
Lindau
Garmisch-
Partenkirchen
Kitzbühel
Bischofshofen
Reutte
2963
Winterthur
Bregenz
2224
Zugspitze
Zell a. S.
Jenbach
Delémont
Zürich
St. Gallen
2397
1 : 3 200 000
Besançon
Schweiz
Zürichsee
Innsbruck
Krimml
Aare
Badgastein
3798
Tirol
Landeck

Inhalt

Vorwort

Der besondere Reiz dieses Buches liegt darin, von »einem« Deutschland zu sprechen, das heute für viele realitätsfern erscheinen mag. Wenn auch de facto zwei Staaten in Deutschland - die Bundesrepublik Deutschland und die DDR - existieren, so gibt es doch nur ein Deutschland. Ein Deutschland der gemeinsamen Geschichte, der gemeinsamen Sprache und Kultur. Vor allem aber ein Deutschland der menschlichen Kontakte und Verbindungen zwischen allen Deutschen. Solange die staatliche Einheit Deutschlands in Freiheit gemäß dem Wiedervereinigungsgebot des Grundgesetzes noch nicht erreicht ist, muß die deutsche Frage offengehalten, der Begriff Deutschland als gemeinsames Gut betrachtet und erachtet werden.

Bei Deutschland denkt man aber auch an die Vielfalt des Landes. Allein die verschiedenen Landschaftszüge überraschen selbst den Landeskundigen immer wieder. Genauso verschiedenartig ausgeprägt wie die Landschaften sind die Menschen, die sie bewohnen. So freut man sich bei einer Deutschlandreise - sei es im Norden oder im Süden - immer wieder auf das Typische und akzeptiert gerne die noch häufig anzutreffende eigene Kultur.

Am Beginn der deutschen Geschichte steht nicht ein deutsches Land und ein deutsches Volk, sondern die bedeutende weltgeschichtliche Bewegung, welche aus der Berührung der Mittelmeerkulturen mit den germanischen Stämmen Nordeuropas während der Völkerwanderungszeit entstand. Es bildete sich in der Mitte Europas zwischen Rhein und Oder, den Alpen und der Nordsee aus einer Vielzahl von Volksstämmen allmählich ein Volk der Deutschen, das in sich wiederum mit außerordentlich stark geprägten individuellen Kräften im Laufe seiner Geschichte ringen mußte und somit mehr ein Bild der völligen staatlichen Zersplitterung bot als ein einheitliches Staatswesen zu errichten vermochte.

Dieses Erscheinungsbild Deutschlands läßt sich bis in unsere Zeit hinein verfolgen - man denke nur an die heute noch zahlreich vorzufindenden Dialekte, die in den einzelnen Regionen so verschiedenartige Formen von sozialem, wirtschaftlichem und kulturellem Leben geprägt haben.

Zu erinnern ist auch an die vielen Dichter, Denker und Komponisten, die in unserem Land die Möglichkeit fanden, in vielfältigster Weise zum Teil unvergessene Werke zu schaffen und deren damalige kulturelle Zentren - so zum Beispiel bei den Klassikern deutscher Musik, Mozart und Beethoven - heute nicht mehr in deutschen Grenzen liegen. Unter Einbeziehung unserer geschichtlichen Erfahrungen sollten wir uns bemühen, Deutschland mit all seinen Prägungen zu verstehen und zu lieben.

In diesem Sinne wünsche ich Ihnen, lieber Leser, daß Sie durch den vorliegenden Band Deutschland noch besser kennenlernen und mit mir die Erkenntnis gewinnen, daß es lohnt, sich für ein freies Deutschland in einem freien Europa zu engagieren.

Walther Leisler Kiep

Alte Wetterfahne mit Postkutsche

Für das heutige Deutschland sind die Himmelsrichtungen Ost und West politisch symbolträchtig geworden: auf deutschem Boden stoßen zwei Gesellschaftssysteme aufeinander, die weltweit die politischen Auseinandersetzungen bestimmen.

Blick auf Oberwesel am Rhein

Wo liegt Deutschland? Wandlungen deutscher Grenzverläufe

Will man über Deutschland reden, so ist es angebracht, sich zunächst darüber zu verständigen, wie dieser politische Raum umgrenzt ist. Dabei zeigt sich, daß die Frage nach den deutschen Grenzen noch heute unterschiedlich, oft gegensätzlich beantwortet wird. Die Atlanten der Zeit zwischen dem Ende des Zweiten Weltkrieges und heute weisen eine Fülle von Grenzvarianten auf, so daß es nicht verwunderlich ist, daß große Teile der deutschen Bevölkerung diesem Problem unsicher gegenüberstehen.

Da die Grenzen eines Staates nur in den seltensten Fällen natürlich bedingt, in der Regel vielmehr Ergebnis politischer Übereinkommen sind, erweist es sich als notwendig, die heutigen Grenzen der beiden deutschen Staaten aus der Sicht ihrer historischen Entstehung zu erörtern. Das ist um so mehr erforderlich, als die deutsche Geschichte von Beginn an wesentlich eine Geschichte der Grenzen ist: der äußeren wie der inneren.

Ferdinand Seibt, Professor für Geschichte an der Ruhr-Universität in Bochum, skizziert die Wandlungen der deutschen Grenzverläufe mit ihren politischen, wirtschaftlichen und kulturellen Auswirkungen. Nicht zuletzt versucht er, die im geschichtlichen Verlauf hervortretenden Zusammenhänge zwischen der Entwicklung Deutschlands und der Verschiebung der Machtkonstellationen in Europa und der außereuropäischen Welt überschaubar darzulegen.

Das alte Reich – die alten Grenzen

Grenzen sind so alt wie die Politik. Nur hatten sie nicht immer dasselbe Aussehen, die gleiche Bedeutung. Die alten Reiche erstreckten sich oft so weit, bis ihnen ein menschenleerer Wald, ein ödes Moor oder das unwirtliche Meer eine wahrhaft natürliche Grenze setzten, an der alle Macht und Herrschaft zu Ende ging. »Natürliche« Grenzen dagegen, wie sie das Zeitalter der Aufklärung aus der Landkarte lesen wollte, führten nicht selten mitten durch intensive Kontaktzonen: Flüsse, Pässe, Meerengen. Deshalb hat man um den Besitz solcher Kontaktzonen auch oft über Jahrhunderte hin erbittert gekämpft; um den ungeteilten Besitz: den Brückenkopf am anderen Ufer, die gesamte Paßhöhe, den jenseitigen Hafen.

Vorhergehende Doppelseiten:

Blick auf die Alpen und das Alpenvorland mit der Stadt Isny (Seiten 10/11)

Die Hallig Hooge (Seiten 12/13)

Blick über München (Seiten 14/15)

Häuserfront am Neckar in Tübingen mit dem Hölderlin-Turm (Seiten 16/17)

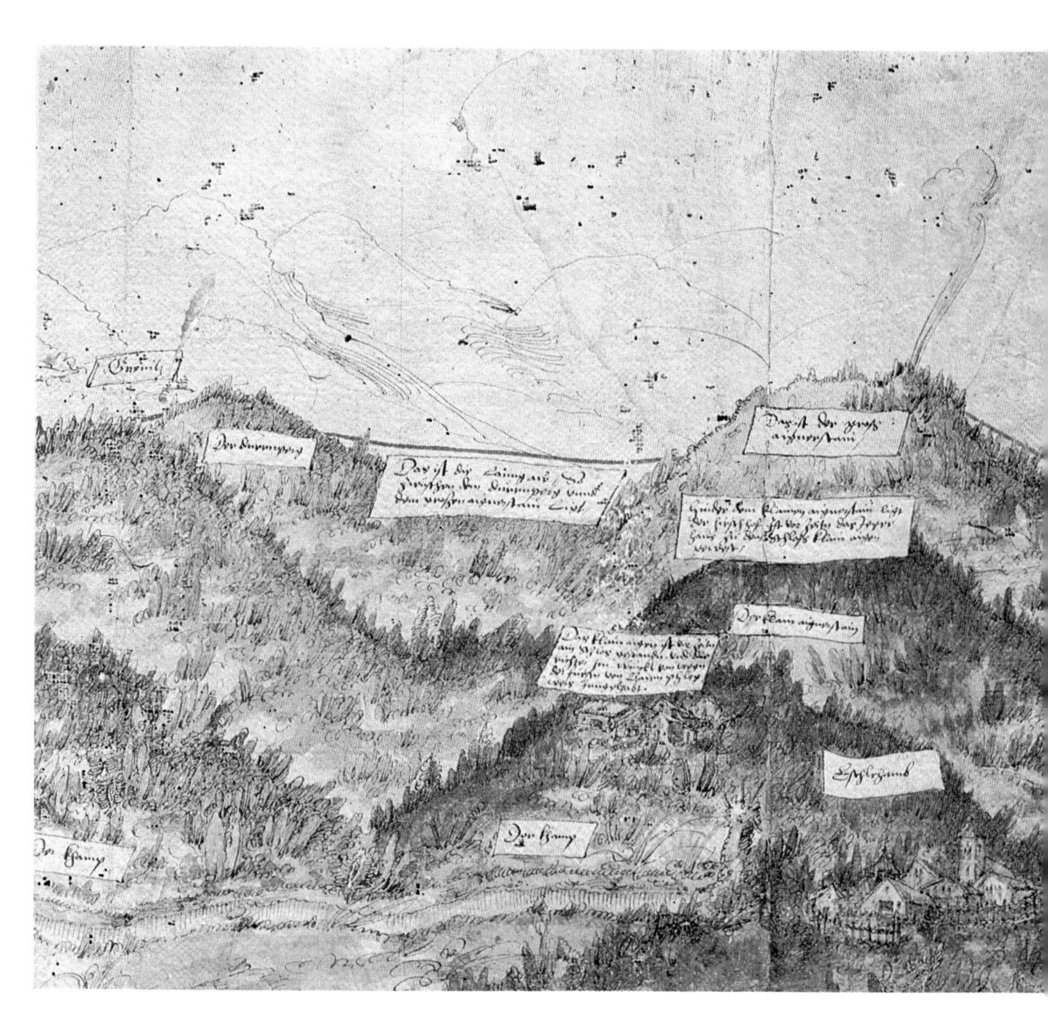

Es gibt also politische Grenzen und geographische: solche, die vom Umgang mit dem Nachbarn herrühren, selten ohne die Versuchungen der Macht, und andere, die eher das Ende des Möglichen bezeichnen. Je dichter unsere Welt besiedelt wird, desto wichtiger werden politische Grenzen. Damit hängt wohl zusammen, daß man das Wort in alten Zeiten noch gar nicht kannte. Das Reich Karls des Großen vor zwölfhundert Jahren endete in seinen Marken. Die Nordmark, die Ostmark, die Steiermark oder die Mark Brandenburg haben in jener Zeit oder wenig später ihre Namen erhalten. Freilich kannte man auch damals schon »Landmarken« am Ende des Herrschaftsbereichs, die man sich »merken« mußte. Aber ein lebhafteres Bewußtsein von Trennungslinien und ihrer Bedeutung erwuchs erst aus der Auseinandersetzung darum. Diese entspann sich offenbar eher an der nördlichen und der östlichen Peripherie des alten Reiches als im Westen, wo, bei manchem Streit um Herrschaftsbereiche und Herrschaftsteilungen, doch die einzelnen Lande längst konsolidiert und damit »begrenzt« waren. So stammt unser Wort »Grenze« für solche Trennungslinien wohl nicht zufällig aus dem Polnischen - aus der »Abgrenzung« von den Landen des Deutschen Ritterordens. Erst Luther hat es allgemein bekannt gemacht, denn erst das dichter besiedelte östliche Mitteleuropa entwickelte »Grenzprobleme«. Erst im Mittelalter verschwanden allgemein die alten Grenzwälder und Grenzsäume und schrumpften zu Linien, die man schließlich markierte.

Die alten Grenzen in Mitteleuropa formten sich etwa um die Jahrtausendwende und hatten lange Bestand. Die meisten von ihnen wurden erst in unserer Zeit, rund tausend Jahre später, grundlegend verändert oder aufgelöst. Dieser tiefgreifende Wandel in unseren Vorstellungen von Grenzen und Raum wird freilich erst recht deutlich, wenn man nicht nur die »äußeren« Grenzen besieht, die alten Marken und die Staatsgrenzen späterer Zeit, die Grenzen des alten Reiches oder der alten deutschen Fürstenstaaten; man muß vielmehr zu dieser Erkenntnis auch die Grenzen im Innern der jeweiligen Herrschaftsgebilde beobachten, die viele Jahrhunderte lang das Leben des einfachen Mannes viel stärker berührten, weil

Bayrisch-böhmisches Grenzvisier

Die Handzeichnung von 1514 zeigt den bayrisch-böhmischen Grenzverlauf im Panoramablick von der bayrischen Seite zwischen dem Schafberg (vorn der Hirsperg) und dem Arber. Unser Bildausschnitt um den Hauptort Furth läßt zwei der wichtigen Straßenzüge nach Böhmen erkennen. Den Grenzverlauf markiert ein roter Strich, der in der Bildmitte ein Tal überquert. Die Darstellung diente als Beweismittel in zahlreichen Grenzstreitigkeiten und zählt zu den ältesten Versuchen kartographischer Arbeiten in großem Maßstab. Sie ist von bemerkenswerter künstlerischer Qualität und zeigt Stileinflüsse der zeitgenössischen Donauschule.

Der Reichsadler

Die Kölner Chronik aus dem Jahre 1499 enthält diese Version des Doppeladlers als Wappentier des Heiligen Römischen Reiches Deutscher Nation.

sie »Herrschaften« voneinander trennten oder Städte von ihrem Umland, das Haus vom Dorf, das Dorf vom Gutsland. Auch diese Grenzen waren im allgemeinen im Mittelalter gezogen worden. Erst in jüngster Zeit ging man daran, das Land nach neuen Regeln aufzuteilen. Auflösung der grundherrlichen Gerichtsbarkeit und die Aufhebung der alten Stadtgrenzen, Flurbereinigung und Gebietsreform sind markante Prozesse in dieser Entwicklung.

In den alten Zeiten hielt man sich eher in seinen Grenzen. Zwar griffen bis ins spätere Mittelalter immer wieder Erbteilungen und Erbvereinigungen aus adeliger Familienpolitik nach zusammengewachsenen oder auch verstreuten Herrschaftsverbänden. Allmählich aber entwickelte sich ein Sinn für Landeseinheit, so daß man Teilungen vermied. Seit 1356 war die Teilung der vornehmsten Fürstenlande, der Kurfürstentümer, durch Reichsgesetz verboten. Auch andere Fürsten folgten diesem Beispiel oder wollten gar, wie es Schleswig-Holstein in seinem Wappenspruch verkündete, »auf ewig ungeteilt« bleiben. »Landes«-Grenzen, die kleine oder größere Regionen vereinten, bewirkten über die Jahrhunderte hin nicht nur eine Interessengemeinschaft, ohne die keine Politik auf die Dauer auskommen kann; sie schufen auch feine Unterschiede zur Nachbarschaft, im Dialekt, in der Kleidung, in den Kulturgewohnheiten. Sie beeinflußten oder lenkten gar auf kleinem Raum die Wahl der Ehepartner. Sie bildeten Mentalitätsgrenzen aus, namentlich seit die Konfessionalisierung Deutschlands aufgebrochen war und die Landesherren über Landeskirchen verfügten oder durch ihre Fürsorge auf manchen Wegen den Glauben ihrer Untertanen zu stärken und zu bestimmen suchten - bis zum Auswanderungszwang.

Weil solchermaßen auf vielen Gebieten die deutsche Politik in den Fürstenlanden ihren Schwerpunkt fand, und weil die Fürsten regierten und der Kaiser eher nur repräsentierte, gewannen die Grenzen der Fürstenlande auch besondere Bedeutung für die Gliederung ganz Deutschlands nach politischem Bewußtsein und Konfession, nach wirtschaftlichen Verflechtungen und kultureller Regsamkeit. Zwar sind, was man meist übersieht, alle die sogenannten Nationalstaaten Europas nach einem gewissen Regionalismus strukturiert. Aber der deutsche Regionalismus fand im Geflecht der deutschen Grenzen besonderes Gewicht. Deshalb wurde auch die erste deutsche Republik 1919 wie die Bundesrepublik 1949 nach solchen Grenzen föderalistisch aufgebaut. Das alte Reich hatte Bestand in seinen Teilen. Aber es war doch mehr als die Summe davon, und es wurde selber niemals geteilt. Zwar verdankt dieses Reich einer tiefgreifenden und lange umstrittenen Teilung im 9.-10. Jahrhundert in West und Ost, in Frankreich und Deutschland, überhaupt seine Gestalt. Das Ostreich wuchs aber danach, seit 962 begabt und belastet mit der kaiserlichen Würde seiner Herrscher, allmählich zu einem Herrschaftsgebilde, das mehrere kulturelle und sprachliche Einheiten umgriff, das ein deutsches, ein italienisches oder lombardisches und ein burgundisches oder südfranzösisches Königreich vereinigte, Böhmen als Lehensfürstentum an sich zog und sogar versuchte, Dänemark, Polen und Ungarn in seine Abhängigkeit zu bringen. In seiner Grundform verharrte es so durch neunhundert Jahre. Seine Kaiser nannten sich römische Imperatoren, aber sie waren vornehmlich die deutschen Herrscher. Das Reich galt als Wahlkönigtum, aber in erster Linie wählte man doch innerhalb der regierenden Dynastie; das Reich nannte sich »heilig«, aber seine Kaiser verbrauchten einen Großteil politischer Energie im Streit mit der Kirche und waren persönlich nur selten frei von den Lastern der Mächtigen. Das Reich hatte keine Hauptstadt, keine Verfassung, keine Armee und keine Verwaltung. Dennoch fand und übte es Treu und Glauben. Es gewährte wenig Schutz, und dennoch lebten unter seiner Hoheit sechzig oder achtzig Reichsstädte, das Gros des deutschen Bürgertums, jahrhundertelang sicher hinter ihren Mauern wie auf politischen Inseln und entfalteten da Keimzellen der bürgerlichen Kultur in unserem Lande. Mit einem Reichstag, der in loser Folge in verschiedenen Reichsstädten, seit 1664 dann »immerwährend« in Regensburg tagte und doch nur die Gesandten der Fürsten, der Reichsstädte und kleiner Adelskollektive zu schwerfälligen Votierungen zusammenführte, hatte es jedenfalls nur ungenügend Struktur, aber es forderte dennoch Respekt; mit seiner Kaisertradition war es antiquiert von Anfang an. Und doch lehrt der Vergleich mit der föderativen Form moderner Großmächte, daß auch die Überstaatlichkeit des Reiches eine überzeitliche Elastizität besaß und nicht alle seine Zurückhaltung aus der Ohnmacht rührte.

Für die Kulturgemeinschaft der abendländischen Völker war dieses Heilige Römische Reich Deutscher Nation, wie man seit dem Spätmittelalter sagte, nach seinen Grenzen und seiner Gliederung von besonderer Bedeutung. Das kann man nicht nur in Geschichtsbüchern lesen; das sagt auch die Landkarte. Umfaßte es doch, von der Nordsee bis zum Mittelmeer, den Kontinent in seiner ganzen Breite; von der Schelde- bis zur Odermündung, von Marseille bis Aquileja auch die längsten Strecken seiner Küsten. Mit Frankreich, mit Polen, mit Ungarn verbanden es direkte Landgrenzen. Auf Jütland fand es Verbindung mit den skandinavischen Reichen, auf der italienischen Halbinsel rührte es an den byzantinischen, später den normannischen Machtbereich und kam auch mit dem Islam in Kontakt. Die englische Insel war sein nahes Gegenüber. Nur die Iberische Halbinsel lag ferner – jedoch nicht allzu fern. Denn gerade Spanien entfaltete ja das »goldene Jahrhundert« seiner europäischen Vormachtstellung im engsten Verbund mit diesem Reich, in Personalunion mit den Habsburgerkaisern!

Wir müssen die Geschichte dieses Reiches zwischen dem 10. und dem 19. Jahrhundert nicht im einzelnen verfolgen. Allein nach seinen Grenzen bleibt es ein merkwürdiges Staatengebilde, das im Abendland nicht seinesgleichen hatte und deswegen von einem der großen Juristen Europas gar einmal ein Monstrum genannt worden war. Dennoch ist seine Eigenart auch das Ergebnis seiner einzigartigen Position. Erst der Aufstieg des neueren Rußland im Norden, erst der türkische Vorstoß im Osten und die atlantische Machtentfaltung Englands im Westen drängten dieses Reich aus seiner Mittelstellung: nicht durch eine Veränderung seiner Grenzen, sondern durch die neue Vielfalt im europäischen Kräftespiel.

Das soll nicht heißen, daß die Grenzen dieses Reiches währenddessen unverändert geblieben wären. Vergleicht man die Entwicklungen im Kartenbild vom 10. bis zum 19. Jahrhundert, dann findet man zwar keine Veränderung im Norden, aber eine sehr pointierte im Süden: Da ging nämlich der Zugang nach Italien über die Alpen fast ganz verloren. Die Schweizer Eidgenossenschaft, die sich im 16. Jahrhundert von diesem Reich löste, und die Republik Venedig, die etwa gleichzeitig ihren Festlandsbesitz über die Maßen ausdehnte, bildeten miteinander den Sperrriegel. Nur bei Triest erreichte das »römische« Reich noch die Adria. Im übrigen erscheinen die West- und die Ostgrenze merkwürdig und fast parallel verschoben. Da sind die nördlichen Niederlande nun selbständig geworden, und Frankreich hat seine Grenzen an den Rhein, weit über die Rhone und an der Mittelmeerküste von Marseille bis nach Nizza vorgeschoben. Im Osten hatte das Reich in diesen Jahrhunderten, wie zum Ausgleich, auch seinerseits seine Grenzen ausgedehnt. Nach dem Raum zwischen Elbe und Oder und nach den böhmischen Ländern zog es Schlesien und schließlich sogar Ost- und Westpreußen an sich, die letzteren freilich ohne formelle Zugehörigkeit zum Reichsverband. Insgesamt hat das Reich jedenfalls bei dieser Ostverschiebung seiner Grenzen mehr Land gewonnen als verloren. Wenn man jetzt die gesamte Entwicklung auch noch mit der polnischen Geschichte vergliche, würde es klar, daß der vielberufene »deutsche Drang nach dem Osten« vom Rhein bis zum Dnjepr ein europäischer Drang gewesen ist. Gleichviel: Das Reich von 1789 ist dem Reich von 962 in vielen Gebieten einigermaßen verwandt; es hat aber den Zugang nach Italien verloren und ist um ein gehöriges Stück nach dem Osten verschoben, mit seinen unmittelbaren Gliedern wie mit seiner mittelbaren Einflußsphäre.

Recht ähnlich blieb sich das Reich aber weiterhin in seiner inneren Gliederung. Es gab, 962 wie 1789, nur wenig Land und Leute, die den Kaisern als deutschen Herrschern unmittelbar unterstanden. Das meiste hatten andere Große in den Händen, auch der Kaiser selbst, insofern, als er außerhalb seines Reichsamtes auch noch einer von ihnen war. Zwar fühlten sich diese Großen an den Herrscher durch Eid und Recht gebunden, aber mit jeweils verschiedenen, gleichwohl deutlichen Zeichen ihrer Selbständigkeit. Die Politik des »Imperators der Römer« und »steten Mehrers des Reichs«, nach dem offiziellen Titel bis 1806, mußte dieser Macht der Großen, der Kurfürsten, Herzöge und Fürstbischöfe, der Grafen und Äbte, stets Rechnung tragen.

Diese Reichsfürsten, wie sie seit dem 12. Jahrhundert hießen, weltliche wie geistliche, handhabten aber nicht nur etwa jene Macht, die sie zu Anfang des Reiches »eingebracht« hatten, sondern auch solche, die man ihnen freiwillig abtrat, wegen der besseren Wirksamkeit ihrer Amtsführung auf kleinem Raum. Und das

Landesgrenze zwischen Wiesbaden und Mainz

Nicht nur die äußeren, auch die inneren Grenzen setzten wichtige Akzente in der Geschichte Deutschlands. Sie trennten nicht nur wirtschaftliche Interessengemeinschaften voneinander, sondern förderten auch die Herausbildung kultureller Differenzierungen innerhalb der einzelnen Landstriche.
Alle Formen des volkstümlichen Zusammenlebens wie Tanz, Musik, Kleidung oder Kochkunst, aber auch der Dialekt und die auf der jeweiligen Religionszugehörigkeit beruhenden Eigenarten verschmolzen innerhalb der Landesgrenzen zu charakteristischen Kulturlandschaften. Wie ›unnatürlich‹ sich jedoch immer wieder solche Grenzverläufe gestalteten, zeigt das Beispiel der Landesgrenze zwischen Hessen und Rheinland-Pfalz. Bis zum Zweiten Weltkrieg war Mainz eine hessische, Wiesbaden eine preußische Provinzstadt. Nach Kriegsende wurden beide Orte zu Landeshauptstädten von Räumen, zu denen vorher kaum Beziehungen bestanden: Mainz gehört heute zu Rheinland-Pfalz, Wiesbaden zu Hessen.

ist eine jener besonderen deutschen Eigenheiten in der europäischen Staatenwelt. Die politische Macht des Reiches entfaltete sich sozusagen auf zwei Ebenen mit großen Ähnlichkeiten: im Reich und in den Ländern. Dabei war die Landesebene im allgemeinen die effektivere, allein schon wegen administrativer und technischer Vorteile auf ungleich engerem Raum. Jedenfalls trugen die Fürsten weit mehr als der Kaiser dazu bei, daß innerhalb bestimmter Grenzen alle politische Gewalt in eine Hand kam – daß, mit anderen Worten, das Herrschaftsmonopol des modernen Staates über eine bestimmte Bevölkerung innerhalb fester Grenzen entwickelt wurde. So ist die nicht selten geschmähte deutsche Kleinstaaterei vor allem zu ihrer Zeit eine besonders wirkungsvolle Organisationsform geworden, aber nicht ohne Zerrbilder, Fehlleistungen und Einseitigkeiten; jedoch mit einem Hang zur gesellschaftspolitischen Gründlichkeit, zur Tiefenwirkung, zur bohrenden Gerechtigkeit »von Staats wegen«, über deren Folgen für die Entwicklung des deutschen Staatsbewußtseins man lange nachdenken kann. Und das Ganze entwickelte sich, überwölbt von einem Reichsgefühl, dessen Anspruch auf sakrale Würde, ja auf metaphysische Rechtfertigung, mit der politischen Wirklichkeit so gar nicht übereinkam und doch seine Imperative setzte. Der mitunter penetranten Staatlichkeit in den »Einzelstaaten« stand die irreale Universalität des heiligen Reiches gegenüber, und beides fand manchmal nicht zur gehörigen politischen Gelassenheit: Die deutschen Grenzen, mit dickeren oder mit dünneren Strichen eingetragen, umschreiben insgesamt auf der Staatenkarte einen sehr eigenartigen Bereich.

Sie zeigen freilich auch ein Bilderbuch von der deutschen Geschichte. Und, wie gesagt, nach rund tausendjähriger relativer Ruhe gerieten sie zu Anfang des 19. Jahrhunderts auf einmal in unerhörte Bewegung. Daraus ist das neuere Deutschland entstanden.

Die Revolution der deutschen Grenzen durch Napoleon

Ehe wir diesen Vorgang genauer besehen, müssen wir erst noch ein wenig über Grenzen an und für sich philosophieren. So einfach ist das nämlich gar nicht, diese merkwürdige menschliche Konvention zu begreifen. Grenzen markieren Übereinkommen, nach denen sich jeweils die politische Landschaft gliedert, sie bezeichnen Trennung wie Verbindung. Und das nicht selten willkürlich, wie es scheint. Dies jedenfalls steht uns heute, im Zeitalter der geteilten Staaten in Asien und Afrika, der Zonengrenzen, der Berliner Mauer und nun eben auch des geteilten Deutschland, deutlich genug vor Augen.

Die alten Grenzen schützten ererbtes Recht. Das war natürlich das Recht der Herren, der kleinen wie der großen, aber die Beherrschten identifizierten sich oft genug damit. Dieses Recht war nicht weiter herzuleiten, es stieg auf aus dem Dunkel der Erinnerung, und es hatte etwas an sich von jenem alten Ordnungsbegriff, der nicht ausgeklügelt und weiterentwickelt werden will, sondern der sich aus sich selber rechtfertigt, sozusagen als ein Stück der geschaffenen Natur, als das gute Alte. Diese Grenzen waren nach unseren heutigen Maßstäben gerade soviel oder sowenig »gerechtfertigt« wie die Throne und Herrensitze, die sich über ihnen erhoben, sieht man ab vom Recht des Erwerbs aus Krieg und Kauf, das aber doch meist geschlossenen Einheiten galt aus adeligem Besitz oder aus Stadt und Umland, nur selten der Absicht, Grenzlinien zu verschieben, neu zu führen, aufzulösen – ein Handel der Herren untereinander.

Das galt von den dicken Grenzlinien auf der Landkarte ebenso wie von den dünnen, von den Grenzen der Staaten wie der Gemeinden; wird doch in alten Weistümern berichtet, wie der Dorfschulze mit alt und jung alljährlich die Grenzen der Gemarkung abschritt, besonders mit den Jungen, damit das Wissen von den Grenzen in die nächste Generation getragen würde. Dabei gab er unvermutet einmal dem oder jenem ein paar Ohrfeigen, damit er sich das Ereignis und den Ort besser einpräge. Wohlhabendere Gemeinden gaben zu diesem Zweck freundlichere Gedächtnisstützen für die Mitziehenden, zum Beispiel ein Mahl auf freiem Feld. Jedenfalls: Grenzen waren unantastbar. Dieses alte Verständnis von Grenzen und Gliederung versank zur gleichen Zeit wie die ganze alte Herrschaftsordnung in Mitteleuropa. Der Prozeß freilich benötigte ein gutes Jahrhundert, dasselbe Jahrhundert, in dem Technik und Industrie das Gesicht der Erde so sehr verwandelt haben. Manchmal schreibt man unseren Jahrzehnten die größten Wandlungen seit Jahrtausenden zu, aber das darf man nicht zu eng verstehen. Die größten Wandlungen seit Menschengedenken glaubte nämlich auch schon Goethe zu erleben, als er 1792 im Heer seines Fürsten vor Valmy der militärischen Kraft der Französischen Revolution begegnete; oder Friedrich List, als er 1834 bei seinen weit größeren Plänen wenigstens die Aufhebung der meisten deutschen Zollgrenzen erreichte; oder Karl Marx, als er 1848 im Kommunistischen Manifest das Gespenst einer sozialen Revolution beschwor. Das Gewicht dieser einzelnen Ereignisse schätzen wir heute in unserer republikanischen Gegenwart, bei europaweiten Zollvereinigungen und angesichts der revolutionären Weltveränderung zwar völlig anders ein. Daß die alte Welt sich aber zu Lebzeiten Goethes in ungeheurem Maße verwandelte, wenn auch zunächst in ihren unsichtbaren Strukturen und dann erst in ihren Grenzen, wird niemand in Abrede stellen.

Und nun heißt es erkennen, daß der ungeheure Wandel in unserem Lande, von der politisch kleinräumigen und vorwiegend bäuerlichen Landschaft über den Nationalstaat des deutschen Bürgertums zwischen Maas und Memel bis zum Industriegiganten im Weltverbund, auch ein Entwicklungsgang unserer Grenzen gewesen ist, der äußeren wie der inneren; und unserer Staatsformen, auch im juristischen Sinn: vom altfränkischen Kaisertum über den deutschen Bund souveräner Fürsten bis zur Republik – die räumlichen Grenzen politischer Macht haben sich bei uns zugleich mit der Verfassung gewandelt.

Den Anstoß gab die Französische Revolution von 1789, sie war nicht die Ursache. Zunächst zur Verteidigung gezwungen, griff sie bald mit der Expansionskraft einer Volksbewegung nach dem ganzen linksrheinischen Alten Reich und darüber hinaus. Seit den frühen Erfolgen Napoleons in Oberitalien (1796) war das lang diskutierte Programm von den »natürlichen Grenzen« endgültig ein Bestandteil der französischen Außenpolitik. Napoleon, nicht Rousseau oder Robespierre, stürzte das Alte Reich, und das war auf seine Weise offenbar nicht, wie man immer wieder meint, ein morscher Bau. Im Gegenteil: Es gärten hier schon seit Jahrzehnten

Das Heilige Römische Reich zeigte vor 1803 im Innern von West nach Ost eine unterschiedliche Struktur: Im Westen behaupteten sich einige alte Herrschaftsgebilde mit eigenartigen Verbindungen zur Osthälfte des Reiches, getrennt durch eine Mittelzone (hellrote Fläche) in buntem Gemisch von geistlichen Herrschaften, Reichsstädten und kleineren Fürstentümern. Im Osten und Südosten standen die mittleren und großen Staaten Preußen und Sachsen, Bayern und Österreich in enger Verzahnung beisammen: vier deutsche Mächte von unterschiedlicher Potenz, aber sämtlich verquickt in die europäische Politik.
Die Auflösung der geistlichen Fürstentümer 1803 und das Ende des Reiches 1806 schufen im Verein mit der Deutschlandpolitik Napoleons die Ausgangslage für eine westwärts gerichtete Dynamik der östlichen Staaten, in der sich aber allein Preußen behaupten und im Lauf des 19. Jahrhunderts die gesamte nördliche Region des alten Reichsgebiets unter seinen Einfluß bringen konnte.

Napoleon I.

Der französische Kaiser (ab 1804), nach einem Bildnis des italienischen Malers Andrea Appiani.

die Reformpläne. »Etwas muß für das Reich geschehen, es muß der Nation geholfen werden...« forderte noch 1788, ein Jahr vor der Französischen Revolution, ausgerechnet ein Schweizer, Johannes von Müller, der als Historiker der Eidgenossenschaft später zu Ansehen kam. Das war nur eine Stimme in einem größeren Chor. Und andererseits waren sich sowohl Rousseau als auch Schiller in diesen Jahren darüber einig, daß das Reich bei all seiner schwerfälligen Organisation in Mitteleuropa eine besonders wichtige Aufgabe zu erfüllen habe.

Wieder läßt sich ein guter Teil dieser besonderen Aufgabe aus der Landkarte ablesen: Nicht nur die weite Verbindung in der Mittelposition des Kontinents, nicht nur der schon besprochene Föderalismus, die Zusammensetzung aus den vielen großen und kleinen, starken und ohnmächtigen Ländern und Ländchen, sondern noch ein drittes, und wieder ein für die europäische Situation einmaliges Element, zeichnet sich auf der Karte ab: die geistlichen Fürstentümer. Was die deutsche Staatlichkeit so angreifbar, die deutsche Regionalkultur aber so reich, die deutsche Landkarte so unübersichtlich machte und die Reichsverfassung gar so merkwürdig, das waren die Herrschaftsgebiete »unter dem Krummstab«. Diese geistlichen Lande waren der eigentliche, wenn auch nicht der ausschließliche Grund für die Revolutionierung der deutschen Landkarte von 1803.

Freilich entwickelte sich auch diese Revolution auf der Landkarte aus den besonderen Chancen, die die politische Lage damals bot. Manchmal schiebt man es dem bekannten deutschen Dualismus zu, dem Gegensatz zwischen Preußen und Österreich, daß die alte Länderordnung sich auflöste. Allein die Spannung zwischen diesen beiden deutschen Vormächten, entscheidend angeregt durch den Übergang Schlesiens vom einen zum andern um die Mitte des 18. Jahrhunderts, die wichtigste Veränderung der politischen Landschaft vor 1803, hatte auf ihre Weise lange Zeit auch das Reich in seinem Gleichgewichtsgefüge gehalten. Nicht daran, daß sich das deutsche Kräftefeld an diesen beiden Zentren orientierte, zerbrach das Reich, sondern daran, daß die französische Politik im Westen und die russische im Osten die beiden Mächte voneinander trennten. Preußen war, nach anfänglicher Beteiligung, aus dem Koalitionskrieg gegen das revolutionäre Frankreich ausgeschert. Das nördliche Deutschland wurde neutral. Gleichzeitig teilten die beiden deutschen Großmächte 1795 gemeinsam mit Rußland Polen endgültig untereinander auf, dessen Grenzen sie vor mehr als zwanzig Jahren zum ersten Mal beschnitten hatten. Preußen hörte damit auf, ein deutscher Staat zu sein; die Oder wurde zu seiner räumlichen Mittelachse. Währenddessen stimmte es dem französichen Vordringen am linken Rheinufer zu, und zwar in einem Geheimvertrag, der von Entschädigungen am rechten Rheinufer sprach.

Zwei Jahre später war Österreich, allein ohnmächtig gegen Napoleons Armeen, zu einem ähnlichen Verzicht bereit, mit anderen Entschädigungen. Schließlich einigten sich West und Ost, Frankreich und Rußland, in Paris auf das Entschädigungsobjekt. Der Kaiser in Wien, dessen Pflicht es gewesen wäre, die Reichsunmittelbaren zu schützen, die geistlichen Fürsten, die Reichsfreiherren, -grafen und -ritter und nicht zuletzt die Reichsstädte mit ihren Territorien, mußte vollendete Tatsachen aus dieser französisch-russischen Kooperation akzeptieren. Und als nun alle die weltlichen deutschen Fürsten, in Preußen und Bayern, in Baden und Württemberg, in Hannover und Österreich, gemeinsam der großen Versuchung unterlagen, sich unter französisch-russischer Garantie an den wehrlosen Landen und Städten zu bereichern, deren Lebensrecht seit geraumer Zeit umstritten war, schien das Schicksal des alten Reiches als Körperschaft, wie es der Reichstag vertrat, bereits besiegelt.

Es ist freilich doch noch ein interessanter Beleg für die Stärke des Reichsgedankens, daß jener sonderbare Verband unter diesem Druck nicht sofort zerbrach: er bestand weiter und versuchte sich selbst zu reformieren. In Regensburg, dem Sitz des Reichstags, trat eine Kommission von acht Fürsten zusammen und verhandelte über die Umgestaltung der deutschen Grenzen. Im Februar 1803 wurde der Beschluß dieser »Deputation« vorgelegt; einen Monat später stimmte der Reichstag zu; wieder einen Monat danach genehmigte ihn der Kaiser – Zeugnis eines nicht uneffektiven Geschäftsgangs. Drei Millionen Menschen, etwa ein Achtel der Reichsbewohner, wechselten damit ihre Obrigkeit, und 112 kleine und große Herrschaftsgebilde, hauptsächlich geistliche und städtische, wurden mächtigeren Nachbarn eingegliedert.

Reichskrone aus der Schatzkammer in Wien

Wie sehr die in dieser kostbar ausgeführten Krone zum Ausdruck kommende Reichsidee sich von den tatsächlichen Gegebenheiten unterschied, beschreibt schon 1745 der deutsche Staatsrechtler Johann Jacob Moser: »Das Römische Reich wäre ohnstreitig noch jezo die formidabelste Potenz von ganz Europa, wenn dessen Stände, fürnehmlich aber die mächtigsten, einig wären und mehr auf das gemeine Beste als auf ihr Privat-Interesse sähen.« Beim Vergleich der Karte (S. 23) und der Kaiserkrone mag das Auseinanderklaffen von Idee und Wirklichkeit zum Ausdruck kommen. Der sakralen Herrscheridee stand die Wirklichkeit eines Reiches entgegen, das im 18. Jahrhundert in ca. 350 Fürstentümer und weitere ca. 1000 autonome und halbautonome Kleinstaaten aufgesplittert war, die alle auf ihre Souveränität pochten und so von vornherein jede reichsübergreifende Politik vereitelten.

Die Reform war nicht ganz konsequent, denn ein geistlicher Fürst, der Mainzer Erzbischof, blieb in seiner Würde und sollte fortan als Kurerzkanzler des Reiches in Regensburg residieren, am Sitz des ständigen Reichstags, dessen Bedeutung damit ein wenig wuchs. Auch wurde ihm das Reichskammergericht in Wetzlar unterstellt. Zudem blieben die Besitzungen des Deutschen Ritterordens und der Malteser wegen ihrer militärischen Bedeutung erhalten. Im übrigen aber wurde den weltlichen Fürsten freigestellt, in ihren eigenen Landen auch über den nichtfürstlichen Kirchenbesitz, meist Klostergut, zu verfügen. Das war nicht wenig, denn allein im alten Herzogtum Bayern gab es damals 170 Klöster, und insgesamt hat man den dortigen Kirchenbesitz auf mindestens die Hälfte allen bewirtschafteten Landes geschätzt.

Der Griff nach dem Kirchenbesitz hatte ganz unterschiedliche Folgen. Zweifellos bedeutete er einen Bruch der herkömmlichen Rechtsstruktur, und für viele Betroffene, nicht nur für die geistlichen Fürsten und ihre Umgebung, sondern auch für Hunderte bescheidener und am großen Gang der Politik wahrhaft unbeteiligter Mönche und Nonnen zog er Demütigungen und Unrecht nach sich. Jahrhundertealte Kunstschätze wurden zerstört, kostbare Bibliotheken zerstreut, zum Teil vernichtet, obwohl immerhin der größte Teil fortan sorgfältige Pflege in modernen Zentralbibliotheken erfuhr. Schlimmer war wohl, daß mit den alten Grenzen auch ein Stück alter Strukturen verlorenging, nicht nur in der Architekturlandschaft, sondern im kulturellen Leben, das in jener Zeit einer relativ dünnen Intellektualität doch noch in erheblichem Maße von den mittleren und kleinen Residenzen, von Klöstern und Stiften getragen worden war. Die neue staatliche Kulturpflege, das allmählich erst wachsende Schulwesen, die noch gering entwickelten

städtischen Siedlungszentren schufen dafür erst nach längerer Zeit einen Ersatz. Schulen vom Range des Nürnberger Stadtgymnasiums, an dem in jenen Jahren Friedrich Wilhelm Hegel als Rektor sein philosophisches Hauptwerk schuf, des Tübinger Stifts oder des sächsischen Schulpforta waren Bildungsinseln, ähnlich wie die wenigen städtischen Bühnen. Sie vermochten die geistliche Kultur mit ihrem alten Einzugsbereich noch lange nicht zu ersetzen. Mit den Bischofsresidenzen verschwanden nicht weniger als sechs deutsche Universitäten!

Im festen Griff Napoleons blieb die deutsche Landkarte auch weiterhin in Bewegung. Die Entschädigungen für die Verluste links des Rheins begünstigten vornehmlich die französischen Parteigänger, so daß der Herzog von Baden achtmal mehr erhielt, als er verloren hatte, der König von Preußen fünfmal soviel und der Herzog von Württemberg immerhin noch das Vierfache. Als sich auch Bayern auf die französische Seite schlug, gewann es insgesamt bis zum Zusammenbruch des französischen Einflusses fünfunddreißig Herrschaften und Lande hinzu, die seinen Umfang beinahe verdoppelten.

Der Grenzerweiterung folgte auch im Inneren der neuen Staaten eine Machtausweitung, mit verschiedenen Akzenten, aber mit vergleichbarer Tendenz: Sowohl in Preußen wie in Baden, in Württemberg wie in Bayern setzten tiefgreifende Veränderungen die staatliche Gewalt in die Lage, alle die Einwohner der neuen und der alten Territorien in gleicher Weise an sich zu binden, obwohl die Reformminister und ihre Helfer nicht alle vom selben geistigen Zuschnitt waren und sich beispielsweise die Auffassungen des Freiherrn von Montgelas und die des Freiherrn vom Stein über die rechte staatliche Ordnung sowie die Aufgabe des einzelnen darin in mancher Hinsicht unterschieden. Alle diese Reformen waren aber darauf ausgerichtet, an die Stelle der herkömmlichen, nach Geburtsständen gegliederten Gesellschaft einen möglichst einheitlichen Verband von Staatsbürgern zu setzen. Staatsoberhaupt und Staatsbürger sollten miteinander in einem Wechselverhältnis stehen, das auch dem Staatsbürger seine Rechte zumaß, um ihn für eine spontane Mitarbeit am Staatsganzen zu gewinnen. Schon die Aufklärer des 18. Jahrhunderts hatten solche Forderungen ausgesprochen. Mit dem großen Umbruch auf unseren Landkarten ergab sich auch eine tiefgreifende Veränderung in der gesellschaftlichen Ordnung. Vieles, was noch heute unser Staatsverhalten bestimmt, trat damals ins Leben. Die Vorrechte des Adels wurden verringert oder ganz aufgehoben, die bäuerlichen Grunduntertanen wurden zu Landbesitzern, die Ständeordnung wurde allmählich ersetzt durch die sogenannte bürgerliche Gesellschaft - die moderne Gesellschaft. Zwischen die alten Rivalen Preußen und Österreich aber schob sich eine Gruppe von mittelgroßen Staaten unter französischer Hegemonie.

Den Verschiebungen auf der Landkarte folgte ein Tausch der Kronen: 1804 hatte sich Napoleon zum Kaiser ernannt, nicht ohne Re-Kurs auf das alte, das »rechtmäßige« Kaisertum Karls des Großen. In seiner Würde hatte die tausendjährige Geschichte des Kaisertums scheinbar über die fünfzehnjährige Geschichte der Französischen Revolution gesiegt. Mit seinem Imperium griff er in das Herrschaftsgefüge des Alten Reichs ein: Die Reichsfürsten von Bayern, von Sachsen und von Württemberg erhob er zu Königen, eine Anzahl anderer zu Großherzögen. Und schließlich mußte sich der Kaiser in Wien einem Ultimatum beugen. Am 6. August 1806 legte er die Krone nieder. Das »Reich«, wenn es nur jemand hätte auf einer Landkarte darstellen wollen, besaß nun sein kaiserliches Zentrum in Paris, umgeben von einem Gürtel von Königreichen und Großherzogtümern. Aber ein solches Reich blieb Episode. Als Napoleon stürzte, waren fast alle seine deutschen Vasallen rechtzeitig auf die Seite der Sieger übergegangen, und Preußen und Österreich hatten sich in diesem Kampf wieder als die deutschen Vormächte behauptet. Nur der König von Sachsen hatte den Absprung versäumt. In der »Völkerschlacht« auf seinem Territorium bei Leipzig kämpfte er noch auf französischer Seite, wurde gefangengenommen, zwei Jahre in Haft gehalten, und die nördliche Hälfte seines Landes wurde preußische Provinz. Aber das Königreich Sachsen hatte dennoch weiterhin Bestand.

Völkerschlachtdenkmal in Leipzig

1913 wurde zum 100. Jahrestag der »Völkerschlacht« bei Leipzig (1813) dieses gewaltige Denkmal im östlichen Teil der Stadt errichtet. Es erinnert an den Sieg der Koalitionstruppen über Napoleon. Die Schlacht, bei der über 100000 Menschen getötet und verwundet wurden, leitete das Ende der Eroberungspolitik Napoleons ein und führte zur Auflösung des Rheinbundes sowie zur Befreiung Deutschlands von der napoleonischen Fremdherrschaft.

Bundesgrenzen 1815 bis 1866

Bestand hatte überhaupt das meiste aus dem großen Jahrzwölft der politischen Neuordnung in Deutschland, und das alte Kaiserreich erstand nicht wieder, als auf dem Wiener Kongreß die Österreicher die Führung bei der Neuordnung Mitteleuropas übernahmen. Sie war das Werk des Staatskanzlers Metternich. Das Alte Reich wurde in Wien umgestaltet zum Deutschen Bund. Die Landkarte von 1815 läßt ohne weiteres erkennen, wie sich die Formen und Farben, 1803 in Bewegung geraten, nun noch weiter geklärt und geläutert haben im Sinn eines überschaubaren Bildes. Freilich war dieser Rationalisierungsprozeß noch immer nicht griffig genug vor den Augen derer, die dreißig oder fünfzig Jahre später nach einem einheitlichen deutschen Nationalstaat riefen. Heinrich von Treitschke sprach deshalb später einmal verächtlich von »Zufallsstaaten«. Bismarck aber, der diesen deutschen Nationalstaat nicht als Historiker besprochen, sondern als Politiker wirklich geschaffen hat, zeigte hier weit mehr Einfühlungsgabe in den historischen Prozeß. Auch war er Diplomat genug, um für den Prozeß das rechte Wort zu finden. Er sprach nämlich von einer notwendigen Flurbereinigung, aus der sich danach die deutsche Einigung hatte entwickeln können; er bezweifelte also nicht die Bedeutung des deutschen Föderalismus, auf den sich ja 1871 auch seine Staatsschöpfung stützte.

Einstweilen aber war es noch nicht soweit; einstweilen trat an die Stelle des habsburgischen Kaisers aus dem Reich von ehedem der habsburgische Präsidialgesandte, und die alte Krönungsstadt Frankfurt wurde nun die neue Sitzungsstadt für den Bundestag. 35 Fürstentümer und vier Freie Städte waren in dem Deutschen Bund vereinigt. Auch von den Reichsstädten war also noch etwas wiederzufinden in dem neuen Bund, so wie es fünf Königreiche darin gab, dazu Großherzogtümer und Fürstentümer, und einen Kaiser, der nun aber nicht mehr die Krone des Deutschen Reiches trug, sondern die Krone von Österreich.

Auch in der Grenzziehung gab es eine gewisse Kontinuität. Denn dieser Deutsche Bund reichte so weit, wie das alte Reich von ehedem: Böhmen und Mähren gehörten dazu; das westliche Polen und Ostpreußen, obwohl preußische Provin-

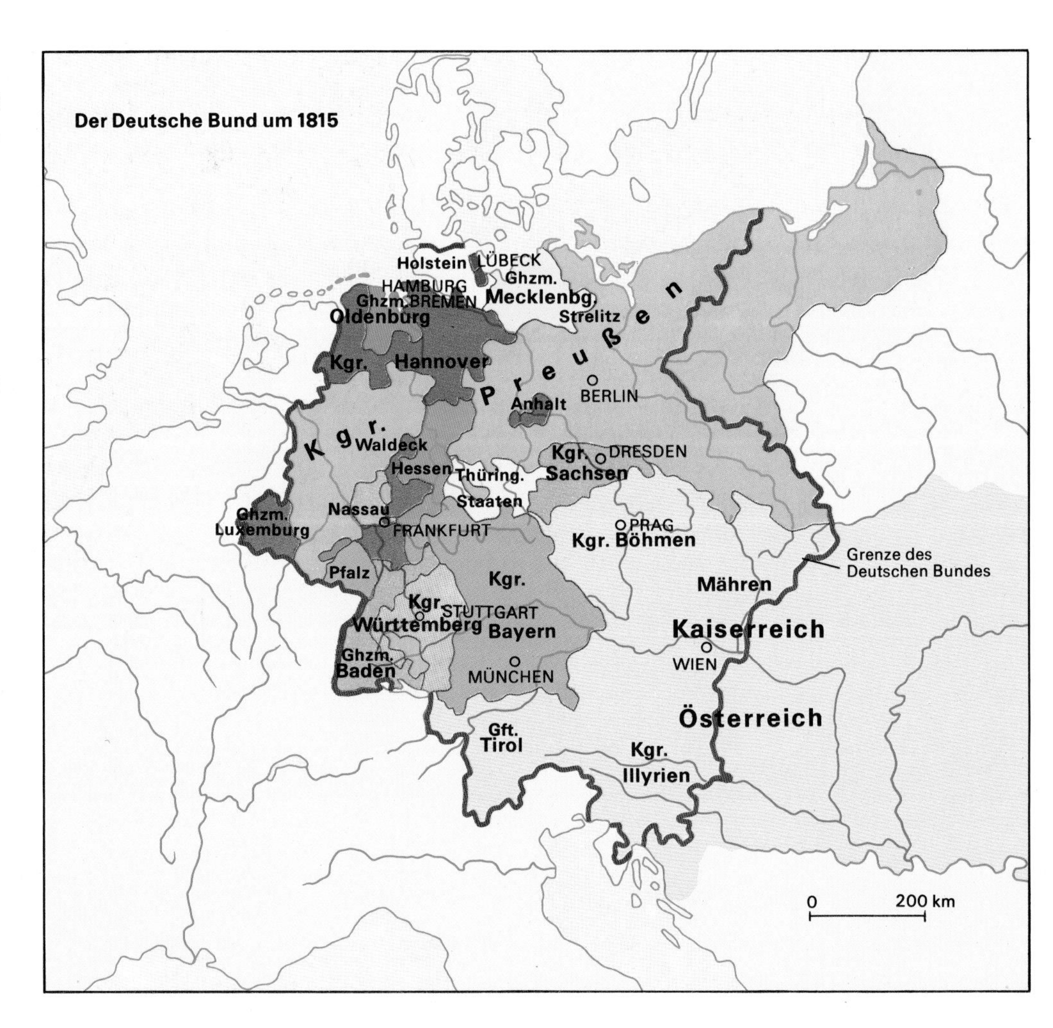

Die Grenzen des Deutschen Bundes von 1815 umfaßten nicht alle Lande der beteiligten Fürsten: Die östlichen Provinzen Preußens und die ungarische Reichshälfte blieben außerhalb, nicht im Hinblick auf die nichtdeutsche Bevölkerung, sondern im Rückgriff auf die historischen Grenzen des römisch-deutschen Kaiserreiches von 1806.
Der größte deutsche Teilstaat, das Königreich Preußen, blieb unverbunden zweigeteilt, ähnlich wie Bayern, getrennt von einer breiteren Schneise von Kleinstaaten zwischen den Königreichen Hannover im Norden und Württemberg im Süden. Demgegenüber zeugt die Geschlossenheit des habsburgischen Länderblocks vom Sudetenzug bis zur Adria von der respektablen, noch um seinen ungarischen Anteil vermehrten Macht des österreichischen Imperiums, das in der Frankfurter Gesandtenversammlung des Deutschen Bundestags auch den Vorsitz führte.

zen, blieben ebenso ausgeschlossen wie das habsburgisch regierte Ungarn. Belgien, Reichsland bis 1803, ging nun seinen eigenen Weg, und zwar zuerst unter niederländischer Herrschaft, seit 1831 dann als selbständiges Königreich. Stabil, unverändert in seinen alten Positionen, nur wenig erweitert um das Salzburger Bistumsland, fortan jedoch ohne das alte »Vorderösterreich« im Breisgau, erscheint der habsburgische Besitz. Württemberg und Baden waren auf ihre Weise zu wohlabgerundeten Gebilden herangewachsen, die miteinander ein Dreieck im deutschen Südwesten füllten. Das Kurfürstentum Hannover, jetzt Königreich, hatte aus altem Bistumsland Erhebliches an der Ems im Nordwesten gewonnen. Bayern war, mit der wiedererstandenen Pfalz, zum drittgrößten Staat im Deutschen Bund geworden. Die beste Position aber hatte zweifellos Preußen gewonnen. Links und rechts des Rheins waren seine alten Brückenköpfe zu einem beachtlichen Länderblock zusammengewachsen, zur Rheinprovinz und Westfalen. Zwar fehlte diesem Ganzen, das so groß war wie Württemberg, Baden und die Bayerische Rheinpfalz zusammengenommen, kurioserweise eine Landverbindung zum preußischen Zentralstaat, der sich von der mittleren Elbe über den gesamten Flußbereich der Oder an die untere Weichsel und dann bis zur Mündung der Memel erstreckte. Dabei war Preußen wieder um ein Stück »deutscher« geworden, denn die Verschiebung der russischen Grenzen nach Westen hatte ihm einen Teil des Landgewinns aus der letzten polnischen Teilung von 1795 abgenommen. Wichtiger aber war, daß diese sozusagen zweibeinige Position, nämlich das weite Land in Ostelbien und das ansehnliche am Rhein, der preußischen Außenpolitik für das 19. Jahrhundert den Anreiz zur Vereinigung von Ost und West verlieh, zu dem die anderen deutschen Staaten keinen Anlaß sahen – außer Bayern, das ähnlich, aber in kleinerem Maßstab, von seiner Rheinpfalz getrennt war, was man mitunter in Südwestdeutschland auch für eine Bedrohung hielt. Dabei hatte Preußen, trotz der fehlenden Landbrücke, im Westen wie im Osten das wichtigste Faustpfand künftiger Großmachtpolitik gewonnen. Ein Zufall der Weltgeschichte: An der oberen Oder wie an der Ruhr ruhte, noch kaum erschlossen, die Kohle im Boden, die klassi-

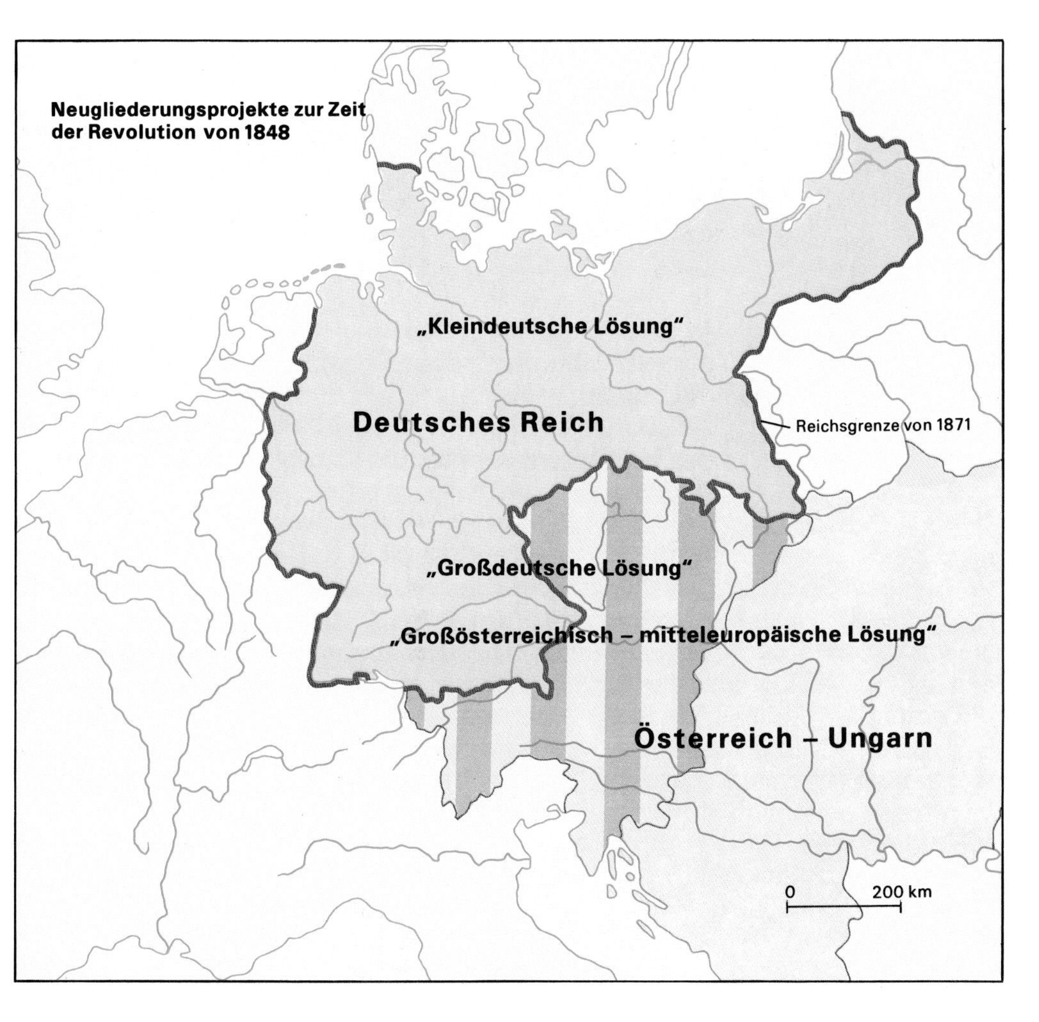

Die Revolution von 1848 wollte einen deutschen Nationalstaat begründen, mit unterschiedlichen Konzepten für die Regierungsform und verschiedenen Plänen über die Grenzen. Eine »großdeutsche« Lösung suchte eigentlich die Vereinigung im Rahmen des alten Reiches, unter Einschluß nicht nur der deutschsprachigen Gebiete der österreichischen Monarchie, sondern auch der überwiegend tschechischen Bevölkerung von Böhmen und Mähren. Ein »kleindeutsches« Konzept beschränkte sich nur auf die deutschen Fürstentümer, freilich unter Einschluß der polnischen Bevölkerung in den preußischen Ostprovinzen. Es wurde später von Bismarcks Politik verwirklicht. Neben der Nationalversammlung in Frankfurt tagte ein österreichischer Reichstag in Kremsier in Mähren mit entsprechenden Plänen.

Ansicht der Ludwigs-Eisenbahn

Der Holzschnitt von 1835 zeigt die erste Eisenbahnlinie in Deutschland: die Linie von Nürnberg nach Fürth. Die Entwicklung, die zur Eröffnung dieser und weiterer Linien führte, war im wesentlichen von Friedrich List vorangetrieben worden. List war es auch, der erfolgreich den deutschen »Zollverein« propagiert hatte, durch den ein großer Teil der Zollschranken aufgehoben wurde. Über seine Gründung am 1. Januar 1834 berichtete ein Zeitgenosse: »Als die Mitternachtsstunde schlug, öffneten sich die Schlagbäume, und unter lautem Jubel eilten die Wagenzüge über die Grenze. Alle waren von dem Gefühl durchdrungen, daß Großes errungen sei.« Die Aufhebung der Zollschranken und der Aufbau eines tragfähigen Verkehrssystems waren als Voraussetzung für die Entfaltung eines freien Handels gleichzeitig die Voraussetzung für die industrielle Entwicklung in Deutschland.

sche Energiequelle der industriellen Revolution für die folgenden Generationen. Und dazu fand sich im Siegerland wie in Oberschlesien zumindest für die nächste Zeit noch Eisenerz genug, um die preußische Stahlindustrie in einigen Zentren zu entwickeln, deren Namen im mühsamen Aufstieg gegen die internationale Konkurrenz bald Aufmerksamkeit und im Zusammenhang mit der Entwicklung der preußisch-deutschen Militärmacht schließlich sogar martialischen Weltruhm erlangen sollten.

Einer solchen Grundlage hatte das in sich ruhende habsburgische Imperium in seiner übernationalen Weite nichts Gleichwertiges entgegenzusetzen. Die Säkularisation des Kirchengutes, der Reformaufbruch als Antwort auf die napoleonische Expansion wie in Preußen oder der Staatsneubau zur Integration des neugewonnenen Landes wie in Bayern und Baden waren an diesem internationalen Großreich vorübergegangen; zum Teil, weil es, ungleich fortschrittlicher als das übrige Mitteleuropa, vergleichbare Reformen schon unter Maria Theresia und

Kaiser Joseph II. in der zweiten Hälfte des 18. Jahrhunderts erlebt hatte; zum Teil aber auch, weil es sich, gerade umgekehrt wie das übrige Deutschland, zur selben Zeit von seinem Reformkurs ab- und aus Revolutionsangst einer konservativen, ja reaktionären Politik zugewandt hatte, während Baden und Bayern, Preußen und Württemberg moderne Staatskonzeptionen entwickelten. Zwar wuchs auch allmählich im habsburgischen Kaiserreich, namentlich in den böhmischen Ländern, auf der Grundlage von Kohle und Eisen die Organisation großräumiger wirtschaftlicher Verbindungen mit Textil- und Schwerindustrie, mit Eisenbahnen und Bevölkerungskonzentrationen. Aber die künftige preußische Führung in Mitteleuropa hätte sich bereits sozusagen aus der Landkarte lesen lassen. Noch stand sie den Deutschen nicht vor Augen, noch lag sie, ungehoben und ungeschmiedet, unter den Hügellandschaften an Oder und Ruhr.

Nicht die wirtschaftliche Entfaltung der preußisch-deutschen Großmacht zu einer Weltposition bewegte einstweilen die Köpfe der Studenten und Dichter, der

Einzug des Vorparlaments in die Paulskirche am 30. März 1848

Die Debatten, die in der Paulskirche geführt wurden, berührten wichtigste Probleme der deutschen Nation, nicht zuletzt die Frage der deutschen Grenzen (vgl. Karte S. 29). Aber alle Einzelfragen leiteten sich ab aus der Grundfrage, was man unter Deutschland zu verstehen habe und welche Staatsform diesem politischen Gebilde am angemessensten sei. Es ging um das Verhältnis der deutschen Untertanen zu ihrem Staat, um die Möglichkeiten bürgerlich-demokratischer Veränderung.
Für eine Viertelmillion Menschen hatte indes dieser Staat seine Überzeugungskraft schon verloren: Sie wanderten nach Amerika aus.

Zeitungsschreiber und Professoren im Zeitalter des Biedermeier, sondern ein zähes Tauziehen um das rechte Verständnis und die politische Gestaltung der deutschen Nation. Die potenteren Mitglieder im Deutschen Bund stilisierten derweilen ältestes Landesgefühl zu einer Art von Nationalbewußtsein. Kulturell effektives fürstliches Mäzenatentum verlieh den Residenzstädten Gesicht: München »leuchtete«, und Berlin verwandelte sich zum »Spree-Athen«. Zwar beschlich Fürsten und Bürger manchmal die Angst vor dem Proletariat, die Angst vor Bevölkerungsmassen, die, befreit von Pocken, Säuglingssterben und der leibherrschaftlichen Bindung an den Boden, ohne Ehebeschränkung und Gewerbeverbot, beängstigendes Wachstum zeigten und vom Land in die Städte drängten – das Arbeitspotential der künftigen Industrialisierung und der Nährboden für das Armenelend in den künftigen »Mietskasernen«. Aber Arbeiterhilfsvereine oder gar die Arbeiterbewegung gehörten erst zur zweiten Jahrhunderthälfte. Das soziale Programm des Freiherrn von Ketteler und des Schuhmachergesellen Adolf Kolping, die beide als Priester zur regenerierten katholischen Kirche fanden, erwachte erst mit der Revolution von 1848. Vor diesem Zeitpunkt vermochte nicht einmal das Lied der hungernden schlesischen Barchentweber von 1844, das die »Satansbrut der Reichen« verfluchte, das Lied des schlesischen Dichters zu übertönen, der zu der innigen Reigenmelodie aus Haydns Kaiserquartett einen neuen Text zu singen wußte: »Von der Maas bis an die Memel, von der Etsch bis an den Belt...« Es ist bezeichnend, daß sich die Hymne der Revolutionäre von 1848, die hier entstand, anders als die meisten anderen Nationallieder, um Grenzdefinitionen bemüht. Das Lied war bald so populär wie »Die Wacht am Rhein«. Und auch dieses Lied definierte das deutsche Nationalgefühl mit einer Grenze, die es zu verteidigen gelte.

Die Revolution von 1848 war jedoch keinesfalls nur Ausdruck der Auseinandersetzung zwischen dem liberalen Bürgertum und autoritären Fürstendienern, sondern mehr noch das Ergebnis der Rivalität zwischen einem deutschen Nationalgefühl und landesorientiertem Staatsdenken. Tiefgreifende Unterschiede der politischen Programme trennten die Gründung eines Bayerischen Nationalmuseums 1855 und die Frankfurter Deutsche Nationalversammlung von 1848. Die Revolution von 1848, nicht die studentischen Revolten von 1815 oder 1832, erschütterte die selbstverständliche Herrschaft der einzelnen Fürstenhäuser. Fortan war eine Deutsche Republik, wenn sie auch in Frankfurt nur von einer Minderheit gefordert wurde, nicht mehr bloße politische Illusion. Sie formte sich langsam in einzelnen Köpfen zur Alternative, zumindest als Denkspiel, an dem sich sogar »vorurteilsfreie« Fürstlichkeiten beteiligten.

Einstweilen freilich hatte das Legitimitätsprinzip, das Zugehörigkeitsgefühl zur »angestammten Dynastie«, noch die Oberhand. Nur in den größeren Städten und fast nur in Residenzen wurde 1848 gekämpft, und nur in Wien nahmen diese Kämpfe ein größeres Ausmaß an und führten zu einer längerdauernden revolutionären Stadtherrschaft. Aber weil es keine deutsche Hauptstadt gab, gab es auch kein militantes Zentrum der Revolution. In Frankfurt, wo das neue deutsche Parlament zusammengetreten war, erreichte die revolutionäre Gewalt eine kuriose Umkehrung: Unzufriedene Radikale belagerten im September 1848 die Paulskirche, und die Disziplin, mit der man dort die Debatten weiterführte, stellt der ersten deutschen Nationalversammlung zumindest das Zeugnis parlamentarischer Standhaftigkeit aus. Aber daß dieses erste deutsche Parlament gleichzeitig preußische Truppen um Hilfe rief, symbolisiert das politische Schicksal der Revolution. Und dabei galt doch die Tagesordnung im ersten deutschen Parlament nicht zuletzt der Frage der deutschen Grenzen: In einem berühmten Brief hatte einer der führenden Köpfe des tschechischen Geisteslebens, Franz Palacký, eine Einladung nach Frankfurt abgelehnt, weil er kein Deutscher sei und zudem, weil er Österreichs Existenz durch die Versammlung in Frankfurt bedroht sehe. Aber deutschsprachige Abgeordnete aus Böhmen und Mähren hatten sich dann doch dem Wohl und Wehe der Frankfurter Sache verschrieben, ebenso wie Abgeordnete aus den österreichischen Erblanden der Habsburger. Sie verließen die Versammlung erst, als ein folgenschwerer Entschluß gefallen war: nämlich der Ausschluß des gesamten habsburgischen Kaiserreichs, auch des deutschsprachigen, aus dem geplanten künftigen Nationalstaat. Damit war wiederum die Grundfrage nach den deutschen Grenzen zum Problem für die deutsche Politik geworden, und auch nach dem Scheitern der Frankfurter Nationalversammlung kam sie nicht zur Ruhe.

Kleindeutsch – großdeutsch: Mitteleuropa als politisches Problem

Das alte, das Heilige und sogenannte Römische Reich hatte seine Grenzprobleme aus Fragen der Zuständigkeit, der kaiserlichen Kompetenzen, der inneren Struktur. Von einem Reich Deutscher Nation sprach man seit dem Spätmittelalter zunächst nicht in der Absicht einer Nationaldefinition, wie es vielfach heißt, sondern weil man die Deutschen als Träger dieses Reiches ansah; das Reich selber wollte sich damit nicht national begrenzen. Gegen diese »Schwerfälligkeit« zog die Staatstheorie des 19. Jahrhunderts mit dem Versuch zu Feld, einen deutschen Nationalstaat zu schaffen. Aber dieser Versuch scheiterte schon in seinem ersten Anlauf 1848. Nicht nur am politischen Widerstand der deutschen Fürsten, der sich erst nach monatelangem Zaudern formierte, sondern auch an seiner theoretischen Unklarheit.

Es wäre falsch, das Anliegen der Revolution oder auch nur der Frankfurter Debatten auf die Fragen eines deutschen Nationalstaats und seiner Grenzen einzuschränken. Das Verhältnis des Untertanen zu seinem Staat, das die Reform-Ära angerührt und gelockert hatte, bewegte die Geister nicht weniger, und das Unternehmen der bäuerlichen Grundablösung bildete im habsburgischen Bereich der Revolution jedenfalls einen eindeutigen und nirgendwo anders in Deutschland in gleichem Maß erreichten Erfolg für die soziale Gerechtigkeit in den bäuerlichen Lebensbedingungen. Es blieb auch weit mehr von dieser Revolution im öffentlichen Leben zurück als das Berliner Witzwort, die Revolution habe erreicht, daß man fortan auf der Straße rauchen dürfe. Es blieb, was Carl Schurz in seinen Lebenserinnerungen als »die begeisterte Opferwilligkeit für die große Sache« beschrieb, die »dem deutschen Volk die Erinnerung an den Frühling 1848 besonders wert machen sollte« und »die damals mit seltener Allgemeinheit fast alle Gesellschaftsklassen durchdrang«. Es blieb die Sehnsucht nach einem Staat, für den diese Begeisterung lohnte. Aber bei uns in der Alten Welt glaubte man einen solchen Staat nicht mehr zu finden. Rund eine Viertelmillion Menschen wanderten damals von Deutschland nach Amerika aus, wie Carl Schurz, allein aus Baden 80000, zum Teil auf der Flucht vor der Verfolgung durch die Behörden. Zweifellos hat diese Auswanderungswelle als ein Ventil einiges vom Mentalitätswandel durch die Revolution mit sich übers Meer genommen. Das liberale Staatsverhältnis scheint davon eher betroffen worden zu sein als die nationale Idee. Sie sah sich mit der nächsten deutschen Grenzveränderung 1871 bestätigt und erfüllt.

In den neueren Jahrhunderten lebhafter europäischer Kontakte und bei dem stets labilen Gleichgewicht unter den Mächten hat man in Mitteleuropa niemals Politik ohne die Nachbarn betreiben können. So erfolgte auch die endgültige Auseinandersetzung im preußisch-österreichischen Dualismus, wie sie der preußische Staatsminister Otto von Bismarck 1866 führte, unter französischer Neutralität, bei russischem Desinteresse und mit italienischer Hilfe. Bismarck hatte diese Auseinandersetzung keineswegs als Vorkämpfer für die deutsche Einheit ausgelöst. Sein Ziel war vielmehr die preußische Politik, und in diesem Zusammenhang zeigte er sich als einer der großen Vertreter europäischer Kabinettskunst, »stets bereit, je nach der Lage der Dinge das Verfahren oder auch das Ziel zu wechseln: nur unter dem unverbrüchlichen Gesetz, daß Preußen immer vorwärts schreite...«. So urteilte damals ein Historiker aus dem Augenschein, und wir wissen heute aus den Akten, wie recht er die feinfühlige und bewegliche Regie in Berlin damit eingeschätzt hatte.

1864 führte der Deutsche Bund den ersten und einzigen Krieg in seiner Geschichte: um eine deutsche Grenze. Vornehmlich Preußen und Österreich hatten die Kriegslasten getragen und das Herzogtum Schleswig von Dänemark erobert. Der Streit um den Besitz der sogenannten Elbherzogtümer Schleswig und Holstein führte aber danach auch gleich zur Auseinandersetzung zwischen den beiden großen deutschen Mächten, und in diesem Streit hatten sich die Bundesgesandten in Frankfurt mit Mehrheit auf die Seite Österreichs gestellt. Der folgende Krieg von 1866 zwischen Preußen und Österreich wurde also als eine innere Auseinandersetzung im Deutschen Bund geführt, als eine Exekution der Mehrheit des gesamten Bundes gegen eines der Bundesmitglieder. Aber die militärischen Auseinandersetzungen wurden durch einen Waffengang zwischen den Armeen von Österreich und Preußen im nordöstlichen Böhmen entschieden. Mit dem preußischen Sieg war der Deutsche Bund gesprengt, war die politische Verbindung der meisten Deutschen in Mitteleuropa in einem föderativen Ganzen zerbrochen. Damit ging

Folgende Doppelseite:

Holstentor in Lübeck

Der von 1467 bis 1478 als Teil der Stadtbefestigung errichtete monumentale Backsteinbau gilt als eines der Wahrzeichen der Stadt. Ab 1126 war Lübeck Freie Reichsstadt und zählte nach 1866 mit Bremen und Hamburg zu den letzten drei in städtischer Unabhängigkeit verbliebenen Hafenstädten. Offenbar war die preußische Politik an Seehandel und Weltwirtschaft weniger interessiert als an der Sicherung von Positionen im Landesinneren.

Die Freien Reichsstädte

Bis zu ihrer Aufhebung im Jahr 1803 bildeten die reichsunmittelbaren, nur dem Reichsoberhaupt unterstellten Freien Reichsstädte einen der Reichsstände. Zu ihnen gehörten Ortschaften wie Zell am Harmersbach oder Weil der Stadt (beide im heutigen Baden-Württemberg). Im Bild eine mittelalterliche Darstellung der Freien Reichsstadt Rottweil.

auch die Einheit der politischen Bewegungen verloren, die sich bis dahin unter liberalen, unter konfessionellen und unter sozialen Vorzeichen entwickelt hatten. Angeschlagen war nun auch das Zusammengehörigkeitsgefühl aller Deutschen in einem weiteren, nicht näher organisierten Sinn, das besonders in Österreich als »großdeutsches Denken« noch lange nachwirkte und mitunter aus der Enttäuschung sogar radikale Blüten trieb.

Unverändert blieben nach dem Friedensschluß von 1866 die Grenzen Österreichs. Bayern, das sich bündnistreu gegen Preußen gestellt hatte, erlitt jedoch einen geringfügigen Gebietsverlust. Preußen aber annektierte 1866 das gesamte Königreich Hannover, die Fürstentümer Hessen-Kassel und Hessen-Nassau, dazu natürlich die 1864 umkämpften Elbherzogtümer Schleswig und Holstein und stellte 1867 auch noch das kleine Fürstentum Waldeck unter seine Verwaltung. Das heißt: auf breiter Basis war jetzt Norddeutschland von der Maas bis an die Memel unter preußischer Flagge vereint. Ein gutes Dutzend kleinerer Fürstenstaaten, die in diesem Raum noch selbständig fortbestanden, schloß Preußen im Norddeutschen Bund an sich. Auch das Königreich Sachsen mußte mit dazugehören. Allein das Großherzogtum Luxemburg behauptete seine Neutralität, und weil der Deutsche Bund nicht mehr bestand, zu dem es vorher gehört hatte, wurde es zu einem unabhängigen Staat. So hatte dieser letzte innerdeutsche Krieg, dessen Entscheidung auf böhmischem Boden gefallen war, die deutsche Landkarte von neuem verwandelt.

Auch vor der alten deutschen Städteherrlichkeit machte der Umschwung nicht halt. Ohnehin hatten von den 80 Freien Reichsstädten des Mittelalters nur noch etwa 50 bis zum Ende des alten Kaiserreiches ihre Unabhängigkeit behauptet. 1803 waren die sechs größten davon noch übriggeblieben, aber zwei davon, Augsburg und Nürnberg, wurden bald danach bayrisch. Frankfurt, Bremen, Hamburg und Lübeck hingegen blieben in ihrer Unabhängigkeit auch im Deutschen Bund anerkannt, zugleich auch in ihrer republikanischen Staatsform inmitten einer Welt von Fürstlichkeiten. Frankfurt wählten die deutschen Fürsten 1815 zum Sitz ihres ständig tagenden Bundesrats, und dieselbe Stadt wurde 1848 für eine Zeitlang auch die Zentrale der deutschen Revolution. Als im Herbst dieses Jahres eine provisorische Reichsregierung unter dem Vorsitz des Erzherzogs Johann als Reichsverweser hier amtierte, war in Frankfurt sogar für einige Wochen die parlamentarische deutsche Regierungsform zur Welt gekommen. 1866 wurde auch Frankfurt, sozusagen die Metropole der deutschen Bürgerrepubliken, zu einer preußischen Stadt. In städtischer Unabhängigkeit blieben nur die drei Hafenstädte an Nord- und Ostsee. Die Landkarte legt uns die Vermutung nahe, daß die preußische Politik an Seehandel und Weltwirtschaft weniger interessiert war als an den entsprechenden Schlüsselpositionen zu Lande. Und tatsächlich entspricht diese Vermutung auch einigermaßen den Ambitionen in Berlin. Bekanntlich hat es noch Jahrzehnte gedauert, ehe man in Deutschland geneigt und imstande war, sich am Wettlauf um Kolonialmacht und Rohstoffe im Rahmen der sogenannten imperialistischen Politik in Europa zu beteiligen. Allerdings wußte man auch keine sinnvollen und vernünftigen Alternativen zu diesem Wettlauf. An den Sorgen und Möglichkeiten des hanseatischen Wirtschaftslebens zeigte sich die binnenländische Machtpolitik kaum interessiert, so wie jene Stadtrepubliken schon jahrhundertelang mit ihrem Unternehmergeist wie mit ihren Konkurrenzproblemen in der Welt abseits der deutschen Politik ihren Weg finden mußten – zu ihrem Schaden wie zu ihrem Nutzen.

Die Karte legt uns noch eine andere Einschätzung der politischen Lage nahe: die Grenze zwischen der norddeutschen Landmacht unter preußischer Führung und den unabhängigen ehemaligen Mitgliedern im Süden des Deutschen Bundes nannte man 1866, geographisch nicht ganz exakt, die Mainlinie. Südlich davon lagen Bayern, Württemberg, Baden und wenigstens die Hälfte des letzten hessischen Teilstaates mit der Hauptstadt Darmstadt. Alle diese vier Staaten hatten schon seit langem Wege abseits der preußischen Politik gesucht und waren zu Napoleons Zeiten auch auf ihre Unabhängigkeit von Österreich bedacht gewesen. Auch das hatte sich in der Landkarte niedergeschlagen, denn diese zwei Königreiche und zwei Großherzogtümer tragen Titel von Napoleons Gnaden, Ausdruck einer Politik, die 1806 das alte Reich auseinandersprengte. Auch nach der Gründung des Deutschen Bundes waren Tendenzen rege, in diesem Länderblock zwi-

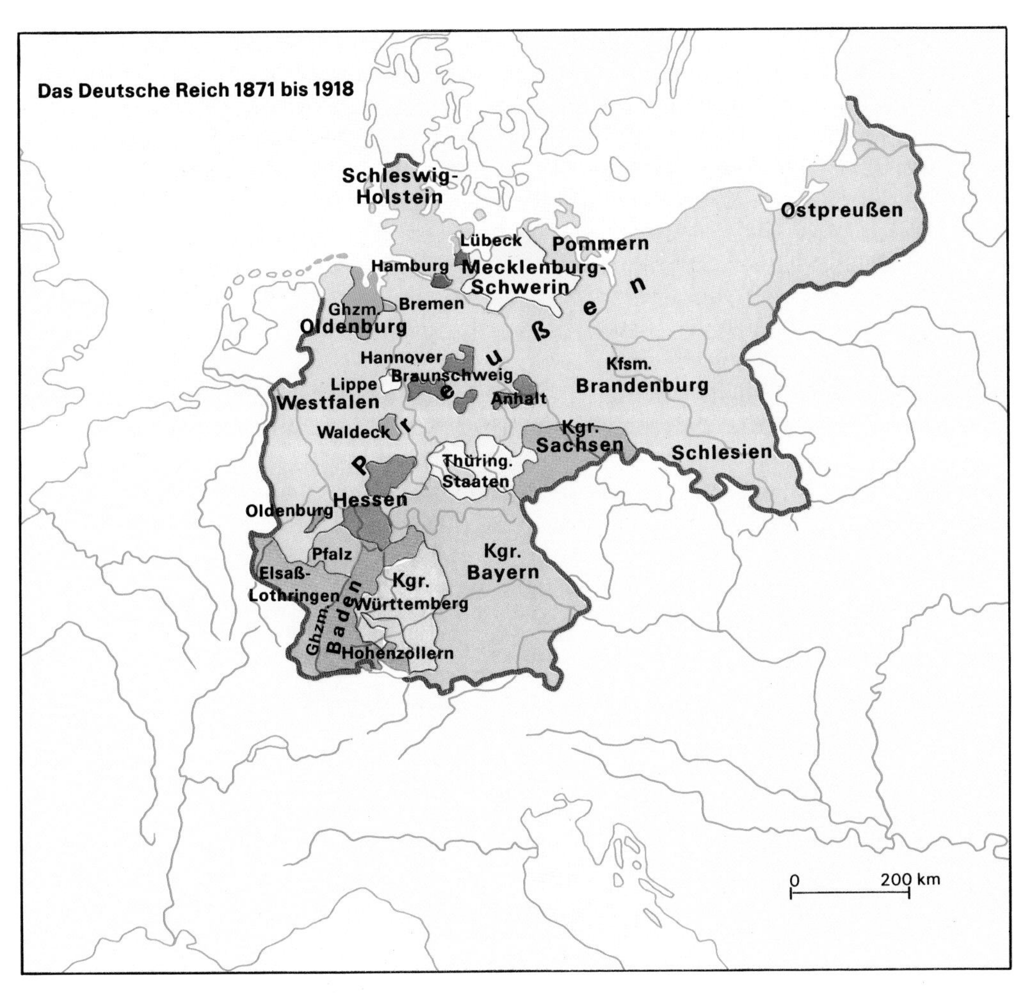

Die Ländergliederung des Deutschen Reiches nach 1871 zeigt deutlich das preußische Übergewicht, und einer Landfläche von zwei Dritteln entsprach auch die wirtschaftliche Überlegenheit dieses Landes im Rahmen des Ganzen, das sowohl im Westen an Rhein und Ruhr als auch in Oberschlesien über die maßgeblichen Montanschätze verfügte. Getrennt blieben Bayern und Pfalz, das hessische Großherzogtum, das Großherzogtum Oldenburg und die Fürstentümer Braunschweig und Anhalt, was sich zweifellos in jedem Fall als besondere Schwierigkeit für das staatliche Zusammengehörigkeitsbewußtsein und für die Verwaltungsführung auswirkte. Umgekehrt waren die thüringischen Lande auf mehreren Linien der Wettinischen Dynastie wie auf die Fürstentümer Reuß und Schwarzburg aufgeteilt.

schen Böhmerwald und Vogesen so etwas wie eine dritte Kraft zwischen Preußen und Österreich aufzubauen, eine »Trias« im deutschen Dualismus. Die Landkarte belehrt uns einigermaßen über die Schwierigkeiten eines solchen Vorhabens. Einerseits, weil diese Landfläche insgesamt noch keineswegs bedeutsam genug erscheint, um zwischen den beiden Mächtigen zu vermitteln, auch wenn in diesem Raum ein erhebliches Potential jahrhundertealter wirtschaftlicher und kultureller Entwicklungen von ganz Mitteleuropa zusammengedrängt ist, der größte Teil der mittelalterlichen deutschen Städtelandschaft, und nicht zufällig die eigentliche Heimat der deutschen Hochsprache. Und noch eine andere Überlegung drängt uns die Karte auf: Die einzelnen Staatssubjekte in diesem Raum sind ungleich. Das seit 1815 übermächtige Bayern, selber bedrängt und in seinen Interessen beeinflußt vom großen österreichischen Nachbarn, mit dem es die Hälfte seiner Grenzen teilte, hätte nur mit äußerster Feinfühligkeit politische Gemeinsamkeiten mit Württemberg und Baden entfalten können. Aber dazu kam es aus vielerlei Gründen nicht.

1866, im letzten der vielen innerdeutschen Fürstenkriege, um den es sich damals eigentlich gehandelt hat, votierten zwar diese süddeutschen Fürsten innerhalb des Deutschen Bundes für die Seite Österreichs. Auch wenn die preußische Politik danach gewisse Verbindungen zu knüpfen verstand, so mußte man doch mit einem gehörigen Ressentiment vor dem übermächtigen Norddeutschen Bund rechnen. Deshalb schien es keine ganz einfache Sache zu sein, über die Grenzen dieses Bundes hinaus nach Süden bis an den Alpenrand auch die abseits stehenden süddeutschen Fürstentümer in einem neuen politischen Ganzen zu vereinigen.

Daß dies der Politik Bismarcks dennoch gelang, daß auf diese Weise die preußische Führungsstellung ausgedehnt wurde auf alle deutschen Fürstentümer außer dem alten österreichischen Rivalen und daß zuletzt der alte preußisch-österreichische Dualismus aus dem 18. Jahrhundert weiterlebte in einer Zweiteilung ganz Mitteleuropas, das alles ist zweifellos eine der bedeutendsten staatsmännischen Leistungen in der gesamten neueren europäischen Politik. Es ist die Folge eines genialen Schachzuges, mit dem Bismarck eine gemeinsame »Verteidigungs«-anstrengung aller Deutschen auszulösen imstande war, gerichtet auf den »französischen Erbfeind«, bei russischer Rückendeckung und österreichischer Unentschlossenheit. Und weil die deutsche Nationalidee in den Zeitungen und in den Schulbüchern, kurz, in der gebildeten und meinungsbildenden Welt jener Tage gesiegt hatte über das fürstliche Souveränitätsdenken und das entsprechende bayrische, badische oder württembergische Staatsbewußtsein, wurde aus dieser Auseinandersetzung ein Nationalkrieg. Als dieser Nationalkrieg sich gar noch als siegreich erwies, war der Drang zur deutschen Einheit leicht in eine neue Staatsform umzugießen.

Am 30. Januar 1871 wurde im französischen Königsschloß von Versailles, angesichts des gemeinsam besiegten Frankreich, ein gemeinsames Deutsches Kaiserreich proklamiert und der preußische König gebeten, dessen Krone anzunehmen.

Die Hansestadt Stade im Alten Land

Für den ganzen norddeutschen Raum brachte der Friedensschluß von 1866 erhebliche Grenzveränderungen mit sich: Preußen annektierte das gesamte Königreich Hannover und die Elbherzogtümer Schleswig-Holstein. Damit war Norddeutschland von der Maas bis an die Memel unter preußischer Flagge vereint. Kleinere, weiterhin selbständige Fürstenstaaten wurden im Norddeutschen Bund Preußen angeschlossen.

Das Kaiserreich als Nationalstaat

Diese neue Staatsgründung hatte keine Grenzverschiebungen im Inneren mehr zur Folge. Zweiundzwanzig deutsche Fürsten schlossen einen neuen Bund, und auch die drei Stadtrepubliken aus dem Norden traten ihm bei. Von ihrer Staatsform als kleinen Republiken mit gewählten, wechselnden Bürgermeistern abgesehen, beruhte die Grundlage des neuen Deutschen Reiches noch immer auf dem legitimistischen Prinzip der Monarchie: Das Staatswesen entstand aus einem Bündnis unter »angestammten« Herren. Seine Grenzen waren nach innen wie nach außen, nach der großen »Flurbereinigung« von 1866, festgelegt durch das dynastische Erbrecht. Nur ließ sich der einzige Gebietsgewinn aus diesem Krieg mit dem Erbrecht nicht vereinigen. Es handelte sich um die seit dem 17. Jahrhundert französischen Gebiete Elsaß und Lothringen, die das neue Reich nun als Kriegsbeute annektierte, gegen den Rat Bismarcks bekanntlich, der nach dem Sieg eine französische Vergeltung vermeiden wollte. Die neuen Gebiete wurden als gemeinsamer Erwerb jedenfalls keinem der deutschen Fürstentümer zugeschlagen. Auch war hier keine angestammte Fürstenherrschaft zu restaurieren. So wurde der Neuerwerb als sogenanntes »Reichsland« schließlich das einzige Gebiet, das der Kaiser als der Oberherr in diesem neuen Staat unmittelbar zu regieren hatte.

In der neuen Reichsverfassung war auch der Staatsbeteiligung aller Bürger Rechnung getragen, wie sie die Reformen zu Anfang des 19. Jahrhunderts zu wecken versucht hatten, wie sie einen guten Teil des revolutionären Enthusiasmus von 1848 trug und nicht zuletzt, wie sie aus allen deutschen Landen zur vermeintlichen Verteidigung gegen Frankreich aufgebrochen war. Das neue Reich öffnete nämlich zumindest seine Innenpolitik der Mitsprache durch gewählte Abgeordnete, und das Wahlverfahren bei dieser Gelegenheit darf als besonders fortschrittlich im Sinne der demokratischen Bewegung bezeichnet werden. An den Wahlen zum deutschen Reichstag durften sich zwischen 1871 und 1919 alle männlichen Einwohner der deutschen Lande vom 21. Lebensjahr an beteiligen, ohne Rücksicht auf Stand oder Besitz. Ein solches allgemeines Wahlrecht galt zu jener Zeit kaum anderswo in Europa. Weder England noch Frankreich, noch Österreich, noch gar Rußland praktizierten etwas Vergleichbares. Allerdings gab es dabei zumindest am Anfang eine recht ärgerliche und kaum staatskluge Grenze: Die Bewohner der neuen »Reichslande« Elsaß und Lothringen waren von der ersten Reichstagswahl 1871 ausgeschlossen. Anstelle einer Volksabstimmung, die man im Lande forderte, wurden sie aber 1872 schon einbezogen in die Einführung der allgemeinen Wehrpflicht im neuen Deutschen Reich. Kein Wunder, daß sie bei nächster Gelegenheit (1874) meist Abgeordnete wählten, die sich im deutschen Reichstag gemeinsam mit Dänen von der Halbinsel Jütland und Polen aus den westpreußischen Provinzen als nationale Minderheiten bekannten.

Das neue Kaiserreich war wiederum, wie das alte, auf zwei Ebenen organisiert. Jedermann hatte sozusagen zwei Obrigkeiten, Kaiser und Fürsten, und war durch zwei Gremien an politischen Entscheidungen beteiligt: Reichstag und Landtag; das eine Mal mit vollem Wahlrecht, das andere Mal nur abgestuft nach seinen Besitzverhältnissen. Hier wie dort lagen die fundamentalen Regierungsentscheidungen aber noch in monarchischer Hand: Der Kaiser ernannte die Reichsregierung, und sie konnte nicht mit Parlamentsmehrheit zum Rücktritt gezwungen werden; die Landesfürsten bestimmten über die Landesregierungen.

Bismarck bestimmte den Gang der deutschen Politik für die folgenden zwanzig Jahre. Er führte den Titel eines Reichskanzlers aus der Tradition des alten Kaiserreiches, und weil er dabei auch die Außenpolitik in der Hand hielt, entstand kein eigenes Außenministerium, sondern nur eine Behörde mit der schlichteren Bezeichnung »Auswärtiges Amt«.

Dabei soll man nicht meinen, dieses deutsche Kaiserreich hätte die Probleme seiner Zeit wirklich allesamt gelöst. Schon die Grenzfrage hinterließ Enttäuschung und Bitterkeit, nicht nur im Hinblick auf die nationalen Minderheiten. Bemerkenswert war auch die Reaktion der Deutschen in den österreichischen Ländern, die sich mit ihren »großdeutschen Sympathien« enttäuscht fühlten und mitunter aus dieser Einstellung zu einem forcierten Nationalismus neigten. Am meisten belastet erscheint im Rückblick unserer Zeit das »Bismarckreich« durch ungelöste soziale Fragen, die sich aus Entwicklungsverschiebungen in dem neuen Staatsganzen ergaben, aus Schwierigkeiten, wie sie aus der räumlichen Entwurzelung vieler Millionen Menschen herrührten, aus langfristigen Bevölkerungsbewegungen

Bauernhof in Sachsen

15–20 Millionen Menschen verließen gegen Ende des 19. Jahrhunderts das Land und zogen in die Städte, um dort in der Industrie Arbeit zu finden. Die Voraussetzung für diese gewaltige Landflucht war nach 1807 in der preußischen Reformära geschaffen worden: Die Bauern wurden aus der Gutsuntertänigkeit befreit, das heißt, sie konnten gegen eine Entschädigung an den früheren Gutsherren wirtschaftlich selbständig werden. Bald waren jedoch viele Bauern wirtschaftlich am Ende, weil ihr Kleinbesitz keine Familie ernähren konnte. Die von der aufblühenden Industrie dringend benötigten Arbeitskräfte waren so freigesetzt. Die städtischen Zentren wuchsen teilweise so stark an, daß ein immer größeres Umland in ihren Sog geriet. Manche traditionellen Dorflandschaften verwandelten sich auf diese Weise in riesige industrielle Ballungsgebiete. So setzte sich der Berliner Verdichtungsraum im Laufe der Zeit nach Süden bis ins sächsische Erzgebirgsvorland fort, und am Rhein entwickelte sich in den preußischen Provinzen eine westliche Industrieachse, die allmählich bis nach Württemberg in den mittleren Neckarraum ausstrahlte.

und aus der Entstehung sogenannter Ballungsräume mit vorher unbekannten Problemen. Das ganze 19. Jahrhundert hindurch verzeichnete Deutschland einen für heutige Begriffe ungeheuerlichen Bevölkerungsabfluß durch Auswanderung, vornehmlich nach Nordamerika. Rund 100000 Menschen verließen jährlich die deutschen Fürstentümer. Dieser Strom wurde während der Revolutionsjahre mit einem Schlag dünner und sank auf die Hälfte. Wahrscheinlich läßt das einen Schluß zu auf die Erwartungen, mit denen man beileibe nicht nur unter den Frankfurter Abgeordneten die Ereignisse dieses aufregenden Jahres begleitete. In der Folgezeit stiegen die Auswanderungszahlen wieder kräftig an, kaum beirrt durch die Gründung des neuen Staatswesens von 1871, und sanken erst 1893: nicht aus politischen Gründen, sondern im Zusammenhang mit wachsenden Arbeitsmöglichkeiten in Deutschland und sinkenden Aussichten in Amerika nach dem Ende der Landnahmezeit im »Wilden Westen«.

Inzwischen war in Deutschland die soziale Welt aber in jeder Hinsicht in Bewegung geraten, unmerklich für den Augenblick, nur an vielen Einzelheiten abzulesen, die aber in Zahlensummen auf einmal wie große Veränderungen erscheinen. 1871 lebte nur etwa ein Drittel aller Deutschen in Siedlungen mit mehr als zweitausend Einwohnern. 64% wohnten also in Dörfern und Kleinstädten. Aber schon eine Generation danach, um die Wende zu unserem Jahrhundert, beherbergten die kleinen Siedlungen nur noch wenig mehr als die Hälfte der deutschen Bevölkerung. Zu dieser Zeit arbeitete auch nur mehr ein Drittel aller Beschäftigten in der Landwirtschaft, rund 44% aber in der Industrie. Damit rückte Deutschland allmählich in eine führende Position unter den Industrienationen. Für viele Millionen Menschen hatte diese wirtschaftliche Entwicklung einschneidende Veränderungen der gewohnten Lebensweise zur Folge. Weil Acker und Fabrik meist nicht nebeneinander lagen, hieß das nicht nur für 15-20 Millionen Abschied zu nehmen von ihrem gewohnten Lebensraum, sondern auch, sich in eine neue Umwelt einzufügen, oft verbunden mit etwas größerer finanzieller Bewegungsfähigkeit, aber nicht immer schlechthin mit Verbesserungen. Dabei richteten sich die großen Wanderungsströme nach den Schwerpunkten der neuentwickelten Industrie. Allein in Preußen wanderten zwischen 1840 und 1933 nicht weniger als 4,5 Millionen Menschen aus den Ostprovinzen ab. 1,5 Millionen wählten den Weg nach Übersee, aber 3 Millionen blieben im Lande, und zwar in Berlin, das sich als neue Reichshauptstadt zugleich zu einem Zentrum der verarbeitenden Industrie entwickelte, sowie in Oberschlesien und im Ruhrgebiet, das sich von Jahrzehnt zu Jahrzehnt rascher von der traditionellen Dorf- und Wiesenlandschaft zu einem oft nur flüchtig geplanten Ballungszentrum größten Ausmaßes verwandelte. Der Berliner Verdichtungsraum setzte sich nach Süden fort in die Gegend von Halle und Leipzig bis ins sächsische Vorland des Erzgebirges und bildete sozusagen eine Mittelschwelle. Die preußischen Westprovinzen aber entwickelten gemeinsam mit den Industriedörfern im Neckarraum und mit neuen wasserbedürftigen Chemieunternehmen am Rhein allmählich einen wirtschaftlichen und demographischen Schwerpunkt im Westen des Deutschen Reiches.

Im Rückblick erscheinen uns dabei heute die Lebensverhältnisse der vielen Millionen, die in den neuen Fabriken arbeiteten, als soziales Problem. Pauschalurteile sind aber gewiß irreführend; viele von ihnen, vielleicht die Mehrzahl, fanden als Fabrikarbeiter noch immer ein besseres Los, als es ihnen auf Gutshöfen oder im bäuerlichen Dienst je beschieden gewesen wäre. Auch war die Arbeitswelt in Deutschland bei allen Unzulänglichkeiten rasch attraktiv für benachbarte Völker, und es gab um die Jahrhundertwende bei uns schon eine Million »Gast«-arbeiter. Versorgungsleistungen für Krankheit und Alter regelte die Sozialgesetzgebung der achtziger Jahre, die bis zum Ersten Weltkrieg in anderen europäischen Staaten nicht ihresgleichen hatte. Aber die Emanzipation der Arbeiter zur umfassenden »bürgerlichen Gleichberechtigung«, nicht etwa nur im juristischen, sondern im vollen Verständnis der sozialpolitischen Bewegungsfähigkeit, blieb damit doch erst in den Anfängen. Bismarcks Absichten, solcherart die »schwachen Hände«, einen wachsenden Anteil der deutschen Bevölkerung, durch staatlichen Schutz auch zu aktiven Garanten der staatlichen Ordnung zu gewinnen, wird im allgemeinen als nicht gelungen bezeichnet.

Freilich ist ein solches Urteil nicht ganz einfach zu belegen. Es stützt sich auf die wachsende Anhängerschaft der Sozialdemokratischen Partei in den einzelnen Reichstagswahlen, die allerdings erst 1912 die bis dahin führende katholische Zentrumspartei an Stimmen übertraf. Es stützt sich im übrigen vielfach auf die republikanischen Alternativen in der gedanklichen Auseinandersetzung, deren Verwurzelung in der breiten Volksmeinung sich jedoch nicht anschaulich zeigen läßt. Als 1914 Krieg ausbrach zwischen den großen Mächten Europas, schien jedenfalls die Bereitschaft zur Verteidigung dieses Staates fast allgemein vorhanden zu sein. So schickten sich die Deutschen an zu einem furchtbaren Opfergang zur Verteidigung ihrer Grenzen, die im Grunde niemand bedroht hatte, und das leider nicht zum letzten Mal in diesem Jahrhundert.

Krögelgasse in Berlin

Das in der Zeit zwischen 1890 und 1902 von Heinrich Zille angefertigte Foto dokumentiert die sozialen Verhältnisse, welche die Menschen vorfanden, die gegen Ende des 19. Jahrhunderts vom Land in die Städte zogen, um in der Industrie Arbeit zu finden. Sie tauschten das Leben in der Natur gegen ein Leben in eilig und planlos errichteten kasernenähnlichen Unterkünften ein. Dennoch war für viele die Arbeit in der Fabrik die einzige Möglichkeit zu überleben.

Weimar: Die erste deutsche Republik

Die Vertragswerke nach den Friedensverhandlungen von 1919 haben die europäische Landkarte von Grund auf umgestaltet und auch das europäische Staatensystem in seiner immer wieder bedrohten und doch jahrhundertelang stets kunstvoll bewahrten Mechanik des Gleichgewichts nach neuen Fluchtpunkten orientiert. Man kann nicht verkennen, daß Bismarcks Staatsschöpfung von 1871 über vierzig Jahre hin dieses Gleichgewicht erhielt, weil sie in Wirklichkeit die Vormacht auf dem europäischen Kontinent gebildet hatte. Die Grenzziehung von 1919 hat dieses Staatsgebilde in den Möglichkeiten seiner Machtentfaltung eigentlich kaum getroffen. Im Vergleich zum habsburgischen Imperium, das man bei dieser Gelegenheit einfach auflöste, oder zum ungarischen Teil jener sogenannten Doppelmonarchie, der zwei Drittel seines Umfangs und die Hälfte seiner Bevölkerung verlor, fielen die deutschen Gebietsverluste tatsächlich nicht allzusehr ins Gewicht. Zwar erreichten die Gebietsabtretungen alle miteinander das Ausmaß von 71 000 km^2, fast soviel wie die Fläche des heutigen Bayern, aber die sechseinhalb Millionen Einwohner darin, in Elsaß-Lothringen, Nordschleswig, Westpolen und Oberschlesien, waren zum erheblichen Teil keine Deutschen. Nur die Grenzziehung in Oberschlesien verstieß nachweislich gegen den Mehrheitswillen der Betroffenen, weil sie den polnischen Wünschen nach Kohle und Eisen entsprang.

Nicht die Grenze, sondern der Geist des Friedensvertrags von Versailles schuf Unrecht – und das bedeutete zweifellos beim Fortbestand des geographischen Potentials im Sinne der Vorkriegsverhältnisse einen Fehler im politischen Kalkül der Sieger. Was die Grenzziehung nämlich noch immer für die Entfaltung der deutschen Politik oder gar für eine Revanche des Besiegten ermöglicht hätte, das sollten entsprechende wirtschaftliche Restriktionen verhindern, Reparationszahlungen in unbegrenzter Höhe, wirtschaftliche Positions- und Privilegienverluste, Rüstungsbeschränkungen. Dabei aber übersahen die Väter des Friedensvertrags von Versailles, daß sie auf diese Weise einen deutschen Revanchismus besonders reizten. Ein Agitationsmaterial eigener Art gaben sie ihm in die Hand mit einem vielberufenen Paragraphen in jenem Friedensvertrag, der den deutschen Vertragspartner verbindlich erklären ließ, was die Historiker ihm bis heute nicht nachweisen konnten: die deutsche Alleinschuld an jenem Krieg.

Verwickelt wurde dieses Problem noch durch die innere Entwicklung in Deutschland. Hier wurde in einer der raschesten, gewaltlosesten und folgenschwersten unter den Revolutionen der europäischen Geschichte die Monarchie im Reich wie in den Ländern beseitigt, und man ging daran, den deutschen Staat in seinen inneren Grenzen als eine föderative Republik neu zu organisieren. Auch wenn ein solcher Wechsel schon jahrzehntelang in Wort und Schrift vorbereitet worden war, mitunter – im Vergleich zu modernen Gepflogenheiten – mit ganz beachtenswerter Toleranz der Betroffenen, so war es doch eine schwierige Aufgabe, die republikanischen, in sich auseinanderstrebenden Konzepte aus intellektuellen Zirkeln auch wirklich populär zu machen.

Schon 15 Jahre später sollte sich zeigen, daß jene drei Hypotheken des Vertrags von Versailles das gesamte Europa nicht in Frieden leben ließen. Hinzu kam die Schwäche in der Selbstdarstellung der ersten deutschen Republik, der die Intellektuellen aller Couleur oft den Beistand versagten. Sie wurde endgültig offenbar durch die Machtergreifung einer Gruppe von skrupellosen Männern, Symptom für den Verlust gesellschaftlicher Ordnungsbegriffe in vielen Köpfen ohne Ersatz durch eine neue demokratische Ethik, verführt durch Hitlers politische Dämonie. Dabei war aber Hitlers Forderung nach mehr »Lebensraum« für die Deutschen, Bestandteil seines politischen Programms, lange ehe er sich zu einer entsprechenden Politik instand gesetzt sah, keine Forderung nach Revision der deutschen Grenzen. Unter ausdrücklicher Verachtung des »politischen Unsinns« im Denken der »bürgerlichen Welt« plante Hitler schon in seiner Programmschrift von 1927, »dem deutschen Volk den ihm gebührenden Grund und Boden auf dieser Erde zu sichern«.

Mit solchen Worten hatte er unverkennbar eine neue agrarische Expansion vor Augen, die diesen »deutschen Lebensraum« gehörig nach Osten ausweiten sollte, ohne Rücksicht auf völkerrechtliche Verbindlichkeiten, ja sogar auch ohne Rücksicht auf die bislang in Europa doch wenigstens aus der Tradition erklärbaren politischen Konzepte, die außenpolitische Ambitionen unter den europäischen Völkern einigermaßen kalkulierbar machten, denn, nach Hitler: »Staatsgrenzen werden durch Menschen gemacht und durch Menschen geändert.«

Tatsächlich hatte in den zwanziger Jahren die Außenpolitik der ersten deutschen Republik namentlich unter der Leitung von Gustav Stresemann gewisse Revisionen der Versailler Grenzen angestrebt und dabei gleichzeitig Befürchtungen vor einem deutschen Revanchismus zu zerstreuen gesucht. In einem Vertragswerk, das Deutschland mit sechs anderen europäischen Staaten im Oktober 1925 in Locarno abschloß, verpflichteten sich die Partner zur Regelung künftiger Grenzprobleme auf friedliche Weise. Deutschland garantierte bei dieser Gelegenheit aber nur im Westen die Grenzen von 1919; eine entsprechende Verzichtserklärung auf Grenzrevisionen gegenüber Polen und der Tschechoslowakei wurde nicht abgegeben. Im genauen Wortsinn der Verträge blieb der deutsche Anspruch auf solche Revisionen sogar ausdrücklich offen.

Unverkennbar bleibt die Bereitschaft der deutschen Außenpolitik jener Zeit zu einer europäischen Kooperation, besonders zur Zusammenarbeit mit Frankreich. Gleichzeitig aber kann man ihre Tendenzen zu einer Revision namentlich der deutsch-polnischen Grenzen nicht verkennen, wenn auch der Außenminister

Der Vertrag von Versailles 1919 erlegte dem Deutschen Reich einige Gebietsabtretungen auf, namentlich im Westen, wo das 1871 erworbene und als unabhängiges Reichsland verwaltete Elsaß-Lothringen an Frankreich zurückgegeben werden mußte, und im Osten, wo die Provinz Westpreußen polnisch wurde. In Schlesien, in Ostpreußen und in Schleswig entschieden Volksabstimmungen über die Staatszugehörigkeit mit unterschiedlichem Ergebnis. Allerdings wurde das östliche Oberschlesien trotz des andersgerichteten Ergebnisses einer solchen Volksabstimmung aus wirtschaftlichen Gründen Polen zugeteilt. Insgesamt betrafen sämtliche Gebietsabtretungen preußisches Staatsgebiet. Außerdem suchte Frankreich nach den Bestimmungen des Vertragswerks seinem Sicherheitsinteresse durch die Unterstellung des Saarlandes unter Völkerbundverwaltung und durch die zeitweilige Besetzung des Rheinlandes sowie durch eine entmilitarisierte Zone östlich des Rheins zu genügen.

Stresemann ein sowjetisches Angebot »zu gemeinsamem deutsch-russischen Druck auf Polen« nicht akzeptierte. Auch gegenüber der Tschechoslowakei war man um ein korrektes Verhalten bemüht. Ein deutsch-sowjetischer Neutralitätsvertrag von 1926 barg keine anderen Ansätze. Dennoch konnten später Hitlers Pläne, in ihrer Sprache maßlos, in ihren Vorhaben bereits im konzeptionellen Gewand seiner Programmschrift an sich inhuman und ein Verrat an jahrhundertealter nationalpolitisch uneigennütziger Begegnung zwischen Deutschen, Polen und Tschechen, nicht schlechterdings als völlige Neuorientierung der traditionellen deutschen Politik bezeichnet werden. Es handelte sich vielmehr um eine Brutalisierung des in ganz Europa stets regen nationalen Egoismus, der allerdings bislang noch immer in gewissen Spielregeln des menschlichen Miteinanders seine Grenzen gefunden hatte.

Die erste deutsche Republik hieß noch immer »Deutsches Reich« und hatte auch im Staatsaufbau manche Tradition bewahrt. Doch war das Reich 1871 auf der Souveränität der Fürsten gegründet; das Staatsrecht der Republik dagegen beruhte auf der Willensbildung ihrer Bewohner, auf der Volkssouveränität. Aber sie respektierte in ihrer Gliederung die traditionellen deutschen Einzelstaaten und beschickte aus ihren Vertretern einen »Reichsrat« als zweite Kammer, ähnlich, wenn auch mit geringeren Kompetenzen, dem »Bundesrat« von 1871. Die Zahl der Mitglieder dieses Reichsrats war dabei freilich auf achtzehn geschrumpft. Die drei Freien Städte blieben zunächst erhalten. Aber Lübeck wurde 1937 Preußen angegliedert, ähnlich wie 1929 das kleine, seit langem von Preußen verwaltete Fürstentum Waldeck. Die thüringischen Fürstentümer waren 1920 zusammengeschlossen worden. Die Stimmenzahl der einzelnen Ländervertretungen im Reichsrat war abgestuft in bezug zur Einwohnerzahl. Diese Abstufung widerspricht eigentlich dem Anspruch von Bundesmitgliedern auf Gleichrangigkeit, den zum Beispiel noch heute die Vereinten Nationen gelten lassen. Sie ist aber in der deutschen Geschichte traditionell und vielleicht weiser Ausdruck langer Bundeserfahrung. Sie findet sich schon in Gepflogenheiten des alten Reichstags vor 1806 und

Industrielandschaft bei Leipzig

Das Foto nimmt Bezug auf den Prozeß, der Mitte des vorigen Jahrhunderts die sozialen Verhältnisse Deutschlands in Bewegung brachte und der bis heute in vollem Gange ist: die Freisetzung von Arbeitskräften auf dem Land für die Industrie und die Überwucherung der Landschaft durch Industrieansiedlungen. Der wirtschaftliche Fortschritt ging einher mit der immer stärkeren Verbreitung republikanischer Ideen, was schließlich 1918 zum Ende des Kaiserreichs in Deutschland führte. Die in den Städten neu entstandene Arbeiterklasse spielte dabei die entscheidende Rolle.

ist danach 1815 für den Deutschen Bund wie 1871 für das neue Kaiserreich beachtet worden, so wie sie noch heute in der Bundesrepublik bei der Ländervertretung gilt. Freilich war Preußen bis 1945 eigentlich ein übermächtiges Bundesglied, so daß seine Stimmenanzahl beschnitten wurde, um nicht von vornherein Mehrheitsverhältnisse festzusetzen.

Schon nach seiner Verfassung tendierte das bei uns meist abschätzig als »Weimarer Republik« bezeichnete Staatswesen zum Zentralismus; eine größere Beweglichkeit gegenüber den oft divergenten Länderinteressen, Grundproblem aller Bundesstaatlichkeit, erkaufte sich diese Verfassung damit aber nicht, weil sie bei einem schier schrankenlosen Vielparteiensystem kaum klare Mehrheitsbildungen in ihrem Parlament ermöglichte. Eine vorgesehene umfassende Gebietsreform nach den Erfordernissen zeitgemäßer Wirtschafts- und Verkehrsgeographie unterblieb. Es unterblieb auch die ursprünglich angestrebte Aufteilung Preußens, die einer ausgewogenen Bündnisstruktur hätte nützlich erscheinen können. Als das neue Staatswesen in monatelanger Beratung der Nationalversammlung in Weimar entstand, war zunächst auch noch der Anschluß Österreichs und der deutschsprachigen Gebiete der böhmischen Länder vorgesehen. Beide Projekte scheiterten am Einspruch der Siegermächte und bildeten ebenfalls Hypotheken für die künftige Entwicklung in Mitteleuropa.

Die Kraft zur inneren Reform läßt sich dagegen dem Staatswesen nicht absprechen. Im Bereich der Sozialpolitik und namentlich der Arbeitsaufsicht und -fürsorge zählte es bald zu den fortschrittlichsten Ländern der Welt, auch hier in Anlehnung an ältere Traditionen, und eine in unserem Geschichtsbild oft unterschätzte Reform der Steuerleistungen beteiligte fortan mittlere und obere Einkommensschichten in einem seit langem erforderlichen größeren Ausmaß an den

staatsbürgerlichen Lasten. Nach seiner Ernennung zum Reichskanzler durch den Reichspräsidenten von Hindenburg am 30. Januar 1933 hat Adolf Hitler die Weimarer Verfassung niemals formal außer Kraft gesetzt. Aber ihre Wirksamkeit wurde allmählich ausgehöhlt durch Verwaltungsanordnungen und gelähmt durch Ausnahmebestimmungen, wie namentlich durch das wiederholt verlängerte »Ermächtigungsgesetz« oder die »Gleichschaltung« der Länderparlamente mit dem Reichstag, die Ernennung von Reichsstatthaltern anstelle der Ministerpräsidenten in den Ländern und schließlich durch das politische Monopol der NSDAP. Der tiefste Bruch mit dem humanen Geist von Weimar erfolgte 1935 durch die Gesetzgebung »Zum Schutz des deutschen Blutes und der deutschen Ehre«, die auf der Grundlage einer abstrusen Rassentheorie alle Staatsbürger zur Vorlage von Abstammungsnachweisen zwang und Menschen jüdischer Herkunft nach abgestufter Art unter Verletzung ihrer staatsbürgerlichen Rechte aus dem Gesellschaftsleben ausschaltete. Eine entsprechende, leider von den deutschen Intellektuellen meist schweigend akzeptierte »Volksaufklärung« schuf die Vorbereitung für die endgültige »Eliminierung« der jüdischen Minderheit aus dem »deutschen Volkskörper«, zerschlug mehr als hundertjährige Ergebnisse der Emanzipation und Gleichberechtigung jüdischer Mitbürger in allen Teilen Deutschlands und entwickelte in jahrelanger Verleumdung die Voraussetzungen für die offizielle Verschleierung künftiger Deportations- und Vernichtungsmaßnahmen. Überdies entstanden schon einige Wochen nach der »Machtergreifung« an einigen Orten in Deutschland sogenannte »Konzentrationslager« zur »Umerziehung« Oppositioneller, die sich aus Arbeitslagern bald zu Straf- und schließlich zu Vernichtungslagern wandelten und manchem deutschen Ortsnamen bis heute einen makabren Beigeschmack verliehen.

Residenzschloß in Weimar

Der Name Weimar steht nicht nur für einen Höhepunkt in der deutschen Literaturgeschichte, die deutsche Klassik. Er verbindet sich auch mit einer Phase der deutschen Geschichte, die noch heute Anlaß für vielfältige Deutungen gibt: die »Weimarer Republik«. Es ist die kurze Zeitspanne zwischen der Abdankung des letzten deutschen Kaisers, Wilhelm II., 1918 und der Machtergreifung des furchtbarsten Diktators deutscher Geschichte 1933. Warum die »Weimarer Republik« die Chance nicht nutzen konnte, eine dauerhafte demokratische Verfassung zu etablieren, wird mit der Halbherzigkeit bei der Durchsetzung wirtschaftlicher und sozialer Reformen ebenso erklärt wie mit der Unbeweglichkeit des Staates gegenüber den oft divergierenden Länderinteressen, verstärkt durch ein Vielparteiensystem, das klare Mehrheitsverhältnisse im Parlament kaum ermöglichte.
Das Foto zeigt als Teil des Schlosses den Torbau der mittelalterlichen Burg Hornstein, der sogenannten Bastille.

Hitlers Angriff auf die Ordnung Europas

Seine Kriegspläne entwickelte Hitler anscheinend Ende 1937 zum ersten Mal vor dem deutschen Generalstab, und von diesem Datum an sollte man die folgenden zwölf Jahre als eine Einheit begreifen, so wie dem deutschen Angriff auf die Nachbarschaft nach einer Überraschungspause Abwehr und Gegenschlag folgten; ein Gegenschlag freilich, der in seiner Radikalität am Ende ebenfalls die historischen Bahnen europäischer Zivilisation durchbrach und Leid und Elend über Millionen Unbeteiligter brachte.

Hitlers Expansion begann im Namen der deutschen Grenzen: hatte er 1935 die Rückgliederung des Saarlandes an das deutsche Reich noch durch eine Abstimmung erzielt, so ließ er ein Jahr später Truppen in die seit Versailles entmilitarisierte Zone am Rhein einrücken, bei formalem Protest der Siegermächte, und im März 1938 gelang ihm gar die Annektion des von allen Freunden verlassenen österreichischen Staates. Nicht nur die immensen inneren Schwierigkeiten der wirtschaftspolitischen Neuorientierung in diesem Sechs-Millionen-Land, sondern auch die Verlockungen der »großdeutschen« Argumentation führten dabei Tausende jubelnder Menschen auf die Straße. Unter derselben Voraussetzung des nationalstaatlichen Prinzips brachte Hitler im September 1938 England, Frankreich und Italien in dem sogenannten »Münchner Abkommen« zu einem gemeinsamen Beschluß, der die Tschechoslowakei zur Abtretung der deutschen Sprachgebiete verpflichtete. Ein halbes Jahr später verstieß er dann selbst zumindest gegen den Geist dieses Münchner Vertrags, weil er den übrigen Raum der Tschechoslowakischen Republik als »Protektorat Böhmen und Mähren« der Souveränität des Deutschen Reiches unterstellte. Daraufhin schlossen England und Frankreich entsprechende Abkommen mit Polen zur Garantie der Grenzen. Hitler ignorierte den Ernst dieser Vereinbarungen und demonstrierte neuerdings seine »Schutzpflicht« gegenüber der deutschen Minderheit in Polen, wobei er gleichzeitig an verkehrs- und wirtschaftspolitische Probleme des Versailler Vertrags im Hinblick auf die deutsche Landverbindung nach Ostpreußen und die damals neutralisierte »Freie Stadt Danzig« anknüpfte.

Düsseldorf nach einem Bombenangriff 1944

Nie zuvor haben deutsche Politiker eine so umfassende Revidierung der Grenze angestrebt, wie Adolf Hitler, der seine Untertanen mit dem Motto »Heute gehört uns Deutschland und morgen die ganze Welt« (Refrain eines Liedes) in den größten Krieg der Menschheitsgeschichte trieb.

Der Krieg, den Hitler am 1. September 1939 begann, riß bald außer Irland, der Schweiz, Schweden, Portugal und Spanien sämtliche europäischen Staaten in seinen Strudel. Er führte zum Abstieg dieses Kontinents aus dem Kreis der großen Mächte, auch zum endgültigen Untergang des europäischen Gleichgewichts, und löste statt dessen eine neue Entwicklung im Verständnis der Staatsmacht und ihrer Grenzen aus. An die Stelle der absoluten Souveränität im Staatsbegriff tritt seither die Einordnung in größere Staatengruppen; anstelle der autonomen Macht- und Grenzpolitik im Zusammenspiel mit Rivalen und Bundesgenossen rückt seitdem eine jede Staatsindividualität in die Perspektive der Supermächte. Das garantiert oder gefährdet auch ihre Grenzen. Nach den Ambitionen der beiden großen Mächte entstand so eine zweigeteilte Welt.

Die Mobilisierung der Menschen für diesen Krieg war unerhört im welthistorischen Verstand. Die Zahl der Soldaten, die man zum größten Teil für die europäischen Kriegsschauplätze aufbot, soll 60 Millionen betragen haben. Ungeheuer im selben Maß war auch die Zahl der Toten. Dafür nennt man rund 55 Millionen Männer, Frauen und Kinder. 21 Millionen Sowjetbürger sind durch den Krieg, in den besetzten Gebieten oder in deutschen Gefangenenlagern ums Leben gekommen. 7 Millionen Deutsche erlitten dasselbe Schicksal, eingerechnet die Menschenverluste bei der Vertreibung aus den deutschen Ostgebieten, aus Polen, der Tschechoslowakei, Jugoslawien, Rumänien und Ungarn. Weit mehr als 5 Millionen polnische Einwohner mußten sterben, zum geringsten Teil durch die Ereignisse des kaum dreiwöchigen »Blitzkriegs«, meist in der Folgezeit bei der Partisanenbekämpfung, unter Gewaltmaßnahmen der deutschen Besatzungsmacht, zum größten Teil aber in den Arbeits- und Vernichtungslagern für die jüdische Bevölkerung. Insgesamt ergeben Schätzungen, daß auf diese Weise etwa 40 Millionen Europäer ums Leben kamen, das sind 7,6% der Vorkriegsbevölkerung, das europäische Rußland eingeschlossen.

Am Ende des Krieges waren die deutschen Städte zum großen Teil verwüstet, ein Fünftel aller deutscher Wohnungen zerstört, ebenso wie ein erheblicher

Die versönliche Politik der ersten deutschen Republik machte es Hitler nach 1933 zunächst leicht, Bestimmungen des Versailler Vertrags im Westen zu annulieren. Danach ermöglichten die mangelnde internationale Sicherung im Verein mit politischen und wirtschaftlichen Schwierigkeiten im Lande selbst im Frühling 1938 die Annektion Österreichs und, ein halbes Jahr danach, die Angliederung der deutschsprachigen Randgebiete der Tschechoslowakei auf Grund eines internationalen Vertrags. Polen und Ungarn schlossen sich mit kleineren Gebietserwerbungen zugunsten ihrer Minderheiten dem deutschen Vorgehen an. Wenig später wagte Hitler entgegen ursprünglichen Zusicherungen die Besetzung des gesamten Gebietes von Böhmen und Mähren als deutsches Protektorat, während sich die Slowakei gleichzeitig zur autonomen Republik erklärte. Dieser Scheinerfolg im Sinn von Hitlers Kriegsplänen wurde bald zu einer Belastung in der weltpolitischen Reaktion.

Teil der deutschen Industrie. Die deutschen Armeen waren entwaffnet und in die Gefangenschaft der Siegermächte überführt, die deutsche Regierung aufgelöst. Nach der totalen Kapitulation hatte das Deutsche Reich faktisch aufgehört zu bestehen. Die Siegermächte beschlossen zunächst, das deutsche Staatsgebiet als »wirtschaftliche Einheit« zu verwalten, allerdings nach kleineren Abtretungen im Westen, vornehmlich des Saargebiets, nach der Wiedererrichtung der tschechoslowakischen Grenzen sowie Österreichs und der Abtrennung der deutschen Ostgebiete jenseits von Oder und Neiße unter Einschluß Ostpreußens. Diese Gebiete wurden unter sowjetische und polnische Verwaltung gestellt. Die Potsdamer Konferenz vom August 1945 beschloß gleichzeitig die Vertreibung der Deutschen aus der Tschechoslowakei, aus Polen und den deutschen Ostgebieten, die ohnehin bereits im Gange war. Sie beschloß außerdem die Teilung der deutschen Hauptstadt Berlin in vier Sektoren bei gemeinsam verantwortlicher Verwaltung durch alle vier Besatzungsmächte.

Das geteilte Deutschland und die Grenzen zwischen Ost und West

Diese Potsdamer Grenzen sind bis heute stabil geblieben, abgesehen von Restitutionen im Westen nach dem Grenzverlauf von 1937. Was man in Potsdam nicht beschloß, hat sich inzwischen um so hartnäckiger festgeschrieben: die deutsche Teilung. Sie ist nicht das Ergebnis von Vereinbarungen der Siegermächte, sondern der Niederschlag ihrer Meinungsverschiedenheiten. Sie ist auch das Ergebnis des Wiederaufbaus der deutschen Verwaltung und Wirtschaft, die bald in den ideologischen und gesellschaftlichen Dualismus der beiden Weltmächte gerieten. Dabei war in der sowjetischen Besatzungszone einer entsprechenden Machtübernahme durch die kommunistische Partei mit Umsicht vorgearbeitet worden. Im Rahmen dieser Entwicklung traten im westlichen Deutschland die Grenzen zwischen den drei Besatzungszonen der Westmächte allmählich zurück. Gefördert von dem Vorsatz, einen erneuten Aufstieg Deutschlands - anders als nach Versailles - von Grund auf, also eben von den Grenzen her, zu unterbinden, sich aber entsprechende machtpolitische Positionen in Mitteleuropa unter jeweiliger deutscher Mithilfe zu sichern, und ausgelöst durch wachsende Spannungen zwischen der UdSSR und den USA, die sich zuvor an einer einjährigen Blockade der Zufahrtswege nach dem westlichen Berlin durch die Sowjetunion erwiesen hatten, führte die Entwicklung vom Mai bis zum Oktober 1949 nacheinander zur Gründung der Bundesrepublik Deutschland mit dem Anspruch, die Kontinuität der deutschen Staatlichkeit seit 1871 fortzuführen, und zur Gründung der Deutschen Demokratischen Republik.

Die Grenze zwischen beiden Staaten war vorherbestimmt. Sie folgte der Demarkationslinie zwischen den drei westlichen und der sowjetischen Besatzungszone. Und selbst diese Grenze richtete sich nach traditionellen Linien: im Norden nach der Westgrenze des ehemaligen Großherzogtums Mecklenburg, einer der ältesten im innerdeutschen Grenzverlauf; daran schloß sich die Westgrenze der preußischen Provinz Sachsen-Anhalt an, und weiter südlich umschrieb der Grenzverlauf die thüringische Staatenwelt, die man 1920 vereinigt hatte, und stieß schließlich mit der bayerisch-sächsischen Grenze auf die Nordwestgrenze der Tschechoslowakei. Der alte preußische Staat, der noch bis 1945 bestanden hatte, war nach dieser Regelung in seine ehemaligen östlichen und westlichen Provinzen getrennt worden; alles andere entsprach der traditionellen Gliederung der deutschen Länder.

Die Auflösung Preußens zwang zu Neugliederungen. Im Westen entstanden die Bundesländer Niedersachsen, Nordrhein-Westfalen und, um einen alten Kern, Hessen; in Mitteldeutschland Brandenburg und Sachsen-Anhalt. Andere Länder blieben aber in ihrem alten Umfang erhalten, allenfalls mit kleinen Änderungen: Bayern verlor die linksrheinische Pfalz, die mit dem Süden der preußischen Rheinprovinz und einem entsprechenden Doppelnamen zu einer neuen Einheit wurde. Baden und Württemberg, im alten Umfang, wurden 1952 zusammengeschlossen. Die Freien Städte Hamburg und Bremen überlebten ebenfalls den Zusammenbruch des deutschen Reiches, und nördlich davon erstand Schleswig-Holstein, seit 1866 preußisch, wieder neu, um weniges größer geworden. Auch Thüringen wurde ein wenig aufgerundet und Mecklenburg um das westliche Pommern, Sachsen

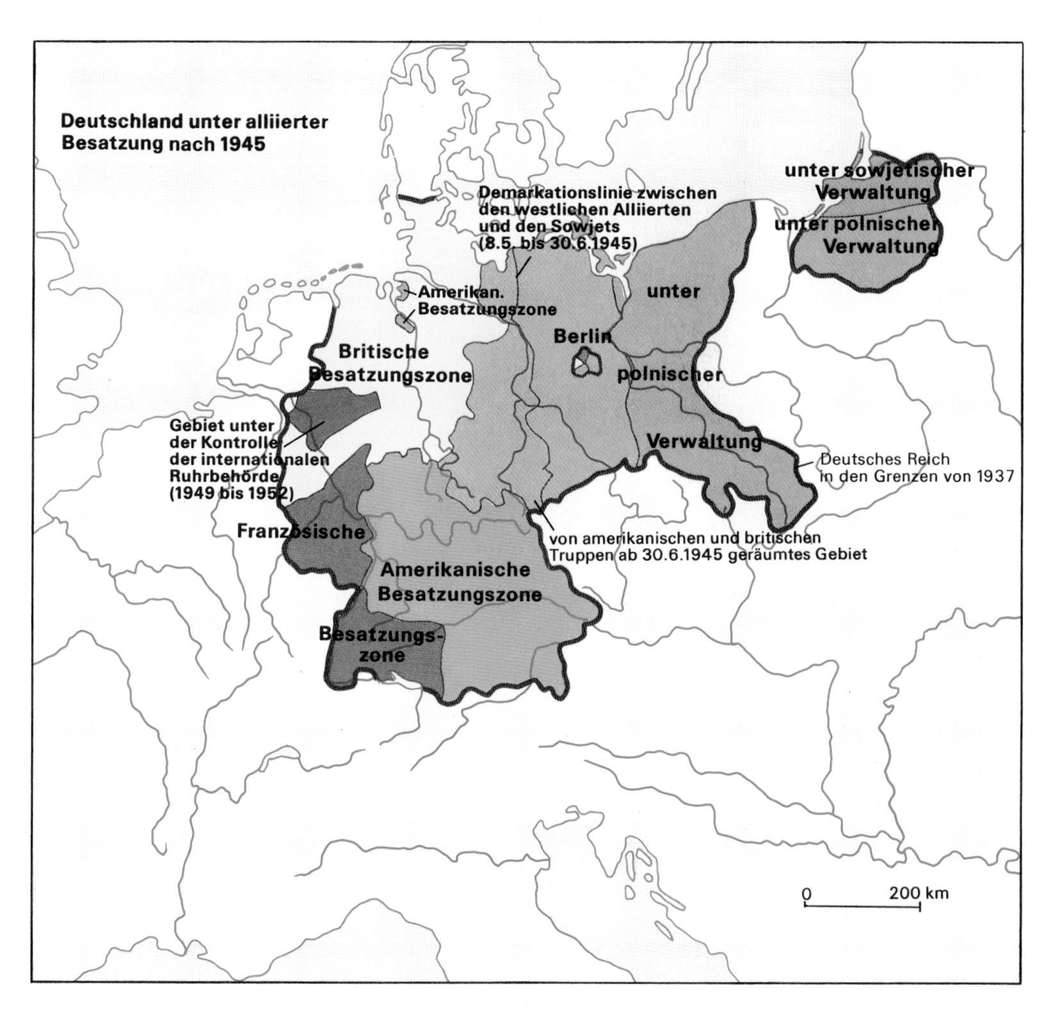

Nach der totalen Kapitulation des Deutschen Reiches am 8./9. Mai 1945 wurde das gesamte Staatsgebiet in vier Besatzungszonen unter die vier Siegermächte aufgeteilt. Der französiche und der sowjetische Zonenbereich entsprach dabei geographischen Beziehungen. Berlin wurde der gemeinsamen Verwaltung aller vier Mächte unterstellt, allerdings ebenfalls in vier sogenannten Sektoren. Diese Aufteilung war nach dem Text der Potsdamer Konferenz vom August 1945 ebenso wie die Unterstellung der deutschen Ostgebiete unter polnische bzw. sowjetische Verwaltung als vorläufige bis zur endgültigen Regelung durch einen Friedensvertrag zu betrachten und wurde doch im Laufe der weltpolitischen Teilung in Ost und West konstitutiv für die Nachkriegsgeschichte.

um das restliche Niederschlesien vergrößert. Das Saargebiet wurde, nach Ablehnung eines Autonomiestatus, 1957 mit Erweiterungen in den Grenzen von 1919 schließlich das zehnte Land der Bundesrepublik. Diese Ausführlichkeit soll zeigen, daß die 17 oder 18 Länder, die auf dem Boden des deutschen Reststaates 1945 begründet worden sind, im wesentlichen doch mit der alten deutschen Staatenwelt verbunden blieben. Nach den Verfassungen der beiden deutschen Staaten von 1949 wurden diese Länder aber bald zum besonderen Charakteristikum für Ost und West: Die Bundesrepublik betonte in ihrer staatsrechtlichen Konstruktion das Gewicht der Länder wieder stärker, als man das 1919 in Weimar für richtig gehalten hatte; die Deutsche Demokratische Republik dagegen entwickelte sich zu einem zentralistischen Staat. Über dem vielberufenen Gegensatz zwischen sogenannten sozialistischen Wirtschafts- und Gesellschaftsformen dort und der sogenannten sozialen Marktwirtschaft hier bleibt der Unterschied zwischen Föderalismus und Zentralismus oft unbeachtet. Statt dessen spricht man viel über die ungelöste deutsche Frage. Mitunter gilt sie sogar als Prüfstein für die Zukunft der europäischen Nationalstaaten. Das mag überzogen sein. Immerhin gibt diese deutsche Frage mit seltener Deutlichkeit Aufschlüsse über den Bedeutungswandel von Grenzen in den letzten 200 Jahren unserer Zivilisation.

Das übernationale römisch-deutsche Reich umfaßte einst ganz Mitteleuropa. Seine Grenzen leiteten sich her aus dem ererbten Recht der Dynastien in seinen einzelnen Gliedern, aus denen sich das Ganze zusammenfügte. Kaiser und Reich, ursprünglich der Sammelbegriff für Kaiser und Reichsstände, wurde allmählich zum Sammelbegriff der vielgestalteten deutschen Staatlichkeit. Die Reichsreform von 1803 wandte sich gegen die geistlichen Herrschaften, die nicht dynastisch definiert waren, vom Reich abhingen, und darüber hinaus gegen weltliche Obrigkeiten, die bisher unter dem Schutz des Reiches standen. Und das durfte man für rechtens halten, weil der ganze Vorgang als Reichsreform von Reichsfürsten, Reichstag und Kaiser herkam. Der Deutsche Bund von 1815 schuf kein neues Grenzrecht, sondern allenfalls einen größeren Anspruch auf Souveränität auf alten

Brandenburger Tor

Die klassizistische Toranlage, entworfen von Carl Gotthard Langhans, wurde 1789 bis 1794 als Eingang zur Berliner Prachtstraße Unter den Linden erbaut.

Mit der Gründung der Bundesrepublik Deutschland und der Deutschen Demokratischen Republik 1949 entstanden auf dem Boden des ehemaligen Deutschen Reiches von West nach Ost drei Zonen unterschiedlicher staatlicher Dignität: Die Bundesrepublik beanspruchte die Fortführung der Kontinuität des deutschen Staates von 1871; die Deutsche Demokratische Republik ist dagegen als eine staatliche Neugründung zu betrachten, mit »innerdeutschen« Grenzen zur Bundesrepublik. Für die ehemaligen östlichen Reichsgebiete jenseits von Oder und Neiße ist bis heute eine endgültige und allseits verbindliche Regelung ihrer staatlichen Zugehörigkeit nicht getroffen worden, doch wurden die entsprechenden Grenzen in zweiseitigen Verträgen von der Bundesrepublik Deutschland unter Verzicht auf Gewalt bis zu künftigen Friedensverträgen anerkannt.
Die innere Gliederung beider deutscher Staaten zeigt den Untergang Preußens und die großzügige Neustruktur. Nur Bayern, Sachsen und Mecklenburg (die beiden Letzteren bis 1952) blieben in ihren historischen Grenzen.

Grundlagen. Die deutsche Revolution von 1848 konzipierte dagegen bereits einen deutschen Nationalstaat und weckte dabei auch Einspruch im Sinn der nationalen Selbstbestimmung. 1871 mischten sich dynastisches und nationales Prinzip bei der Begrenzung des neueren deutschen Kaiserreiches, denn die »kleindeutsche Lösung« ließ ein Sechstel aller Deutschen in Österreich und den böhmischen Ländern außer acht, schloß aber im Westen, Norden und Osten nationale Minderheiten aus der Nachbarschaft ein. Der Friedensschluß von Brest-Litowsk im März 1918 zwischen Deutschland, Österreich und dem besiegten Rußland sah die Errichtung der Ukraine, Polens und der baltischen Länder als selbständige Staaten vor, aber er legte dabei noch keine Grenzen fest. In Versailles, Saint-Germain und Trianon wurden dann anderthalb Jahre danach Grenzen nach dem Selbstbestimmungsrecht gezogen, in Volksabstimmungen, die nicht immer dem nationalen Bekenntnis entsprachen. Gleichzeitig aber verhinderten »historische Grenzen«, die nach der Verkehrs-, Kultur- und Wirtschaftsgeographie zusammengewachsene Einheiten verbanden, wie etwa die böhmischen Länder, entsprechende Optionen oder zerrissen nach strategischen Bedürfnissen Landes- und Volkseinheiten wie in Südtirol. Hitlers Grenzpolitik galt nicht mehr diesem Selbstbestimmungsrecht, das er vornehmlich den Tirolern gegenüber im Stich ließ, sondern dem »natürlichen Lebensraum« als Begriff für undefinierte Expansionsansprüche. Die Grenztraditionen jahrhundertealter europäischer Nationalkultur erklärte er dabei ausdrücklich für null und nichtig. 1945 endlich begrenzte man mitten in Deutschland die Machtsphäre der beiden »Supermächte«.

Die Demokratisierung Europas enterbte die Dynastien und mußte folgerecht Kronen durch Köpfe ersetzen, Legitimität durch Nachdenken. In diesem Zusammenhang erhob sie auch die Grenzziehung zum gedanklichen Problem. Sie suchte sich nach- und nebeneinander an dem »natürlichen« Kriterium der Geographie, an dem vorausgesetzten Zusammenhang von nationalen Siedlungsräumen und schließlich am Selbstbestimmungsrecht von Mehrheiten zu orientieren. Alle drei Konstrukte erwiesen sich als unvollkommen, abgesehen davon, daß sie gelegentlich konkurrierten, durch Militarismus oder durch die Befürwortung »historischer Grenzen« durchkreuzt wurden. Von langzeitiger Wirksamkeit und meist nicht offen definiert zeigten sich machtpolitische Zusammenhänge, nach denen sich die deutschen Grenzen mitunter bedrohlich in die Nachbarschaft ausweiteten, endlich aber vom Sicherheitsbedürfnis oder vom Hegemoniestreben anderer Mächte wieder erheblich eingeengt wurden. Machtkämpfe gab es in der Geschichte immer. Die Theoretisierung des Grenzproblems, wie sie uns unser demokratisches Weltverständnis aufgetragen hat als Ersatz für den archaischen Besitzanspruch des dynastischen Denkens, muß dagegen bislang als mißlungen bezeichnet werden, denn die deutschen Grenzen verlaufen seit dreißig Jahren sozusagen quer durch alle Grenztheorien der neueren Geschichte. Zweifellos löste das auch den umgekehrten Prozeß aus, nach welchem die Menschen sich in ihren Grenzen einrichten, sich voneinander »abgrenzen«, nach vorgegebenen Gemeinsamkeiten und vorgefaßten Zielen.

Insofern rühren die deutschen Grenzen an die Grundfragen des Wandels aller Dinge, der Veränderlichkeit der menschlichen Verhältnisse und andererseits der Beharrungskraft von Traditionen. Der Vertrag von Versailles verminderte das deutsche Staatsgebiet um ein Siebtel, und die Bundesrepublik Deutschland umfaßt heute nicht einmal mehr die Hälfte davon. Nun wird aber die Politik in unserer Welt nicht allein gelenkt vom Impuls zu nationaler Integration. Die deutsche Geschichte war jedenfalls zu keiner Zeit identisch mit den deutschen Grenzen. Sie war, im alten Reich und in seinen Landen, ein Teil der Kulturgeschichte von Mitteleuropa, an der auch andere Völker und sprachliche Gruppen in unterschiedlichem Maß, aber in engster Verbindung mit den Deutschen Anteil hatten. Sie war nicht nur im großen, sondern auch im kleinen Raum in aller landschaftlicher Vielgestalt mit und ohne staatliche Qualitäten bayerische oder sächsische, auch eidgenössische oder österreichische Geschichte, sie war mit Städten oder Landschaften verknüpft, mit dem Aufstieg der Schwerindustrie oder mit der Auseinandersetzung um Deichbau und Brücken, Paßstraßen und Kanäle. Oft entfaltete so der kleine Raum die dichtere menschliche Nähe, die nachhaltigere Prägekraft. Das findet sich in der historischen Entwicklung in jedem Land. Aber in der deutschen Geschichte steckt über all dem zweifellos ein erhebliches Maß von Grenzgeschichte und der Problematik von Grenzen überhaupt; von den politischen Möglichkeiten der Grenzen wie von den Grenzen des politisch Möglichen.

Die Überreichung des Versailler Vertrages

In vieler Hinsicht geht die Situation des heutigen Deutschlands zurück auf ein Vertragswerk, das Hitler Vorwände seiner nationalistischen Politik, insbesondere für seine Kriegsvorbereitungen lieferte: der Vertrag von Versailles als Besiegelung der Kapitulation Deutschlands nach dem Ersten Weltkrieg. Die militärische Lage Deutschlands hatte sich im Oktober 1918 so stark verschlechtert, daß die Waffenstillstandsforderungen der Alliierten einer bedingungslosen Kapitulation des Reiches gleichkamen. Am 11.11.1918 mußte die deutsche Waffenstillstandskommission die Bedingungen der Siegermächte annehmen. Diese traten schließlich am 18.1.1919 unter Ausschluß der Verlierermächte zur großenteils geheimen Friedenskonferenz in Paris zusammen, und am 7.5.1919 wurden die Friedensbedingungen der deutschen Delegation unter Außenminister U. Graf Brockdorff-Ranztau im Trianon zu Versailles überreicht. Ganz rechts hinten im Bild die Pressevertreter, vor diesen vier deutsche Sekretäre und davor die deutsche Friedensdelegation mit Brockdorff-Rantzau (Mitte). Nach leidenschaftlich geführten Debatten entschied sich die Nationalversammlung am 22.6.1919 für die Unterzeichnung des Vertragswerkes, die daraufhin am 28.6.1919 im Spiegelsaal von Versailles vollzogen wurde.

Der deutsche Sprachraum in Geschichte und Gegenwart

Eines der wichtigsten Mittel des Menschen, sich mit seiner Umwelt auseinanderzusetzen, ist die Sprache. Mit ihr schafft er sich die Möglichkeit, mit anderen Menschen gesellschaftlich zusammenzuleben, und in ihr drückt sich aus, von welchen Gegebenheiten dieses Zusammenleben vorwiegend geprägt ist.

Als in Deutschland die wirtschaftliche Entwicklung danach drängte, das politisch vielfältig zersplitterte Gemeinwesen in einer geeinten Nation aufzuheben, war eine der wesentlichen Voraussetzungen die Herausbildung einer einheitlichen Nationalsprache. Die sprachliche Zersplitterung stand nicht nur einer nationalen, sondern auch einer sozialen Einigung im Wege: An den Herrschaftshäusern wurde französisch gesprochen, die Sprache der Kirche und der Wissenschaften war Latein, und das »gemeine Volk« verständigte sich in den regional stark differierenden deutschen Dialekten.

So sehr die Herausbildung der deutschen Hochsprache als eine der herausragenden kulturellen Leistungen zu betrachten ist, gibt es heute wiederum Stimmen, die davor warnen, die Vereinheitlichung der Sprache zu einem Instrument der zentralstaatlichen Unterdrückung regionaler und sozialer Besonderheiten zu machen. Immer mehr Wissenschaftler, Pädagogen, Künstler und Politiker verweisen darauf, daß insbesondere im Ausbildungsbereich die fehlerfreie Beherrschung der Schriftsprache nicht länger zum Gradmesser von intellektueller Leistungsfähigkeit überhaupt gemacht werden darf. Künstler vor allem sind es, die immer stärker im Dialekt Ausdrucksmöglichkeiten finden, die nicht in die Hochsprache zu übertragen sind, und die den Dialekt zu einem wichtigen Bestandteil der regionalen kulturellen Vielfalt machen.

Reiner Hildebrandt, Professor für Sprachwissenschaft an der Philipps-Universität Marburg und Mitdirektor des Deutschen Sprachatlas, untersucht im folgenden Kapitel die Struktur des deutschen Sprachraumes unter historischen, sprachwissenschaftlichen und geographischen Aspekten. Er beschreibt die wesentlichen Merkmale der deutschen Sprachgeschichte sowie die heutige Dialektverteilung, wobei auch die Unterscheidungsmerkmale der Dialekte herausgearbeitet werden. Der Beitrag entstand zusammen mit den wissenschaftlichen Mitarbeitern Klaus Guth und Hans Henning Smolka.

Woher hat Deutschland seinen Namen?

Es ist recht kurios, wie die Völker und Länder zu ihren Namen kommen und wie unscharf diese Namen meist im Sprachgebrauch gehandhabt werden. Man denke z.B. an *Amerika.* Nicht etwa vom großen Erstentdecker Kolumbus wurde der Name hergeleitet, sondern vom Vornamen des kaum noch bekannten nachfolgenden Erkundungsseefahrers Amerigo Vespucci. Der ganze Kontinent heißt heute *Amerika,* aber ein Brasilianer oder Kanadier ist deshalb doch noch kein Amerikaner, wie etwa ein Deutscher oder Grieche doch gleichzeitig auch ein Europäer ist. *Amerikaner* sind in der Umgangssprache nämlich nur die Bewohner der Vereinigten Staaten – wenn sie sich trotzdem für die Herren des ganzen Kontinents halten würden, ergäbe das sicherlich politischen Zündstoff!

Bei *Deutschland* und den *Deutschen* ist die Sache noch viel verwickelter. Bekanntlich nennt uns die englischsprachige Welt *Germanen (Germans)* und unser Land Germania *(Germany),* genau so, wie das die Römer vor zweitausend Jahren schon getan haben; nur existierte zu dieser Zeit noch längst kein einheitliches politisches Gebilde, für das gerade dieser Name eine tiefere Berechtigung gehabt hätte. Im Gegenteil, die *Germanen* waren lediglich ein unbedeutender Teilstamm, der nur zufällig als einer der ersten mit den Römern bei deren Ausdehnungsdrang nach Norden in kriegerische Auseinandersetzungen geriet. Der Name dieses einzelnen Stammes ging dann dennoch für die Römer auf die Gesamtheit all der Stämme über, die am Rhein und jenseits davon wohnten und durch eine aus gemeinsamen Wurzeln erwachsene Sprache und andere Gemeinsamkeiten in Religion, Lebensführung und Sippenverbund zusammengehalten wurden. Ein Benennungsprinzip, das in dieser Weise einen Teil für das Ganze setzt (pars pro toto), ist im Sprachgebrauch allenthalben anzutreffen und kommt gerade in unserem Fall noch mehrfach vor: Wenn uns die Franzosen und Spanier z.B. *Alemannen* nennen, so sind auch sie dem gleichen Prinzip gefolgt. Die Alemannen waren diejenigen unter den übrigen germanischen Teilstämmen, die den Romanen im Südwesten am dichtesten auf den Fersen saßen und heute noch mit den Deutschschweizern, Elsässern, Südbadensern, Vorarlbergern sowie den Schwaben identisch sind. Wenn man den Spieß umdreht, so ist für das ganze Mittelalter festzustellen, daß die Deutschen ihre romanisch sprechenden Nachbarn, also sowohl Franzosen wie auch Italiener, als *Welsche* bezeichneten, nur weil es am Anfang dieses nachbarlichen Freund-Feind-Verhältnisses einmal einen keltischen Stamm gegeben hat, von dem dieser Name verallgemeinert wurde. Zur Zeit der Staufer mit ihrem völkerumspannenden Kaiserreich rührten die internen politischen Spannungen nicht zuletzt von den sprachlichen Gegensätzen her. Wenn da ein deutscher Kaiser, wie etwa Friedrich II., gar nicht richtig deutsch sprechen konnte oder wollte, dann war es nur zu verständlich, daß sich seine deutschen Untertanen von den Italienern und Franzosen bevormundet sahen und die *Welschen* bei ihnen keinen guten Ruf genossen. Walther von der Vogelweide hat in einigen seiner berühmten politischen Spruchdichtungen seinen ganzen Sarkasmus über die welschen Pfaffen ausgeschüttet, die als Emissäre des Papstes den gutgläubigen Deutschen das Geld aus den Taschen zögen. Er läßt den Papst sagen: »Ich hab' den Leuten beigebracht, daß sie gehörig opfern. Ihr ganzes Geld wird mir gehören. Ihr deutsches Silber wandert in meine Truhen. Ihr treuen welschen Pfaffen, eßt gebratene Hühner und trinkt Wein und laßt die Deutschen abmagern und fasten.«

Keinesfalls hätte sich aber ein Italiener oder ein Franzose selbst einen *Welschen* nennen wollen; ebensowenig haben sich die Deutschen je als Gesamtheit *Germanen, Alemannen* oder *Sachsen* genannt, nur um ihren Nachbarn nach dem Munde zu reden. Für sie gilt nur *deutsch* als Name. Was ist das für ein Wort, und wo kommt es her? Zunächst könnte man meinen, es gehöre zu jenen vielen Namenswörtern, die man nicht weiter auszudeuten vermag, weil es ohne jede Anlehnung an andere vorhandene Wörter gebildet zu sein scheint. Aber wie so oft bedarf es auch hier nur eines kleinen Fingerzeigs seitens der Sprachwissenschaft, um zu erkennen, daß viele Wörter, die man zunächst gar nicht miteinander in Zusammenhang zu bringen vermochte, doch zusammengehören. Man muß nur zum gleichen oder ähnlichen Klang auch die verbindenden Bedeutungsbrücken finden: *deutsch, deuten, deutlich, Bedeutung, bedeutend, bedeutungsvoll, verdeutlichen* ... – alle diese Wörter und noch einige mehr, die man leicht ergänzen kann, gehören zu ein und derselben »Wortfamilie«. Der Baustein *deut* ist für alle aufgeführten Wörter der Grundbestandteil, so etwas wie ein Urelement, das zu einem frühen Zeitpunkt der Sprachentwicklung einmal der Ausgangspunkt war. Und wenn wir einen Sprachgeschichtler fragen, so kann er uns auch klar die Antwort geben: Der Sprachbestandteil *deut* war in der Tat ein altes germanisches Wort, und zwar ein ganz wichtiges und zentrales. Es war nämlich in früherer Zeit einmal die Bezeichnung für »Volk« bzw. »Stammesgruppe«. Wer ermessen kann, wie es um den ursprünglichen engen Sippenzusammenhalt unserer Vorfahren bestellt war, der ahnt etwas von dem Gewicht des Wortes *deut*. Die Ableitung *deut-sch* entstand durch eine späte Silbenverkürzung des Eigenschaftsworts *deutisch* (mit *-isch* wie in *engl-isch, russ-isch, köln-isch*) und bezeichnet das, »was zum *deut* (Volk) gehört«. Dieser Bedeutungsgehalt steckt nämlich in der Endung *-isch*, genauso wie auch *irdisch* beispielsweise das ist, »was zur Erde gehört«. Ferner: Wenn man etwas *deutet*, dann macht man demnach dem *deut* (»Volk«) etwas verständlich, und wenn etwas *deutlich* ist, dann ist es volksgemäß. Alles, was *Bedeutung* hat, ist dann das, was im Volke »ankommt«; was genügend *verdeutlicht* ist, das, was dem Volk plausibel gemacht wurde. Wer übrigens auf den Namen *Dietrich* oder *Dieter* hört, kann sich rühmen, das alte Wort für »Volk«, wenn auch in etwas anderer Lautgestalt, noch bewahrt zu haben: Der *Dietrich* ist der volkreiche Stammesführer, und der *Diether* der volk-hehre, der aus dem Volk herausragende, wie ja auch unser heutiges *Herr* nichts anderes ist als der *hehrere*, also der »größere«, schließlich »der von Adel«.

Wir kommen dem alten Sinngehalt des Wortes *deutsch* auch noch besonders nahe in der Redewendung *»wir wollen einmal deutsch miteinander reden«*! Das heißt dann mit leicht bedrohlichem Unterton »besonders deutlich und direkt miteinander reden«, also so, wie man im Volk mit seinesgleichen redet, ohne ein »Blatt vor den Mund zu nehmen«. Natürlich kann man daneben das *Deutsch*-Reden auch noch auf einem anderen Hintergrund sehen, nämlich dem der mittelalterlichen Zweisprachigkeit, als noch die lateinische Sprache die Oberhand als Kirchen- und Gelehrtensprache besaß. Da war *deutsch* sowieso nur das, was das einfache Volk redete, wenn auch mit wachsendem Eigengewicht der sich zum

Statue Karls des Großen (768–814)

Im Frankenreich, dessen Herrschaft Karl der Große zusammen mit seinem Bruder Karlmann 768 übernimmt, bildet sich im 8. Jahrhundert der Gedanke der »theodisca lingua«, der Sprache, die vom Volk gesprochen wird. So empfiehlt Karl der Große 813 den Geistlichen, nicht nur lateinisch zu predigen, sondern auch in der (romanischen und germanischen) Volkssprache: »in rusticam Romanam linguam aut Theodiscam«. Die verschiedenen Stammesdialekte des Althochdeutschen lebten damals nebeneinander, ohne daß es eine verbindende Hochsprache gab, zu der sich jedoch zu jener Zeit – auch vom fränkischen Herrschaftsgebiet ausgehend – erste Ansätze entwickelten.

Die Wartburg bei Eisenach

In der Geschichte der deutschen Sprache kommt der Wartburg eine besondere Bedeutung zu: Martin Luther übersetzte hier als »Junker Jörg« das Neue Testament. Die Übersetzung (»Septemberbibel«) erschien im September 1522.
Die Bedeutung Martin Luthers für die Herausbildung der neuhochdeutschen Einheitssprache ist in der Forschung recht unterschiedlich gewichtet worden. Daß er geradezu ihr Schöpfer gewesen sei, wurde nur von sehr extremer Position aus behauptet, daß er aber ihr bester Propagandist war, das dürfte nach wie vor unbestritten sein. Denn erst das intensive Lesen breiterer Bevölkerungsschichten ermöglicht es, daß sich eine bestimmte Sprachform in ihrer Allgemeingültigkeit verfestigt und stabilisierende Querverbindungen über Zeit und Raum möglich macht. All dies konnte durch die ungeheure Verbreitung von Luthers Bibelübersetzung und seiner weiteren Schriften in Gang kommen und seiner Sprachform zum Siege verhelfen. Er hat sie jedoch nicht erst schaffen müssen, vielmehr war sie längst vorgeprägt, und nur der glückliche Umstand, daß Luther in jener thüringisch-obersächsischen Kulturlandschaft beheimatet war, die sich schon einer auf breiterer landschaftlicher Grundlage vorgeformten Geschäfts- und Bildungssprache geöffnet hatte, brachte es mit sich, daß Luthers Deutsch ein Deutsch war, das man bereits in weiteren Kreisen akzeptieren konnte.
Aber darüber hinaus tat auch noch seine Sprachkunst das Ihre. Seine Wortgewalt überzeugte letztlich auch diejenigen, die, vor allem als Süddeutsche (und Katholiken), an seinem mitteldeutschen Lautcharakter noch manches auszusetzten hatten. Katholische Bibelübersetzer als bewußte Konkurrenten waren ihm sprachlich meist treuer ergeben, als sie je hätten zugeben können, auch wenn sie noch so sehr gegen das »verfluchte lutherische e« wetterten (Glaube, Liebe, Güte), das sie gar zu gern zugunsten der süddeutschen e-Losigkeit getilgt hätten (der Glaub, die Lieb, die Güt).

Bürgertum wandelnden Gesellschaft. Allerdings konnte es nicht ausbleiben, daß neben dem Bücherschreiben in lateinischer Sprache auch mit wachsendem Erfolg Versuche einsetzten, die Volkssprache zu verschriftlichen, und sei es auch zunächst nur, um die Schüler im Unterricht besser von der Volkssprache weg zum Latein hinzuführen. So ist es in der Tat nachgewiesen, daß das Emporkommen des Wortes *deutsch* vor allem dem Umstand zu verdanken ist, daß in den lateinischen Gebrauchstexten theologischer, juristischer, naturkundlicher oder poetischer Art immer dann, wenn volkssprachliche Wörter oder Textteile eingefügt wurden, zur Kennzeichnung das Wörtchen *deutsch* (älter *diutisk*) hinzugesetzt wurde. Der Leser bzw. Schüler wußte dann: Hier steht ein volkstümliches Wort oder ein Satz, der nicht lateinisch ist. Unter Karl dem Großen fing diese Gewohnheit ganz zaghaft an und wurde dann binnen 300 Jahren immer häufiger. Auf diesem Wege kam es dann schließlich dazu, daß man nicht nur die geschriebene Volkssprache *Deutsch* nannte, sondern auch das, was man selbst von Haus aus sprach und was man nun nicht mehr wie bisher nur in der stammlichen Abgrenzung als Fränkisch, Schwäbisch, Bairisch, Thüringisch oder Sächsisch bezeichnen mochte. Es war so etwas wie ein Oberbegriff gefunden worden, der die wachsende, sich in der gemeinsamen Sprache auswirkende Solidarität des erstarkenden Bildungsbürgertums bei allen unvermindert weiterexistierenden regionalen sprachlichen Unterschieden bekunden konnte. Der erstaunlich anwachsende Lesedrang, sei es zur Unterhaltung, zur religiösen Erbauung oder zur Erweiterung des praktischen Wissens, brachte es mit sich, daß man in immer stärkerem Maße nach deutsch geschriebenen Texten verlangte. Das ist auch der Grund, warum das kostbare Pergament zum Schreiben nicht mehr ausreichte und man zur Herstellung des billigeren Papiers überging.

Mit letzter Konsequenz hat dann Martin Luther mit seiner deutschen Bibelübersetzung diesen Schritt zur deutschen Sprache hin vollzogen. Sein »Hier stehe ich, ich kann nicht anders« mag sich vorrangig auf sein Glaubensbekenntnis bezogen haben; es schwingt aber doch auch das andere mit: Ich muß dem Volk endgültig seine Sprache geben, damit es sich von vielfältiger Bevormundung befreien kann. Nichts anderes drückt er ja auch in seinem Lied aus: »Wach auf, wach auf, du deutsches Land, du hast genug geschlafen!« So lange hat es noch gedauert, bis einer auch vom »deutschen Land« sprechen konnte und die Menschen meinte, die darin wohnten. Und noch einmal dauerte es fast 100 Jahre, bis man auch zum erstenmal das festgefügte Wort *Deutschland* geschrieben findet. Dem 19. Jahrhundert blieb es vorbehalten, schließlich »Deutschland, Deutschland über alles« zu stellen und damit einer politischen Überbewertung Vorschub zu leisten. Aber bezeichnenderweise war der Dichter Hoffmann von Fallersleben neben seinem politischen Engagement auch ein nicht unbedeutender Sprach- und Literaturgelehrter, der den Deutschen mit seinem Lied eigentlich nur in Erinnerung bringen wollte, daß es 600 Jahre früher schon einmal einen Mann gegeben hatte, der sich wie kein anderer zu seiner Zeit mit seinem Deutschtum identifizierte. Gemeint ist wieder Walther von der Vogelweide, den schon sein nicht minder bedeutender Zeitgenosse Gottfried von Straßburg kurz nach 1200 als die Nachtigall unter den höfischen Sängern pries und der in einem seiner berühmtesten Lieder sang: »Deutsche Männer sind fein erzogen, die Frauen sind Geschöpfe wie Engel« (tiutsche man sint wolgezogen, reht als engel sint diu wîp getân). Auch die räumlichen Dimensionen »von der Maas bis an die Memel, von der Etsch bis an den Belt« hatte Hoffmann in unmittelbarer Anlehnung an Passagen bei Walther abgesteckt. Innerhalb dieser Umgrenzung hatte für ihn die »deutsche Zunge« Geltung. Aber für Walther wie für Hoffmann blieb die eigentliche Forderung unerfüllt, daß zur sprachlichen Gemeinsamkeit auch die politische Einigung zu treten habe. Erst das ausgehende 19. und vollends das 20. Jahrhundert brachten dann nach langer Zukunftsvision den zweimaligen Versuch zur Verwirklichung. Beide endeten überaus schrecklich. Heutzutage ist es als Folge davon erneut umstritten, ob und wie es Deutschland überhaupt noch gibt. Unverfänglich ist nur dieses, daß man wie seit Jahrhunderten deutsch redet, nicht nur in der Bundesrepublik Deutschland und in der Deutschen Demokratischen Republik, sondern auch in Österreich und in der Schweiz, in kleinen Teilgebieten anderer europäischer Länder und sonstwo auf der Welt, wo immer deutsche Auswanderer Fuß gefaßt und etwas von ihrer Identität bewahrt haben.

Spielendes Kind

Kinder sind es, die uns immer wieder auf die Bedeutung der Sprache verweisen und die in den letzten Jahrzehnten verstärkt Veranlassung boten, die Eigenheiten der Sprache gründlich zu untersuchen. Denn bei der Erziehung der Kinder stellt der Erwachsene fest, daß es wesentlich von der Sprache abhängt, in welcher Weise das Kind sich in seine Umwelt einfinden kann. Durch die Sprache werden die kulturellen Errungenschaften der Menschheit an die Nachkommen weitergegeben, und mit Unterstützung der Sprache kann der Mensch sowohl mündig gemacht als auch manipuliert werden.
So ist auch ein Kind, das nur über einen eng begrenzten Wortschatz verfügt, kaum in der Lage, etwa die Zusammenhänge der modernen Technik zu erfassen, die uns heute in allen Bereichen begegnen.

Man hat gesagt, das, was den Menschen zum Menschen mache, sei seine Sprache. Und in der Tat, ein Menschsein ohne Sprache scheint nicht vorstellbar zu sein. Mehr noch: Nur das Hineinwachsen in die schon vorhandene Sprache schafft die Voraussetzung, daß sich der einzelne in der Gemeinschaft bewähren kann und daß die Gemeinschaft im einzelnen auch ein Vorbild zu sehen vermag. Sollte es bei einer heute nicht mehr gänzlich auszuschließenden Weltkatastrophe dahin kommen, daß nur noch eine Gruppe unmündiger Kinder eine Überlebenschance hätte, dann stünde außer Zweifel, daß diese Kinder in einen Primitivzustand zurückfallen würden, der sie wieder in die Nähe des seit Darwin so in Mißkredit geratenen Affen brächte. Die Neuentwicklung von Sprache wäre dann wieder ein vielleicht vieltausendjähriger Prozeß, wobei nach bisherigen Erkenntnissen außer Zweifel steht, daß sich die Ausbildung des Sprachvermögens immer in Wechselwirkung mit der Erweiterung des Denkvermögens vollzieht. Wer denkt, spricht auch, und wer spricht, denkt auch. Dennoch ist das Ganze aber kein Vorgang, der das Individuum schon als solches prägt, denn Sprache funktioniert ihrem Wesen nach doch letztlich nur im Umgang mit dem anderen. Der Satz des berühmten Philosophen Descartes »Ich denke, also bin ich« (cogito ergo sum) enthält somit nur die halbe Wahrheit. Denn nur, indem er diese Erkenntnis in Worte faßte und damit Sprache werden ließ, hat sich die Tatsache, daß er dachte, wirklich bewahrheitet.

Es ist kaum glaublich, aber wahr: Ein einziger Mensch, die Mutter, der Vater oder wer auch immer, genügt, um das unmündige Kind in den entscheidenden Phasen seiner Entwicklung mit Hilfe der Sprache zum vollgültigen Menschen seiner Zeit werden zu lassen. Gäbe es diesen vermittelnden Menschen mit seiner prägenden Sprache nicht, so fiele das Kind in ein Stadium primitivsten Menschseins zurück. Wenn aber zwei Menschen bereits in der Lage sind, die ganze

Menschheitsentwicklung in ihren beiden Einzelleben aufzufangen und individuell als Gebender und Nehmender neu zu verwirklichen, weil ihre überkommene Sprache sie dazu befähigt, dann läßt sich daraus allerdings auch zweierlei folgern: Erstens verändern sich Sprachen im zeitlichen Ablauf von Generation zu Generation, weil das Denken nicht stehenbleibt, sondern sich ständig neue Ausdrucksmöglichkeiten sucht. Dabei kann es natürlich, je nach den äußeren Lebensbedingungen, nicht nur Fortschritte, sondern auch Rückschritte geben. Zweitens verändern und unterscheiden sie sich aber auch aufgrund des Nebeneinanders der Menschen – nicht nur im großen, weil »andere Völker andere Sitten (und Sprachen)« haben, sondern auch im kleinen, weil z.B. schon mit dem nächsten Nachbarn der sprachliche Kontakt unterbleiben kann, aus welchen Gründen auch immer.

Sowohl im Großen wie im Kleinen liegen immer aus dem gleichen Grund des mangelnden Kontaktes die Ansätze zum Nichtverstehen begründet. Menschen sind wohl nie hilfloser, als wenn sie einander zwar begegnen, aber doch ganz verschiedene Sprachen sprechen. Nie zeigen sie aber auch mehr Bereitschaft, voneinander zu lernen, als wenn sie aus der Situation heraus dennoch aufeinander angewiesen sind. Das Wechselspiel von Verstehen und Nichtverstehen hat also seine Wurzeln zwangsläufig in dem wechselnden Umgang der Menschen untereinander. Sprache macht sicher und verunsichert doch auch zugleich, Sprachen sind »vergleichbar und unvergleichlich«.

Was man auf diese Weise mehr im allgemeinen erörtern kann, gilt nun auch wieder im besonderen, nämlich in der Anwendung auf die deutsche Sprache. Die Menschen, die sie in unterschiedlichen Ausprägungen durch die Jahrhunderte gesprochen haben, haben sie jeweils auch in charakteristischer Weise verändert. Das kann man allerdings immer nur im Nachhinein feststellen. Im Zeitraum eines

Türkischer Arbeiter in einer deutschen Gaststätte

Nur wenige ausländische Arbeiter in der Bundesrepublik beherrschen die deutsche Sprache. Die Konsequenzen, die sich daraus ergeben, lassen uns nachdenken über die Bedeutung von Sprache überhaupt. Denn die eingeschränkte Möglichkeit der sprachlichen Verständigung führt nicht selten dazu, daß Türken, Griechen, Italiener oder Araber in Deutschland als kulturell und zivilisatorisch rückständig angesehen werden. In diesem Zusammenhang ist an den Bedeutungswandel des Wortes barbarisch zu erinnern: das altindische Adjektiv »barbara« bedeutete »stammelnd« und wurde von den Griechen mit der Bedeutung »nicht griechisch, von unverständlicher Sprache« adaptiert. Bei den Römern bedeutete es »unrömisch, ausländisch«, was schon mit einer negativen Bewertung gekoppelt war, so daß sich schon damals die spätere Bedeutung »unkultiviert« und die heutige »unmenschlich, grausam« vorprägen konnte.

Menschenalters fallen solche Veränderungen so wenig ins Gewicht, daß sie im einzelnen kaum bewußt werden oder beachtenswert erscheinen. Überschauen wir dagegen größere Zeiträume, so lassen sich allerdings sehr deutlich hervortretende sprachliche Umgestaltungen erkennen, die man zeitlich und räumlich genauer erfassen kann.

Die früheste und bis heute markanteste Umgestaltung des deutschen Sprachgebiets ist die räumliche Zweiteilung des Hochdeutschen gegen das Niederdeutsche oder Plattdeutsche. Kaum waren im 6. bis 8. Jahrhundert die einzelnen germanischen Stämme, die später als die deutschen gelten sollten, endgültig seßhaft geworden, ergab sich dieser einschneidende Gegensatz, der die Aussprache der drei Laute p, t und k in allen Wörtern betraf. Im Niederdeutschen wurden die drei Laute weiterhin unverändert ausgesprochen, so wie es sich bis heute auch in England, den Niederlanden und in Skandinavien als den Ländern unserer nächsten germanischen Verwandten erhalten hat. Im Hochdeutschen aber, d.h. in etwa südlich der Linie Düsseldorf - Olpe - Kassel - Wittenberg - Berlin, erscheinen die drei Laute mit sogenannter »verschobener« Aussprache als (p)f, (t)z oder (s)s und ch (stoppen - stopfen, helpen - helfen, sitten - sitzen, Water - Wasser, maken - machen). Weit über tausend Jahre hält dieser Gegensatz nun schon mit gestaffelten Übergängen im mitteldeutschen Sprachgebiet (Mittelrhein - Main - Thüringen - Sachsen) an, heute nur verdeckt von der Überlagerung durch die Schriftsprache.

In zeitlicher Dimension betrachtet, faßt man eine frühe Phase zusammen, die etwa 300 Jahre, von 750 bis 1050 dauerte und als Althochdeutsch bezeichnet wird, sofern es sich um den eben skizzierten hochdeutschen Raum handelt, andererseits aber als Altniederdeutsch (oder Altsächsisch). Wichtigstes gemeinsames Kennzeichen dieser Sprachstufe waren der Vokalreichtum und die höhere Silbenzahl, z.B. *er ferit zuo demo arzat* (er fährt zu dem Arzt). Die nächste, die mittelhochdeutsche bzw. mittelniederdeutsche Periode umfaßte etwa 350 Jahre (bis etwa 1400). Jetzt setzte sich in den unbetonten Silben durchweg das schwachtonige *e* durch, so daß der Satz nun lautete: *er feret ze deme arzet.*

Natürlich gab es zusätzlich noch eine Fülle anderer Veränderungen, die nicht nur die Lautgestalt der Wörter betrafen, sondern vor allem auch ihre Bedeutungen und ihre Stellung im Satzgefüge. Heute muß man deshalb echte Übersetzungsarbeit leisten, wenn man z.B. einen Text Walthers von der Vogelweide in angemessener Weise in unsere jetzige Sprachform bringen will:

Ich han gemerket von der Seine unz an die Muore,
von dem Pfade unz an die Traben erkenne ich al ir fuore.
diu meiste menege enruochet wies erwirbet guot:
sol ichz also gewinnen, so ganc slafen, hoher muot!
Guot was ie genaeme, iedoch so gie diu ere
vor dem guote: nust das guot so here,
daz ez gewaltecliche vor ir zuo den frowen gat,
mit den fürsten zuo den künegen an ir rat:
so we dir guot! wie roemesch riche stat!
du enbist niht guot: du habst dich an die schande ein teil ze sere.

Umgesehen habe ich mich von der Seine bis zur Mur,
vom Po bis zur Trave beobachte ich, was sie treiben.
Die meisten machen sich kein Gewissen daraus, auf welche Weise sie Besitz
erwerben:
Wollte ich's genau so machen, dann gute Nacht, Sitte und Anstand!
Reichtum war zwar immer angenehm, Vorrang hatte jedoch
die Ehrenhaftigkeit. Heutzutage steht aber das Geld an erster Stelle und
verschafft ohne Umschweife Zugang bei den
Frauen.
Die Fürsten begleitet es, wenn's bei den Königen zu verhandeln gilt:
Schande über Geld und Gut und was aus dem römischen Reich geworden ist!
An diesem Gut ist nichts mehr gut, es hat sich zu sehr mit der Korruption
verbündet.

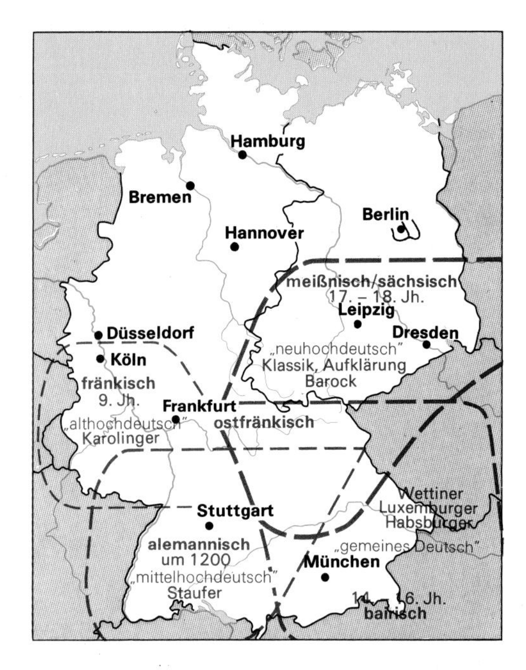

Geographisch-politisch-kulturelle Zentren hochsprachlicher Tendenzen

Eine erste Blüte der deutschen Hochsprache fällt in die Karolingerzeit. Bekanntlich hat sich Karl der Große mit großer Energie darum bemüht, daß sein Reich auch durch die Sprache geeinigt wurde. Dennoch blieb als Wissenschafts-, Rechts- und Verwaltungssprache die Rolle des Lateins noch lange Zeit unangefochten. Mehr als 300 Jahre später hat sich das Deutsche als Schrift- und Hochsprache in der staufischen Periode gefestigt. Es ist die Zeit der Minnesänger und der Kreuzzüge, und die Sprache ist gegenüber der karolingischen Zeit bei weitem nicht mehr dem Lateinischen an Präzision und Ausdrucksfähigkeit unterlegen. Mit der Verlagerung der Macht nach Bayern geht der allmähliche Zerfall des Deutschen Reiches in die kleineren Herrschaften der Fürsten einher, was für die Entwicklung der Einheitssprache ein folgenschwerer Rückschlag war. Dennoch – die Auseinanderentwicklung machte eine neue Vereinheitlichung notwendig, die in der Neuzeit vom sächsisch-meißnischen Raum ausgeht. Luthers Bibelübersetzung ist wohl in ihrer Bedeutung gelegentlich überschätzt worden – doch ändert dies nichts daran, daß hiermit die Grundlagen unserer »modernen« deutschen Sprache geschaffen worden sind.

Seite 59:

Walther von der Vogelweide

Die Darstellung des Dichters findet sich in der Großen Heidelberger Liederhandschrift (»Manessische Handschrift«) als Blatt 126a. Die in der Zeit von 1300 bis 1340 angelegte Liedersammlung verfolgte den Zweck, die Lieder der deutschen Lyriker vom Ende des 12. bis zum Beginn des 14. Jahrhunderts zusammenzutragen. Zumindest in ihren Anfängen bestand diese Dichtung lediglich als gesprochenes oder gesungenes, nicht aber als geschriebenes Wort, da es damals nicht zu den Bildungsaufgaben des Ritters zählte, lesen und schreiben zu lernen. So heißt es von Ulrich von Lichtenstein, daß er einen Liebesbrief seiner Herrin zehn Tage ungelesen mit sich trug, bis sein Schreiber zurückkehrte und ihm den Brief vorlas.

Her walther vō der vogelweide. .xlv.

Deutsch ist nicht gleich Deutsch

Die Brüder Grimm

Jakob und Wilhelm Grimm gelten als die Begründer der deutschen Sprachwissenschaft. Sie waren nicht nur die großartigen Sammler der deutschen Volksmärchen, der deutschen Heldensagen und der germanischen Mythologie, sondern vielmehr noch die Gelehrten, die die deutsche Sprache und Literatur in ihrem Eigenwert erkannten und ihre wissenschaftliche Erforschung ganz entscheidend förderten. Jakob Grimm schrieb die erste große deutsche Grammatik, und beide legten sie den Grundstein für das große deutsche Wörterbuch, das den ganzen Reichtum der deutschen Sprache einzufangen suchte und das weit über ihren Tod hinaus noch Generationen von Gelehrten beschäftigte, ehe es nach mehr als 100 Jahren endlich vollendet werden konnte. Nicht ohne Grund wird deshalb auch in regelmäßigem Abstand ein Brüder-Grimm-Preis an der Universität Marburg solchen Gelehrten verliehen, die sich um die Erforschung der deutschen Sprache besonders verdient gemacht haben.

Man muß sich natürlich immer der Fragwürdigkeit jeglicher Periodisierung im Fluß der Sprache bewußt bleiben. Das gilt besonders für das sogenannte Neuhochdeutsche, das ja nun schon 500 Jahre und länger dauert, selbst wenn man die ersten 150 bis 200 Jahre noch einmal als »Frühneuhochdeutsch« ausklammert, wie es oft getan wird. Aber auch dann ist die Spanne noch groß genug. Es wollte sich wohl kaum ein heutiger Zeitgenosse noch mit dem unrevidierten Deutsch der Lutherbibel identifizieren, obwohl dieses Deutsch zu seiner Zeit eben bestes und modernstes Deutsch mit einer Breitenwirkung sondergleichen war.

Aber nicht nur die räumliche und zeitliche Distanz ist verantwortlich dafür, daß Deutsch nicht gleich Deutsch ist. Auch der heute wissenschaftlich sehr ernst genommene Abgrenzungswille der Menschen im sozialen Gefüge spielt eine wichtige Rolle. Es war schon die Rede davon, daß im ganzen Mittelalter das Latein die Sprache der Gebildeten war, und an den Universitäten und in der katholischen Kirche blieb es das auch noch bis weit in die Neuzeit hinein. Für Wissenschaft und Kult mag solch ein sprachliches Eigenleben eine gewisse Berechtigung haben, weil eine Fachsprache notwendig und nützlich ist. Aber das Ausweichen in eine andere Sprache ist letztlich in vielen Fällen doch ein bewußt angewandtes Mittel zu dem Zweck, anders zu sein als die anderen. Nicht von ungefähr hat sich die »gebildete« Gesellschaft im Zeitalter der Aufklärung deshalb die französische Sprache zu eigen gemacht. An ihr wurden vor allem die Klarheit, logische Präzision und Wohllaut gepriesen, alles Eigenschaften, die der deutschen Sprache angeblich abgehen sollten. Sie wurde statt dessen, vor allem in adeligen Kreisen, für verworren, ohne begriffliche Klarheit und übellautend erklärt. Und dies zu einer Zeit, in der doch schon längst Dichter wie Klopstock und Lessing ihren Ruhm begründet hatten. Der erste, indem er den ganzen Überschwang seines religiösen Patriotismus rauschhaft in klangreiche, kunstvoll gefügte Sprache faßte, und der andere, indem er sein kritisches Zeitbewußtsein und sein soziales Engagement in der Prägnanz einer logisch distanzierten, aber zugleich eindringlichen Sprache zum Ausdruck brachte. Erst mit der deutschen Klassik, mit Goethe, Schiller, aber auch mit Jean Paul, Hölderlin und Kleist, um nur einige zu nennen, ferner mit dem allgewaltigen Sprachpfleger Adelung, der mit seinem deutschen Wörterbuch und seiner deutschen Grammatik bis weit in das vorige Jahrhundert hinein den Ton angab, hatte sich der Gebrauch der deutschen Sprache so weit gefestigt, daß ihr keine fremde Sprache mehr den Rang einer vollgültigen Kultursprache streitig machen konnte.

Aber mit dem Durchsetzen der deutschen Sprache in allen sozialen und kulturellen Bereichen waren intern durchaus nicht alle gesellschaftlichen Schranken aufgehoben. Im Gegenteil, erst nachdem man genau festgelegt hatte, was gutes und richtiges Deutsch sei, wurde man sich um so mehr der Tatsache bewußt, daß dieses richtige Deutsch zwar gut zu schreiben, aber schlecht zu sprechen war. Und so ist es letztlich zu einer neuen Zweisprachigkeit gekommen, die bis heute anhält: Das, was schon immer im mündlichen Gebrauch war – der Dialekt – wird auch weiterhin gesprochen; mit Einschränkungen zwar und nicht in allen Situationen, aber doch in bewußter Abgrenzung zur Schriftsprache. Diese dagegen kann man dann am besten, wenn man sie schreibt, liest oder hört, nicht aber, wenn man sie selbst sprechen muß. Und sei es auch nur der besondere landschaftliche Klang, den man nicht ablegen kann, jene breite Tonfülle der Thüringer und Sachsen, die behäbige Akzentuierung der Bayern, das »nauf und nunter« der Schwaben, das Melodische der Rheinländer und das verhaltene Stakkato der Norddeutschen. Nicht einmal der Sprachwissenschaftler kann diese Eigentümlichkeiten des besonderen Klanges so recht analysieren, geschweige denn exakt beschreiben. Das zeigt sich schon in der Hilflosigkeit der eben versuchten Umschreibungen.

Die Diskussion ist wieder neu und heftig im Gange, warum die Dialekte nicht auszurotten sind, wie man die Kinder in der Schule bei unterschiedlicher sprachlicher Vorprägung gleichmäßig fördern soll, wenn ihnen der Dialekt teilweise immer noch vertrauter ist als die Schriftsprache, und wie man die Erwachsenen vor Benachteiligungen bewahrt, wenn sie sich nicht einwandfrei hochdeutsch ausdrücken können oder die Rechtschreibung nicht beherrschen. Da steckt eine ganze Fülle gesellschaftspolitischer Fragen dahinter, und da wird die Sprache auch unversehens zum Gradmesser des persönlichen Erfolgs oder Mißerfolgs. In der öffentlichen Diskussion werden diese Schwierigkeiten, daß bestimmte Sprecherschichten und

Sprechergruppen die hochdeutsche Standardsprache nicht ausreichend beherrschen, Sprachbarrieren genannt. Engagierte Gesellschaftspolitik hat zur Überwindung dieser Barrieren aufgerufen und viel Unruhe in den Deutschunterricht an den Schulen gebracht. Denn eine gewisse Verkürzung der Aspekte ist dabei unvermeidbar. Dialekt ist nun einmal keine minderwertige Erbmasse, sondern die Sprache des engsten und vertrautesten Lebensbereichs. Schulunterricht ist nicht nötig, um ihn zu beherrschen, aber Schulunterricht darf auch nicht so tun, als gäbe es den Dialekt gar nicht. Schuldidaktische Überlegungen gehen heute dahin, den dialektsprechenden Schülern die Beherrschung des Dialekts als etwas Positives hinzustellen, um sie dann um so mehr dazu anzuhalten, das Hochdeutsche viel bewußter als Zweitsprache anzusehen und zu erlernen. Denn der Erlernbarkeit von Sprachen sind bei normalem Intelligenzgrad sehr weite Grenzen gesetzt. Der Dialekt wird in dem Moment kein »Schicksal« für einen heranwachsenden Menschen mehr sein, in dem ihm die dialekteigenen sprachlichen Strukturen bewußt gemacht werden und er die Strukturen der Standardsprache im Kontrast dazu zu sehen lernt.

Das Schillerhaus in Weimar

Die deutsche Klassik mit ihren Hauptvertretern Goethe und Schiller war zwar nicht in erster Linie an einer nationalen Vereinheitlichung der deutschen Sprache beteiligt, aber sie sorgte mit ihren Werken dafür, daß dieser Sprache der Rang einer vollgültigen Kultursprache nicht mehr streitig gemacht werden konnte. Noch zu Klopstocks und Lessings Zeit hatte die deutsche Sprache vor allem in Kreisen der Aristokratie als vulgär gegolten; die vornehmen Kreise betonten ihre Distanz zum gemeinen Volk, indem sie französisch sprachen.

Die mundartliche Landkarte der deutschen Sprache

Zur Karte auf Seite 63:

Die Einteilung des deutschen Sprachgebiets nach den Hauptgruppen der deutschen Dialekte erinnert an die Darstellung der historischen Abfolge in der Entwicklung von politisch-kulturellen Zentren auf dem Boden des Deutschen Reichs, die zugleich als Ausgangsbasen sprachlicher Vereinheitlichung anzusehen sind. Für die – etwa im Vergleich zum Französischen – starke mundartliche Gliederung des Deutschen war es maßgeblich, daß es auf dem Boden des »Heiligen Römischen Reichs Deutscher Nation« zur Herausbildung eines räumlich und zeitlich überdauernden Herrschaftszentrums nicht gekommen ist. Die Einteilung in die wichtigsten Dialektgruppen erfolgt nach sprachlichen Merkmalen, deren Verbreitung freilich durch die politische und soziale Entwicklung gesteuert ist. In der Süd-Nord-Richtung gehen wir von einer Dreigliederung in ober-, mittel- und niederdeutsche Mundartengruppen aus. Sie ergibt sich aus der Beobachtung, in welchem Maße sich die »hochdeutsche Lautverschiebung«, die Veränderung der Laute p, t und k zu (p)f, (t)s und (k)ch, im Mittelalter vom Gebiet der heutigen Schweiz ausgehend, über das deutsche Sprachgebiet ausgebreitet hat. In diesem Ausgangspunkt ist sehr wohl das staufische Machtzentrum um 1200 wiederzuerkennen. Das Niederdeutsche hebt sich von den mittel- und oberdeutschen Mundarten dadurch ab, daß die Lautverschiebung hier überhaupt nicht eingetreten ist. Im Mitteldeutschen ist sie partiell durchgeführt, im Oberdeutschen, insbesondere in der südwestlichen Ausgangsbasis, dagegen vollständig. Die Zweigliederung in west-östlicher Richtung basiert nicht auf einem so prägnanten Merkmal wie dem der Lautverschiebung. Aber auch hier sind die Unterschiede in einer Fülle von sprachlichen Merkmalen deutlich.
Der Unterscheidung zwischen westlichen und östlichen Dialektgruppen entspricht als außersprachlicher historischer Vorgang die »Ostkolonisation« im Mittelalter. Mit der im wesentlichen von Westen nach Osten verlaufenden Siedlungsbewegung breiteten sich die Mundarten ebenfalls nach Osten aus, veränderten sich aber auch dabei. Insgesamt gesehen blieben die west-östlichen Unterschiede aber geringer als die süd-nördlichen, so daß die Einteilung in ostoberdeutsche, ostmitteldeutsche und ostniederdeutsche Dialekte gerechtfertigt ist.

Die allgemeingültige Dialekteinteilung des Deutschen in seiner Verbreitung vor dem Zweiten Weltkrieg wird mit Hilfe ganz bestimmter Dialektmerkmale vorgenommen, die als besonders typisch gelten können. Daher sind die durch eine solche Grenzziehung entstehenden Sprachgebiete eigentlich als Annäherungswerte zu verstehen, und man wird besser daran tun, sie sich als Grenzsäume vorzustellen, die je nach Alter und Einflußfaktoren eine Breite von etlichen Kilometern annehmen, in anderen Fällen aber auch als scharfe Grenze existieren können. Wenn wir im folgenden das Bild einer Linie vor Augen haben, müssen wir sie also gewissermaßen als Mittelwert zwischen dieser und anderen möglichen Grenzziehungen begreifen.

Die wichtigste und zugleich am deutlichsten ausgeprägte Sprachgrenze im gesamten deutschen Sprachraum ist die zwischen dem Niederdeutschen (im allgemeinen Sprachgebrauch »Norddeutschland«) und dem Hochdeutschen (nicht zu verwechseln mit Hochsprache), das sich wiederum aus dem Mitteldeutschen (»deutsche Mittelgebirgslandschaft«) und dem Oberdeutschen (im allgemeinen Sprachgebrauch »Süddeutschland«) zusammensetzt. Sie wird, wie das in der Geologie ganz ähnlich auch bei den Eiszeiten geschieht, nach einem Ort genannt, den sie durchquert: die »Uerdinger Linie«, die die Formen *maken, moken, mauken* (im Norden) von Formen wie *machen, mochen, mauchen* (im Süden) voneinander trennt. Die Erscheinung, daß *k* ein *ch* wird, bezeichnet man als hochdeutsche Lautverschiebung. Neben der Verschiebung von *k* zu *ch* wird auch das *t* zu *(s)s (water/wasser)* und das *p* zu *(p)f (punt/pfund)* verschoben. Daß es im Englischen die Wörter *to make, water* und *pound* gibt, ist natürlich kein Zufall; beide Sprachen, das Englische und das Niederdeutsche, stellen in ihrer heutigen Ausprägung gewissermaßen ein Stadium vor der Lautverschiebung dar.

Die *maken/machen*-Linie erstreckt sich vom äußersten Westen des Niederfränkischen, das fließend in den niederländischen Sprachraum übergeht, bis in den äußersten Osten Ostpreußens (heute bis an die Oder). Sie ist gekennzeichnet durch einen relativ stetigen Verlauf, der nur durch eine Schlinge am Harz gestört wird. Mit dieser Schlinge hat es seine eigene Bewandtnis: Im Mittelalter wurden Bergbauspezialisten im Harz angesiedelt, die ihre ererbte Sprache mit in die neue Heimat nahmen und für die charakteristische Ausbuchtung des mitteldeutschen Raumes sorgten. In vielen Teilen ihres Verlaufs wird die Uerdinger Linie von einer zweiten Lautverschiebungslinie begleitet, die das auslautende *k* zu *ch* in dem Wort »ich« zur Grundlage hat (»Benrather Linie«). Nur im Niederfränkischen und im Brandenburgischen trennen sie sich, wobei die deutliche Ausbuchtung von *maken/machen* bei Berlin ein Anzeichen für den Einfluß der ehemaligen Reichshauptstadt ist. Indem der Berliner *ik mache* sagt, mischt er also scheinbar bedenkenlos verschobene und unverschobene Formen miteinander. Das heillose Durcheinander stellt sich bei näherer Betrachtung als eines der wichtigsten Dialekteinteilungsmerkmale dar, da es die verschiedenen Stadien der Lautverschiebung verkörpert. Die mitteldeutsch-niederdeutsche Grenze ist also nur die Markierung einer sprachlichen Neuerung, die in Form der hochdeutschen Lautverschiebung aus dem Süden nach Norden vordrang und mehrere Jahrhunderte brauchte, um den deutschen Dialekten ihr typisches Gepräge zu geben.

Man kann den Vorgang auch bildhaft mit Lavaströmen vergleichen, die durch mehrere Ausbrüche verschieden weit geflossen und dann erkaltet sind. So sind auch vier weitere Lautverschiebungslinien zu erklären, die den Namen »Rheinischer Fächer« erhalten haben, da sie fächerartig die Rheinachse durchkreuzen und ihr Ende an der mitteldeutsch-niederdeutschen Grenze finden.

Der Rheinische Fächer hebt das Mitteldeutsche vom Oberdeutschen ab und gliedert es in die sprachlich hochinteressanten westmitteldeutschen Dialekte. Im Nordosten verläuft die Grenze des im Auslaut zu *f* verschobenen *p* (Kennwort: *dorp/dorf)* und trennt das »Ripuarische« vom »Moselfränkischen«. Das Ripuarische hat seinen Namen von den dort ehemals ansässigen Ripuariern erhalten, und es ist weitgehend mit dem Sprachraum identisch, den man als »kölnisch« bezeichnen würde. Das Moselfränkische, das auf der Einteilungskarte zusammen mit dem Luxemburgischen erscheint, ist durch die Verschiebungslinie von auslautendem *t* zu *s* in den Wörtern *dat* und *wat* begrenzt; folglich mischt man auch hier und sagt *dat dorf,* im Gegensatz zum Ripuarischen, wo man *dat dorp* zu sagen pflegt. Der Rest der westmitteldeutschen Sprachlandschaft, das »Rheinfränkische«, ist durch

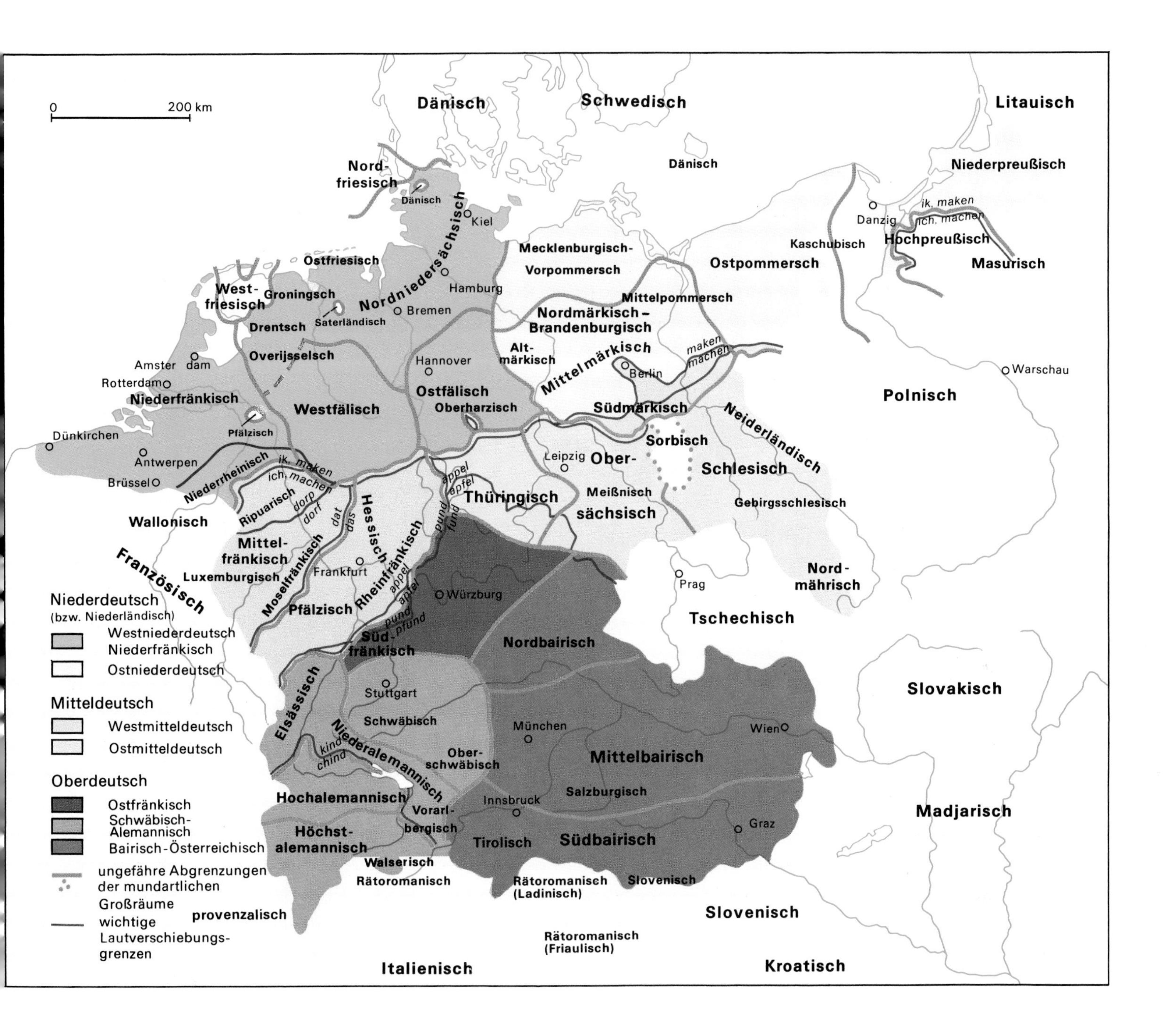

die unterbliebene Verschiebung des anlautenden *p* und des inlautenden *pp* bestimmt. Man bringt also drei *pund äppel* in *das dorf.* Das Rheinfränkische umfaßt gemäß der Einteilungskarte das »Pfälzische« (im Dialekt folgerichtig: *pälzisch*) und das »Hessische«, die sich beide vielfach voneinander unterscheiden, aber nicht nach den Kriterien der Lautverschiebung.

Neben dem Rheinischen Fächer werden im Oberdeutschen das »Hoch-« und »Höchstalemannisch«, die von einem Teil der Südbadenser und von den Deutschschweizern gesprochenen Dialekte, durch die Verschiebung des anlautenden *k* zu *ch* (Kennwort: *kind/chind*) ausgegliedert.

Die anderen Dialekte lassen sich nicht mit Lautverschiebungsgrenzen einteilen, was ihren Charakter als eigenständige Mundarten jedoch nicht berührt. Häufig können diese Abgrenzungen nur mit Hilfe einer Kombination mehrerer Charakteristika vollzogen werden, die aus dem konsonantischen, vokalischen, lexikalischen und grammatischen Beschreibungsfeld stammen. Alle denkbaren Abgrenzungsmöglichkeiten zusammengenommen würden ein undeutlicheres, wenn auch richtigeres Bild ergeben, da es in den Dialekten in der Regel zu Überschneidungsgebieten gegenläufiger Entwicklungen kommt. Mit dem zuvor gezeichneten, zugegebenermaßen groben Bild sind aber die hauptsächlichen Entwicklungslinien der deutschen Dialekte skizziert. Damit ist ein Schema des Auf-

Nächste Doppelseite:

Der Neckar bei Bietigheim

Das Schwäbische ist ein Teil des Alemannischen. Es hat sich mundartlich aber besonders stark verselbständigt und bildet im Raum Stuttgart – Ulm – Rottweil ein kulturelles und sprachliches Zentrum ganz eigener Prägung. Der Dialekt wurde wie selten anderswo ein Statussymbol für das gehobene Bürgertum als sogenanntes »Honoratiorenschwäbisch«. Als charakteristischstes sprachliches Merkmal fürs Schwäbische fällt die Aussprache scht und schp für st und sp auf, die zwar schriftsprachlich im Wortanfang allgemein eingetreten ist (Schtein, Schpange), nicht aber im Wortinnern oder am Ende wie im Schwäbischen (fescht, Luscht, du lachscht, lischpeln, Weschpe).

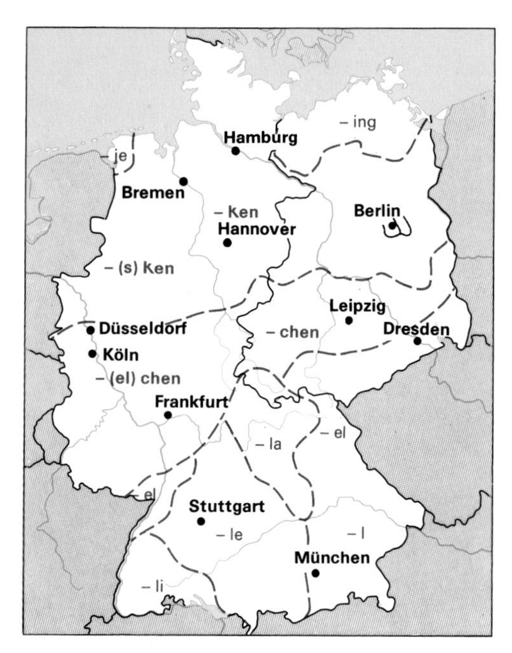

Daß der Schwabe vom *Häusle*, der Bayer vom *Häuse(r)l* und der Norddeutsche vom *Häus(e)ken* spricht, ist jedermann bekannt. Daß die Verbreitung der verschiedenen Verkleinerungsformen allerdings die mundartliche Großgliederung widerspiegelt, ist eine Tatsache, die einem erst bei Betrachtung der entsprechenden Karte zu Bewußtsein kommt. Der Norden mit den unterschiedlichen Varianten zu *-chen* hebt sich sehr deutlich vom Süden ab, der sich mit *-el*, *-lein* und *-elein* weiter untergliedern läßt.
Es wird vermutet, daß in alter Zeit das Germanische im Norden keine Verkleinerungsformen kannte und im Süden diese Erscheinung erst durch das Lateinische gefördert wurde. Seit der Herausbildung der modernen Hochsprache sind sowohl *-chen* als auch *-lein* als Verkleinerungsmöglichkeiten vorhanden, doch gibt es in ihrer Verwendung gewisse Einschränkungen. Man kann nicht beliebig an jedes Wort *-chen* oder *-lein* anhängen, wie die konstruierten Beispiele *Steinlein, Gabellein* einerseits, und *Bächchen* oder *Knäbchen* andererseits zeigen. Diese Einschränkungen können auf zweierlei Ursachen beruhen: Entweder kann man an einen bestimmten Laut eine der Formen nicht anschließen, ohne sich »die Zunge zu brechen«, oder das betreffende Wort stammt aus einer Region, in der nur die eine Verkleinerungsform gültig war.
Ein gutes Beispiel hierfür ist das Wort *Brötchen*, das in dieser Bedeutung nur im Niederdeutschen vorkommt, während im Süden von *Wecken* u. a. gesprochen wird. Dennoch gibt es eine größere Anzahl von Wörtern, an die man beide Verkleinerungsformen anfügen kann. In den meisten Fällen wird man jedoch bemerken, daß die Verwendung von *-lein* etwas »volkstümlicher« oder altertümelnd wirkt. Besonders in Volksmärchen und -liedern wird gern vom *Bettlein, Spieglein, Röslein* und *Blümlein* erzählt und gesungen.

baus der gesamten Sprachlandschaft gegeben, das dynamisch interpretiert werden muß, nämlich als ein Zustand im Fluß sprachlicher Veränderung.

Daß gerade das Westmitteldeutsche so fein und klar gegliedert erscheint und sich so recht deutlich vom Nieder- und Oberdeutschen abhebt, ist kein Zufall. Ein ganzes Bündel von Faktoren hat zu diesem Ergebnis geführt, ohne daß man im einzelnen genau angeben könnte, welches Gewicht die Faktoren für die tatsächliche Entwicklung haben. Der erste, der karolingische Impuls zur Entwicklung zu einer Hochsprache fällt in den westmitteldeutschen Raum, orientiert sich aber bereits an vorhandenen Stammes- und Siedlungsräumen sowie den Kulturräumen römischer Herrschaft. Es läßt sich noch in der heutigen mundartlichen Gliederung erkennen, daß Herrschaftszentren im Mittelalter eine nicht zu unterschätzende Ausstrahlungskraft auf ihre Umgebung ausgeübt haben, zugleich aber auch an den Grenzen ihrer Einflußbereiche zu Gegenreaktionen führen konnten. So ist es denn auch kein Widerspruch, daß von den Zentren hochsprachlicher Entwicklung gleichzeitig Vereinheitlichungs- und Differenzierungsprozesse ausgegangen sind.

Auch die im späten Mittelalter einsetzenden Entwicklungen und die Veränderungen der Dialektlandschaften lassen sich direkt oder indirekt auf gleichzeitig vorhandene Veränderungs- und Beharrungstendenzen zurückführen, die gewissermaßen die Triebkräfte für Vereinheitlichung und Auseinanderentwicklung darstellen. Die Lautverschiebung im 8. bis 11. Jahrhundert führte zu feststellbaren Gegenreaktionen aus dem Norden, die sich teilweise an die bereits gefestigten Strukturen anlehnten, zum Teil aber Gebiete aus dem Westmitteldeutschen heraussprengten. Kaum war diese Bewegung verebbt, kam es zu neuerlicher Unruhe.

Vom 12. bis 16. Jahrhundert breitete sich, faßbar in schriftlichen Zeugnissen, eine Entwicklung aus, die als »neuhochdeutsche Diphthongierung« bezeichnet wird: Die Vokale *i, ü, u* wurden zu den Zwielauten *ei, eu* und *au* (*min nüwes hus/ mein neues Haus*). Nach und nach wurden der gesamte bairische und ostmitteldeutsche sowie Teile des westmitteldeutschen Raumes von der Neuerung erfaßt. Wieder setzte eine Gegenentwicklung ein, die folgerichtig Zwielaute zu Einlauten veränderte, die jedoch auf das Mitteldeutsche beschränkt blieb.

Die »neuhochdeutsche Monophthongierung« machte aus der mittelhochdeutschen Begrüßung *liëbe guëte brüeder!* die neuzeitliche Form *liebe gute Brüder!* Ebenso wie die anderen wichtigen sprachgeschichtlichen Prozesse hat auch die Monophthongierung ihren Niederschlag in den deutschen Dialekten gefunden und sich dabei an bereits bestehende Verhältnisse angelagert. Die wesentlichen Züge der Dialekte sowie ihre räumliche Ausprägung festigten sich jedoch im Lauf des Spätmittelalters und in der frühen Neuzeit durch das Fehlen einer für das gesamte Reich verbindlichen staatlichen oder staatsähnlichen Autorität, wie das z.B. in Frankreich der Fall war. Mehr und mehr wurden die Territorialgrenzen zu Sprachgrenzen, die auch heute noch in einer Vielzahl von Mundartunterschieden durchscheinen.

Mit den eben benannten Faktoren ist schon ein Teil der Fragen beantwortet, die man bei Betrachtung der östlichen Teile des deutschen Sprachgebietes stellen kann. Man muß bedenken, daß im Verlauf des Mittelalters hier oft keine dauerhaften Herrschaftszentren bestanden und daß daher das Gegenteil zu der Entwicklung im Westen eintrat. Während des gesamten Mittelalters sind immer wieder Kolonisierungsbewegungen in östlicher Richtung festzustellen, die nicht nur aus einer einzigen deutschen Landschaft gespeist wurden. Das bedeutet, daß Siedler aus unterschiedlichen Sprachräumen miteinander sprachlich kommunizieren mußten. Bis auf wenige Gebiete, die auch heute noch eine Inselstellung einnehmen, war ein Zwang zum sprachlichen Ausgleich vorhanden, der es einfach nicht zuließ, daß sich deutliche sprachliche Differenzierungen auf engstem Raum erhalten oder gar bilden konnten. Wenn sich trotzdem in den östlichen Sprachräumen zum Teil erhebliche Unterschiede zwischen den Dialekten erkennen lassen, so ist dies ein Anzeichen für den ständigen Vereinheitlichungs- bzw. Veränderungsprozeß, in dem sich die gesprochene Sprache befindet. Zudem erfolgte die Siedlungsbewegung im wesentlichen in westöstlicher Richtung, so daß die Gliederung in Nieder-, Mittel- und Oberdeutsch im großen und ganzen erhalten blieb.

Weitere regionale Gegensätze, die bisher nicht zur Sprache kommen konnten und die zeigen sollen, daß noch eine ganze Reihe anderer lautlicher Unterschiede bestehen, sollen noch erwähnt werden. Im Bereich des Vokalismus sind da zum Beispiel die kurze Aussprache des langen *a* in *Glas*, also *Glass* im Niederdeutschen, die Absenkung der Vokale *i* und *u* zu *e* und *o* (*ich/ech; uns/ons*) im Mitteldeutschen oder die Vokalisierung des *l* zu *i* (*Geld/Göid*) im Bairischen zu nennen. Aber auch bei den Konsonanten gibt es vollkommen unterschiedliche Aussprachevarianten: so für das zwischenvokalische *g* in *Wagen*. Von *Wagen* über *Wahren* zu *Wachen* reicht die Palette, die ohne weiteres um einige Zwischenstufen erweitert werden könnte. Wenn ein Sachse vom »harten« *b, d, g*, in *Babagei, Dochder* und *Gawee* (Kaffee) spricht, weiß man, wie schwer es ihm fällt, das *p, t, k* auch »hart« auszusprechen. Ähnlich mag es dem Kölner gehen, der *Zeck* für die *Lück*, also »Zeit« für die »Leute« hat, eine Erscheinung, die als rheinische Gutturalisierung bezeichnet wird.

Man kann die Sprache unter verschiedenen Aspekten beschreiben. Die Wortteile (Formen) sind als Teil des umfassenden grammatischen Systems bei weitem nicht so leicht austausch- und ersetzbar wie ganze Wörter. Daher erlauben sie in idealer Weise Einblicke in den Stand der Entwicklung einer Sprache, denn der größte Teil unserer grammatischen Formen ist aus ehemals selbständigen Wörtern entstanden. Ein gutes Beispiel hierfür ist die Adjektivendung *-bar*, die mit dem althochdeutschen Verb *beran* zusammenhängt. *Beran* hieß »tragen«, heute noch in den Wörtern *Bahre* und *gebären* erkennbar, und hat auch heute noch in der Adjektivbildung eben diesen Sinn des »Tragens« oder »Vorhandenseins«. Demnach ist das Adjektiv *fruchtbar* im Sinne von »Frucht tragend« viel besser verständlich. Bei den Verkleinerungsformen, die auch zur Klasse der schwer auswechselbaren Wortteile gehören, ist die Verteilung in den deutschen Dialekten recht eindeutig: *-chen/-ken* im Norden und im Mitteldeutschen, im Süden *-el/-lein* sowie lautlich verwandte Formen. Auf der Karte erkennt man die vermittelnde Funktion des Westmitteldeutschen, indem es sich einer aus dem nördlichen und südlichen Suffix zusammengesetzten Form, nämlich *-elchen* (*Stückelchen*) bedient.

Man sieht bei dieser Gelegenheit recht gut, wie die Hochsprache zunächst gleichbedeutende Elemente aus den Dialekten aufnimmt. Während in den Dialekten nur jeweils eine Form möglich ist, erkennen wir die beiden Suffixe in der Hochsprache als relativ gleichberechtigt an, auch wenn hier gewisse Unterschiede zu machen sind. So kann man bei einem kleinen Mann, den man sieht, durchaus von einem *Männlein* oder einem *Männchen* sprechen, auch wenn letzteres etwas üblicher wäre. Doch wenn man ein männliches Tier bezeichnen will, kann man nur das Suffix *-chen* gebrauchen. Aber es gibt in der Hochsprache auch Wörter, die man üblicherweise nur mit einer Form kombiniert, was sowohl mit der Herkunft als auch mit der Lautgestaltung eines Wortes zusammenhängen kann. Wer kennt etwa ein *Stein-lein* oder ein *Stühl-lein*?

Bisher wurde nur von nichtselbständigen Formen gesprochen. Die Pronomina, zwar selbständige Wörter, doch auch Teil des grammatischen Systems, weisen ebenfalls erhebliche landschaftliche Unterschiede auf. Nördliches *he* (vgl. die englische Form) und südliches *er* mischen sich in einem breiten mitteldeutschen Saum. Dieses Beispiel aus der Formenlehre zeigt auch sehr deutlich, daß man sich davor hüten muß, gleiche oder ähnliche Formen in Mundarten und Hochsprache als hochsprachlich zu begreifen; das Bairische wird durch den Gebrauch des Pronomens *er* nicht hochsprachlicher. Die teilweise Übereinstimmung zwischen bestimmten Mundarten und der Hochsprache hat immer wieder zu den eben dargestellten Mißverständnissen geführt und zum Beispiel die Meinung begünstigt, das Mittel- und Oberdeutsche stehe der Hochsprache prinzipiell näher als das Niederdeutsche. Hier ist ein differenzierteres Urteil vonnöten.

Weitere mundartliche Unterschiede im Bereich der Formen wollen wir nur kurz aufzählen. Beispielsweise hat das Verwechseln von *mir* und *mich* durchaus Methode: In einigen Landschaften Deutschlands unterscheiden sich die Formen des 3. und 4. Falls (Dativ, Akkusativ) ganz erheblich, so daß zwar nicht andere Fälle gebraucht werden, aber aus der Sicht der Hochsprache die Formen vertauscht sind.

Ähnlich sieht es beim Gebrauch der Zeiten aus. In der Umgangssprache und in der Sprache des alltäglichen Gesprächs empfinden wir den Gebrauch der einfachen Vergangenheit (*ich ging zu ihm*) als gestelzt und würden eher das Perfekt vorziehen (*ich bin zu ihm gegangen*) – in einigen Mundarten dagegen macht man es gerade umgekehrt.

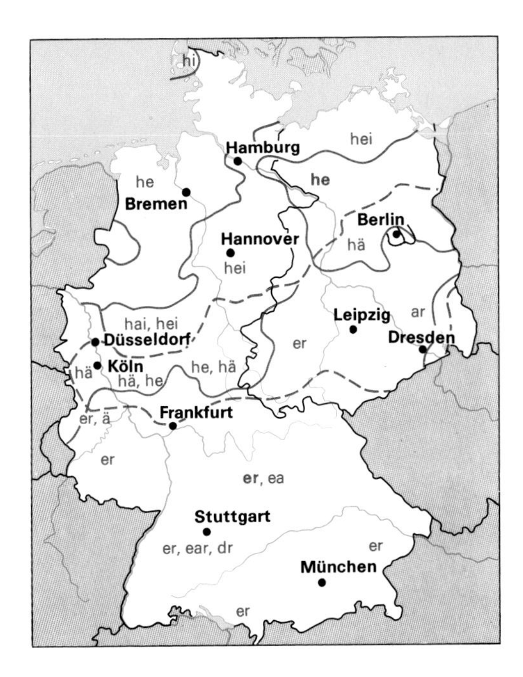

Die Verbreitung der Ausdrücke des Personalpronomens »er« zeigt ein Kartenbild, das der Verbreitung der Verkleinerungsformen *-chen* und *-lein* sehr ähnlich ist. Der bestimmende Nord-Süd-Gegensatz wird von den Ausdrücken *he* und *er* gebildet. *He*, auch in lautlichen Varianten wie *hei, hai*, zeigt die größere Nähe des Niederdeutschen zum Englischen (vgl. engl. *he*). Die mittlere Zone ist ebenfalls als ein Kompromiß zwischen Nord und Süd zu charakterisieren, diesmal aber nicht als Gebiet einer »Kontamination«, d.h. einer Verschmelzung der konkurrierenden Ausdrücke zu einem dritten, sondern als Gebiet, in dem abwechselnd mal dieser, mal jener Ausdruck verwendet wird. Im Unterschied zum mundartlichen Gegensatz bei den Verkleinerungsformen ist es beim Personalpronomen zu einer Aufnahme beider Formen in die Hochsprache (mit stilistischer Differenzierung) nicht gekommen. Beim Wortinhalt »er« ist das auch nicht anders zu erwarten – ganz im Gegensatz zur Verkleinerungsform, die ja ein sehr komplexes, gefühlsbetontes Verhältnis zum Ausdruck bringt.

Von der Wortgeographie zu den Sprachlandschaften

Mühle in Niedersachsen (gegenüberliegende Seite) **und ihr Besitzer** (oben)

Der Dialekt, den die Menschen in Niedersachsen sprechen, gehört als Teil des Niederdeutschen zu jenen Mundarten, die die für das Hochdeutsche und damit die Schriftsprache charakteristischen Doppellaute pf und (t)z nicht kennen und außerdem die angestammten p, t und k unverändert beibehalten haben, während das Hochdeutsche sie zu f, s und ch oder zu pf und ts »verschoben« hat (helpen, Water, maken, Schnuppen, sitten). Da, wie sich auch an anderen Sprachen nachweisen läßt, das Konsonantengerüst die Eigenart einer Sprache stärker prägt als die Vokale, weicht das Niederdeutsche wegen der eben angeführten konsonantischen Unterschiede auch sehr viel stärker vom Hochdeutschen ab als das Süddeutsche mit den vorwiegend vokalischen Unterschieden. Deutsche Schriftsprache ist also für norddeutsche Sprecher sehr viel mehr Fremdsprache als für süddeutsche und wird deshalb sehr viel bewußter als Zweitsprache gelernt und deshalb auch beherrscht. Aus diesem Grund wird der an sich paradoxe Tatbestand erklärlich, daß in Norddeutschland besseres »Hochdeutsch« gesprochen wird als in Mittel- und Süddeutschland. Natürlich gibt es im Niederdeutschen auch zusätzlich noch sehr viele vokalische Unterschiede, so daß der besondere mundartliche Charakter der einzelnen Landschaften, wie z. B. des Niedersächsischen, sich insgesamt aus vielen Komponenten zusammensetzt. Hinzu kommt noch ein ganz besonderer »Tonfall«, der sich aber der wissenschaftlichen Analyse bisher weitgehend entzogen hat.

Im Folgenden soll die regionale Differenzierung des Deutschen unter lexikalischem Aspekt, im Bereich des Wortschatzes, im Vordergrund stehen. Es geht hier also nicht mehr um die Frage, ob und wie ein gegebenes Wort, z.B. *Apfel* oder *Wasser*, in verschiedener Lautgestalt erscheint, z.B. *Apfel/Appel* oder *Wasser/Water.* Vielmehr wollen wir uns hier auf die Verbreitung von Bezeichnungen derselben Sache konzentrieren, die lautlich miteinander nichts zu tun haben. Ein Beispiel ist die geographische Verteilung der Ausdrücke *Pferd, Ross, Gaul* zum Wortinhalt »Pferd« – unabhängig davon, wie die Lautgestalt *Pferd* in den Mundarten ihrerseits modifiziert ist (*Pferd, Perd* usw.).

Die regionale Differenzierung unter diesem lexikalischen Aspekt unterscheidet sich grundsätzlich – und dies ist bei der Interpretation derartiger »Wortkarten« zu berücksichtigen – von derjenigen unter lautlichem Aspekt: Die kartierten sprachlichen Einheiten sind Wörter, die mittels ihrer Wortinhalte Sachen, Gegenstände, Ereignisse, Institutionen bezeichnen. Mehr als bei der Lautgeographie sind bei der Wortgeographie daher regional wirksame Faktoren zu berücksichtigen, die mit der Sache, dem Bezeichneten zu tun haben. Raumgliederungen, die sich auf Wortkarten abzeichnen, stimmen daher nicht notwendig mit der Raumbildung auf lautlicher Ebene überein. Vielmehr zeigt sich ein zwar nicht weniger deutliches, aber doch weit vielfältigeres Bild, wenn die Verbreitung der Ausdrücke zu verschiedenen Wortinhalten beobachtet wird. Das ist eben darauf zurückzuführen, daß sich die »Sachen« und das Verhältnis der Menschen zu den Sachen in den bedeutungstragenden sprachlichen Einheiten widerspiegelt.

Differenzierungen auf Laut- und auf Wortebene sind dabei gar nicht unabhängig voneinander zu sehen, sie bedingen sich durchaus gegenseitig. So kommt es vor, daß derselbe Lautwandel in Wörtern verschiedenen Inhalts sich geographisch in unterschiedlichem Maße durchgesetzt hat – ein Befund, der die sprachwissenschaftliche Vorstellung gesetzmäßiger Veränderungen des Lautsystems einer Sprache zwar nicht widerlegt, aber doch in ihrer Gültigkeit einschränkt. So kommt bei gleicher Ausgangsregion der Veränderungsbewegung der Laut *ks* als Entsprechung zu *ss* im Wortausdruck *seks* (sechs) relativ oft vor, in *oksen* (Ochsen) weniger oft und in *waksen* (wachsen) selten.

Mit anderen Worten ausgedrückt: Die Mundart wirkt dem Lautstand nach in *wassen* am stärksten »konservierend«, geringer in *ossen*, am geringsten in *sess*. Eine Vermutung zur Erklärung dieser Unterschiede knüpft an die Verschiedenheit der Wortinhalte an: Die ältere Lautgestalt hat sich in der Bezeichnung des Wortinhaltes »Ochsen« deswegen besser erhalten, weil die Sache selbst dem »bäuerlichen Lebensbereich« angehört und damit einem Bereich, den speziell die Mundarten sprachlich erfassen. Der Wortinhalt »sechs« ist demgegenüber viel neutraler, unspezifischer.

Die Bildung von »Wortlandschaften« folgt auch eigenen, mit dem jeweiligen Wortinhalt, der bezeichneten Sache und dem Verhältnis des Menschen zur Sache gegebenen Einflüssen. Der Versuch der Formulierung von »Wortveränderungsgesetzen« – vergleichbar den Lautgesetzen – wäre daher sicher illusorisch, doch lassen sich vermutungsweise einige Einflußfaktoren isolieren. So scheint es auch vom Wortinhalt und vom Verhältnis des Menschen zur bezeichneten Sache abhängig zu sein, ob eine Bezeichnung sich weiträumig durchsetzt oder ob das Untersuchungsgebiet so kleingekammert ist, daß geradezu jeder Informant eine eigene Bezeichnung gemeldet hat. Grundsätzlich braucht ja ein jeder Sachverhalt seine Bezeichnung, wenn man darüber reden will. Aber es hängt von ihm ab und davon, wie er »begriffen« wird, ob er weiträumig mitgeteilt werden soll oder ob er im privaten Bereich verbleibt. Noch deutlicher wird dieser Zusammenhang beim Wortschatz des »Slang«, der »Gossensprache« und Verwandtem: Eine extreme Bezeichnungsvielfalt – dies ist nicht sprachgeographisch erfaßt, aber doch (unter begreiflichen Schwierigkeiten) beobachtbar – gibt es bei dem intimen Wortschatz im engeren Sinne. Die Sprechsituationen dazu sind in aller Regel alles andere als öffentlich und entziehen sich – natürlich – dem standardisierenden Zugriff der Hoch- und Standardsprache. »Tabuwörter« – das, was man nicht sagen soll – können ja wohl schwerlich hochsprachlich genormt sein. Für diese Tendenz, sich dem Hochsprachlichen zu entziehen, spricht auch, daß allerlei »unanständige« Ausdrücke sich lange der Standardisierung ihrer Orthographie im Lexikon der Standardsprache, etwa im »Rechtschreibungs-Duden«, entzogen haben.

Gott mit uns
Albert Haalck

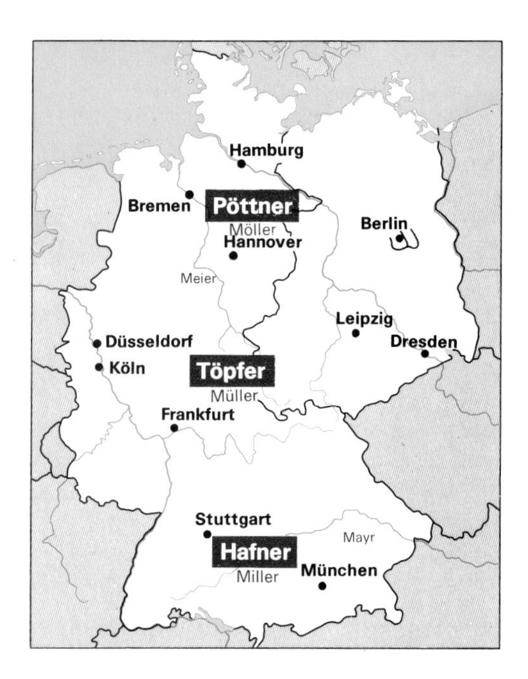

Im Zusammenhang mit der Wortgeographie lohnt es sich, auf sprachliche Erscheinungen einzugehen, die nicht zum Wortschatz im eigentlichen Sinne gehören, ihm aber sehr wohl verwandt sind, daraus abgeleitet sind: beispielsweise formelhafte Wendungen zur Rückversicherung eines Sprechers beim Angesprochenen über das Gesagte. Hierzu gehören typische Phänomene der gesprochenen Sprache wie die mit dem hochsprachlichen *nicht wahr?* wohl nur unvollkommen übertragenen Ausdrücke *gell(e),* oder *woll,* dann auch Begrüßungsformeln, deren regionale und sozialgruppenbestimmte Unterschiede sehr markant sind, die in hohem Maße Landschafts- und Gruppenzugehörigkeit signalisieren (*Guten Tag/Grüß Gott, Auf Wiedersehen/Ade/Servus*), oder Familiennamen.

Familiennamen sind ursprünglich ganz »normale« Wörter zur Identifikation zusätzlich zum eigentlichen Namen, der damit zum Vornamen wird. Ein Urahne von Herrn *Groß* oder Herrn *Grosse* zeichnete sich wohl wirklich durch überdurchschnittliche, ihn damit charakterisierende Körpergröße aus; Familien namens *Schwob* stammen mit überzufälliger Wahrscheinlichkeit tatsächlich aus einer schwäbischen Region. Mit der allmählichen Verfestigung und später der amtlichen Fixierung haben diese Namenwörter ihre ursprüngliche Bedeutung jedoch verloren, sie sonderten sich also vom normalen Wortschatz der Sprache ab. Gerade deshalb haben sich Bezeichnungen erhalten, die sonst im Zuge der Sprachveränderung verschwunden wären. Ähnlich wie die Ortsnamen bildet das Inventar der Familiennamen eines Volkes, weil aus dem Wortschatz früherer Sprachen abgeleitet, einen Zugang zur Rekonstruktion vergangener sprachlicher Verhältnisse. Sogar die alte geographische Gliederung ist noch erkennbar, denn trotz aller räumlichen Mobilität unterscheiden sich auch heute noch die Familiennamen deutlich in der Häufigkeit ihres Vorkommens in einem bestimmten Gebiet. Namen wie *Wagner* kommen in Süddeutschland deutlich häufiger vor als im Norden; die Verbreitung des Names *Stellmacher* zeigt die umgekehrte Verteilung. Rückschlüsse auf ältere Sprachzustände sind damit möglich und darüber hinaus auch wirtschaftsgeschichtliche Einblicke. Die regionale Gliederung der Namen *Pöttner, Töpfer, Hafner* nach den Gebieten ihres häufigsten Vorkommens ist äußerst interessant, wenn man sie mit der Verbreitung der Bezeichnungen für den Töpferberuf in den Mundarten von heute vergleicht.

Ein weiteres Beispiel sind Namen aus Bezeichnungen des Waffenschmiede- oder des Wagenmacherhandwerks. In Namen wie *Schwerdtfeger* oder *Assmacher* haben sich alte Handwerkerbezeichnungen erhalten, die auf einen sehr speziellen Bearbeitungsvorgang bei der Herstellung von Waffen oder Wagen hinweisen: die Vergütung der Metalloberfläche bzw. die Herstellung nur der Achse. Somit scheinen die in den Namen erhaltenen alten Handwerkerbezeichnungen auf eine hochgradige Spezialisierung des spätmittelalterlichen Handwerks hinzuweisen. Einen Beweis für diese Annahme stellt ein solcher sprachlicher Befund jedoch nicht dar, denn es ist gut möglich, daß nur eine bestimmte, besonders charakteristische Tätigkeit, die aber von demselben Handwerker neben anderen ausgeübt wurde, als »Bezeichnungsmotiv« des Handwerks insgesamt ausgewählt wurde. Warum aber dieses Bezeichnungsmotiv und nicht ein anderes, warum war es in der südwestlichen Hälfte des deutschen Sprachgebiets die Herstellung des Schreins, in der nördlichen aber die des Tisches, die zur Bezeichnung des Möbelherstellers als *Schreiner* dort und als *Tischler* hier angeregt hatte? Den Motiven für die Etablierung gerade dieses oder jenes Ausdrucks zur Bezeichnung eines bestimmten Sachverhalts nachzugehen – dafür eröffnet die Beobachtung der wortgeographischen Verteilung verschiedener Ausdrücke desselben Wortinhalts ein weites Feld.

Regionale Unterschiede in der Bezeichnung derselben Sache lassen sich aber nicht nur für altertümliche Wörter nachweisen, denn es gibt sie auch dann, wenn die Sache selbst erst seit kurzem existiert: der Traktor, die Blue Jeans, der petrochemische Kunststoff Plastik. In deren regionaler Bezeichnungsvielfalt können sich natürlich keine Unterschiede zwischen altgermanischen Stammessprachen oder mittelalterlichen Territorialgrenzen widerspiegeln. Mittelbar allerdings doch: Daß die Bezeichnung *Trecker* sich ausgerechnet im Norden Deutschlands durchgesetzt hat, in anderen Gebieten dagegen aber nicht oder nur in deutlich geringerem Ausmaß, wird auch darauf zurückzuführen sein, daß im Niederdeutschen das mundartliche Wort *trecken* für standardsprachliches *ziehen, schleppen* noch heute üblich ist. Die Bezeichnung *Trecker* ist dort durch die anderen, noch gebräuchlichen Elemente des Wortschatzes gut motiviert.

Alte sprachliche Verhältnisse wirken so indirekt auch in der regionalen Bezeichnungsvielfalt neuzeitlicher Gegenstände nach. Aber auch gegenwärtige regionale Barrieren – nicht Barrieren *des* Raumes, sondern politische, soziale, wirtschaftliche Barrieren *im* Raum – schlagen sich in wortgeographischen Abbildungen nieder. Wir erleben die Differenzierung aufgrund territorialer Grenzen besonderer Art gewissermaßen an der Grenze zwischen Bundesrepublik und DDR. An der Bezeichnung jenes Kunststoffes auf Petrobasis wird deutlich, daß die Bezeichnung *Plastik* aus dem Amerikanischen kommt (plastics). Den Kunststoff selbst kennt und benennt man freilich auch in der DDR, aber *Plaste,* dem Laut nach – ähnlich *Paste* – vielleicht »deutscher« als *Plastik*, klingt für bundesdeutsche Ohren doch recht ungewöhnlich. Ähnlich ist es bei den Blue Jeans. Mit der Sache ist auch die Bezeichnung importiert, und ihre Verbreitung macht mit dem Einflußbereich westlicher Wirtschaft und Mode halt. Dabei sind in der DDR die Jeans ebenfalls bekannt und benannt – andernfalls müßte die Sprachkarte in dieser Fläche ohne Information sein –, aber doch in einem ganz anderen Kontext. Der ist, vielleicht eindrucksvoller als eine ausführliche Darstellung der verschiedenen Sozial- und Wirtschaftssysteme, mit dem Kontrast *Jeans–Nietenhose* »auf das Wort gebracht« und mittels der Wortkarte »ins Bild gesetzt«.

Zu den Karten auf Seite 70:

Im Zusammenhang mit einer anderen wortgeographischen Darstellung, derjenigen der Bezeichnungen des Töpferhandwerks, lohnt es sich, etwas ausführlicher über die Geographie deutscher Familiennamen zu sprechen. Mit dem Beginn der Neuzeit – Kennzeichen des modernen Staates und seiner öffentlichen (»polizeilichen«) Ordnung – werden die Familiennamen amtlich fixiert. Bestimmte sprachliche Zustände, ein Bezeichnungsmotiv, eine bestimmte Schreibweise und Aussprachegewohnheit werden somit aus dem Prozeß der Sprachveränderung herausgenommen und gewissermaßen konserviert. Personen namens *Schmidt* oder *Hoffmann* sind auf Anhieb als Deutsche oder Deutschstämmige zu erkennen, ebenso wie man jemanden namens *Dupont* als Franzosen, jemanden namens *Smith* oder *Carpenter* als Engländer (oder Amerikaner englischer Herkunft) identifizieren wird. Bei näherem Hinsehen ergibt sich, daß es auch für regionale Bereiche innerhalb des Verbreitungsgebiets einer Sprache »typische« Familiennamen gibt. Namen wie z. B. *Permaneder* oder *Kanetscheider* haben ein ausgesprochen süddeutsches »Image«, und an der Endung *-sen* wird man einen Familiennamen als norddeutsch (und darüber hinaus als skandinavisch) erkennen. Es gibt also die Möglichkeit einer Namengeographie und, eben weil die Namen gewissermaßen Versteinerungen älterer sprachlicher Zustände darstellen, damit die Möglichkeit, ältere sprachgeographische Verhältnisse zu rekonstruieren.
Ein bedeutendes Motiv der Familiennamengebung war die damals übliche Berufsbezeichnung. Der Wortgeographie des Töpferhandwerks (Karte ganz links) läßt sich so die Geographie der Namen aus Töpferbezeichnungen (Karte links) gegenüberstellen. Trotz der Bevölkerungsbewegungen im Verlauf der Jahrhunderte lassen sich noch heute Gebiete besonderer Häufigkeit von Namen erkennen und damit deren vermutliche Entstehungsorte. Der Familienname *Hafner* (aus der Töpferbezeichnung *Hafner)* ist im Oberdeutschen besonders häufig, die Namen *Töpfer* und *Pöttner* haben ihre Häufigkeitsschwerpunkte dagegen im Mittel- bzw. Niederdeutschen. Diese namengeographische Gliederung weist wiederum darauf hin, daß die heutige landschaftliche Gliederung der Bezeichnungen des Töpferhandwerks im wesentlichen bereits seit dem Spätmittelalter oder der frühen Neuzeit besteht. Neben diesen wortgeographischen Unterschieden (*Pöttner/Töpfer/Hafner*) zeigt die Karte ganz links auch bloße Schreib- und dahinterstehende lautliche Varianten desselben (Namen-)Wortes (*Müller* gegenüber *Möller, Miller*) in ihrer geographischen Zuordnung, sowie die regionalen Varianten des in Deutschland wohl bekanntesten Namens *Meier*.

Die politischen und sozialen Einflüsse der Vergangenheit, aber auch der Gegenwart sind bereits zur Sprache gekommen, soweit sie sich in territorialen und kulturellen Einflußbereichen niedergeschlagen haben. Der territorialen Verteilung bestimmter sprachlicher Merkmale entspricht die Vorstellung einer Immobilität der Sprecher oder doch wenigstens des Mangels an Mobilität über Gebietsgrenzen politischer, wirtschaftlicher, kultureller Art hinweg. Man muß diese Grenzen als Zonen geringerer sprachlicher Kommunikation ansehen.

Wir kommen nun zu einem anderen, dieses Erklärungsmodell aber nicht widerlegenden Beispiel der Auswirkung politischer und sozialer Situationen auf die Gestaltung der Sprachlandschaften: den Siedlungsbewegungen in Vergangenheit und Gegenwart über ursprüngliche Territorien hinaus.

Zwischen Mundart und Hochsprache – die Umgangssprache

Im Mittelalter brachen immer wieder Schübe von *Auswanderern* aus den westlichen Teilen Deutschlands in östlicher Richtung auf und besiedelten nach und nach die Regionen östlich von Elbe und Saale. Daß in diesen Regionen ein starker Mischungs- und Ausgleichsprozeß stattgefunden hat, bedeutet nicht, daß aus dem sprachgeographischen Befund keine Aufschlüsse über die Herkunft einzelner

DIE BLUE JEANS

- • Blue Jeans, Bluejeans
- ○ Jeans
- ● Bluejean, Blue Jean
- △ Nietenhose
- ▲ Niethose
- ◆ Cowboyhose
- ◇ Texashose
- ● Levis

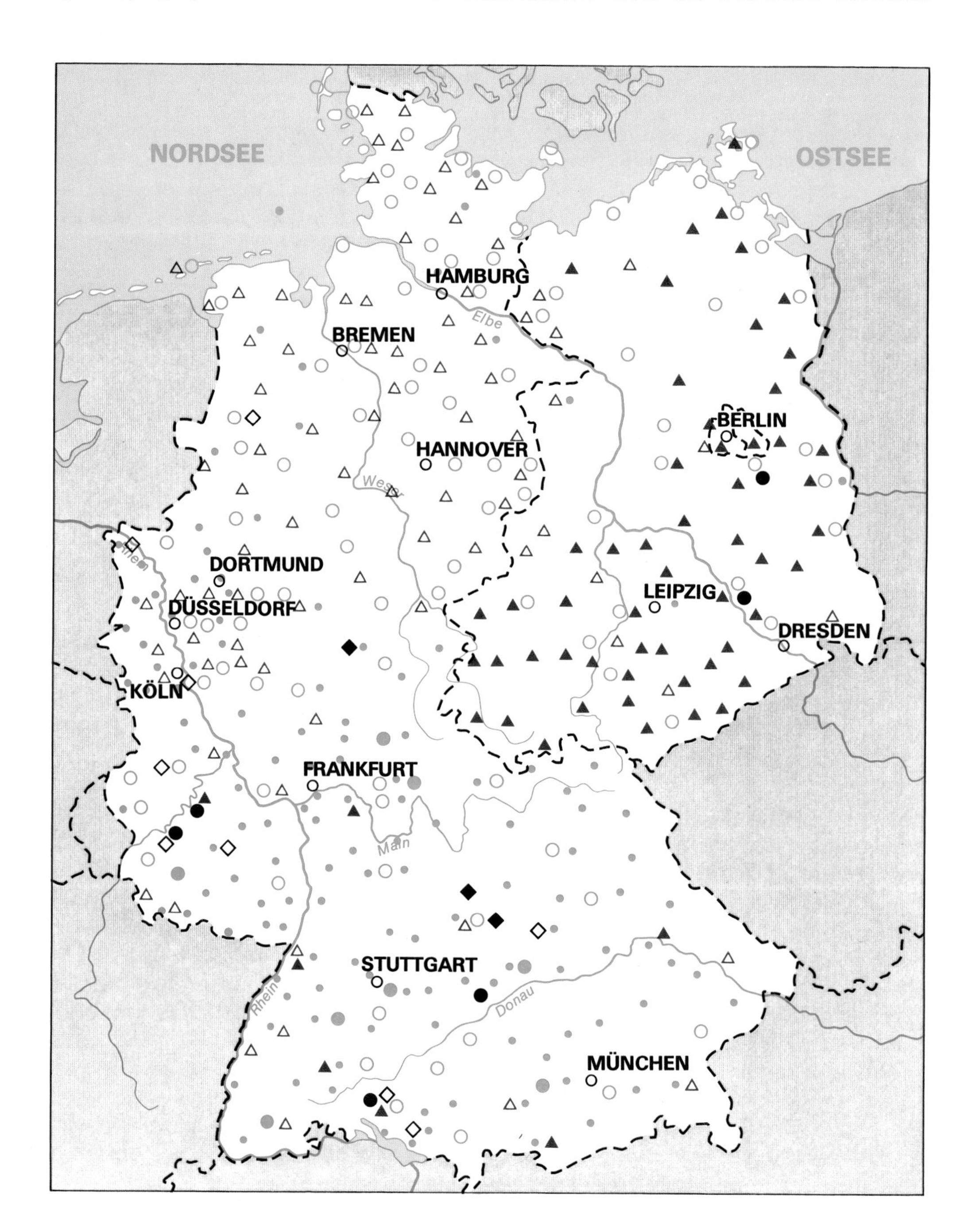

Siedlerströme erlangt werden können. Diese Siedlungsspuren lassen erkennen, daß vor allem westmitteldeutsche Auswanderer bis nach Schlesien zogen. Begreiflicherweise kann man nur dann solche Spuren ausmachen, wenn das betreffende Wort sowohl in der Ausgangsregion als auch »entlang des Weges« in ausreichender Deutlichkeit erkennbar ist.

Relativ klar prägen sich solche wirtschaftlich und sozial bedingten Wanderungsbewegungen aus, wenn sich vor allem eine Berufsgruppe auf den großen Weg machte, etwa weil sie in eine bestimmte Region gerufen wurde. So galten z.B. die Entwässerungs- und Mühlenspezialisten aus Flandern in den sumpfigen Gebieten östlich der Elbe als hochwillkommene Neusiedler. Und da sie über einen längeren Zeitraum hinweg die weitaus größte und dank ihrer Qualifikation auch die angesehenste Bevölkerungsgruppe darstellten, sind ihre Siedlungsspuren in den Karten auch deutlich erkennbar.

An dieser Stelle sei auch wieder auf die »Schlinge« der mitteldeutsch-niederdeutschen Sprachgrenze im Harz hingewiesen, die sich als Halbinsel in den niederdeutschen Raum vorschiebt.

Die Bergleute aus dem obersächsischen Bergbauzentrum waren im Harz so dominierend, daß ihre Sprechweise den »Umfall« ehemals niederdeutscher Ortschaften zum Mitteldeutschen hin verursachte.

DAS PLASTIK

- ● das Plastik
- ○ die Plastik
- ⬤ der Plastik
- ▲ Plastik (Artikel unbekannt)
- ■ die Plaste
- □ der Plast

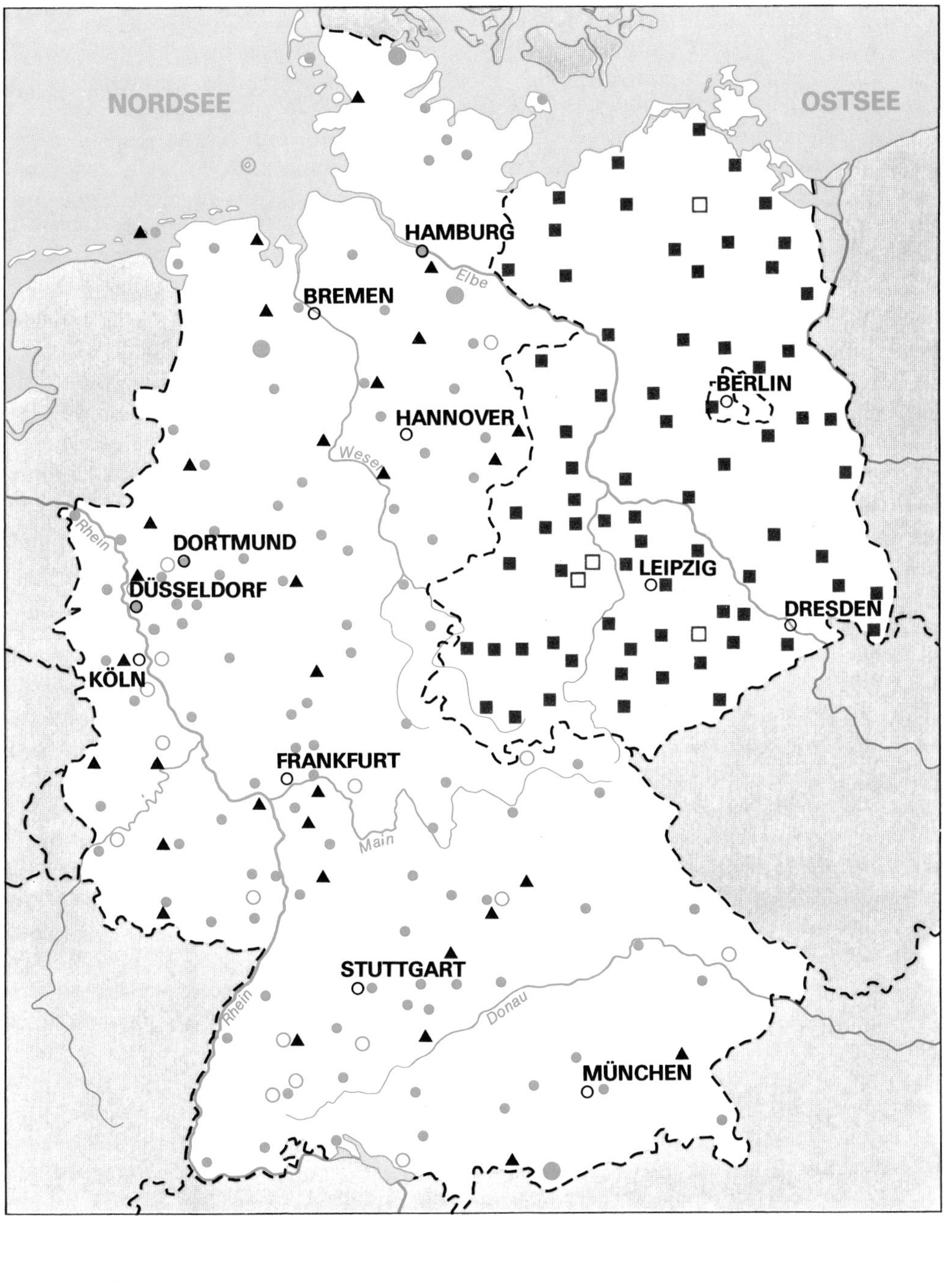

Auch die geographische Ausdifferenzierung der Sprache infolge der Bildung von staatlichen Grenzen im deutschen Sprachgebiet ist nicht nur Widerspiegelung vergangener, heute nicht mehr bestehender Verhältnisse. Sie ist heute auch in ihrem Entstehungsprozeß zu beobachten, wo es neue, unter historischem Gesichtspunkt »willkürlich« gezogene Staatsgrenzen quer durch das deutsche Sprachgebiet gibt. So entwickeln sich langsam, aber sicher in den Staatsgebieten der Bundesrepublik und der DDR die deutschen Sprachen – Standardsprache und Mundarten – auseinander. Am ehesten ist dieser Differenzierungsvorgang im Wortschatz, besonders bei »politischen« Ausdrücken und ihren positiven sowie negativen »Beiklängen« zu beobachten, aber auch in Bereichen des täglichen Lebens bei der Übernahme von »Fremdwörtern« oder fremdsprachigen Wortbildungsmustern.
In den beiden Karten (S. 72 und 73) sind ausländische, speziell amerikanische Einflüsse in Wirtschaft und Mode – und damit auch in der Sprache – sichtbar gemacht. Kleinere Unterschiede, die, wie in der Bundesrepublik Deutschland, in Österreich und in der Schweiz »das Plastik« und »die Blue Jeans«, auch sprachlich etabliert sind, verblassen gegenüber dem Unterschied zu den entsprechenden Ausdrücken in der DDR. Die Verbreitung der eigentlich englisch-amerikanischen Wortendung *-ik* in *Plastik* und das Fremdwort *(Blue) Jeans* machen an der Grenze zur DDR halt: zwei Beispiele dafür, wie sich moderne Grenzen staatlichen und wirtschaftlichen Einflusses auf die Wortgeographie moderner Gegenstände auswirken.

Anders liegt der Sachverhalt allerdings bei einer Sprachinsel im westniederdeutschen Raum, in der noch heute letzte Spuren pfälzischer Dialekte erkennbar sind. Hier hatten pfälzische Emigranten, die nach Amerika auswandern wollten, Station gemacht und konnten ihren Weg nicht mehr fortsetzen. So bildete sich eine Sprachinsel, weil sich diese Gruppe nach außen hin vollkommen abschloß und ihre Identität - möglicherweise um den Auswanderungsgedanken wachzuhalten - eisern bewahrte.

Identität und Prestige sind gewissermaßen die bewußtseinsmäßigen Gegenstücke zu Faktoren, die vornehmlich im wirtschaftlichen und politischen Bereich liegen. Diese Konstellation ist auch maßgeblich bei der Herausbildung spätmittelalterlicher Stadtsprachen, unter denen das Kölnische als besonders illustratives Beispiel gilt. Eine reiche, durch Handel und Herrschaft wachsende Stadt entwickelt einen wirtschaftlichen und politischen Einfluß auf ihr Umland, der sich auch im Bewußtsein der Bewohner und ihrer Sprache ausweist. Gewisse Vereinheitlichungstendenzen ergeben sich selbstverständlich schon aus den Bedürfnissen des Handels und einer reibungslosen Ausübung der Herrschaft - diese Notwendigkeiten bilden aber nichts weiter als nur die Basis der Vereinheitlichung. Die Durchsetzung der so begründeten Norm, und dies nicht nur im Stadtbereich, sondern auch im agrarisch geprägten Umland, ist dagegen ein zweiter Schritt. Die Durchsetzung der Norm ist ja davon abhängig, daß Gruppen, deren Norm sich zunächst nach einer anderen Norm richtete, die neue Norm als vorteilhaft oder gar notwendig ansehen. Dies ist in den meisten Fällen ein längerer Prozeß, in dessen Verlauf sich neue Zwischenstufen bilden, die ihrerseits einen gesellschaftlichen Wert beigemessen bekommen.

Neben der generellen Bedeutung der ostmitteldeutschen Städte für die Entwicklung der Hochsprache ist ihre Eigenschaft als Strahlungspunkte für den gesamten mitteldeutschen Raum der frühen Neuzeit am besten erforscht. Meißen, Leipzig, Jena und Chemnitz nahmen massiven Einfluß auf die Mundarten des Umlands. Ein besonders charakteristisches Merkmal dieser Entwicklung ist die leicht zu beobachtende Tatsache, daß in den Nachbardialekten diejenigen Formen abgebaut wurden, die als besonders deutliche Kennzeichen für die ländliche Sprachform galten. Die kleineren Unterschiede hingegen wurden beibehalten und dienten den Sprechern weiterhin als Identifikation.

Die sprachliche Ausstrahlung der ostmitteldeutschen Stadtlandschaften in der frühen Neuzeit ist zum einen sicherlich dadurch zu erklären, daß deren Dialekte jeweils im Schnittpunkt sich überlagernder Sprachentwicklungen lagen und sich hier fast jede Neuerung niederschlug. Ganz wesentlich aber dürfte auch die Konzentrierung der Macht im Aufstieg Preußens zu dieser Stellung beigetragen haben. Auch hier wieder wäre die Entscheidung, ob die Ausbreitung der ostmitteldeutschen Stadtsprachen vornehmlich durch kulturelle oder vielmehr durch politisch-soziale Faktoren zu erklären ist, recht spekulativ.

Weniger spekulativ hingegen sind die Triebkräfte zu bewerten, die für die Veränderung der Mundartlandschaft im 19. und 20. Jahrhundert verantwortlich zu machen sind. Die mit der Industrialisierung erfolgte Bildung von Ballungsräumen - allen voran das Ruhrgebiet - hat auch in den Mundarten tiefe Spuren hinterlassen, und zwar so gravierende, daß der Begriff »Dialekt« schon fast nicht mehr adäquat zu sein scheint und eher durch Begriffe wie »Industriedialekt« oder »regionale Umgangssprache« ersetzt wird. Dies hat seine Berechtigung, soweit unter »Dialekt« diejenige Sprachform verstanden wird, die von der bäuerlichen Bevölkerung gesprochen wird. Dieses Kriterium trifft bei den »regionalen Umgangssprachen« nur zum Teil zu, da die betreffende Sprache in einem größeren Gebiet gesprochen wird und weit über die bäuerliche Schicht hinaus als Sprachform des alltäglichen Lebens gilt.

Als weitere regionale Umgangssprache kann das »Frankfurterisch« gelten, das sich über den Rhein-Main-Raum ausweitet. Die Bezeichnung »Frankfurterisch« ist allerdings nicht ganz korrekt, da die alte Frankfurter Stadtmundart und die neue regionale Umgangssprache natürlich Unterschiede aufweisen. Im allgemeinen kann man feststellen, daß diejenigen Formen gemieden werden, die im Kontakt mit Fremden zu Mißverständnissen führen könnten. Hierin unterscheiden sich die regionalen Umgangssprachen auch von den alten Stadtmundarten, bei denen es darauf ankam, die Unterschiede in bezug auf die Stadt zu beseitigen. Dadurch, daß

Westfassade des Kölner Doms

Die rheinischen Dialekte jenseits des Alemannischen, also von Oos und Murg rheinabwärts, sind zunächst durch den Oberbegriff »fränkisch« charakterisiert (vgl. Karte auf Seite 63). Allerdings gibt es nur ganz wenige allgemein verbindliche Eigenheiten für das Fränkische, vorherrschend sind vielmehr die ganz beträchtlichen Unterschiede. Auch wenn man vom Südfränkischen um Karlsruhe und vom Ostfränkischen um Würzburg – Bamberg absieht, ergeben sich beiderseits des Rheins bis in die Niederlande hinein noch mehrfach gestaffelte, mundartlich stark voneinander abweichende Sprachräume. Charakteristisch dabei ist, daß der Rhein sich nicht etwa als natürliche Grenze für diese Mundarten erweist, sondern gerade umgekehrt hinüber und herüber gleiche Mundarträume miteinander verbindet. Das Rheinfränkische z. B. hat zwar im Süden mit dem Pfälzischen und im Norden mit dem Niederhessischen ganz eigenständige Sprachräume, in der Mitte aber haben das Rheinhessische linksrheinisch und das Mittel- und Südhessische rechtsrheinisch sehr viele gemeinsame Züge. Noch enger hängt das Moselfränkische links- und rechtsrheinisch an Mosel und Lahn miteinander zusammen. Auch das sogenannte Ripuarische im Köln-Bonner Raum und schließlich das Niederfränkische am Niederrhein bilden beidseitig eine Einheit. Die Forschung spricht in diesem Zusammenhang vom »rheinischen Fächer« und beschreibt damit die Erscheinung, daß die Querverbindungen über den Rhein sich nach Norden hin immer mehr verengen und schließlich im Rothaargebirge in einem Punkt zusammenlaufen, der somit als Angelpunkt für alle fränkischen Dialekte gilt. Das Ripuarische um Köln als Sprache eines alten ununterbrochenen Kulturzentrums von der Römerzeit an hat besonders markante sprachliche Eigentümlichkeiten. Da gibt es einen ganz merkwürdigen Lautwechsel, der als rheinische Gutturalisierung bezeichnet wird und die besonders auffällige Aussprache von n und nt oder nd im hinteren Teil von Wörtern. Statt Rhein oder Wein heißt es Ring und Wing, statt hinten und Hund heißt es hinge und Honk; noch merkwürdiger ist, daß auch viele t am Wortende zu ck werden: es heißt Lück »Leute«, Zick »Zeit«, hück »heute«.

Musiker in einer Berliner Kneipe und **Café am Kurfürstendamm**

Umfragen haben ergeben, daß in Berlin der beliebteste deutsche Dialekt gesprochen wird. Er ist gegenüber dem echt brandenburgischen der näheren und weiteren Umgebung dadurch gekennzeichnet, daß er seinen niederdeutschen Charakter abgelegt und hochdeutsches Gepräge angenommen hat. Der Einfluß auf die umliegende Sprachlandschaft ist längst so weit gediehen, daß Berlin nicht mehr als hochdeutsche Sprachinsel im Niederdeutschen zu gelten hat; vielmehr ist eine Öffnung zum erheblich weiter südlich beginnenden Obersächsischen erfolgt, so daß die Sprachwissenschaft hier von einer sprachgeographischen »Trichterwirkung« spricht. Daß der Berliner Dialekt dennoch seine niederdeutsche Grundlage nicht ganz verleugnen kann, zeigt sich allerdings auf vielfältige Weise noch im gemeinsamen brandenburgischen Wortschatz, wie er zur Zeit in einem brandenburg-berlinischen Wörterbuch festgehalten wird, oder z. B. in solch typisch berlinischen Wendungen wie *ik mache det* (also zwar noch niederdeutsches *ik* und *det*, aber schon hochdeutsches *mache* statt *make*; dabei ist anzumerken, daß *det* Kontamination aus niederländisch het und niederländisch dat ist.
Der unverwechselbare Klang des Berlinischen ist für den Sprachwissenschaftler wiederum ein Beweis dafür, daß sich bei Vermischungen verschiedener Sprechergruppen (Schlesier und Niederländer in Berlin!) auch sprachlich immer etwas Neues als Kompromiß ergibt. So sind letztlich alle deutschen Dialekte nicht mehr aus ihrer germanischen Stammesherkunft zu erklären, sonder vielmehr als Ergebnisse vielfältiger, oft schon ein Jahrtausend dauernder Prozesse von »Mischung und Ausgleich«.

die regionale Umgangssprache aber mundartlich »abgemildert« wird, kann sie in vielen Bereichen des öffentlichen Lebens verwendet werden, die dem Dialekt verschlossen geblieben waren.

Wenn ein normalerweise Dialekt sprechender Dorfbewohner in die zuständige Kreisstadt fährt, um seine Behördengänge zu erledigen, so wird er sich in aller Regel vorher überlegen, wie er sein Anliegen in der Hochsprache vorbringt. Ein Städter wird sich dieser Mühe gewiß nicht unterziehen, da er ja damit rechnen kann, daß hinter dem Schreibtisch oder hinter dem Schalter ebenfalls die regionale Umgangssprache gesprochen wird, was unter Umständen sogar die Verständigung erleichtert.

Diese erhöhte funktionelle Spannbreite der regionalen Umgangssprache in den Ballungsräumen, die für den alltäglichen Sprachgebrauch so vorteilhaft ist, scheint auch ein Grund dafür zu sein, daß sich die Sprachform weiter als die betreffenden Ballungsräume ausdehnt. Die regionale Umgangssprache bildet hier sozusagen ein vermittelndes Glied zwischen der Hochsprache und dem Dialekt. Die mundartliche Differenzierung wird in diesen Bereichen allerdings langsamer abgebaut, als die regionalsprachlichen Formen vordringen. Die so in einem sprachlichen Schwebezustand befindlichen Gebiete sind die Problemräume der Gegenwart und der Zukunft, da in ihnen oftmals die regionale Umgangssprache für die Hochsprache gehalten wird. Nicht nur die Schüler haben dann Schwierigkeiten mit Orthographie und Grammatik, sondern auch die Erwachsenen gebrauchen die regionale Umgangssprache im Kontrast zum Dialekt, was in einer Reihe von formellen Situationen als Verstoß gegen den »guten Ton« angesehen wird und als Reaktion Geringschätzung zur Folge hat oder gar zu ernsthaften Benachteiligungen beruflicher oder anderer Art führt.

Wir gehen zunächst wiederum von geographischen Unterschieden aus, diesmal aber nicht von regionalen Unterschieden zwischen bestimmten Merkmalen von Dialekten, sondern von regionalen Unterschieden im Ausmaß der Mundartlichkeit der jeweils am Ort gebrauchten Sprache, etwa hinsichtlich des Anteils an Mundartsprechern. Allgemein, auch in der Sprachwissenschaft, wird ein »Nord-Süd-Gefälle« hinsichtlich der Durchsetzung der Standardsprache gegenüber den Dialekten angenommen. Der Hannoveraner, so heißt es, nimmt schon lange für sich in Anspruch, ein besonders reines Hochdeutsch – auch im »alltäglichen Umgang« – zu pflegen. In Schwaben und Bayern dagegen wird durchaus Wert gelegt auf gewisse lokale Einfärbung der Sprache, selbst bei offiziellen Gelegenheiten wie dem Verlesen von Nachrichten.

Die Ergebnisse einer Allensbacher Umfrage von 1966 geben hier genaueren (für eine sprachkartographische Darstellung allerdings zuwenig genauen) Aufschluß: Die Frage »Können Sie eine Mundart, einen Dialekt sprechen?« wurde in Norddeutschland und Berlin (West) sowie in Nordrhein-Westfalen von 46%, im Rhein-Main-Gebiet und in Südwestdeutschland von 67% und in Bayern von 71% der Befragten mit »ja« beantwortet. Dies scheint die Annahme des Nord-Süd-Gefälles zu bestätigen.

Allein die Feststellung regionaler Unterschiede hinsichtlich der Fähigkeit, eine Mundart zu sprechen, verbietet es, pauschal vom »Aussterben« der Dialekte zu reden – oft vermutet angesichts der massiven Verbreitung der Standardsprache in den Massenmedien. Aber andere Zahlen aus derselben Untersuchung deuten doch auf einen – wenn auch nicht gravierenden – Rückgang hin: Unter den Jüngeren sind es weniger, die Mundart sprechen (52% der 16- bis 29jährigen) als unter den Älteren (63% bei der Altersgruppe »60 Jahre und älter«). Dennoch: Insgesamt

Altes Gasthaus in Rudolstadt (Thürigen)

Das Thüringisch-Obersächsische gehört zu den ostmitteldeutschen Mundarten, die auch das Schlesische umfaßten. Wenn immer wieder die Meinung vertreten wird, daß der Raum um Meißen, Leipzig, Dresden als Wiege der neuhochdeutschen Schriftsprache zu gelten habe, so ist das nur mit starken Einschränkungen akzeptabel. Hier wurden zwar wichtige Grundlagen dafür gelegt, wie man Deutsch zu schreiben hat, jedoch muß man die besonderen Aussprachegewohnheiten dieses Raumes unter Berücksichtigung gewisser Entwicklungstendenzen auch schon in früheren Jahrhunderten als durchaus abweichend vom Schriftdeutschen ansehen. Nicht nur hier, aber hier besonders auffällig, erscheinen alle ü, ö und eu »entrundet« als i, e und ei/ee: *iber hehere Beeme* (über höhere Bäume). Noch charakteristischer ist aber gerade im Thüringisch-Obersächsischen die besonders weit gediehene »binnendeutsche Konsonantenschwächung« (b, d, g anstatt p, t, k), die im Verein mit der »spirantischen« Aussprache des g jenen eigentümlichen weichen Klang ergibt: *beim Beder is geen Gaffee und geene Dorde mehr zu kriechen* (beim Peter ist kein Kaffee und keine Torte mehr zu kriegen). Wer als Thüringer oder Obersachse in seinem Dialekt noch fest verhaftet ist, dem können aus diesen Aussprachegewohnheiten zwangsläufig Umsetzungsschwierigkeiten erwachsen, wenn er sich hochdeutsch ausdrücken will. Es entstehen dann »hyperkorrekte« Formen: *ter Pauer trinkt kutes Pier* (der Bauer trinkt gutes Bier). Da die Obersachsen i und e in unbetonten Silben vielfach unterdrücken, fallen sie auch noch durch ihre Zischwörter auf: *dr säkssche Gensch war neilsch in Leipzsch* (der sächsische König war neulich in Leipzig).

gesehen scheint die Anzahl der Mundartsprecher doch zu hoch zu sein, um auf dieser Basis das Aussterben der Mundarten weiter prophezeien zu wollen. Außerdem stellen die Umfrageergebnisse kaum »harte Fakten« dar. Zum einen ist nämlich zu bedenken, daß in der Umfrage der Begriff »Mundart« (bzw. »Dialekt«) nicht weiter definiert ist; es ist also ungewiß, ob nicht bereits eine mundartlich gefärbte Umgangssprache von zumindest einem Teil der Befragten als »Mundart« verstanden worden ist. Zum anderen darf, wenn Prognosen über die Zukunft der Mundarten versucht werden, nicht nur danach gefragt werden, ob eine Mundart bekannt ist, beherrscht wird, sondern auch danach, bei welcher *Gelegenheit* sie gebraucht wird oder nach Ansicht der Sprecher selbst gebraucht werden soll. Ganz allgemein formuliert: Eine Sprache kann ja auch »aussterben« oder zurückgedrängt werden, indem sich ihr »Funktionsspektrum« verengt, indem sie immer mehr zur Sprache spezieller Gelegenheiten wird, bis sie schließlich nur noch ein Reservat betrifft. Eine so funktionsentlastete, der Tendenz nach nur in bestimmten Situationen verwendbare, dort aber auch mit Vorteil gebrauchte Sprache – und so wird heute auch die Mundart gesehen – hört zwar nicht auf zu existieren, aber sie ist nur eine Sprache neben anderen, die andere Funktionen erfüllen und deren Beherrschung, etwa unter dem Gesichtspunkt der beruflichen Karriere, wichtiger erscheinen mag.

Damit sind wir beim Schlagwort vom »Dialekt als sozialer Barriere«. Natürlich würde es den Anforderungen und dem Ideal einer sozialen Mobilität, aber auch konkret den Anforderungen des alltäglichen Lebens widersprechen, wenn jemand nur eine Mundart sprechen und verstehen könnte. Dies besagt an sich nichts über den Wert oder Unwert einer Sprache. Diese Auffassung enthält nur die Forderung, daß wir alle »mehrsprachig« sein sollten, d.h. fähig, zu verschiedenen Gelegenheiten verschiedene Sprachen des Deutschen zu sprechen und zu verstehen. Aber allein schon der Umstand, daß jemand mit einer anderen als der Standardsprache aufgewachsen ist, führt nachweisbar zu Problemen. Es ist unbestritten, daß mundartliche Sprechgewohnheiten bei Schülern – freilich nicht nur »reiner Dialekt«, sondern auch »dialektal gefärbte« Umgangssprache – eine Quelle von Rechtschreibfehlern darstellt. Wir verweisen nur auf das Dialektmerkmal »binnendeutsche Konsonantenschwächung« (*p, t, k* in der Standardsprache entspricht *b, d, g* in mitteldeutschen Mundarten), eine reguläre und insofern auch richtige Aussprache, die aber prompt zu »sprachsystembedingten« Rechtschreibfehlern führt: *Blatz* anstatt *Platz,* oder auch *Plase* anstatt *Blase* wird da geschrieben (wobei der letztere orthographische Fehler sogar aufgrund besonderen Scharfsinns – bei allerdings unzureichendem Einblick in die Unterschiede zwischen Standardsprache und Mundart – zustande kommt. Wem solch ein Fehler unterläuft, der mag sich gedacht haben: »Ich weiß, daß ich *b* sage, wo es richtig *p* heißen muß; also schreibe ich auch *Blase* mit *p*). Wenn ein Schüler wegen solcher mundartlich bedingten Fehler nun im Diktat eine schlechte Note erhält, dann wirkt sich eine Summe derartiger Erfahrungen sicher zu seinem Nachteil aus. Pädagogen und Sprachwissenschaftler haben aus diesen kurz skizzierten Feststellungen und Überlegungen die Konsequenz gezogen, es müsse in der Schule, eigentlich schon vor der Schulzeit, eine möglichst strenge Erziehung zur Standardsprache erfolgen. Ein Moment, das das Aussterben der Mundart weiter beschleunigen kann?

Neben Schwierigkeiten des Übertragens in die Standardsprache, die Mundartsprecher zusätzlich zu den Schwierigkeiten bewältigen müssen, die ohnehin bei der Lösung eines Problems auftreten, sind es weitere Faktoren, die den Unterschied zwischen Mundart und Standardsprache als »Barriere« funktionieren lassen. Sprachen haben auch ein »Image«, das sich aus Urteilen (und Vorurteilen) über die Sprecher und über die Situationen zusammensetzt, von denen bzw. in denen diese Sprache normalerweise gebraucht wird. Das Image von Dialekten, aber auch z.B. von Fachsprachen, ist sicher stärker ausgeprägt als das der Standardsprache, die eben deshalb als »neutraler«, »farbloser« gelten mag. Da Mundarten die originäre Sprache zum ländlichen Lebensbereich sind (was freilich den Begriff der »Stadtmundart« nicht ausschließt), können sie dem Sprecher, wenn er sie in allen Sprechsituationen verwendet, allzuleicht das Image des »Bäuerlichen«, negativ: des »Bäurischen« verleihen. In dieser Weise ist der Gebrauch einer Mundart unerwünscht in Situationen, in denen die – ihrerseits mit dem Image des »Gebildeten« behaftete – Standard-(Hoch-, Schrift-)sprache gepflegt wird.

Sollen die Mundarten aussterben?

Insgesamt gesehen ist das Image des Dialekts keineswegs nur negativ. Positiv ist es, weil sich in den Merkmalen dieser Sprache die Funktion des Sprechens zur Herstellung und Aufrechterhaltung des alltäglichen Umgangs ebenfalls ausdrückt: die vertrauten Verhältnisse, die emotionalen Bindungen, die positiven (aber auch negativen) Gefühle, jedenfalls das unkomplizierte oder doch wenigstens für unkompliziert gehaltene »menschliche Miteinander«. So gesehen erfüllen die Dialekte eine unverzichtbare Funktion im Ensemble koexistierender Sprachen unter dem Dach des Deutschen. Fast könnte man meinen: Solange nicht Begriffe wie »menschliche Wärme«, »Vertrautheit«, »Unmittelbarkeit« gegenstandslos sind, wird es auch Mundarten geben.

Daher eignet sich die Einbeziehung des Mundartlichen in Literatur, Film und Musik zur authentischen Darstellung des Atmosphärischen durchaus. Allerdings ist Mundartliches, wie der Lebensbereich, der mit ihm dargestellt werden soll, vor Verzerrungen und falschen Idealisierungen nicht sicher: Nostalgie, Bauern- und Hinterhofromantik, ein auf Feucht-Fröhliches reduzierter Begriff des »Volkstümlichen«. Wenn die Entscheidungen zur Auswahl des Stilmittels »mundartliche Sprache« im Kulturbetrieb auffallend häufig werden – und seit einigen Jahren läßt sich dieses Phänomen in der Bundesrepublik, aber auch anderswo beobachten –, dann sicher aus verschiedenen, sich sogar widersprechenden Ursachen und Motiven. Gemeinsam wird ihnen ein Unbehagen an der Standardsprache sein, vielleicht weniger ein Unbehagen an der Sprache selbst als an den in dieser Sprache übermittelten Inhalten, Aussagen, Denkweisen, Verhaltensweisen. Das Medium »Sprache« selbst wird zum Symbol dafür. So richtet sich die »Dialektwelle« zum guten Teil gegen eine Welt, in der Standardsprache herrscht oder Herrschendes standardsprachlich ausgedrückt wird. Sie spannt sich von der realistischen

Bierkutscher auf dem Münchner Oktoberfest

Im wissenschaftlichen Sprachgebrauch schreibt man, wenn es um den Dialekt geht, bairisch mit ai. Damit soll angedeutet werden, daß bairischer Dialekt nicht nur in Bayern gesprochen wird, sondern z. B. auch in Österreich. Umgekehrt umfaßt das heutige Bundesland Bayern auch ostfränkische und schwäbische Dialektgebiete. Das Bairische unterscheidet sich vor allem im Vokalismus sehr stark von der Schriftsprache; z. B. erscheint schriftsprachliches a fast wie o (d'Sochn – »die Sache«), dagegen schriftsprachliches ä oft wie ein reines a (Madl – »Mädel«). Die mittelhochdeutschen Zwielaute sind in ähnlicher Form wie früher erhalten geblieben (a liebs, guets Biaberl – »ein liebes, gutes Büblein«). Wie alle Süddeutschen haben auch die Bayern eine Vorliebe für Verkleinerungsformen, und zwar wird alles mit -l oder -erl verkleinert, das schon wieder fast wie -al klingt (Brathendl, Biaberl, Kipfal). Der erste bedeutende bayrische Mundartforscher, Johann Andreas Schmeller, war ein Zeitgenosse der Brüder Grimm. Sein zweibändiges bayrisches Wörterbuch gilt bis heute als eine der ganz großen Leistungen auf dem Gebiet der Mundartforschung.

Karneval in Schömberg bei Rottweil

Daß man seit etlichen Jahren allenthalben verstärkt über den Wert der Dialekte nachdenkt, ist keine Einzelerscheinung. Nicht nur die Dialekte sind bedroht von »Sachzwängen« der modernen Leistungsgesellschaft (Verwissenschaftlichung und Bürokratisierung aller Lebensbereiche). Bedroht sind ebenfalls alle anderen Formen regional geprägter Volkskultur, die sich nur schwer gegen die Vereinheitlichung und Verstädterung der deutschen Kultur zu behaupten wissen.

Darstellung veränderungswürdiger Verhältnisse bis zum resignierten Rückzug aus einer nicht mehr veränderbar erscheinenden Welt.

Doch wird die »Dialektwelle«, die eigentlich nur darin besteht, daß einige vielleicht bewußter Dialekt sprechen und viele Dialekt (dabei gar nicht einmal ihren eigenen) konsumieren, wohl kaum als ein Indikator dafür angesehen werden können, daß die Entwicklung von der regionalen Vielfalt zur Einheitssprache stagniert oder sich gar umkehrt. Mundarten werden, auch in der ihnen eigenen Funktion, von größerregionalen Umgangssprachen abgelöst werden, die der Standardsprache objektiv näher stehen als die heute (noch) existierenden Mundarten. Es besteht kein Anlaß anzunehmen, daß der mit der Industrialisierung und Ballungsraumbildung im 19. Jahrhundert einsetzende Prozeß der Herausbildung überregionaler Umgangssprachen, oftmals unter dem dominierenden Einfluß einer Stadtmundart (z.B. Köln, Frankfurt, Wien), stagnieren würde.

Ob damit das »Aussterben« der Mundarten prognostiziert wird, ist letztlich eine Frage der Definition. Mundarten werden sich, wie Sprachen überhaupt, dauernd verändern müssen, um zu »überleben«, und sie werden sich mit Sicherheit in Richtung auf die Standardsprache verändern. Typische Merkmale dieser neuen Mundarten werden objektiv denen der Standardsprache ähnlicher sein als die der alten. Subjektiv werden sie sich aber gleichermaßen deutlich von denen der Standardsprache unterscheiden, soweit sie geeignet sind, die Bedürfnisse nach unmittelbarer, direkter Kommunikation zu signalisieren und zu erfüllen.

Deutschland und sein natürlicher Bauplan

Grundlage der menschlichen Lebensformen ist die Natur, die die Menschen umgibt. Landschaft, Klima und Bodenbeschaffenheit sind Faktoren, von denen der Mensch sich zwar in zunehmendem Maße unabhängiger, nie aber frei machen kann. Alfred Herold, Professor für Geographie an der Universität Würzburg, beschreibt die wichtigsten natürlichen Lebensbedingungen in Deutschland und untersucht das Zusammenwirken geologischer Strukturen und spezifischer Landschaftsformationen sowie das Einwirken dieser Faktoren auf die Pflanzen- und Tierwelt.

Ein wesentliches Merkmal der das Land prägenden geologischen und geographischen Elemente sieht er in der zentralen Lage Deutschlands in Europa: Fast alle landschaftlichen, geologischen und klimatischen Gegebenheiten Deutschlands reichen über die Grenzen dieses Landes hinaus und ragen in die Nachbarländer hinein. Sie verbinden damit Deutschland auf natürliche Weise mit den angrenzenden Ländern und machen Deutschland – so klein es im Vergleich mit vielen anderen europäischen Staaten ist – zu einem der vielfältigsten Territorien.

Deutschland ist ein Teil Mitteleuropas. Das heißt nicht nur, daß es an allen Vorzügen und Problemen Mitteleuropas Anteil hat, sondern das bedeutet auch, daß fast alle deutschen Landschaften jenseits der politischen Grenzen ihre Fortsetzung

Die deutschen Alpen im Bereich des Zugspitzmassivs

Von den Alpen gehört nur ein wenige Kilometer breiter Streifen zu Deutschland. Er erstreckt sich von Lindau am Bodensee bis in die Nähe von Salzburg (Österreich). Der höchste Berg im deutschen Alpenraum ist die 2963 m hohe Zugspitze, von deren Gipfel sich der rechts abgebildete Ausblick eröffnet.

finden, daß Deutschland allen Einflüssen von Ost und West, von Nord und Süd weit geöffnet ist, daß aber umgekehrt auch die Ausstrahlung dieses Landes nach allen Seiten erfolgen konnte. Diesem Umstand kommt durch die Lage im Zentrum Europas besondere Bedeutung zu.

Deutschland ist nur ein in historischer Zeit häufig wechselnder und auch seine Schwerpunkte mehrfach verlagernder Ausschnitt aus dem mitteleuropäischen Landschaftsgefüge. Das Norddeutsche Tiefland setzt sich beispielsweise mit seinen Endmoränenzügen und Urstromtälern nach Osten, mit seinen Geest-, Moor-, Marsch- und Wattlandschaften nach Westen fort. Die jenseits der Grenze gelegenen Westfriesischen Inseln ähneln den Ostfriesischen, der Landschaftsaufbau des dänischen Jütland gleicht dem Schleswig-Holsteins. In der Mittelgebirgszone finden wir ein ähnliches Bild. Das Schollenmosaik der Mitteldeutschen Gebirgsschwelle setzt sich nach Frankreich und Belgien im Westen, nach Böhmen und Polen im Osten fort, ja die beiden größten »Hochschollen«, das Rheinische Schiefergebirge und das Böhmische Massiv, werden von der deutschen Grenze geteilt. Eine vergleichbare Situation beobachtet man bei der süddeutschen Mittelgebirgszone. Das Südwestdeutsche Stufenland ist das Spiegelbild des Lothringischen Stufenlandes, der Schwarzwald findet in den Vogesen sein direktes Gegenstück, ja selbst die Oberrheinebene wird von der Staatsgrenze zerschnitten. Das deutsche Alpenvor-

Folgende Doppelseite:

Mittelgebirgslandschaft: Blick vom Feldberg auf den Südschwarzwald und die Alpen

Die Entstehung der Schwarzwaldlandschaft steht in engem Zusammenhang mit der Herausbildung des Alpenmassivs, das vom Feldberg (1493 m), der höchsten Erhebung des Schwarzwalds und der deutschen Mittelgebirge, bereits deutlich am Horizont zu erkennen ist. Ähnlich wie das auf der Grenze zur Tschechoslowakei liegende Böhmische Massiv oder die Vogesen in Frankreich wirkte auch der Schwarzwald bei der Auffaltung der Alpen als Widerlager. Dieser Sachverhalt erklärt, warum die süddeutschen Mittelgebirge ihre höchsten Erhebungen im Süden, also auf ihrer den Alpen zugewandten Seite haben.

land findet seine Fortsetzung in der Schweiz und in Österreich, wobei das Landschaftsbild beiderseits des Bodensees oder beiderseits der Salzach kaum Unterschiede zeigt. Die Alpen schließlich gehören nur mit ihrem nördlichen Saum zu Deutschland. Obgleich die Grenze zu Tirol durch Talengen markiert ist, merkt man auch hier mehr an den Grenzkontrollstellen als am Landschaftsbild, daß man Deutschland verläßt.

Die vielfache naturgeographische Verzahnung wird überlagert von zahlreichen kulturgeographischen Überschneidungsbereichen. Die norddeutsche Backsteingotik findet man im ganzen benachbarten Ostseeraum, eine »Barockprovinz« reicht von Franken und Altbayern nach Böhmen und Österreich, die Inn-Salzach-Bauweise findet man gleichermaßen in Tirol und in Bayern. Das lothringische Einheitshaus reicht von Lothringen bis in den Saargau, das mächtige Friesenhaus kennt keine deutsch-niederländische Grenze. Oft verläuft die Landesgrenze auch durch zusammenhängende Verdichtungsräume wie bei Basel, im Saarland und im Aachener Revier, oder früher in Oberschlesien.

All dies zeigt, daß nicht nur klar erkennbare naturgeographische Grenzen, sondern auch viele schwerer faßbare und sich nur selten an Naturgrenzen anlehnende kulturgeographische Grenzsäume kaum eine Übereinstimmung mit den politischen Grenzen besitzen. Diese vielfache räumliche Verzahnung im Natur- und Kulturbereich mit all ihren positiven und negativen Folgen ist ein besonderes Kennzeichen Deutschlands.

Was aber bedeutet eine solch zentrale Lage innerhalb Europas für diesen Raum, für seine Bewohner, seine historische und wirtschaftliche Entwicklung? Auf diese Frage gibt es unzählige Antworten. Ihre Spannweite reicht vom geologischen Aufbau der Landschaften über Klima und Böden, Pflanzen- und Tierwelt bis zu den Bevölkerungs- und Siedlungsstrukturen, den Kultureinflüssen und geopolitischen Konstellationen, den Wirtschafts- und Verkehrsbeziehungen.

Die Lagegunst Deutschlands in der Mitte Europas wird durch die Verteilung von Land und Meer, von Gebirge und Tiefland noch weiter gesteigert. Wäre Deutschland meerfern gelegen, von anders verlaufenden Gebirgen durchzogen oder gar, wie Jugoslawien, durch eine verkehrsfeindliche Gebirgsschranke vom Meer abgeschirmt, dann hätte die Lagegunst einen weit geringeren Stellenwert. So aber ist Deutschland nicht nur nach allen Seiten weit geöffnet, sondern auch durch besondere orographische Lagevorteile gekennzeichnet. Zwar wird es nicht wie Frankreich an drei Seiten von Meeren begrenzt, aber die Lage an Nord- und Ostsee ist von weitreichender Bedeutung für Klima und Pflanzenwelt, Wirtschaftsstruktur und historische Entwicklung. Ohne den mildernden Einfluß des Meeres wären die Temperaturschwankungen zwischen Sommer und Winter höher, die Niederschläge geringer, das Verhältnis von Ackerland und Grünland verschoben. Größere Meeresferne würde auch die Standortvorteile der Industrie mindern, die Verkehrsstrukturen verändern und die internationalen Verflechtungen erschweren.

Deutschland grenzt aber nicht nur an Nord- und Ostsee, es hat durch die Naturleitlinie des Rhein-Rhone-Grabenbruchs auch eine bequeme und fast geradlinige Verbindung zum Mittelmeerraum und durch die von eiszeitlichen Gletschern abgeschliffenen Alpenpässe außerdem günstige Zugänge zur Adria, die sich Mitteleuropa wie ein riesiges natürliches Hafenbecken entgegenstreckt. Dieselben Alpenpässe stellen auch die Verbindung zum italienischen »Stiefel« her, der in fast geradliniger Verlängerung der »Rheinachse« wie eine natürliche Hafenmole weit in das Mittelmeer hineinreicht. Die »Rheinachse« weist in umgekehrter Richtung den Weg zu den dichtbesiedelten Benelux-Staaten und nach Großbritannien, der jenseits des Ärmelkanals gelegenen größten Insel Europas. Schließlich bilden die dänischen Inseln und Halbinseln »Trittsteine« auf dem Weg nach Nordeuropa. Die günstige Verteilung von Land und Meer erwies sich jedoch im Lauf der Geschichte zeitweilig auch als unzureichend. Deutschland liegt nämlich nur an Nebenmeeren, deren Zugänge zu allen Zeiten leicht zu kontrollieren waren. Die Staaten Westeuropas liegen dagegen am offenen Ozean und entwickelten sich seit dem ausgehenden Mittelalter ausnahmslos zu ausgesprochenen Seefahrernationen.

Das Skelett Mitteleuropas – gefaltet, abgetragen und zerbrochen

Die Lage im Zentrum Europas hat zur Folge, daß Deutschland an fast allen geotektonischen Bauelementen des Kontinents Anteil hat. Im Osten und im Norden lagert im tieferen Untergrund der älteste Teil Europas, der Urkraton des aus kristallinen Gesteinen aufgebauten »Fennosarmatia«, das seinerseits in den »Baltischen Schild« (zu dem gerade noch Bornholm gehört) und in die von Sedimenten bedeckte »Russische Tafel« (die noch den tieferen Untergrund Ostpreußens aufbaut) zerfällt. An dieses »Ur-Europa« wurde im frühen Paläozoikum, vor rund 350-390 Millionen Jahren, durch die kaledonische Gebirgsbildung »Paläo-Europa« angeschweißt. Zu diesem zweitältesten Teil des Kontinents gehören nicht nur die norwegischen und schottischen Gebirge, sondern auch der im tieferen Untergrund liegende Sockel Norddeutschlands. Die Mitteldeutsche Gebirgsschwelle ist dagegen ein Teil Meso-Europas, das am Ende des Paläozoikums, vor rund 240-310 Millionen Jahren, während der variszischen Gebirgsbildung geschaffen wurde. Das vom französischen Zentralmassiv bogenförmig bis Oberschlesien reichende Variszische Gebirge wurde zwischenzeitlich allerdings längst abgetragen (»eingerumpft«), und sein Sockel zerbrach in ein kleingekammertes »Schollenmosaik«.

Die Nürnberger Burg, erbaut aus dunklem Burgsandstein

Wie die Dachdeckung, so wechselte vor der Entwicklung der modernen, künstlich gefertigten Bausteine auch die bauliche Grundsubstanz in Deutschland je nach Region. Um aufwendige Transporte zu vermeiden, verwendete man meist die in der Nähe lagernden Gesteinsarten. Die Nürnberger Stadtumwallung und die Burg, von der auf dem nebenstehenden Foto die Kaiserstallung zu sehen ist, besteht aus diesem Grund aus einem dunklen Sandstein aus der mittleren Keuperformation in Franken. Den Namen Burgsandstein erhielt er nach seinem Vorkommen in der Nürnberger Burg.

Schiefergedeckte Gebäude in Marburg an der Lahn

Die verschiedenartigen natürlichen Baustoffe, die in der näheren Umgebung eines Siedlungsgebietes vorkommen, prägen auch die Ausgestaltung der Städte und führen zu regionalen Unterschieden. Marburg an der Lahn liegt noch im Einzugsbereich des Rheinischen Schiefergebirges, weshalb zur Deckung der Dächer und zum Teil auch zur Verkleidung der Fassaden vorwiegend die dort gebrochenen Schieferplatten Verwendung fanden. Freilich wird heute der echte Schiefer durch billigere Ton- oder Betonziegel stark zurückgedrängt.

In geologisch junger Vergangenheit, während der Kreide- und Tertiärzeit, entstanden in den letzten 100 Millionen Jahren schließlich die Alpen und das aus ihrem Schutt aufgebaute Alpenvorland als jüngste Bauelemente Europas.

Dem räumlichen Nebeneinander verschiedener geotektonischer Zonen in Mitteleuropa entspricht das zeitliche Nacheinander ihrer Entstehungsgeschichte, die ihrerseits durch einen relativ einfachen Mechanismus zu erklären ist. Geotektonisch verdankt Mitteleuropa seine Entstehung nämlich einer Folge von »Zangengeburten«. Nachdem durch den seitlichen Druck von zwei Widerlagern »Ur-Europas«, dem Laurentischen Schild im Nordwesten und dem Baltischen Schild (Fennosarmatia) im Osten das Kaledonische Gebirge und andere Teile Paläo-Europas gefaltet waren, wurde der Zwischenraum dieser verfestigten Masse im Norden und des auf Paläo-Europa zudriftenden uralten Gondwanakontinents (Afrika) im Süden wie in einem Schraubstock zusammengepreßt. Interessanterweise geschah dies in zwei Gebirgsbildungsphasen, von denen die ältere, die »variszische«, Meso-Europa schuf, das dann später als Widerlager für die jüngere, die »alpidische Faltung«, diente, die Neo-Europa anschweißte.

Der großräumige geotektonische Bauplan spiegelt sich in vielerlei Hinsicht in den Strukturformen der mitteleuropäischen Landschaften wider. So wirkten beispielsweise das Französische Zentralmassiv, die Vogesen, der Schwarzwald und das

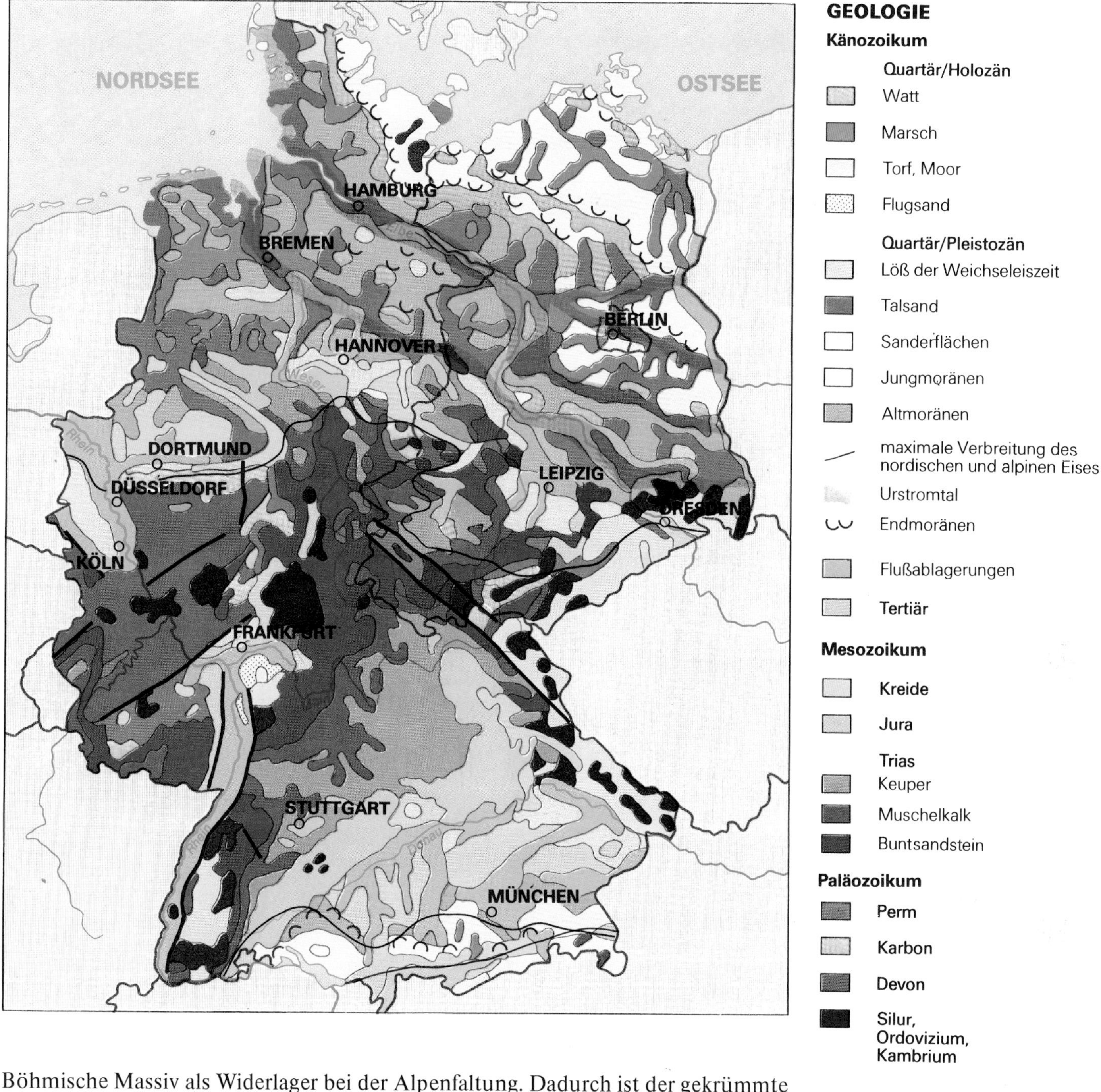

Böhmische Massiv als Widerlager bei der Alpenfaltung. Dadurch ist der gekrümmte Verlauf des Hochgebirges bedingt. Umgekehrt wurden durch die Alpenfaltung die variszisch gefalteten Teile Mitteleuropas in ein Schollenmosaik zerstückelt. Betrachtet man eine geologische Karte Mitteleuropas, so kommen diese Zusammenhänge kaum zum Ausdruck. Die Ursache dafür liegt darin, daß verschiedene geotektonische Bauelemente im Lauf der Erdgeschichte abgesenkt, andere dagegen herausgehoben wurden. So ist z.B. im Norddeutschen Tiefland der ältere geologische Untergrund von tertiären, eiszeitlichen und nacheiszeitlichen Schichten überdeckt. Im Schollenmosaik der Mittelgebirgszone finden wir dagegen kristalline Gesteine und altgefaltete Schiefer, wenn bei stärkerer Heraushebung der variszisch gefaltete Sockel durch die Abtragung jüngerer Deckschichten freigelegt ist. Blieben die Deckschichten aufgrund geringerer Hebung jedoch erhalten, liegt an der Erdoberfläche eine bunte Gesteinsfolge meist mesozoischer Sedimente (Trias, Jura, Kreide). Die Verwerfungen, die Bruchlinien im Gestein, entlang derer verschiedene Schollen des Gebirges gegeneinander verschoben wurden, sind oftmals durch Vorkommen vulkanischer Gesteine markiert, die als Aufstiegswege glühender Gesteinsschmelzen dienten. Im Alpenvorland, aber auch im Oberrheingraben finden wir eine tertiäre und diluviale Beckenauffüllung, in den Alpen metamorphe Gesteine, sowie intensiv gefaltete mesozoische und tertiäre Schichten. Der geolo-

gische Aufbau wirkt sich in vielfacher Hinsicht aus. Er beeinflußt das Landschaftsbild, die Bodenfruchtbarkeit, das Vorkommen von Bodenschätzen u. ä. m. So ist es wichtig, daß Deutschland – im Gegensatz zu Skandinavien – eine starke Verbreitung von Schichtgesteinen aufweist und damit über eine große Anzahl sedimentärer Lagerstätten (Steinkohlen, Braunkohlen, Stein- und Kalisalz u. ä. m.) verfügt. Umgekehrt ist die weite Verbreitung des Buntsandsteins für den Waldreichtum Deutschlands mitverantwortlich. Im Baumaterial der Städte und Kunstdenkmäler beeinflußt der geologische Untergrund sogar das Siedlungsbild.

Deutschlands erdgeschichtlicher Lebenslauf

Der geotektonische Aufbau Mitteleuropas läßt bereits eine weitere Besonderheit dieses geographischen Raumes vermuten: Alle Erdzeitalter und alle geologischen Formationen sind am Aufbau und geologischen Werdegang der deutschen Landschaften beteiligt. Die geologische Vielfalt geht sogar so weit, daß man innerhalb zweier »geologischer Quadratmeilen« (bei Goslar und Baden-Baden) nahezu alle wichtigen Gesteine Europas auf engstem Raum nebeneinander findet.

Gesteine des über 1,4 Milliarden Jahre dauernden Präkambriums, der Ur- und Frühzeit unserer Erde, während der die Urkontinente und Urozeane gebildet wurden, sind nur in den kristallinen Kernen der deutschen Mittelgebirge (Schwarzwald, Spessart, Böhmisches Massiv, Thüringer Wald) zu finden. Ihr Erzgehalt (Eisen, Kupfer, Blei, Zink, Gold und Silber) hatte in historischer Zeit wiederholt wirtschaftliche Bedeutung.

Die nächstjüngere Formation, das rund 340 Millionen Jahre umfassende Paläozoikum oder Erdaltertum, ist vor allem in den deutschen Mittelgebirgen vertreten. Seine einzelnen Formationen zeigen aber eine unterschiedliche Verbreitung. So kommen Gesteine des Kambriums und des Ordoviziums nur an wenigen Stellen vor, etwa im Hohen Venn, im Vogtland oder im Erzgebirge. Auch Gesteine des Silurs – der Zeit der kaledonischen Gebirgsbildung – sind nur lokal verbreitet, unter anderem im Harz, im Fichtelgebirge und im Vogtland. Während die vorwiegend aus tonigen Sandsteinen, sogenannten Grauwacken, bestehenden Gesteinsschichten des älteren Paläozoikums (Kambrium, Ordovizium, Silur) nur wenige hundert Meter mächtig sind, erreichen die Ablagerungen des nun folgenden Devons, die ältesten Sedimentgesteine, die geschlossen weite Gebiete Deutschlands bedekken, Mächtigkeiten bis 1000 m. Devonische Schiefer und Grauwacken sind im Rheinischen Schiefergebirge, im Harz, im Fichtelgebirge und in den Sudeten verbreitet. Die Gewinnung von Dachschiefer hatte einst große Bedeutung und beeinflußt noch heute unübersehbar das Siedlungsbild in den deutschen Mittelgebirgen. Die devonischen Kalksteinvorkommen von Eifel und Sauerland sind heute die Zentren der Zementindustrie und Anziehungspunkte des Fremdenverkehrs (Felsen bei Gerolstein, Dechenhöhle bei Iserlohn). Auch vulkanische Gesteine (Diabas, Porphyr) sind im Devon vertreten, dessen wirtschaftliche Bedeutung durch verschiedene Erzlagerstätten (Harz, Siegerland, Lahn- und Dillgebiet) noch erhöht wird.

Das Karbon, eine weitere Formation des Paläozoikums, ist wegen der variszischen Gebirgsbildung von allergrößter Bedeutung für den geologischen Aufbau Mitteleuropas. Die in einer Senke am Nordrand des Variszischen Gebirges entstandenen Steinkohlelager verleihen dem Karbon außerdem seinen Ruf als wirtschaftlich wichtigste geologische Formation Deutschlands. Die am Gebirgsrand angelegten Vortiefen wurden nämlich durch riesige Massen von Verwitterungsschutt der aufgefalteten Gebirgszüge erfüllt. Wobei sich – bedingt durch Transgressionen und Regressionen (Vorstöße und Rückzüge) des Meeres – in einem amphibischen Küstenstreifen eine ausgedehnte Sumpfvegetation entwickelte, deren Pflanzensubstanz nach Überdeckung durch weitere Schuttmassen in einem durch den gewaltigen Gebirgsdruck bedingten Inkohlungsprozeß zu Steinkohlenflözen umgewandelt wurden.

Diesen am Außensaum des Variszischen Gebirges gelegenen Kohlelagern, die vom Aachener Revier über das Ruhrgebiet bis nach Oberschlesien reichen, stehen die kleineren, in Binnensenken auf ähnliche Weise entstandenen Steinkohlereviere wie das Saarbecken, das Waldenburger und das Pilsener Becken gegenüber.

Neben dem »produktiven Karbon« entstanden in diesem geologischen Zeitalter auch Kalksteine, Sandsteine und Tonschiefer. Außerdem wurden in Zu-

Vorhergehende Doppelseite:

Durchbruchstal der Donau in der Schwäbischen Alb

Zwischen Tuttlingen und Sigmaringen hat sich die Donau in imposanter Form ihr Flußbett durch die mächtigen Jurakalke der Schwäbischen Alb gegraben. Diese eigentümliche, reizvolle Landschaft, die beim Kloster Beuron und bei der hoch über dem Tal gelegenen Burg Werenwag (unser Bild) ihre schönsten Stellen hat, ist Jahr für Jahr beliebtes Ausflugsziel zahlloser Besucher.

sammenhang mit der variszischen Gebirgsbildung ausgedehnte Massen vulkanischer Tiefengesteine emporgepreßt. Zu ihnen gehören die gewaltigen Granitstöcke des Schwarzwalds, Odenwalds und Harzes, des Fichtel-, Erz- und Riesengebirges sowie die ausgedehnten Granitmassive der Lausitz und der Sudeten. Durch »Differentiation« entstanden bei der Abkühlung des glutflüssigen Magmas in den »Restschmelzen« die magmatischen Erzlagerstätten mit zum Teil großer wirtschaftlicher Bedeutung (»Erz«-Gebirge, Harz).

Die bis zum Ende des Karbons abgelagerten, von der variszischen Gebirgsbildung erfaßten und teilweise intensiv gefalteten Gesteinsserien – die devonischen Schiefer im Mittelrhein- oder Moseltal sind anschauliche Beispiele – bilden den »Unterbau« (Grundgebirge) der deutschen Mittelgebirge. Die nachfolgend aufgeführten, meist flachlagernden, häufig jedoch auch schräggestellten jüngeren Gesteinsschichten werden als »Oberbau« (Deckgebirge) zusammengefaßt.

Dieser Oberbau beginnt mit der jüngsten paläozoischen Formation, dem Perm, das seinerseits in das Rotliegende und die Zechsteinzeit zerfällt. Beide Ausdrücke entstammen dem Mansfelder Kupferbergbau, wo auf dem jüngeren Zechstein die Zechen standen, während das darunterliegende rote, tote »Liegende« ohne wirtschaftlichen Wert war. Das Rotliegende ist in Deutschland vorwiegend durch festländische, der Zechstein meist durch Meeresablagerungen vertreten. Das in Muldenzonen abgelagerte Rotliegende ist bis zu 800 m mächtig und besteht oft aus Sandsteinen, deren rote Farbe auf die Bildung unter wüstenartigen Klimabedingungen hinweist. Die Rotliegendzeit war in Deutschland von heftigem Vulkanismus begleitet, dessen Zeugen als Porphyre und Melaphyre im Nahegebiet, Odenwald, Spessart und Thüringer Wald, als Diabase im Rheinischen Schiefergebirge zu finden sind. Die über dem Rotliegenden lagernden Sedimente der Zechsteinzeit sind ebenso wie die des Oberkarbons von allergrößter wirtschaftlicher Bedeutung. Damals drang von Norden her ein Meeresarm nach Mitteleuropa vor, dessen flaches Becken mehrfach vom Weltmeer abgeschnitten wurde. Aufgrund des Trokkenklimas verdampfte das Meerwasser bei jeder Trennung vom Ozean wie in einer Pfanne. Das Ergebnis dieses Eindampfungsprozesses, der sich mehrmals wiederholte, sind riesige Steinsalz-, Kalisalz- und Anhydrit-Lagerstätten. Die Namen der in den einzelnen Zyklen abgelagerten Salzserien beziehen sich auf die Hauptvorkommen dieser wichtigen Bodenschätze: Werraserie, Staßfurtserie, Leineserie und Allerserie. Als Faulschlammbildung entstand in flachen Buchten des Zechsteinmeeres außerdem der Mansfelder Kupferschiefer.

Mit der Trias (Dreiheit) begann vor über 200 Millionen Jahren das Mesozoikum, das Erdmittelalter. Nun erschienen die ersten Laubhölzer, Vögel, Knochenfische und Säugetiere.

Die Gesteine der Trias zeigen in Deutschland eine verschiedenartige Ausprägung beiderseits eines ehemals in der Gegend der heutigen Schwäbischen Alb verlaufenden Höhenrückens. Nördlich dieses »Vindelizischen Landes« wurde die »Germanische Trias« in einem weiten und flachen Becken abgelagert, südlich dieser Schwelle begann in der Senkungswanne der »Tethys« die Ablagerung der »alpinen Trias« und mit ihr die Bildung der mächtigen Gesteinsserien, aus denen in der Kreidezeit und im Tertiär die Alpen entstanden. Diese »Geosynklinale« ist somit die »Wiege« des mächtigsten europäischen Gebirges.

Das Sedimentationsbecken der Germanischen Trias war von den Rumpfschollen des im Karbon gehobenen und bereits im Perm wieder abgetragenen Variszischen Gebirges umrahmt: von der »Rheinischen Masse« im Westen, dem »Vindelizischen Land« im Süden und der »Böhmischen Masse« im Osten. Vom Gebiet des heutigen Hochrheins bis zum Weserbergland, ja sogar bis Helgoland sind die Schichten des Buntsandsteins, des Muschelkalks und des Keupers in germanotyper Ausprägung (Fazies) zu finden.

Alle drei Glieder der Germanischen Trias zeigen grundsätzliche Unterschiede. Das trifft nicht nur für die vorherrschenden Gesteinsfarben zu: roter Buntsandstein, grauer Muschelkalk, gelbgrüne bis rotbraune Keupersandsteine, bunte Keupertone. Es gilt auch für die Entstehungsbedingungen. Die Sande, Tone und Mergel der Buntsandsteinzeit wurden unter wüstenartigen Klimabedingungen in einem vom Weltmeer abgeschnittenen Becken abgelagert. Darauf weisen das weitgehende Fehlen von Versteinerungen und die wenigen Tierfährten ebenso hin wie das Vorkommen von Wind- und Trockenrissen sowie fossilen Regentropfeneindrücken.

Höhle der Schwäbischen Alb

Im Gebiet der Schwäbischen Alb, der größten Karstlandschaft in Mitteleuropa, sind derzeit über 200 Höhlen bekannt. Einige von ihnen, mit besonders eindrucksvollen Tropfsteingebilden und Sinterkaskaden, sind zu Schauhöhlen ausgebaut.

Versteinerte »Seelilien«

Das Museum Hauff in Holzmaden besitzt eine einzigartige Sammlung von Versteinerungen aus den Schieferbrüchen der Umgebung, darunter eine Kolonie sogenannter »Seelilien« (Echinodermen), eine zusammenhängende Gruppe fossiler wirbelloser Tiere.

Das Muschelkalkmeer, das zeitweilig über die »Oberschlesische Pforte« oder über die »Burgundische Pforte« mit der »Tethys« in Verbindung stand, zeitweise aber ganz vom Weltmeer abgeschnitten war, ist durch Millionen und Abermillionen von Versteinerungen (Muscheln und Ammoniten u. ä. m.) gekennzeichnet. Die in einer Eindampfungsphase entstandenen Schichten des Mittleren Muschelkalks bestehen jedoch vor allem aus fossilienfreiem Steinsalz, Anhydrit und Dolomit.

Die Keuperzeit ist durch einen Wechsel von Land und Meer sowie von trockenen und feuchten Perioden gekennzeichnet. Darauf weisen die Mergel- und Tonschichten, die Gips- und Sandsteinablagerungen des Letten-, Gips- und Sandsteinkeupers hin. Im Gegensatz zum Muschelkalk sind die zahlreichen Fossilien des Keupers meist pflanzlicher Art.

Die weitverbreiteten Gesteine der Trias besaßen früher eine große wirtschaftliche Bedeutung. Sie waren wegen ihrer auffallenden Färbung und guten Bearbeitbarkeit vor allem beliebte Bausteine. Aus rotem Buntsandstein wurden das Freiburger und das Straßburger Münster, der Mainzer und der Frankfurter Dom, das Heidelberger und das Aschaffenburger Schloß erbaut, aus grauem Muschelkalk die Alte Mainbrücke in Würzburg und der Stuttgarter Hauptbahnhof. Gelblichbrauner Lettenkeupersandstein prägt die Würzburger Residenz, dunkler Burgsandstein die trutzige Nürnberger Stadtumwallung. Die Steinsalzlager des Mittleren Muschelkalks werden unter anderem bei Heilbronn, die Gipsvorkommen des Keupers am Rand des Steigerwalds genutzt. Bedeutend sind auch die im Muschelkalk Oberschlesiens gelegenen Zink- und Bleierzvorkommen.

Die Ablagerungen der rund 35 Millionen Jahre dauernden Jurazeit wurden vor allem im Meer gebildet, das damals in Europa seine größte Ausdehnung hatte. Besonders bekannt ist der Jura wegen seiner überaus reichen und teilweise sehr eigenwilligen Tierwelt, die uns in Form zahlloser Versteinerungen sehr gut erhalten ist. Weltberühmt sind die Fundstätten von Eichstätt (Urvogel Archäopteryx) und Holzmaden (Ichthyosaurier). Die Ablagerungen der Jurazeit zeigen jedoch im Schwarzen Jura (Lias) mit seinen Tonen, Mergeln und Schiefern ein vollkommen anderes Bild als im Braunen Jura (Dogger) mit seinen eisenhaltigen Sandsteinen. Am bekanntesten ist der Weiße Jura (Malm) mit seinen mächtigen Schwammkalken und Plattenkalken. In diesem jüngsten Abschnitt des Juras war das Vindelizische Land vollkommen im Meer versunken, so daß eine breite Verbindung zwischen dem germanischen Triasbecken und der Tethys bestand.

Die wirtschaftliche Bedeutung der Juraablagerungen ist sehr vielseitig. Doggersandsteine und Malmkalke sind beliebte Bausteine, alle Kalkschichten zugleich auch Rohstoffe für die Zementindustrie. Die Solnhofener Lithographieschiefer fanden im Steindruck weltweite Verwendung, und Solnhofener Platten sind heute ein beliebter Wand- und Fußbodenbelag. Die Ölschiefer (Posidonienschiefer) des Lias wurden im vorigen Jahrhundert durch Schieferölfabriken am Rand der Schwäbischen Alb genutzt. Die größte wirtschaftliche Bedeutung besitzt jedoch die dem Braunjura angehörige lothringische Minette, deren 10–60 m mächtige Erzformation einen Eisengehalt von 21–42% aufweist. Damit ist dieses Vorkommen neben dem des nordschwedischen Gebiets um Kiruna die größte Eisenerzlagerstätte Europas außerhalb der UdSSR. Die Eisenerze des Oberpfälzer Jura werden heute noch bei Auerbach abgebaut. Auch in der Schwäbischen Alb bei Wasseralfingen wurde der Eisensandstein bis vor wenigen Jahrzehnten genutzt.

In den erdölhöffigen Gebieten Nordwestdeutschlands, etwa im Emsland, bilden die von tonigen Schichten des Lias und Dogger nach unten abgedichteten Malmsandsteine ein wichtiges Erdöl-Speichergestein.

Die am Ende des Mesozoikums (Erdmittelalter) stehende, 80 Millionen Jahre dauernde Kreidezeit ist biologisch durch das Aussterben der Ammoniten, Belemniten und Riesensaurier sowie durch das erste sichere Auftreten der Blütenpflanzen gekennzeichnet. Das wichtigste Ereignis dieses geologischen Zeitalters ist jedoch die beginnende Faltung der mächtigen, während des Mesozoikums in der Tethys abgelagerten Sedimentmassen, aus denen die Alpen entstanden. So wurden in dieser ersten Phase die nördlichen Ostalpen und andere Teile dieses Hochgebirges (Penninische Alpen und Dinariden) gefaltet. Die gewaltigen tektonischen Bewegungen strahlten auch in Teile der deutschen Mittelgebirgszone aus. Dort kam es stellenweise zur Bruchfaltung und Umgestaltung alter variskischer Struk-

Weißjura-Steinbruch bei Hülben/Urach

Der Steinbruch am Nordwestrand der Schwäbischen Alb verweist auf die Entstehungszeit dieses Mittelgebirges. Die als Karstlandschaft sich darbietende Schwäbische Alb ist Deutschlands erdgeschichtlich jüngstes Mittelgebirge, deren Bausteine, überwiegend Massen- und Quaderkalke des Weißjura, im Meer der Jurazeit abgelagert, in der Kreidezeit trockengelegt und im Zusammenhang mit der Auffaltung der Alpen im Tertiär aufgebrochen wurden.

turen. Zwar war die Kreidezeit durch eine Vorherrschaft des Meeres gekennzeichnet, aber dennoch waren die während der Jurazeit meerbedeckten Teile Deutschlands nun großenteils landfest. Kreidezeitliche Ablagerungen fehlen deshalb in weiten Teilen Süddeutschlands und im Bereich der heutigen Mittelgebirgsschwelle mit Ausnahme der Oberpfalz, Nordböhmens und Sachsens. Sie sind jedoch in Norddeutschland und in den Alpen weit verbreitet. Die namengebende weiße Gesteinsserie der Kreidezeit tritt in Deutschland allerdings nur auf der Insel Rügen zutage. Ansonsten herrschen Sandsteine, Kalkmergel und Kalksteine vor. Das bekannteste und bizarrste aus Kreidesandstein aufgebaute Gebirge Deutschlands ist das Elbsandsteingebirge (»Sächsische Schweiz«) bei Dresden.

Die kreidezeitlichen Ablagerungen besitzen zum Teil größere wirtschaftliche Bedeutung. So wird aus der Kreide von Rügen Schlämmkreide hergestellt. Kreidezeitliche Steinkohlelagerstätten (Deisterkohle, Wealdenkohle) wurden in Norddeutschland stellenweise bergbaulich genutzt. Die wichtigsten an kreidezeitliche Schichten gebundenen Bodenschätze sind jedoch die Erdöl- und Erdgasfelder Nordwestdeutschlands und die Eisenerzlagerstätten von Salzgitter mit ihrem geschätzten Vorrat von über 1 Milliarde Tonnen.

Das rund 60 Millionen Jahre andauernde Tertiär, das fast das ganze Känozoikum (Erdneuzeit) ausfüllt, war eine Zeit gewaltiger tektonischer Bewegungen und entwicklungsgeschichtlicher Revolutionen. Die Oberflächenformen Europas näherten sich immer mehr ihrer heutigen Gestalt, Pflanzen- und Tierwelt nahmen immer mehr bekannte Züge an, denn nun erfolgte eine sehr schnelle Entwicklung der Säugetiere.

Die Alpenfaltung, die bereits in der Kreidezeit einsetzte, erreichte im Tertiär ihren Höhepunkt. Durch seitlichen Zusammenschub wurden die in verschiedenen Trögen der Tethys abgelagerten Sedimente gefaltet, entwurzelt und in gewaltigen Deckensystemen nach Norden überschoben, wobei oft ältere Gesteine über jüngeren lagern und die normale Aufeinanderfolge der Schichten schwer rekonstruierbar ist. Während die Deckensysteme der Helvetiden und Penniden, sowie die Autochthonen (= an Ort und Stelle gebildeten) Massive die Westalpen aufbauen, werden die Ostalpen von den überlagernden Ostalpinen Decken gebildet. Selbst der in der Vortiefe des Alpenvorlandes, dem »Molassetrog« abgelagerte Schutt des aufsteigenden Hochgebirges wurde noch in nach Norden zu ausklingende Falten gelegt. Dabei wurden im Bereich der heutigen Mittelgebirgszone alte Verwerfungslinien reaktiviert. Das Schollenmosaik erhielt seine heutige Vielfalt. Soweit Schollen herausgehoben wurden, erfolgte eine Neubelebung der Erosion. Wurden sie dagegen abgesenkt oder eingemuldet, so wurden sie - wie das Alpenvorland, der Oberrheingraben oder das Norddeutsche Tiefland - wiederholt vom Meer bedeckt und von Flüssen mit mächtigen Schuttmassen zugeschüttet. Oft mehrmaliger Wechsel von Druck und Zerrung, Kippung, Drehung, Verbiegung, Hebung und Senkung wirkte an der Umgestaltung des Reliefs. Bei schräggestellten Schollen wurden der Oberbau zu Schichtstufenlandschaften umgewandelt. So brach beim weitgespannten Schichtgewölbe Süddeutschlands der Mittelteil des Gewölbes als Oberrheingraben in die Tiefe, worauf die Sedimente der beiden Flanken in Stufenlandschaften umgewandelt wurden. In Norddeutschland kam es zu einer weitverbreiteten Salztektonik, denn die in der Tiefe liegenden Zechsteinsalze wurden unter dem steigenden Gebirgsdruck plastisch und durch Verwerfungsfugen als pfropfenartige Salzdome oft bis zu 500 m nach oben gepreßt. Dabei wurden die Nachbargesteine ebenfalls in ihrer Lagerung gestört.

Die tektonischen Bewegungen hatten an den zahlreichen Verwerfungslinien stellenweise starken Vulkanismus zur Folge. Oft durchbrachen Basaltschlote den älteren Gesteinsuntergrund wie Nietbolzen. Rhön und Vogelsberg, Duppauer Bergland, Kaiserstuhl und Hegau sind nur einige der Vulkanlandschaften. Die Vulkanerscheinungen reichen dabei von weitgespannten Basaltdecken sowie später von der Abtragung herauspräparierten Basalt- und Phonolithstielen bis zu den Explosionskratern der Eifelmaare. Im Verhältnis zu den tertiären Schichtgesteinen nehmen die Vulkanbildungen jedoch einen kleinen Raum ein.

Tertiäre Sedimente findet man vor allem im Alpenvorland (Molassebecken), in Grabenzonen (Oberrheingraben, Hessische Senke, Egergraben) und im Norddeutschen Tiefland. Sie sind jedoch größtenteils durch jüngere Ablagerungen des Quartärs überdeckt. Wegen seines Reichtums an Braunkohlenlagerstätten - bedingt durch tropisches bis subtropisches Klima, üppigen Pflanzenwuchs und häufige Krustenbewegungen - wird das Tertiär auch als »Braunkohlenzeit« bezeichnet. Braunkohlenvorkommen entstanden am Nordrand der Mittelgebirgszone (Kölner Bucht, Leipziger Bucht, Lausitz) sowie in den Graben- und Senkenzonen (Egergraben, Naabsenke, Alpenvorland). Weitere Bodenschätze der Tertiärzeit sind die Kalisalzvorkommen im Oberrheingraben, die Erdöl- und Erdgasfelder in Nordwestdeutschland sowie im Alpenvorland und im Oberrheingraben, die Kaolinlager im Egergraben und die berühmten Bernsteinvorkommen an der Samlandküste. Außerdem werden Basalte und tertiäre Kalkvorkommen vielerorts genutzt. Als Nachwirkung der tertiären Krustenbewegungen haben zahlreiche an Verwerfungslinien oder Vulkangebiete gebundene Thermal- und Mineralquellen große wirtschaftliche Bedeutung erlangt. Erinnert sei nur an Bad Homburg, an Baden-Baden oder an Badenweiler im Oberrheingraben, an Bad Brückenau und Bad Kissingen am Rande der Rhön oder an Karlsbad und Franzensbad im Egergraben.

Das bisher knapp 1 Million Jahre andauernde Quartär, in dem wir uns geologisch gesehen heute noch befinden, stellt zeitmäßig nur ein winziges Anhängsel der bisherigen Erdgeschichte dar. Es hat aber dennoch in vielerlei Hinsicht eine eigenständige Bedeutung. Das markanteste Ereignis des Quartärs und somit der jüngsten geologischen Vergangenheit war das erst vor 10000 Jahren zu Ende gegangene Eiszeitalter mit seinem mindestens viermaligen Wechsel von Kalt- und Warmzeiten. Die nach oberschwäbischen Flüssen benannten Günz-, Mindel-, Riß- und Würmeiszeiten im Alpenraum und in Süddeutschland sowie die ihnen zeitlich entsprechenden Elbe- (noch umstritten), Elster-, Saale- und Weichseleiszeiten in Norddeutschland haben weite Teile Deutschlands nachhaltig umgeformt. Dabei sind naturgemäß die Spuren der jüngsten Eiszeit (Würm- oder Weichseleiszeit) noch am deutlichsten im Landschaftsbild zu erkennen, während die vorletzte Eiszeit (Riß- oder Saaleeiszeit) aufgrund ihrer viel weiteren Ausdehnung bemerkenswert ist. Die durch sie geschaffenen Landschaftsformen wurden allerdings während der letzten Eiszeit weitgehend verwischt. Der Geograph unterscheidet deshalb zwischen alt- und jungglazialen (eiszeitlichen) Geländeformen. Der altglaziale Formenschatz findet sich unter anderem in Nordwestdeutschland (Geest, Diluvialplatten, Urstromtäler) und in Teilen des Alpenvorlandes, die viel deutlicheren jungglazialen Erscheinungen (Endmoränenzüge, Grundmoränengebiete, Zungenbecken u. ä. m.) in Norddeutschland (Baltischer Höhenrücken) und im Alpenvorland. Diesen glazialen Akkumulationsformen (Aufschüttungsformen) entsprechen die eiszeitlichen Erosionsformen (Abtragungsformen) in den Alpen und den höchsten Mittelgebirgen (Schwarzwald, Bayerischer Wald und Riesengebirge). Hier findet man unter anderem Karnischen und Karseen, Karlinge und vom Gletschereis ausgeschliffene Trogtäler, außerdem vom Eis überschliffene Rundhöcker.

Den Glazialformen der einstmals eisbedeckten Gebiete entsprechen im eisfreien Gebiet die Periglazialformen. Solifluktion (Bodenfließen) und Kryoturbation (Würgeböden) kann man in zahllosen Baugruben beobachten. Die flachen Dellen an den Talenden und die asymmetrischen Talquerschnitte unserer Gäulandschaften, die Schotterfluren des Alpenvorlandes gehören ebenso zu den Periglazialerscheinungen wie die Felsenmeere des Odenwaldes, der Rhön und des Fichtelgebirges. Somit sind die Landschaftsformen weiter Teile Deutschlands eiszeitlichen Ursprungs. Das trifft vor allem für das norddeutsche Tiefland und das Alpenvorland zu. Durch die Eiszeit erhielten die Alpen erst ihre scharfgratigen Hochgebirgsformen.

Die Glazialformen beeinflussen selbst die Verkehrsgunst Mitteleuropas. So sind die in Norddeutschland parallel zum Südrand der nordischen Vereisung verlaufenden Urstromtäler bevorzugte Verkehrsleitlinien; das Eisstromnetz der Alpen hinterließ innerhalb des Gebirgskörpers breit ausgeschürfte Trogtäler und abgeschliffene Paßlandschaften. Auch in den während der Kaltzeiten eisfrei gebliebenen Gebieten, die sich wie ein schmaler Korridor zwischen den Eismassen der nordischen und der alpinen Vergletscherung erstreckten, wurden während des Eiszeitalters wichtige Grundlagen für ihre spätere wirtschaftliche Entwicklung geschaffen. Besonders begünstigt waren dabei die fruchtbaren Lößgebiete, die heute die ertragreichsten Kornkammern Deutschlands darstellen, weil sich hier Bodengunst und Klimagunst summieren. Der Löß wurde während der Kaltzeiten nur in den wärmsten Gebieten abgelagert, weil dort eine kümmerliche Grasvegetation den vom Wind aus den Schotterbetten, Flußterrassen und Moränengebieten angewehten feinsten Gesteinsstaub festhalten konnte, während die ausgeblasenen groben Sande der Dünengebiete im Norddeutschen Tiefland oder in der Oberrheinebene meist in nächster Nähe der Auswehungsbereiche liegen blieben.

Die ehemalige Ausdehnung der Eismassen beeinflußte später das Verbreitungsbild der Pflanzen- und Tierwelt und wirkt bis heute noch in vereinzelten Reliktformen nach. Während der Warmzeiten des Eiszeitalters bevölkerten zahlreiche Großtiere die damaligen Wälder und Steppen Mitteleuropas, vor allem Wiesent, Elch und Edelhirsch sowie Wildpferd, Steinbock, Gemse und Asiatischer Wildesel. Außerdem durchstreiften Löwen, Bären, Wölfe, Hyänen und Panther unseren Raum. Erstaunlich war die Fauna der Kaltzeiten, als Mammut, Wollhaariges Nashorn, Moschusochse, Rentier, Schneehase, Eisfuchs und andere kälteliebende Tiere hier lebten. Am Ende des Eiszeitalters zog sich die kälteliebende Fauna mit den abschmelzenden Eismassen nach Norden oder in die Alpen zurück. So findet man heute Reste der glazialen Tierwelt, wie Rentier und Moschusochse, in Nordeuropa und andere Tiere, wie Steinbock und Gemse, in den Alpen. Zahlreiche Tiere des Eiszeitalters, wie Höhlenbär, Mammut und Sibirisches Nashorn, starben jedoch aus.

Mit dem Ende der letzten Eiszeit wichen auch Tundra und Steppe aus Mitteleuropa zurück, und der Wald breitete sich mit steigenden Temperaturen und zunehmenden Niederschlägen immer weiter aus. Als die durchschnittliche Temperatur des wärmsten Monats 10°C erreicht hatte, erschien als erstes Laubholz die Birke, begleitet von der Kiefer (Birken-Kiefernzeit). Sobald das langjährige Julimittel einen Wert von 17°C erreichte, begann die Verbreitung der Eiche, die bei weiter steigenden Temperaturen immer dominierender wurde (Eichenmischwaldzeit). Vor 4000 Jahren wurde es jedoch wieder geringfügig kälter, so daß sich bei einem Julimittel von 16°C die Buche in den Vordergrund schieben konnte (Buchenzeit).

Folgende Doppelseite:

Braunkohleabbau bei Leipzig

Die Braunkohle ist eine dichte, holzig-faserige bis erdige Kohle, die eine hellbraune bis schwarze Farbe haben kann. Sie ist aus im Tertiär versunkenen Wäldern entstanden, die durch Luftabschluß einem Selbstzersetzungsprozeß (Inkohlung) unterworfen wurden.
Im Gegensatz zu der energiereicheren Steinkohle wird die Braunkohle meist im Tagebau gewonnen. Die Deutsche Demokratische Republik, die über keine eigenen Steinkohlelager, dagegen aber in der Leipziger Bucht und der Lausitz über die größten deutschen Braunkohlelager verfügt, deckt durch den Braunkohleabbau über 50% ihres Energiebedarfes. In der Bundesrepublik Deutschland, die auf die großen Steinkohlelager im Ruhr- und Saargebiet zurückgreifen kann, spielt die Braunkohle, die vor allem im Raum zwischen Köln und Aachen in bedeutender Menge vorkommt, eine wesentlich geringere Rolle; hier deckt sie nur rund sieben Prozent des Energiebedarfs.

Berge, Flüsse und Täler – Gesichtszüge der Landschaften

Der erdgeschichtliche Werdegang ist von nachhaltiger Bedeutung für den naturgeographischen Bauplan Deutschlands, der durch den oft zitierten Dreiklang von Flachland, Mittelgebirge und Hochgebirge gekennzeichnet ist. Hier tritt uns das oben aufgezeichnete Nacheinander der geologischen Ablagerungen im räumlichen Nebeneinander entgegen.

Die geologische Struktur mit ihrer unterschiedlichen Gesteinsausbildung, Gesteinslagerung und ihren höchst differenzierten jüngsten Formungsprozessen bildet den Grundraster der landschaftlichen Vielfalt Deutschlands. So finden wir in der Schwäbischen Alb mit ihren weißen Kalk- und Dolomitfelsen andere Landschaftsbilder als im Rheinischen Schiefergebirge mit seinem dunklen Schiefergestein. Die Buntsandstein-Landschaften des Spessarts oder Odenwalds unterscheiden sich von den Muschelkalkgebieten Neckarschwabens oder Mainfrankens, und selbst zwischen den Vulkangebieten von Hegau und Rhön gibt es Unterschiede.

Bei der Gesteinsausbildung ist vor allem der Gegensatz zwischen kristallinem »Unterbau« oder Grundgebirge und sedimentärem »Oberbau« oder Deckgebirge von großer Wichtigkeit. So unterscheiden sich zum Beispiel die kuppigen Landschaften des südlichen Grundgebirgsschwarzwalds deutlich von den »sargdeckelförmigen« Bergen des nördlichen Buntsandsteinschwarzwalds. Die Gesteinsausbildung ist aber nicht nur für das Landschafts-, sondern oft auch für das Siedlungsbild verantwortlich. So prägen der leuchtend rote Buntsandstein, der graue Muschelkalk und die gelbgrünen bis braunen Gesteine des Keupers viele Dörfer und Städte in Franken und Schwaben, während schiefergedeckte und -verkleidete Häuser von der Mosel bis zum Erzgebirge zu finden sind. Dort, wo kein festes Gestein ansteht, wie im Norddeutschen Tiefland oder im Alpenvorland, baute man mit Ziegelsteinen. Hier finden sich in den Hansestädten wie Lübeck, Bremen oder Stralsund, aber auch in süddeutschen Städten wie München (Frauenkirche) und Landshut (Martinskirche) hervorragende Beispiele der Backsteingotik.

Der Hohentwiel bei Singen

Der Hegau ist eine fruchtbare Beckenlandschaft zwischen der Südwestspitze der Schwäbischen Alb und dem westlichen Bodensee. Sie wird von kegelförmigen Bergkuppen überragt, die diesem Gebiet einen besonderen Reiz verleihen. Es handelt sich um die aus harten Ergußgesteinen bestehenden Schlotfüllungen längst erloschener Vulkane, die der Abtragung bis heute widerstehen konnten. Links erhebt sich der aus Phonolit bestehende Hohentwiel (686 m), dessen Gipfel die Überreste einer 1800–1801 geschleiften Burg krönen.

Die Gesteinslagerung wird oftmals landschaftsbestimmend, wenn Gesteine unterschiedlicher Härte aneinandergrenzen. Das ist vor allem an den Bruchrändern, beispielsweise im Grenzbereich der Oberrheinebene gegen Schwarzwald, Pfälzer Wald, Odenwald und Taunus, oder in den Schichtstufenlandschaften der Fall. Hier hat die Wechsellagerung von harten und weichen Schichtgesteinen im Zusammenhang mit einer Schrägstellung der meist mesozoischen Gesteinspakete und einer tiefliegenden Erosionsbasis zur Ausbildung markanter Landstufen geführt, deren großartigste die »Trauf« der Schwäbischen Alb ist. Weitere wichtige Schichtstufenlandschaften sind die Fränkische Alb, der Schwäbische Wald und der Steigerwald. Bei steilerer Lagerung der Gesteinsschichten wie im Teutoburger Wald oder im Gebiet von Ith und Hils spricht man dagegen von Schichtkammlandschaften. Der Abwechslungsreichtum der Schichtstufenlandschaften wird noch dadurch erhöht, daß die unterschiedliche Gesteinshärte mit verschiedenartigen Farbvarianten auftritt, wie dies beim schwarzen, braunen und weißen Jura (Lias, Dogger, Malm) oder den bunten Gesteinsserien des Keupers der Fall ist.

Ganz anders als der Formenschatz der Schichtgesteine ist derjenige der altgefalteten kristallinen Schollen, die vor allem in der Mitteldeutschen Gebirgsschwelle als allseitig von Bruchlinien begrenzte Horste (Harz, Thüringer Wald) oder als riesige herausgehobene Rumpfschollen (Rheinisches Schiefergebirge, Böhmisches Massiv) zu finden sind. Gesteinsunterschiede spielen in diesen Gebieten eine geringere Rolle, obgleich einige als »Härtlinge« herauspräparierte widerstandsfähigere Gesteinszonen wie der Taunusquarzit oder der Pfahl im Bayerischen Wald auch hier landschaftsbestimmend sein können. Dasselbe gilt übrigens auch für die an Bruchzonen gebundenen, oft sehr jungen Vulkangebiete, deren erosiv herauspräparierte Basalt- und Phonolithstiele (Hegau, Kuppenrhön) oder flachlagernde Basaltdecken (Hohe Rhön, Vogelsberg) die aus weicheren Gesteinen aufgebauten Nachbarlandschaften überragen.

Schwarzwald – Blick vom Schauinsland zum Feldberg

Der südliche Teil des Schwarzwalds weist mit dem Feldberg (1493 m) und dem Belchen (1414 m) die höchsten Erhebungen dieses am SO-Rand des Oberrheingrabens gelegenen Mittelgebirges auf und wird deshalb auch Hochschwarzwald genannt. Aufgrund der größeren Höhe ist die mächtige Buntsandsteinschicht, die den niedrigeren nördlichen Schwarzwald heute noch bedeckt, längst abgetragen, so daß hier das Grundgebirge (Gneismassen mit Graniteinschlüssen) das landschaftliche Bild mit den sanft geschwungenen Höhenzügen bestimmt.

Backsteinhäuser in Norddeutschland

In Gegenden, in denen kein festes, für den Hausbau geeignetes Gestein vorkommt, behalfen sich die Menschen dadurch, daß sie aus Lehm und Ton, unter Beimischung von Sand, Ziegelsteine formten und durch Brennen härteten. Dies trifft vor allem für das Norddeutsche Tiefland und, in geringerem Maße, für das Alpenvorland zu. Alte Hansestädte wie Bremen, Lübeck oder Stralsund bestanden jahrhundertelang fast ganz aus Backsteinbauten, und es bildete sich hier ein eigener Baustil heraus, die sogenannte Backsteingotik. Aber auch in den ländlichen Gegenden Norddeutschlands findet man prächtige Beispiele für den kunstvollen Umgang mit dem aus der Gesteinsarmut geborenen Ersatzbaustoff Ziegel.

Eine Sonderform im Schollenmosaik der deutschen Mittelgebirge stellen die nur einseitig von Brüchen begrenzten Halbhorste wie Schwarzwald, Odenwald oder Erzgebirge dar, die auf ihrer flacheren Abdachung jeweils unter jüngere Gesteinsschichten untertauchen. Die den Horsten entsprechenden Grabenzonen, in denen meist jüngere geologische Ablagerungen erhalten blieben, treten uns ebenfalls in allen Größenordnungen entgegen. Sie finden sich zusammenhängend im Oberrheingraben, in der Hessischen Senke und im Leinegraben, isoliert im Bonndorfer Graben (Südschwarzwald) und im Hohenzollern-Graben (Schwäbische Alb). Auch die Einbruchsbecken (Neuwieder Becken, Limburger Becken) sind hier zu nennen. Eine einzigartige Sonderform unter den deutschen Landschaften stellt der zwischen Schwäbischer und Fränkischer Alb durch einen Meteoriteneinschlag entstandene kreisrunde Ries-Kessel dar.

Der Grundraster der landschaftlichen Vielfalt Deutschlands wird weiterhin durch Sättel und Mulden bestimmt. So ist eine schildförmige Aufwölbung des süddeutschen Schichtgewölbes, dessen Schlußstein als Rheintalgraben einbrach, für den bogenförmigen Verlauf der süddeutschen Schichtstufen verantwortlich. Das steilere Einfallen der Schichtgesteine am Ostrand des Südschwarzwaldes hat hier eine schnelle Abfolge der Schichtglieder zwischen Buntsandstein und Jura bewirkt, die viel flachere Lagerung in Franken führte zu einer weitgespannten Landschaftstreppe.

Dieser großräumige Bauplan wird dabei durch regionale Unterschiede weiter differenziert. So springt die Keuperstufe in Schwaben und Franken in geologischen Mulden wie im Kraichgau oder im Schweinfurter Becken weit nach Westen vor (Stromberg, Heuchelberg, Zabelstein); auf geologischen Sätteln wie dem Kissinger Sattel weicht sie dagegen nach Osten zurück (Haßberge). Man spricht in diesen Fällen von einer Reliefumkehr, weil in geologischen Mulden (Tiefenzonen) höhere Berge, in geologischen Sätteln (Höhenzonen) niedriges Gelände zu finden ist, obwohl eigentlich das Gegenteil zu erwarten wäre. Als Musterbeispiel einer Reliefumkehr gilt die im Niedersächsischen Bergland gelegene Ith-Hils-Mulde. Reliefumkehr findet man schließlich auch in zahlreichen Klein- und großformatigen Beispielen im Bereich der Alpen, die als junggefaltetes Hochgebirge ohnehin eine Sonderstellung unter den deutschen Landschaften einnehmen.

Neben der Gesteinsbeschaffenheit und den aus dem Erdinnern wirkenden, die Gesteinslagerung bestimmenden Kräften (endogene Kräfte) bilden die von außen wirkenden Kräfte der Gesteinsverwitterung und -abtragung (exogene Kräfte) die dritte Voraussetzung für die Entstehung des heutigen Landschaftsgefüges. Die exogenen Kräfte haben die von den endogenen Kräften geschaffenen Großformen oberflächlich überprägt und abgewandelt, und zwar durch Denudation (flächenhafte Abtragung), Deflation (Abtragung durch Wind), Erosion (linienhafte Abtragung durch fließendes Wasser) und Glazialerosion (Wirkung des Eises) sowie durch Akkumulation (Ablagerung von Gesteinsschutt durch Wasser, Eis oder Wind).

Die Wirkungsweise der exogenen Kräfte ist weitgehend von den vorherrschenden Klimabedingungen abhängig. Im Tertiär besaß Mitteleuropa z.B. tropisches Klima. Die Gesteine verwitterten dadurch sehr tiefgründig, und das anfallende feine Verwitterungsmaterial wurde flächenhaft abgespült. Auf diese Weise entstanden ausgedehnte Rumpfflächen, die noch heute in weiten Teilen der Mittelgebirgszone landschaftsbestimmend sind. Während des Diluviums (Eiszeitalter) entstanden dagegen neben den glazialen Erosions- und Akkumulationsformen Norddeutschlands und der Alpen bzw. des Alpenvorlandes auch die heutigen Talformen, denn das damalige Klima förderte die linienhafte Erosion.

Trotz dieser teilweise sehr starken Umwandlung der Landschaftsformen durch exogene Kräfte ist die Grobgliederung der deutschen Landschaftszonen vor allem durch endogene Kräfte bestimmt. Am auffallendsten sind die Unterschiede zwischen den Senkungs- und Hebungszonen.

Die großen Senkungszonen, Norddeutsches Tiefland, Alpenvorland und Oberrheinebene, sind durchweg Akkumulationsgebiete (Aufschüttungsgebiete), die von Abtragungsmaterial aus den deutschen Mittelgebirgen oder den Alpen und von glazialen Sedimenten aus Nordeuropa aufgefüllt sind. Auf geologischen Karten überwiegen in diesen Räumen deshalb die gelben und beigen Farbtöne für tertiäre und quartäre Ablagerungen. Da es sich um lockeres, wenig verfestigtes Mate-

Windmühle bei Husum

Wie kaum ein anderer Bautypus ist die Windmühle auf die sie umgebende Landschaft bezogen.

Kreidefelsen auf Rügen

Rügen ist mit 926 km² die größte deutsche Insel, die heute auf dem Gebiet der DDR liegt. An ihren Steilküsten sind mächtige Kreidekerne aufgeschlossen, die der Landschaft ihr typisches, reizvolles Gepräge geben, das den romantischen deutschen Maler Kaspar David Friedrich 1818 zu seinem berühmt gewordenen Landschaftsgemälde »Kreidefelsen auf Rügen« veranlaßte. Die Kreidevorkommen der Insel werden schon seit langem wirtschaftlich genutzt; heute gibt es auf der Insel rund 20 Industrieanlagen, in denen die Kreide abgebaut und verwertet wird. Sie findet bei der Herstellung von Farben, Kitt, Zahnpasta und Schreibkreide Verwendung. Die Abbildung zeigt die Stubbenkammer am Königsstuhl.

rial handelt, herrschen sanfte Landschaftsformen mit geringen Höhenunterschieden vor. Nur in Gebieten jüngster eiszeitlicher Gletscherüberformung (Baltischer Höhenrücken, Alpenvorland) findet man kleinräumig ein abwechslungsreicheres Landschaftsbild. Die wenigen Stellen, an denen der ältere Gesteinsuntergrund an die Oberfläche tritt, wie bei den Buntsandsteinfelsen Helgolands, beim Segeberger Kalkberg oder bei den Kreideklippen von Rügen, gehören als Ausnahmeerscheinungen zu den großen touristischen Attraktionen Norddeutschlands.

Völlig andere Verhältnisse herrschen in den Hebungsgebieten, zu denen vor allem das Schollenmosaik der deutschen Mittelgebirge gehört. Diese von weitflächigen Rumpfflächen überzogenen Bereiche sind überwiegend Abtragungsgebiete, von einigen eingeschlossenen Senken und Grabenzonen einmal abgesehen. Die im Tertiär wirkende Denudation (flächenhafte Abtragung) wurde während des Pleistozäns (Eiszeitalter) in den nicht vergletscherten Gebieten durch Flußerosion (linienhafte Abtragung) abgelöst. Im damals eisbedeckten Jungmöränengebiet Norddeutschlands und des Alpenvorlands sowie in den höchsten Teilen der deutschen Mittelgebirge (Schwarzwald, Bayerischer Wald, Riesengebirge) und in den Alpen finden wir dagegen die ganze Skala der glazialen Erosions- und Akkumulationsformen.

Betrachtet man die Gebiete der Flußerosion, so tauchen manche Fragen auf. Warum etwa fließt der Rhein mitten durch die herausgehobene Scholle des Rheinischen Schiefergebirges und nicht durch die von der Natur vorgezeichnete Hessische Senke? Warum benutzt der untere Neckar nicht die bequeme »Naturpforte« des Kraichgaus, sondern durchbricht den harten Buntsandstein und Granitsockel des Odenwalds? Warum hält sich die Donau, die »Dachrinne« des Alpenvorlands, nicht an die weichen Schichten des Tertiärhügellandes, sondern durchsägt an mehreren Stellen die harten Jurakalke der Schwäbischen und Fränkischen Alb oder gar – wie unterhalb von Passau – den Granitsockel des Bayerischen Walds? Welche Bewandtnis hat es mit dem gewundenen Lauf des Mains, mit dem scharfen Neckarknie bei Plochingen, der Talpforte von Treuchtlingen?

Um auf das Beispiel des Rheins zurückzukommen: Das Mittelrheintal ist ein antezedentes (vorhergehendes) Tal, d.h. der Fluß ist älter als das erst später unter ihm gehobene Gebirge. Die Tiefenerosion des wasserreichen Stromes hielt mit der Hebung Schritt. Beim unteren Neckar und bei der Donau handelt es sich dagegen um epigenetische (darüber entstandene) Täler, d.h. der Fluß strömte einst auf höherem Niveau in einem wenig widerstandsfähigen, jungen Gestein, das ein älteres Relief verdeckte, und schnitt sich mit zunehmender Tiefenerosion in das darunterliegende härtere Gestein ein. Gleichzeitig wurden die weicheren Schichten der Umgebung ausgeräumt. Dadurch kommt es, daß der heutige Talverlauf im scheinbaren Widerspruch mit der Gesteinshärte und den Abdachungsverhältnissen des Gebirges steht.

Die eigenartigen Zacken des Mains sowie das Flußknie des Neckars bei Plochingen weisen ebenso wie der Talknoten von Bamberg und das scheinbar widersinnige Einmünden der Aare in den Rhein bei Waldshut auf den hochinteressanten Kampf zwischen Rhein- und Donausystem hin. Der durch den Einbruch des Oberrheingrabens tiefergelegte und deshalb in seiner Erosionskraft gewaltig verstärkte Rhein griff mit seinen Nebenflüssen erobernd in das Donausystem ein und zapfte nach und nach viele Oberläufe von Donaunebenflüssen an. Betroffen waren nicht nur der Ober- und Mittelmain sowie der obere Neckar, sondern auch die Aare und selbst der Alpenrhein. Welche aktuelle Bedeutung diese ehemaligen »Anzapfungen« haben, zeigt sich im Bereich zwischen Main und Donau. Hier weisen der Talknoten von Bamberg und das Maindreieck ebenso wie der Verlauf von Altmühl und Rezat auf ehemals südwärts fließende Ur-Mainläufe hin. Die einstige Abflußrichtung beweisen mehrere Talpforten durch die Fränkische Alb und die dort abgelagerten Lydite (Kieselschiefer), die aus dem Frankenwald stammen.

Diese früheren Flußrichtungen sind von allergrößter Wichtigkeit für die heutige Verkehrsstruktur. So folgt die Haupteisenbahnlinie Hamburg – München einer ehemaligen Abflußrichtung in gestrecktem Verlauf sinnabwärts, mainaufwärts und altmühlabwärts und zielt fast geradlinig auf die verkehrswichtige Talpforte von Treuchtlingen hin. Dasselbe gilt für die Bahnlinie Berlin – München, die mainabwärts, regnitzaufwärts und altmühlabwärts ebenfalls fast geradlinig die Talpforte von Treuchtlingen ansteuert. Der verkehrsgeographische Wert dieser Tal-

»Es rauscht eine Mühle...«

Während der Beruf des Müllers lange Zeit als »unehrlich« galt (wer konnte schon nachprüfen, ob wirklich alles Korn in die Mehlsäcke gelangte), erschienen die »schöne Müllerin« und das Mühlenhaus in romantischem Licht. Die Abbildung zeigt eine Schwarzwald-Mühle bei St. Märgen.

Die Pfalz bei Kaub am Rhein

Die Abbildung zeigt im Vordergrund die auf einer Felseninsel im Rhein im 14. Jahrhundert als kurpfälzische Zollburg erbaute Pfalz und oben, über den Weinbergen, die Burg Gutenfels, die heute als europäische Jugendbegegnungsstätte genutzt wird. Sowohl die Burgen als auch die Weinberge im Rheintal verweisen auf die günstigen Bedingungen, welche dieses Tal seit jeher für menschliche Siedlungen geboten hat: mildes Klima und günstige Verkehrswege durch den schiffbaren Fluß, der eine natürliche Verbindung zwischen der Nordseeküste und dem Innern Deutschlands herstellte.

pforte wurde bereits von Karl dem Großen erkannt, der hier versuchte, durch den noch heute erhaltenen »Karlsgraben« (Fossa Carolina) Rezat (Rheinsystem) und Altmühl (Donausystem) miteinander zu verbinden. Was Karl dem Großen mißlang, erreichte über 1000 Jahre später König Ludwig I. von Bayern mit seinem Ludwig-Donau-Main-Kanal, der ebenfalls durch eine Talpforte (bei Beilngries) Rhein- und Donausystem miteinander verband. Eine weitere Talpforte (bei Greding) wird von der Autobahn Berlin – München, eine andere (bei Dietfurt) von der Großschiffahrtsstraße Rhein-Main-Donau genutzt. Die ehemaligen Abflußrichtungen sind somit von so aktuellem Wert, daß man ohne Übertreibung sagen kann: Ohne die ehemaligen Abflußrinnen und Talpforten wären Nord- und Südbayern weit weniger gut miteinander verklammert, der Bau der transkontinentalen Binnenwasserstraße von der Nordsee zum Schwarzen Meer wäre ohne niedrig gelegene Talwasserscheiden sogar unmöglich. Noch größeren verkehrsgeographischen Wert besitzen die antezedenten Durchbruchstäler von Rhein, Mosel und Elbe.

Wegen ihrer landschaftlichen Schönheit und Vielfalt ihrer Bauformen gehören viele Flußtäler zu den großen natürlichen Sehenswürdigkeiten Deutschlands. Die Durchbruchstäler von Rhein, Mosel und Lahn, von Weser, Sächsischer Saale und Elbe bilden ebenso wie der Donaudurchbruch bei Beuron oder Weltenburg oder das mittlere Maintal die bekanntesten Höhepunkte. Die Formenfülle reicht von den Kastentälern und Kerbsohlentälern (Rhein, Neckar, Main, Jagst) bis zu den Kerbtälern des Rheinischen Schiefergebirges, den schluchtartigen Felsentälern des Harzes oder der Schwäbischen Alb und den Klammen der Alpen (Partnachklamm). Von Gletschern geschaffene U-förmige Trogtäler findet man nicht nur in den Bayerischen Alpen, sondern auch im Hochschwarzwald und im Bayerischen Wald.

Die Ausbildung und Dichte des Talnetzes ist auch vom Gestein abhängig. So sind die Täler im Muschelkalk breiter als im Buntsandstein oder im Schiefergestein. Das Talnetz des Grundgebirgsschwarzwalds ist engmaschiger als das des Buntsandsteinschwarzwalds und dieses wiederum viel dichter als das des Muschelkalks. Ähnliche Unterschiede findet man zwischen den gewässerarmen Muschelkalkgebieten und den gewässerreichen Keuperlandschaften. Noch größere Gegensätze gibt es im Jura. Hier bilden die wasserundurchlässigen Liasschichten zahlreiche Quellhorizonte, während der Malm (weißer Jura) ein äußerst weitmaschiges Gewässernetz aufweist und als Musterbeispiel eines Karstgebietes mit Trockentälern, Höhlen, Dolinen, aber auch mit Karstquellen (Blautopf, Aachtopf) gilt.

Die Vielgestaltigkeit der deutschen Flußsysteme wird weiterhin durch die oft sehr abwechslungsreichen Talmäander erhöht. In schnellem Wechsel folgen oft flacher Gleithang und steiler Prallhang aufeinander, rebbedeckter Sonnenhang und waldbestandener Schattenhang. Besonders reich an Talmäandern sind die Täler von Mosel, Saar, Neckar, Jagst und Main. Mitunter werden Umlaufberge abgeschnitten, wie bei den Neckarschlingen von Mauer (Fundort des Homo heidelbergensis) oder von Lauffen, andernorts sind Umlaufberge burgengekrönt wie die Moselschleife bei Zell, die Mainschleife bei Volkach. Berühmt sind auch die Innschleifen bei Wasserburg, die Salzachschleife bei Laufen und die Saarschleife bei Mettlach.

Den Talmäandern in Abtragungsgebieten stehen die Wiesenmäander in großen Aufschüttungsgebieten (Akkumulationsgebieten) gegenüber. Sie finden sich an einigen Flüssen des Norddeutschen Tieflands, welche die alten Urstromtäler vor den ehemaligen Eisrandlagen nutzen. Geradezu klassisch waren sie einst am Oberrhein ausgebildet. Aber durch die Korrektion des Stromes sind sie heute nur noch in Resten (Altwässer) erhalten.

Exogene, d.h. von außen auf die Erdoberfläche einwirkende geologische Kräfte sind schließlich auch für die Entstehung von Schichtstufenlandschaften, für die Ausbildung der weitgespannten Rumpfflächen, die Blockmeere, sowie Solifluktions- und Kryoturbationserscheinungen verantwortlich. Auch die Anwehung des Lößes und der Flugsande sowie die Küstenveränderungen sind auf außenbürtige Kräfte zurückzuführen.

Endogene, aus dem Erdinnern wirkende Kräfte, schufen dagegen die Verwerfungslinien und Vulkanlandschaften, die trotz aller Vielfalt einen klaren Bauplan erkennen lassen. So finden wir im Schollenmosaik der deutschen Mittelgebirgszonen fast ausschließlich drei Richtungen der Bruchzonen: die von Südsüdwesten

Vorhergehende Doppelseite:

Der Kaiserstuhl, Blick auf Schelingen vom Badberg aus

Der Kaiserstuhl, zwischen Breisach und Riegel gelegen, zählt zu den fruchtbarsten Landstrichen Deutschlands. Im Osten aus mesozoischen und tertiären Sedimenten und im Westen aus vulkanischem Gestein aufgebaut, ist er insgesamt von einer mächtigen, fruchtbaren Lößschicht bedeckt. Das milde Klima mit seinen hohen Sommertemperaturen trägt dazu bei, daß am Kaiserstuhl Wein- und Obstanbau vorzügliche Ergebnisse zeitigen. Der Qualitätswein der Gegend, vorwiegend Sylvaner, Ruländer und Spätburgunder, genießt einen Ruf, der weit über die Grenzen Deutschlands hinausreicht.

nach Nordnordosten ziehende Rheinische Richtung begrenzt den Oberrheingraben und die Hessische Senke sowie den Leinegraben; die von Südwesten nach Nordosten streichende variszische oder erzgebirgische Richtung findet man insbesondere im Rheinischen Schiefergebirge, im Kraichgau und Erzgebirge sowie im Streichen der Schwäbischen Alb; die fast rechtwinklig zur variszischen Richtung von Nordwesten nach Südosten verlaufende herzynische oder sudetische Richtung begrenzt den Harz und die Sudeten, den Teutoburger Wald, Thüringer Wald und Frankenwald, den Oberpfälzer und den Bayerischen Wald. Die herzynische Richtung findet sich außerdem im obermainischen Bruchschollenland, im Rheinischen Schiefergebirge, im Fildergraben bei Stuttgart sowie im Zollerngraben der Schwäbischen Alb und im Bonndorfer Graben des Südschwarzwalds.

Entlang der großen Bruchzonen werden sehr häufig Erdbeben registriert, ein Zeichen, daß hier die Erde noch nicht zur Ruhe gekommen ist. So gilt der Zollerngraben als das erdbebenreichste Gebiet Deutschlands. Die schweren Beben von 1911, 1943, 1969 und zuletzt 1979 richteten teilweise große Schäden an. Das schwerste Erdbeben Mitteleuropas wurde 1356 im Oberrheingraben bei Basel registriert. Es forderte 300 Tote und zerstörte 34 Dörfer. Zahlreiche Burgen, Schlösser und Kirchen wurden stark beschädigt, darunter auch das Münster zu Basel. Auch 1933 ereignete sich im Oberrheingraben bei Rastatt ein schweres Erdbeben. Eine weitere labile Zone liegt am Rand der Kölner Bucht, wo mehrere Erdbeben, so 1756 bei Düren und 1951 bei Euskirchen, Tote und Verletzte forderten sowie Gebäudeschäden verursachten. Eng an die Verwerfungszonen gebunden sind auch die Vulkangebirge. So flankieren die Basaltdecken sowie die Basalt- und Phonolithkuppen von Rhön und Vogelsberg, Meißner und Knüll die Hessische Senke. Die Gleichberge, der Rauhe Kulm und der Parkstein sitzen auf der Verwerfungszone der »Fränkischen Linie«. Hegauvulkane und Kaiserstuhl liegen im Bonndorfer Graben, der auch für die Streichrichtung des Bodensees mitverantwortlich

Tal der Elbe in der Sächsischen Schweiz

Den Namen »Schweiz« hat die sächsische Landschaft an der Elbe im Bezirk Dresden aufgrund ihrer steilen und bizarr aufragenden Felsformationen, den sogenannten Steinen, bekommen, die das Landschaftsbild bestimmen. Die Sächsische Schweiz ist Teil des Elbsandsteingebirges. Oberhalb von Pirna wird der Quadersandstein, der die Landschaft prägt, in großen Steinbrüchen abgebaut. Die vorliegende Abbildung zeigt den kleinen, im Tal der Elbe gelegenen Kurort Rathen.

ist. Der Vulkanismus der Eifel oder des Westerwalds ist ebenfalls an Schwächezonen gebunden, ebenso der viel ältere Vulkanismus aus der Permzeit, dessen Porphyre vor allem in Rotliegendsenken zu finden sind.

In der Nachbarschaft der Vulkangebirge und Verwerfungszonen erinnern schließlich zahlreiche Thermal- und Mineralquellen an die geotektonische Aktivität dieser Zonen. Die Bäder des Taunus und der Rhön, des Schwarzwaldes und der Sudeten haben zum Teil internationalen Ruf. Von der Mittelgebirgszone durch das Alpenvorland getrennt, bilden die Bayerischen Alpen eine letzte, hinsichtlich ihres Landschaftsbildes unübertroffene naturräumliche Einheit. Obwohl nur ein 240 km langer, 20-40 km breiter Streifen des Hochgebirges zu Deutschland gehört, findet man hier auf engstem Raum eine große Mannigfaltigkeit der Landschaftsformen: Die Abfolge einzelner Zonen, von den Jungmoränen des Vorlands über die Rippen der gefalteten Molasse und die sanften, meist bewaldeten Flyschberge bis zu den oft klobig wirkenden Kalkvoralpen und den wilden Kalkhochalpen zeigt eine ständige Steigerung, ist aber nur an drei Stellen - im Oberstdorfer Talkessel, im Werdenfelser Land und im Berchtesgadner Land - deutlich zu erkennen. Die Alpen sind nicht nur das höchste, sondern wegen ihrer starken Überformung durch eiszeitliche Gletscher das wildeste deutsche Gebirge. Hier liegt mit der 2963 m hohen Zugspitze der bei weitem höchste Berg Deutschlands. In seltsamem Kontrast zur rauhen Hochgebirgsnatur stehen die freundlichen, vom Gletschereis breit ausgeschliffenen Talzonen, die oftmals dank der eiszeitlichen Gletschertätigkeit über Wasserscheiden hinweg miteinander verbunden sind. Die Durchgängigkeit der Bayerischen Alpen ist so groß, daß nur ein einziger kurzer Eisenbahntunnel gebaut werden mußte. Auch hier zeigt sich bereits auf kleinem Raum, daß die Alpen trotz ihrer Höhe zu den durchgängigsten Gebirgen Europas gehören und außerdem - eingebettet in eine wilde Hochgebirgsszenerie - eine voll entwickelte Kulturlandschaftszone enthalten.

Deutschland – eine moderne Wirtschafts-landschaft

Aufbauend auf dem Angebot an natürlichen Ressourcen schafft sich der Mensch seine Lebensbedingungen. Er fördert Bodenschätze und verarbeitet sie zu Gebrauchsgütern; er verändert die Bodenbeschaffenheit, um eine reichere und vielfältigere Ernte zu erzielen; er nutzt vorhandene Verkehrswege und legt neue an, um überschüssige Produkte gegen fehlende einzutauschen.

Alfred Herold beschreibt, wie in Deutschland der von der Natur gegebene Reichtum genutzt und vermehrt wird. Er untersucht, welche Industriezweige sich in Deutschland entwickeln konnten und inwiefern sich die Standorte dieser Industrie an natürlichen Gegebenheiten orientieren. Darüber hinaus beschreibt er die aus der fortschreitenden Industrialisierung sich ergebenden Veränderungen der sozialen Struktur und zeigt auf, wie Siedlungs- und Verkehrsstrukturen ein immer engmaschiger werdendes Netz mit den Zentren der industriellen Produktion bilden. Dabei geht er auch der zunehmend entschiedener vorgebrachten Frage nach, inwiefern die Verwertung des natürlichen Angebots von einem bestimmten Punkt an in die Zerstörung der Natur umschlagen kann und umschlägt.

Als eine der führenden Industrienationen der Welt ist Deutschland auch in besonders starkem Maße mit der Gefahr konfrontiert, daß um eines ständig steigenden Lebensstandards willen die Natur Stück für Stück unbewohnbar wird.

Wo die meisten Deutschen heute wohnen

Der mannigfach miteinander verflochtene Grundraster des geologischen und naturgeographischen Landschaftsgefüges wird von den kultur- und wirtschaftsgeographischen Strukturen überlagert. Dabei steht die wirtschaftliche Nutzung des natürlichen Angebots im Vordergrund. Bodenschätze werden durch Bergbau, Boden- und Klimagunst, durch Ackerbau oder Sonderkulturen genutzt, während sich große Flußtäler oft zu wichtigen Verkehrsleitlinien entwickeln. Art und Umfang der Nutzung wird aber nicht nur vom natürlichen Angebot, sondern oft viel stärker von politischen Konstellationen, von Wirtschafts- und Sozialstrukturen oder vom historischen Erbe bestimmt. Dadurch kommt es oftmals zu einer Umwertung bestehender Strukturen. Die Bevölkerungsverteilung in Deutschland spiegelt beides wider, den naturgeographischen Grundraster sowie die regionale Wirtschafts- und Siedlungsstruktur des Landes.

Versucht man, die natürlichen Landschaftszonen Tiefland, Mittelgebirge, Alpenvorland und Alpen hinsichtlich ihrer Bevölkerungsdichte großräumig zu vergleichen, so fallen bei detaillierter Betrachtung innerhalb des Tieflandstreifens die Küstenzonen und der Rand zur Mittelgebirgszone, im Gebirge die Beckenlandschaften und Flußtäler, im Alpenvorland und am Alpenrand einige eng umgrenzte Tiefenzonen durch dichtere Besiedlung heraus.

Von den naturgeographischen Faktoren beeinflussen vor allem das Relief, die Bodengüte und das Vorkommen von Bodenschätzen die Bevölkerungsdichte. Aber auch hier gibt es bedeutende Unterschiede. So ist die Bördenzone mit ihren fruchtbaren Lößböden viel dichter besiedelt als die meisten südwestdeutschen Gäulandschaften, und diese rangieren wiederum weit vor dem niederbayerischen Dungau. Beschränkt man die Betrachtung jedoch lediglich auf die ländlichen Siedlungen, so erkennt man, daß alle genannten »Kornkammern« eine ähnlich hohe Bevölkerungsdichte besitzen. Unterschiede, besonders im Bereich der Gäue Neckarschwabens und Mainfrankens sowie in der Bördenzone, der Niederrheinischen und Sächsischen Bucht sind durch die vielen Städte bedingt. Diese Städte sind aber nur zum kleinen Teil als Mittelpunkte eines bäuerlichen Umlands groß geworden, sondern als Bergbau-, Industrie- und Verwaltungszentren und als Verkehrsknotenpunkte. Dies zeigt sich deutlich in der Bördenzone, die ja nicht nur fruchtbare Böden, sondern auch bedeutende Steinkohlenlagerstätten (Aachener Revier, Ruhrgebiet, Ibbenbüren), Braunkohlenvorkommen (Ville, Leipziger Bucht), Stein- und Kalisalzlagerstätten (Niederrhein, Harzrand), Eisenerzvorkommen (Salzgitter, Peine) besitzt. Darüber hinaus zeichnet sich dieser Raum durch seinen hohen Verkehrswert aus (Mittellandkanal, Autobahn und Eisenbahn), so daß nicht etwa nur in der Nähe der Lagerstätten der Bodenschätze, sondern auch an den wichtigsten Verkehrsknotenpunkten große Industriestädte entstehen konnten.

So liegen am Nordrand der Mittelgebirgszone die Verdichtungsräume Aachen (484 000 Einwohner), Rhein-Ruhr (10,9 Millionen Einwohner), Bielefeld (525 000

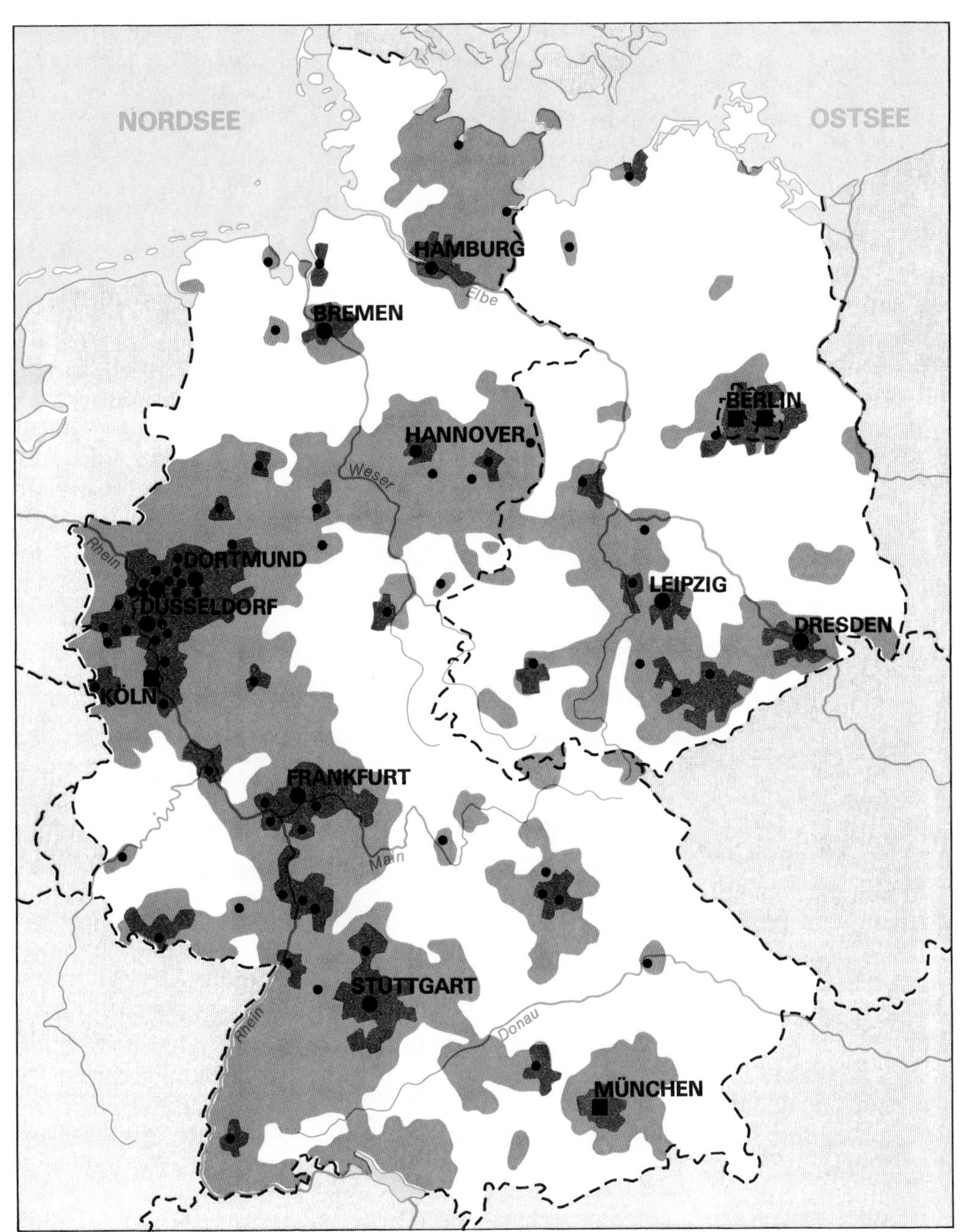

VERDICHTUNGSRÄUME

- Räume mit mehr als 200 Einwohner/km^2
- Verdichtungsräume

Städte mit
- 100 000 – 500 000
- 500 000 – 1 000 000
- über 1 000 000 E.

Einwohner), Hannover (1,1 Millionen Einwohner), Braunschweig (300 000 Einwohner), Magdeburg (320 000 Einwohner), Halle-Leipzig (1,1 Millionen Einwohner) und Dresden (800 000 Einwohner). Diese Verdichtungsräume sind entweder mehrkernig, wie der Raum Rhein-Ruhr und der Leipziger Raum, oder einkernig wie die Räume Hannover oder München und die meisten anderen Verdichtungsräume. Die größte Städteballung findet man im Verdichtungsraum Rhein-Ruhr mit nicht weniger als 25 Großstädten, unter denen Köln (979 000 Einwohner), Essen (658 000 Einwohner), Dortmund (609 000 Einwohner), Düsseldorf (595 000 Einwohner), Duisburg (577 000 Einwohner), Bochum (426 000 Einwohner) und Wuppertal (402 000 Einwohner) die größten sind.

Im Ruhrgebiet lassen sich vier parallel zueinander angeordnete, von Osten nach Westen verlaufende Siedlungs- und Industriebänder unterscheiden, deren Alter von Süden nach Norden abnimmt. Die südlichste Reihe, die sogenannte »Ruhrzone«, besaß einst den ältesten Steinkohlenbergbau des Reviers, der wegen Unwirtschaftlichkeit und Erschöpfung der Vorräte bereits lange eingestellt worden ist. Bedingt durch die im übrigen Ruhrgebiet fehlenden Berge (Aussichtspunkte) sowie ausgedehnte Wälder und Wasserflächen – die Ruhr ist der Trinkwasserlieferant des Reviers – besitzt diese Zone heute trotz zahlreicher auch dort ansässiger Industriebetriebe die Funktion eines Naherholungsraumes.

Naturintegrierte Siedlung: Rysum bei Emden (Ostfriesland)

Ostfriesland, ein Gebiet ohne nennenswerte Bodenschätze, hat sich weitgehend seinen ländlichen Charakter bewahrt. Da kaum Industrien angesiedelt sind, die einen Zuzug von Bewohnern aus anderen Gebieten fördern würden, haben die Dörfer ihren im Lauf der Jahrhunderte gewachsenen, von der Landwirtschaft geprägten Charakter weitgehend behalten. Die Hauptmasse des Dorfes schart sich noch auf einer vor Hochwasser schützenden Warft zusammen; die modernen, schachbrettförmig angelegten Wohnhaussiedlungen sind in Ansätzen zwar bereits vorhanden, nehmen aber im Vergleich zu den Dörfern der industrialisierten Ballungsgebiete, wie z. B. im Raum Böblingen/Sindelfingen, wo diese Siedlungen die alten Dorfkerne überwuchert haben, noch einen relativ bescheidenen Raum ein. Der Zweck dieser Dörfer, für die Rysum als Beispiel steht, ist noch von der Arbeit in der umgebenden Natur, also der Landwirtschaft geprägt; dagegen werden die Dörfer der Ballungsgebiete mehr und mehr zu Schlaf- und Freizeitsiedlungen der Beschäftigten der Industriezentren, die an die Ränder der Dörfer bauen, um der Hektik der Städte auszuweichen.

Die nach Norden anschließende Siedlungsreihe der »Hellwegzone« hatte ihre Kristallisationspunkte in zahlreichen alten Städtchen an der Handelsstraße des Hellwegs. Diese Städte wuchsen zu riesigen Bergbau- und Industriesiedlungen und zu den Zentren der Hüttenindustrie an, wurden im Zweiten Weltkrieg durch Bombenangriffe stark zerstört, in der Nachkriegszeit durch Demontagen geschwächt und durch die Zechenstillegungen der sechziger Jahre in ihrer Industriestruktur verändert. Die Städtereihe Duisburg - Essen - Bochum - Dortmund umfaßt heute die wichtigsten Einkaufs-, Handels- und Kulturmittelpunkte.

Technische Neuerungen machten schließlich auch den Abbau der weiter nördlich lagernden Fett- und Gaskohleschichten mit ihrer vielseitigen Verwendbarkeit rentabel, und es entstanden größere Bergwerke und Industrieanlagen (Hüttenwerke), die die »Emscherzone« zur problemreichsten Städteachse des Ruhrgebiets werden ließen. Oberhausen, Gelsenkirchen, Wanne-Eickel und Herne sind die wichtigsten Städte dieser Zone.

Eine weitere Siedlungsachse bildet die »Lippezone«. Sie ist rund um die jüngsten und daher modernsten und größten Bergwerke entstanden. Obwohl in den Städten dieser Zone die chemische Industrie stark vertreten ist, gehören ihre Städte, unter denen Marl und Wulfen als Paradebeispiele modernen Städtebaus gelten, zu den angenehmsten Wohnstädten des Reviers.

Der Verdichtungsraum Rhein-Ruhr, zu dem auch die sogenannte »Rheinschiene« Duisburg - Düsseldorf - Köln - Bonn gehört, bildet das Achsenkreuz zwischen der ost-westlich verlaufenden »Bördenzone« sowie ihrer ebenso durch Verkehrsgunst, Bodengüte, Kohlevorkommen und Industrieballungen gekennzeichneten westlichen Fortsetzung in Belgien und der von Nordwest nach Südost ziehenden »Rhein-Neckar-Achse«. Diese Verdichtungszone beginnt bereits in der

»Randstad Holland« (Amsterdam, Haarlem, Den Haag, Rotterdam) und läßt sich auf einer Karte der Bevölkerungsdichte bis Zürich bzw. München verfolgen. Im Gegensatz zur Bördenzone, die durchweg ähnliche Relief- und Bodenverhältnisse, vergleichbare Bodenschätze und Verkehrsstrukturen aufweist, führt die Rhein-Neckar-Achse durch Marsch- und Geestgebiete, Börden- und Mittelgebirgslandschaften bis ins Alpenvorland. Kein Wunder, wenn diese Dichtezone mehrfach unterbrochen oder ausgedünnt ist, so im deutsch-niederländischen Grenzsaum, im Rheinischen Schiefergebirge, an der mächtigen Schichtstufe der Schwäbischen Alb und im Alpenvorland. Der Verdichtungsraum Rhein-Ruhr hat einerseits durch das verkehrsgünstige städtereiche Mittelrheintal, andererseits durch das Lennetal, Siegerland, Dillgebiet und das Gießener Becken eine Verbindung mit dem Rhein-Main-Gebiet, wobei die zwischengeschalteten Verdichtungsräume Koblenz/Neuwied (291 000 Einwohner) und Siegen (197 000 Einwohner) der Verkehrsgunst oder dem ehemaligen Bergbau und der daraus resultierenden Industrialisierung ihr Wachstum verdanken. Siegtal und Lahntal bilden gewissermaßen »Leitersprossen« zwischen beiden Dichtebändern.

Das Rhein-Main-Gebiet vereinigt die beiden vom Ruhrgebiet ausstrahlenden Dichtebänder, von denen das östliche eine Verbindung über die Hessische Senke (Raum Kassel) nach Hannover hat. Weitere Dichtebänder führen durch das Nahetal und über Kaiserslautern zum Verdichtungsraum des Saarlandes (654 000 Einwohner), der seine Entwicklung dem Kohlebergbau und der Schwerindustrie verdankt. Mit 2,6 Millionen Einwohnern ist die Rhein-Main-Region nach Rhein-Ruhr und Berlin der drittgrößte Verdichtungsraum Deutschlands, fast gleichauf mit Hamburg (2,5 Millionen Einwohner), Stuttgart (2,4 Millionen Einwohner) und München (2,3 Millionen Einwohner). Ähnlich wie das Ruhrgebiet besteht es aus

Expandierende Stadtlandschaft: Düsseldorf am Rhein

Die nordrhein-westfälische Landeshauptstadt Düsseldorf liegt im größten deutschen Industrieballungsraum, der sich aus den Verdichtungsräumen Ruhrgebiet und dem Kölner Becken zusammensetzt. Durch seine zentrale Lage hat Düsseldorf eine wichtige Funktion als industrielles und behördliches Verwaltungszentrum erhalten; der so geprägte Charakter der Stadt ist auf der Luftaufnahme deutlich an den zahlreichen Bürohochhäusern und an den ausgebauten Verkehrswegen zu erkennen.

Stadtzwillinge mit unterschiedlicher Ausprägung: Die Nachbarstädte Wiesbaden und Mainz

Die ehemalige preußische Provinzstadt Wiesbaden wurde 1946 Hessen zugeordnet. Obwohl Hessen mit Frankfurt die eindeutig dominierende Stadt besitzt, wurde die ruhigere Kur- und Konferenzstadt Wiesbaden Regierungssitz des neuen Landes. Eine ähnliche Geschichte erlebte die Nachbarstadt Mainz nach dem Zweiten Weltkrieg: ursprünglich zu Hessen gehörig, wurde es Hauptstadt des neugegründeten Bundeslandes Rheinland-Pfalz. Obwohl die beiden Städte nur durch den Rhein getrennt sind, haben sie ein höchst unterschiedliches Gepräge. Mainz liegt am Rhein in einer der waldärmsten Gegenden Deutschlands, Wiesbaden abseits des Stromes in waldreicher Umgebung. Mainz besitzt als ehemalige wichtige Römer- und Bischofsstadt zahlreiche Bauten aus allen Zeitepochen: römische Stadtmauer und Wasserleitung, romanischer Dom (rechte Abbildung), Barockkirchen und Paläste. Wiesbaden dagegen weist nur einige klassizistische und neugotische Bauten auf, darunter das Kurhaus (oben) und die Marktkirche.

mehreren Kernen. Noch deutlicher als dort ist hier eine Funktionsteilung zwischen den Einzelzentren zu beobachten. So ist Frankfurt (632 000 Einwohner) die weitaus größte Stadt, der wichtigste Handelsplatz (Banken, Börse, Messen), das überragende Verkehrszentrum (größter Flughafen Deutschlands, einer der verkehrsreichsten Bahnhöfe Europas, achtgrößter deutscher Binnenhafen, Autobahnkreuz) sowie eine vielseitige Industriestadt.

Frankfurt besitzt jedoch trotz seiner überragenden Bedeutung keinerlei politisch-administrative Zentralität. Diese liegt vielmehr bei den heutigen Landeshauptstädten Mainz und Wiesbaden sowie bei der ehemaligen Residenz- und Landeshauptstadt Darmstadt. Mainz (187 000 Einwohner) besitzt neben seiner Hauptstadtfunktion auch größere Bedeutung als Kulturzentrum (Bischofssitz, Universität). Außerdem ist es wegen seiner Lage an der Mainmündung neben Frankfurt der wichtigste Verkehrsknotenpunkt im Rhein-Main-Gebiet. Als ehemalige Römerstadt und wichtiger Erzbischofssitz (»goldenes Mainz«) besitzt Mainz auch zahlreiche historische Kulturdenkmäler und ist deshalb und als Ausgangspunkt der Rheinschiffahrt ein wichtiges Touristenzentrum.

Wiesbaden (273 000 Einwohner) ist dagegen nicht nur Landeshauptstadt, sondern auch ehemaliges Modebad und heutige Konferenzstadt. Sowohl Mainz als auch Wiesbaden besitzen bedeutende Industrien und wichtige Binnenhäfen. Darmstadt (138 000 Einwohner) zeigt aufgrund seiner geschrumpften Zentralfunktion und seiner fehlenden Flußlage eine etwas einseitigere Ausrichtung (Industrie, Verlage, Technische Hochschule). Die übrigen Städte des Rhein-Main-Gebiets sind Standorte vielseitiger Industrien. So dominieren in Rüsselsheim (63 700 Einwohner) der Fahrzeugbau, in Frankfurt-Höchst die chemische Industrie, in Offenbach (114 000 Einwohner) die Lederverarbeitung, in Hanau (85 000 Einwohner) die

Diamantenschleiferei und in Aschaffenburg (58 900 Einwohner) die Bekleidungsindustrie.

Die Weinorte des Rheingaus, die Wohnvororte (Schlafstädte), die Badeorte (Schlangenbad, Bad Soden, Bad Homburg) sowie die Fremdenverkehrsorte (Kronberg, Königstein) am Taunusrand vervollständigen das vielgestaltige Bild der Siedlungsstruktur, das durch einige alte Kulturzentren (Aschaffenburg als ehemalige kurfürstliche Mainzer Residenzstadt, Klöster Seligenstadt/Main und Eberbach/Rheingau) eine weitere Bereicherung erfährt. Die Eckpunkte des Rhein-Main-Gebiets, Mainz-Bischofsheim, Darmstadt, Aschaffenburg und Friedberg, sind außerdem wichtige Verteiler des Eisenbahn-Güterverkehrs und der Autobahn-Verkehrsströme. Die Kleinstädte der Randgebirge Taunus (Idstein, Camberg), Spessart (Klingenberg, Miltenberg) und Odenwald (Michelstadt, Erbach) sind beliebte Naherholungsziele.

Zu den bei allen Verdichtungsräumen zu beobachtenden Wohn-, Umwelt- und Verkehrsproblemen sowie sonstigen Überlastungserscheinungen kommt beim Rhein-Main-Gebiet noch die Tatsache hinzu, daß es zu drei Bundesländern, nämlich Hessen, Rheinland-Pfalz und Bayern gehört, weshalb zahlreiche grenzüberschreitende Maßnahmen und Planungen koordiniert werden müssen. Durch den Rhein sowie je drei parallel zueinander verlaufende Autobahnen und Eisenbahnlinien ist das Rhein-Main-Gebiet mit der an der Neckarmündung gelegenen Region Rhein-Neckar (1,7 Millionen Einwohner) verbunden. Es handelt sich hier ebenfalls um einen mehrkernigen Ballungsraum, der ebenfalls zu drei Bundesländern (Baden-Württemberg, Hessen und Rheinland-Pfalz) gehört. Im Gegensatz zum Rhein-Main-Gebiet besitzt keine der Städte Verwaltungszentralität und das, obwohl einstmals Mannheim als großzügig angelegte barocke Residenzstadt ge-

Mainz besitzt als ehemalige Festungsstadt einen gedrängten Stadtkern. Wiesbaden ist durch breite, schattige Alleen, die bis in die Innenstadt reichen, geprägt. Mainz ist eine Stadt pulsierenden Verkehrs mit Durchgangsbahnhof und Schiffsländen direkt am Stadtkern, Stadtautobahnen und wichtigen Rheinbrücken; Wiesbaden wird vom Verkehr umgangen. Der sich hierin andeutende Unterschied zwischen dem lebhafteren Mainz und dem vornehm-ruhigeren Wiesbaden wird dadurch erhöht, daß Mainz eine überwiegend katholische Stadt mit Kirchen und Glockengeläute und einer süddeutsch-heiteren Lebensart ist, während das überwiegend evangelische Wiesbaden einen herberen Lebensstil aufweist, war es doch jahrzehntelang Sommerresidenz des preußisch-deutschen Kaiserhauses. Dieser norddeutsch-vornehme Charakterzug wird durch die Funktion als Kur- und Kongreßstadt, durch Spielbanken und Parkanlagen sowie durch das Image einer »Stadt im Grünen« noch verstärkt. Im Kontrast dazu zeigt das viel lebhaftere Mainz als Hauptstadt des deutschen Weines, als Drehscheibe der Touristenströme und vor allem als Schauplatz des »Mainzer Karnevals« seine betont süddeutsche Wesensart.

gründet wurde und seit 1720 als kurpfälzische Hauptstadt die Nachfolge von Heidelberg angetreten hatte. Doch mit der napoleonischen Flurbereinigung kam dieses einstmalige Herzland der Kurpfalz in eine politische Schattenlage und verlor viele seiner einstigen überregionalen Funktionen.

Wenn auch die Funktionsteilung dadurch weniger ausgeprägt ist, so ist sie doch noch klar erkennbar. Mannheim (307 000 Einwohner) und Ludwigshafen (168 600 Einwohner) sind wegen ihrer Lage am Rhein-Neckar-Zusammenfluß wichtige Industriestädte, Binnenhäfen und Handelszentren. Mannheim besitzt darüber hinaus eine Universität. Heidelberg (128 000 Einwohner) ist als ehemalige kurpfälzische Hauptstadt reich an historischen Gebäuden (Altstadt, Schloß) und durch seine 1386 gegründete Universität berühmt. Worms (74 000 Einwohner) und Speyer (43 700 Einwohner) sind alte Römer- und Bischofsstädte und durch ihre romanischen Dome berühmt. Diese abseits der früher versumpften Neckarmündung gelegenen Städte sind als Brückenorte durch die jüngere Doppelstadt Mannheim-Ludwigshafen entthront worden.

Das Rhein-Neckar-Gebiet ist über die »Kraichgaupforte«, an deren Westende der Verdichtungsraum Karlsruhe (332 000 Einwohner) liegt, mit dem mehrkernigen Ballungsgebiet des Mittleren Neckarraums verbunden, der mit 2,4 Millionen Einwohnern an fünfter Stelle unter den deutschen Ballungsräumen steht. Dieser von Stuttgart in die Täler von Neckar, Fils und Rems sowie auf die Gäufläche ausstrahlende kleingekammerte Verdichtungsraum hat mit Stuttgart (582 000 Einwohner) zwar ein überragendes politisch-administratives, wirtschaftliches und kulturelles Zentrum sowie einen zentralen Verkehrsknotenpunkt, ist aber daneben auch durch mehrere weitere traditionsreiche und wirtschaftlich wichtige Städte geprägt. So bilden Esslingen, Göppingen, Böblingen, Sindelfingen und die ehemalige Residenzstadt Ludwigsburg (81 500 Einwohner) wichtige Nebenzentren. Umrahmt wird dieser hochindustrialisierte Verdichtungsraum von den eher eigenständigen Städten Heilbronn (112 500 Einwohner; Hafen, Bahnknoten), Schwäbisch Gmünd, Reutlingen, Tübingen und weiteren kleineren Industriestandorten.

Die durch die Kraichgaupforte miteinander verbundenen Verdichtungsräume Karlsruhe und Stuttgart (Mittlerer Neckar) haben einerseits durch die Oberrheinebene, andererseits durch die zwischen Schwarzwald und Schwäbisches Keuperbergland eingeschalteten verkehrsgünstigen Gäulandschaften Verbindung mit dem dichtbesiedelten Schweizer Mittelland. Zwischengeschaltet sind dabei in der Oberrheinebene die durch die Staatsgrenze geteilte Bevölkerungskonzentration im Raum Straßburg-Offenburg, der Verdichtungsraum Freiburg/Breisgau (176 000 Einwohner) sowie die grenzüberschreitende Regio Basiliensis (Basler Region) mit den Schwerpunkten Basel (Schweiz), Lörrach (Deutschland) und Mülhausen (Frankreich). In der Gäuzone markiert die Doppelstadt Villingen-Schwenningen (78 400 Einwohner) eine lokale Verdichtung. Beide Verdichtungsbänder sind im Bereich des Schweizer Juras bzw. der Schwäbischen Alb deutlich unterbrochen. Die Begünstigung des Bodenseeraums ist dagegen an der durchweg hohen Bevölkerungsdichte entlang den städtereichen Uferregionen klar erkennbar.

Die eigentliche Fortsetzung der Rhein-Neckar-Achse führt von Stuttgart in Richtung München. Sie ist zwar durch die Schwäbische Alb trotz der Doppelstadt Ulm (98 500 Einwohner)-Neu-Ulm (46 800 Einwohner) unterbrochen, aber im Verdichtungsraum Augsburg (335 600 Einwohner) setzt sie wieder ein. Der isoliert gelegene Verdichtungsraum München (2,3 Millionen Einwohner) ist das Musterbeispiel eines einkernigen Ballungsgebietes, bei dem die Kernstadt alle Funktionen in sich vereinigt. Dies zeigt sich besonders deutlich beim Eisenbahn-Fern- und Nahverkehr, der strahlenförmig auf München orientiert ist; dies zeigt sich aber ebenso bei den Nachbarstädten, von denen im Umkreis von 50 km nur drei, nämlich Fürstenfeldbruck (30 600 Einwohner), Dachau (34 000 Einwohner) und Freising (33 600 Einwohner), stärker angewachsen sind.

Der Verdichtungsraum Nürnberg-Fürth-Erlangen (1,1 Millionen Einwohner) ist dagegen durch die größenmäßig deutlich abgestuften Kernstädte Nürnberg (484 000 Einwohner), Erlangen (100 600 Einwohner) und Fürth (98 500 Einwohner) sowie durch zahlreiche weitere Städte wie Schwabach (33 900 Einwohner), Lauf (21 800 Einwohner) und Roth (20 900 Einwohner) geprägt. Er besitzt eine Vielzahl von Funktionen, wobei Nürnberg der überragende kulturelle Mittelpunkt, Handelsplatz und Verkehrsknoten ist und Erlangen (Universität) einen weiteren

Kulturmittelpunkt darstellt. Von größter Bedeutung ist jedoch in allen Städten die starke Industrialisierung. Ähnlich wie bei Frankfurt fehlt jedoch auch hier jede politisch-administrative oder kirchliche Zentralität. Diese ist vielmehr in der relativ kleinen ehemaligen Markgrafenresidenz Ansbach (38 500 Einwohner) sowie in den Bischofsstädten Bamberg und Eichstätt konzentriert. Der Nürnberger Raum ist durch Dichtebänder einerseits mit dem stark industrialisierten Nordost-Oberfranken (Raum Hof), andererseits – entlang des Maintales – mit Schweinfurt (54 000 Einwohner) und Würzburg (127 000 Einwohner) verbunden. Eine Verdichtungszone führt außerdem von Regensburg (132 000 Einwohner) durch die Nabsenke über Weiden (45 000 Einwohner) nach Hof (54 000 Einwohner).

Außer dem Nürnberger Verdichtungsraum und dem Saarland sind auch mehrere norddeutsche Verdichtungsräume außerhalb des Achsenkreuzes der Bördenzone und der Rhein-Neckar-Linie gelegen. Die Verdichtungsräume des Norddeutschen Tieflands sind durch einen breiten Gürtel unfruchtbarer, dünnbesiedelter Geest- und Heideflächen von den Ballungsgebieten der Bördenzone getrennt. Sie liegen entweder an der Küste (Hamburg, Bremen) oder im Binnenland (Berlin). Von den Verdichtungsräumen an der Küste ist Hamburg (2,8 Millionen

Trabantenstadt bei Stuttgart

Das Vordringen der Städte in landwirtschaftlich genutzte Gebiete ist ein Vorgang, der sich in ganz Deutschland beobachten läßt und unaufhaltsam scheint.
Was vielen Menschen als Zerstörung der Landschaft anmutet, hat seine Hauptursache darin, daß die Industrie bemüht ist, die Verkehrswege so kurz wie möglich zu halten. Dadurch ziehen schon bestehende Industrieansiedlungen neue nach sich, und immer mehr Arbeitssuchende sind gezwungen, sich vom Land in die Stadt zu begeben.
Im verstärkten Maße wird die Forderung nach einer dezentralisierten Industrieverteilung erhoben, die davon ausgeht, daß die Standorte der Industrie dorthin verlegt werden, wo Menschen wohnen, die als Arbeitskräfte in Frage kommen. Dadurch könnten Ballungszentren entlastet und strukturschwache Gebiete belebt werden.

Leipzig, Karl-Marx-Universität und Thomaskirche

Leipzig, nach Berlin die größte Stadt der DDR, hat als Kultur- und Handelszentrum eine lange geschichtliche Tradition. Die verkehrsmäßig günstige Lage im Zentrum Mitteldeutschlands ließ es bereits früh zu einem Handelszentrum werden; schon im 12. Jahrhundert wurden der Oster- und der Michaelismarkt eingerichtet, die Vorläufer der Messen, die im 18. und 19. Jahrhundert die bedeutendsten in Deutschland waren und auch heute noch weltweit Beachtung finden. Bis in die zwanziger Jahre unseres Jahrhunderts nahm Leipzig eine so bedeutende Stellung im deutschen Buchhandel ein, daß es die größte Buchmesse ausrichtete; dies verweist auf die kulturelle Substanz der Stadt. Die 1409 gegründete Universität zog bedeutende Geister nach Leipzig; an ihr studierten u. a. Hutten, Leibniz, Klopstock, Lessing, Goethe, Jean Paul und Nietzsche. Im Jahr 1946 wurde sie in Karl-Marx-Universität umbenannt. Die Abbildung rechts zeigt das moderne Hochhausgebäude der heutigen Universität. Eine weitere bedeutende Stätte deutschen Kulturschaffens zeigt die Abbildung auf Seite 121; in der Thomaskirche hatte Johann Sebastian Bach von 1723 bis 1750 das Amt des Kantors inne; heute ist sie Heimstätte des weltbekannten Thomanerknabenchors. Ein weiterer wichtiger Faktor bei der Entwicklung Leipzigs waren die Bodenschätze der Umgebung, die den Aufbau von chemischen und keramischen Industrien ermöglichten. Die Leipziger Bucht wurde so zum größten industriellen Verdichtungsraum in Mitteldeutschland.

Einwohner) der weitaus größte, zugleich auch der einzige, der mit benachbarten Verdichtungsräumen (Lübeck und Kiel) verbunden ist und gleichzeitig im Bereich der Fluß- und Seemarschen ein dichtbesiedeltes Umland hat. In seiner Größe drückt sich die Lage des Großraums Hamburg an der verkehrsgünstigsten deutschen Flußmündung sowie die Brückenfunktion an der Wurzel der nach Norden weisenden Halbinsel Jütland aus. Hamburg ist wie München ein monozentrischer Verdichtungsraum mit einer sehr großen Kernstadt (1652000 Einwohner) und relativ kleinen Nebenzentren wie Buxtehude (30900 Einwohner) und Stade (42500 Einwohner), Geesthacht (24800 Einwohner) und Ahrensburg (24900 Einwohner), Pinneberg (37000 Einwohner) und Elmshorn (41700 Einwohner). Hamburg vereinigt wie München fast alle Zentralfunktionen auf sich und hat ebenfalls ein sternförmig ausstrahlendes Nah- und Fernverkehrs-Schienennetz.

Die Verdichtungsräume Lübeck (256000 Einwohner) und Kiel (309000 Einwohner) sind jeweils einkernig und ergänzen sich hinsichtlich ihrer zentralörtlichen Funktionen. Kiel ist Landeshauptstadt und Universitätsstadt, Lübeck der wichtigere Bahnknotenpunkt und seine Vorstadt Travemünde einer der wichtigsten Fährhäfen Europas. Als einstige »Königin der Hanse« hat Lübeck auch eine

ältere Tradition als der ehemalige Kriegshafen Kiel, und seinem daraus resultierenden Stadtbild verdankt es auch eine stärkere Fremdenverkehrsbedeutung. Bedingt durch den Wunsch nach einem eigenen »Tor zur Welt« wurde von der DDR in den letzten Jahrzehnten Rostock stark ausgebaut. Das äußert sich auch in der Einwohnerzahl dieses einkernigen Verdichtungsraums (200000 Einwohner), der – wie Lübeck in Travemünde – in Warnemünde einen eigenen Vorhafen besitzt. Der Verdichtungsraum Berlin ist ebenso wie der isolierte Verdichtungsraum München nur durch die politische Konstellation zu erklären, die in relativ ungünstiger Gegend eine Großstadt entstehen ließ. So erlebte Berlin, das vor 1470 nur als Handelsstadt einige Bedeutung hatte, in den folgenden Jahrhunderten eine dreimalige Bedeutungszunahme, die jeweils auch große Wachstumsschübe zur Folge hatte. 1470–1701 war Berlin Residenzstadt der Kurfürsten von Brandenburg, 1701–1871 Königsstadt und 1871–1945 Reichshauptstadt. Hatte es im Jahr 1800 noch 172000 Einwohner, so stieg die Einwohnerzahl, bedingt durch den Ausbau des von hier ausstrahlenden Verkehrsnetzes und der dadurch ermöglichten Industrialisierung, bis 1871 auf 932000. Die Erhebung zur Reichshauptstadt hatte dann bis 1900 eine sprunghafte Bevölkerungszunahme auf 1,9 Millionen zur Folge. Die ausgedehn-

Altes und neues Jena

Jena ist eines der bedeutenden Unterzentren des industriellen Verdichtungsgebiets um Leipzig und hat bereits seit langer Zeit Anteil an dessen industrieller und kultureller Entwicklung. Weltbekannt ist die Jenaer Fertigung von optischen Geräten. Im Zweiten Weltkrieg wurde die Stadt, wie alle Städte dieses Gebietes, stark zerstört; unsere Abbildung zeigt einen Ausschnitt aus dem neuerbauten Stadtkern mit der restaurierten Stadtkirche St. Michaelis, die aus dem 13. Jahrhundert stammt.

ten wilhelminischen Viertel zeugen noch heute von diesem überstürzten Wachstum, das sich in der Folgezeit vor allem durch Eingemeindungen bis 1939 fortsetzte, als Berlin mit 4,3 Millionen Einwohnern sein Maximum erreichte. Heute besitzt Berlin insgesamt nur noch rund 3 Millionen Einwohner. Auf Berlin (West) entfallen 1,9 Millionen, auf Berlin (Ost) 1,1 Millionen. Wenn man bedenkt, daß Groß-Berlin 1920 durch den Zusammenschluß Berlins mit sieben anderen Städten, 59 Dörfern und 27 Gutsbezirken entstanden ist, so kann man hier – vor allem seit der Teilung der ehemaligen Reichshauptstadt – von einem mehrkernigen Verdichtungsraum sprechen. Von den ehemaligen Nachbarstädten Berlins (Charlottenburg, Köpenick, Spandau, Schöneberg u. a.) konnte nur die ehemalige Residenzstadt Potsdam (125 000 Einwohner), die sich einst der Eingemeindung ins »rote Berlin« widersetzte, ihre Selbständigkeit bewahren.

Neben den eigentlichen Verdichtungsräumen gibt es noch einige abseits gelegene, relativ dicht besiedelte Räume ohne größere städtische Mittelpunkte. Das gilt vor allem für die klima- und bodenbegünstigten Räume Süddeutschlands und für die Weinbaugebiete an Rhein und Mosel, deren Städtchen oft weniger als 3000 Einwohner haben. Auch die Wein- und Obstbaugebiete an Main und Tau-

ber, Kocher und Jagst, am Schwarzwaldrand und am Bodensee zeigen eine hohe Bevölkerungsdichte.

In der Mittelgebirgszone sind vor allem ehemalige Bergbaugebiete, die sich später oftmals zu industriereichen Gebirgsregionen wandelten, dicht besiedelt, wie das Erzgebirge, das Bergische Land, viele Bereiche des Sauerlands und des Thüringer Walds. Im norddeutschen Flachland fallen die Küstensäume an Nord- und Ostsee durch eine dichtere Besiedlung auf, wobei besonders die Küsten Schleswig-Holsteins eine stärkere Bevölkerungszunahme aufweisen.

Besonders dünn besiedelte Räume sind im Norddeutschen Tiefland vor allem die Geest- und Heidegebiete zwischen Ems und Elbe sowie die agrarisch geprägten Jungmoränengebiete östlich der Elbe. Diese Räume, zu denen auch die Geest Schleswig-Holsteins gehört, haben meist unter 50, stellenweise - wie in Mecklenburg und der Mark Brandenburg - sogar unter 25 Einwohner/km^2.

In der Mittelgebirgszone fällt vor allem die Eifel durch ihre dünne Besiedlung (teilweise unter 50 Einwohner/km^2) auf. Eine weitere Zone dünner Besiedlung reicht - mehrfach unterbrochen - vom Schwarzwald über den Odenwald und den Spessart bis zur Rhön. Es handelt sich ebenso wie bei Hunsrück und Eifel um besonders niederschlagsreiche Gebiete mit dürftigen Böden und, im Gegensatz zum Sauerland, meist fehlender Industrie. Wenn der Spessart mit teilweise unter 25 Einwohner/km^2 die geringste Bevölkerungsdichte aufweist, so liegt das daran, daß dieses Waldgebirge als ehemaliges Jagdgebiet der Mainzer Kurfürsten weitgehend von der Besiedlung freigehalten wurde, während der Westrand ein dichtes Siedlungsnetz aufweist und heute zum Randbereich des Rhein-Main-Verdichtungsraums gehört.

Relativ dünn besiedelt ist auch das rein agrarisch geprägte Keuperland im westlichen Mittelfranken sowie die zwar altbesiedelten, aber klimatisch benachteiligten und abgelegenen Hochflächen der Schwäbischen und Fränkischen Alb, die nur in der Ostalb (Heidenheim, Aalen) und im Pegnitztal von Dichtebändern gequert werden.

Dünn besiedelt sind schließlich die Bayerischen Alpen sowie die stark bewaldeten bayerisch-böhmischen Grenzgebirge und das südliche Alpenvorland. Diese aufgrund natürlicher Ungunst oder wegen historischer Gegebenheiten (Grenzgebirge, Jagdgebiete) dünn besiedelten Räume sind - da überwiegend agrarisch geprägt - immer wieder durch Abwanderung bedroht. Um dieser Tendenz Einhalt zu gebieten, versucht man im Rahmen der Raumordnung, das Arbeitsplatzangebot in Industrie- und Dienstleistungsbetrieben zu erhöhen und somit die Lebensbedingungen zu verbessern. Eine wichtige Funktion erfüllen diese dünnbesiedelten Räume bereits heute: Sie sind als Naturparks, ausgestattet mit vielfältigen touristischen Einrichtungen, die Urlaubs- und Naherholungsgebiete für die oft benachbarten Verdichtungsräume und somit die »grünen Lungen« für die Großstädter.

Oberbayerisches Bauernhaus

Zu den schönsten Erzeugnissen der volkstümlichen Kunst in Bayern gehört die (barocke) »Lüftlmalerei« an den Hauswänden; im Bild die Stirnseite des Jodlerhofes bei Bayrischzell.

Die Landwirtschaft – trotzt Industrie nicht auf dem Abstellgleis

Die Bedeutung der Landwirtschaft auf deutschem Gebiet (heutige BRD und DDR) ist in den letzten hundert Jahren gewaltig zurückgegangen. Lebten 1882 noch 43,9% der deutschen Bevölkerung von der Landwirtschaft, so waren es 1939 noch 20,3% und heute sind es nur noch 6% (BRD) bzw. 11% (DDR). Im gleichen Zeitraum erhöhte sich der Anteil des produzierenden Gewerbes von 38,8% auf 45,4% (BRD) bzw. 49,5% (DDR). Noch stärker als der Anteil bei den Erwerbstätigen ist der Anteil der Landwirtschaft am Bruttoinlandsprodukt zurückgegangen: seit 1950 von 9,7% auf 2,6%. Dieser Rückgang ist nicht verwunderlich, wenn man bedenkt, daß in der Landwirtschaft trotz höheren Arbeitsaufwands oft nur ein Drittel dessen verdient wird, was in vergleichbaren Berufen anderer Wirtschaftsbereiche bezahlt wird. Dabei ist die Produktivität der Landwirtschaft in den letzten Jahrzehnten stark angestiegen: Ein Drittel der landwirtschaftlichen Arbeitskräfte von 1950 erzeugt heute die doppelte Menge an Agrarerzeugnissen.

Dieses »Gesundschrumpfen« der Landwirtschaft erfolgte aufgrund von Betriebsaufgaben, durch Umorientierung auf Zu- oder Nebenerwerb sowie durch Modernisierung und Rationalisierung der verbleibenden Landwirtschaftsbetriebe. Dank erheblicher Produktivitätssteigerungen ist es gelungen, die Selbstversorgung

Landgewinnung auf der Hamburger Hallig

Die von den Bauern angelegten Entwässerungsgräben dienen dazu, weiteres Marschland zu gewinnen, das durch den an organischen Bestandteilen reichen Wattenschlick besonders fruchtbar ist. Im hier gezeigten Fall ist diese Landgewinnung, deren Resultat Wiesen und Weiden sein sollen, nicht unproblematisch, da die Hamburger Hallig ebenso wie die Hallig Südfall Vogelschutzgebiet ist.

mit Grundnahrungsmitteln trotz des enormen Bevölkerungswachstums und großer Gebietsverluste weitgehend zu sichern. Bei Brotgetreide, Zucker, Trinkmilch, Rindfleisch und Kartoffeln ist die Bundesrepublik heute Selbstversorger, und bei Butter gibt es sogar Überschüsse (»Butterberg«); bei Käse, Schweinefleisch und Eiern müssen jedoch 10–20% des Bedarfs eingeführt werden. Nur bei Geflügel, Mischobst, Gemüse, Ölen und Pflanzenfetten klaffen große Versorgungslücken, die weitgehend durch Importe aus EG-Staaten gedeckt werden. Immerhin ist die Bundesrepublik heute der größte Lebensmittelimporteur der Welt. Aber auch die Ausfuhr ist beachtlich und konnte in den letzten 20 Jahren um mehr als das Zwölffache gesteigert werden. Der Wert der Nahrungmittelimporte liegt zur Zeit bei jährlich 39 Milliarden DM, der Exportwert bei rund 14 Milliarden DM.

Die besondere Bedeutung der deutschen Landwirtschaft innerhalb der einheimischen Volkswirtschaft beruht jedoch nicht nur auf dem Wert der erzeugten Güter und der Sicherstellung der Ernährungsbasis, sondern auch auf der Impulswirkung des starken Investitionsbedarfs der Landwirtschaft. Vor allem aber ist eine leistungsfähige Landwirtschaft auch für die Erhaltung und Pflege der vielgestaltigen deutschen Kulturlandschaften wichtig; immerhin besteht mehr als die Hälfte des Areals der Bundesrepublik aus landwirtschaftlichen Nutzflächen. Diese sind jedoch nicht nur für die agrarische Produktion, sondern auch als Frischluftschneisen oder Naherholungsgebiete wichtig.

Die Herausforderung der EG

Die deutsche Agrarstruktur wurde zu allen Zeiten in starkem Maß durch wirtschaftspolitische Aktivitäten beeinflußt. Ein bekanntes Beispiel ist die Beseitigung der Zollschranken im 19. Jahrhundert, die in Verbindung mit der modernen Verkehrsentwicklung den Weinbau in vielen klimatisch ungünstigen Bereichen oder den Ackerbau in niederschlagsreichen Zonen (Allgäu) unrentabel werden ließ. Bis in die siebziger Jahre des vorigen Jahrhunderts brachte dann der Freihandel der deutschen Landwirtschaft gute Absatzmöglichkeiten, besonders auf dem englischen Markt. Die zunehmende Konkurrenz des amerikanischen und russischen Getreides führte 1879 jedoch zur Einführung von Agrarzöllen durch Bismarck, die steigenden Agrarimporte aus Übersee 1885 zu Schutzzöllen. Dieser Agrarprotektionismus hatte im Deutschen Reich eine konservative Einstellung gegenüber der Landwirtschaft zur Folge, da der Zwang zur Rationalisierung und Modernisierung nicht so stark war wie etwa in den auf den Weltmarkt eingestellten Niederlanden mit ihrer liberalen Agrarpolitik. Der deutsche Agrarprotektionismus, der zunehmend in Gegensatz zu den Interessen der Industrie geriet, wurde im »Dritten Reich« mit seinen Autarkiebestrebungen und seiner »Blut-und-Boden-Ideologie« noch weiter verstärkt. Durch Anbau- und Ablieferungsverpflichtungen sowie Preisgarantien wurde die bisherige Agrarstruktur weitgehend konserviert.

Nach dem Zweiten Weltkrieg brachten zunächst der Nachholbedarf einer ausgehungerten Bevölkerung und der starke Flüchtlingsstrom gute Absatzmöglich-

Bäuerliche Tätigkeiten

Die »komprimierte« Darstellung (nach einer Miniatur aus dem 15. Jahrhundert) zeigt die Arbeiten auf dem Hof, dem Feld, im Wald und im Weinberg.

keiten für die Landwirtschaft der Bundesrepublik. Die daraufhin einsetzende Mechanisierung und Spezialisierung führte zu enormen Produktionssteigerungen und sogar zu landwirtschaftlichen Überschüssen. Die 1957 gegründete EWG (Europäische Wirtschaftsgemeinschaft), die in einer Übergangszeit von 12–15 Jahren die Schaffung eines »Gemeinsamen Marktes« vorsah und 1967 mit zwei weiteren Europäischen Gemeinschaften (Euratom und EG für Kohle und Stahl) zur Europäischen Gemeinschaft zusammengeschlossen wurde, brachte für die deutsche Landwirtschaft große Anpassungsprobleme, aber auch die Chancen, ihre Erzeugnisse auf einem nach außen abgesicherten Binnenmarkt mit 250 Millionen Einwohnern abzusetzen. Die Möglichkeiten und Grenzen der deutschen Landwirtschaft innerhalb der EG sind hauptsächlich von der Naturausstattung des Landes, der Betriebs- und Anbaustruktur und ähnlichen Faktoren abhängig. Ein besonderer Vorteil der deutschen Landwirtschaft liegt darin, daß dank des meist sommerwarmen und winterkühlen Klimas mit Regen zu allen Jahreszeiten vielerorts der Anbau von trockenheits-, feuchtigkeits- und wärmeliebenden Pflanzen an ein und demselben Standort möglich ist. Die Sommer sind noch warm genug und die Winter noch nicht zu kalt, um die »ökologischen Nischen« – im Gegensatz zu den westlichen, nördlichen und östlichen Nachbarräumen – für einen anspruchsvollen Qualitätsweinbau zu nutzen. Die Niederschläge reichen – anders als in den südeuropäischen Gebieten – überall für einen sommerlichen Futterbau aus, während umgekehrt die Sommertrockenheit vielerorts den Anbau von Braugerste gestattet. Die dadurch mögliche Flexibilität ist im Hinblick auf eine ständig neue Marktanpassung nicht zu unterschätzen. So ist z. B. in niederschlagsreicheren Gebieten eine »Vergrünlandung« mit Übergang zu viehwirtschaftlicher Veredelung, in trockeneren Räumen eine »Vergetreidung« mit arbeitskräftesparender Vollmechanisierung sinnvoll.

Vergleicht man das Klima Deutschlands mit dem der anderen EG-Länder, so sind bei Obst, Gemüse und Wein die südlichen Länder besser gestellt. Dort liegen im Hinblick auf Menge, Qualität, Preis und Frühzeitigkeit des Erntetermins die Konkurrenzgebiete. Gegen diese Auslandskonkurrenz konnte sich bisher nur der deutsche Wein aufgrund seiner geschmacklichen Sonderstellung behaupten.

Im Hinblick auf den Bodenertrag und die Stetigkeit der Futtergrundlage der Viehwirtschaft sind dagegen die niederschlagsreicheren westlichen und nordwestlichen Nachbarstaaten bevorzugt. So ist in Frankreich die Weizenerzeugung doppelt, in Dänemark die Rind- und Schweinefleischproduktion drei- bis viermal und in den Niederlanden die Butterproduktion viermal so hoch wie der Eigenbedarf.

Hinsichtlich der Betriebs- und Anbaustrukturen ist die Bundesrepublik Deutschland in mancher Beziehung benachteiligt. Sie besitzt neben Italien die weitaus kleinste durchschnittliche Betriebsgröße aller neun EG-Staaten, nämlich rund 15 ha. Beim Wert der landwirtschaftlichen Endproduktion pro landwirtschaftlichem Erwerbstätigen steht sie bloß an fünfter Stelle, und beim Weizen-Hektarertrag sowie bei der Milchleistung pro Kuh wird sie von den Niederlanden und Dänemark weit übertroffen. In diesen Staaten ist die Rationalisierung erheblich weiter fortgeschritten, Staaten wie Italien und Frankreich haben dagegen noch große Leistungsreserven. Dort liegen auch die Erzeugerpreise für Obst und Gemüse bzw. für Weizen viel niedriger als in anderen EG-Staaten. Staatlich garantierte Mindestpreise helfen, diese Benachteiligung auszugleichen. Die weit über dem Weltmarktniveau liegenden EG-Agrarpreise werden durch ein kompliziertes System von Richt- und Orientierungs-, Interventions- und Schwellenpreisen festgelegt. Die Anpassungsschwierigkeiten sind so groß, daß der Agrarsektor über 75% des Haushalts der EG umfaßt, wobei die Bundesrepublik weit vor Frankreich und Italien mit ihrem Beitragsvolumen an erster Stelle steht.

Um die Konkurrenzfähigkeit der deutschen Landwirtschaft zu steigern, leitete die Bundesregierung seit 1956 im Rahmen des »Grünen Plans« zahlreiche Maßnahmen zur Verbesserung der Agrarstruktur ein (Flurbereinigung, Aufstockung, Kreditverbilligung, Altersversorgung, Schul- und Berufsausbildung u. a.). Dadurch wurden auch Strukturmängel, die vor allem in der historischen Entwicklung der deutschen Landwirtschaft begründet sind, größtenteils beseitigt.

Das geschichtliche Erbe prägt die Agrarlandschaft

Die deutsche Agrarlandschaft läßt mannigfache historische Einflüsse erkennen. Am deutlichsten wird dies bei einem Vergleich der Alt- und Jungsiedelländer westlich der Elbe-Saale-Linie, denn sie unterscheiden sich grundlegend durch ihre Dorf- und Flurformen voneinander. In den offenen altbesiedelten Kornkammern finden wir Haufendörfer mit Gewannfluren und Gemengelage des Besitzes, der streifenförmig unter mehrere Besitzer aufgeteilt ist. Der Besitz jedes einzelnen Grundeigentümers ist über die gesamte Flur verstreut und besitzt keinen Hofanschluß. In den jungbesiedelten Waldgebirgen sind dagegen Waldhufendörfer mit (ursprünglich) hofanschließenden Besitzstreifen oder Weiler und Einzelhöfe mit Blockfluren verbreitet.

Nicht minder augenfällig ist der Wechsel des Landschaftsbildes östlich von Elbe und Saale im Bereich der mittelalterlichen deutschen Ostkolonisation. Dort herrschen im ostdeutschen Tiefland Anger- und Straßendörfer mit Streifen- und Plangewannfluren vor. Im Gebirgsland erstrecken sich oft kilometerlange Waldhufendörfer, und unmittelbar östlich der Elbe-Saale-Linie trifft man auf die merkwürdigen Rundlinge, wagenburgähnlich angelegte Dörfer, in die nur von einer Seite eine Straße führt. Die Häuser sind eng um einen rundlichen Platz gedrängt.

Bei den Besitzverhältnissen waren die Unterschiede westlich und östlich von Elbe und Saale bis zum Zweiten Weltkrieg noch krasser. So lag nach dem Ersten

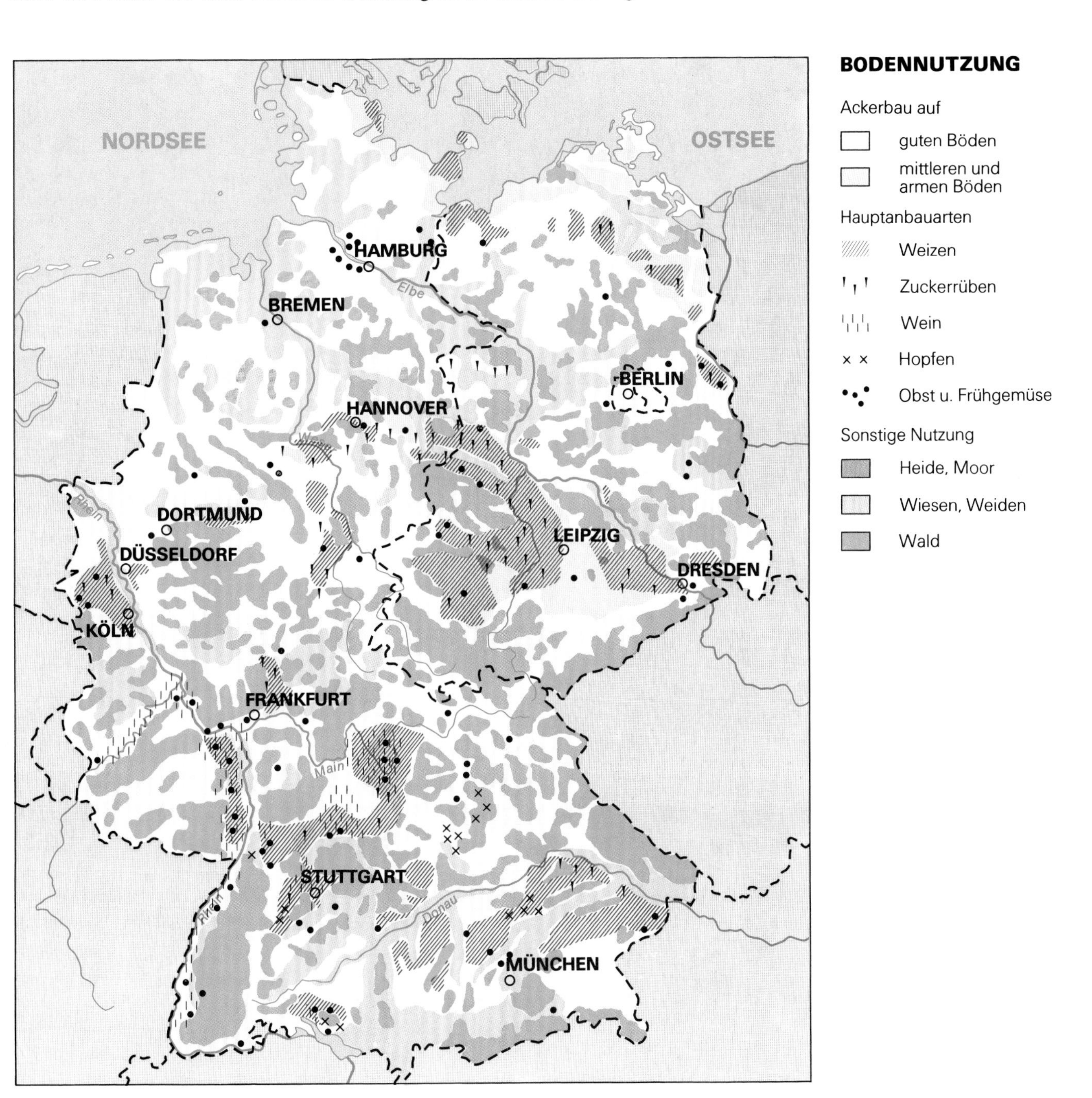

Vorhergehende Doppelseite:

Kleinparzellen-Landwirtschaft im Markgräflerland (Baden)

Die Abbildung zeigt ein anschauliches Beispiel der in vielen Realerbteilungsgebieten Deutschlands vorherrschenden Kleinparzellierung und Besitzzersplitterung der Flur.
Auf seiner meist nur wenige Hektar großen, aber wahllos über die Gemarkung verteilten Betriebsfläche muß der Bauer eine Vielzahl von Anbaupflanzen unterbringen. Ein Stück wird als Grünland genutzt, ein anderes mit Getreidesorten zur Gewinnung von Mehl und Kraftviehfutter bepflanzt. Rüben und Mais werden für die Winterfütterung des Viehs benötigt, Kraut und Kartoffeln für den bäuerlichen Haushalt und für die Schweinemast.
An den Hügeln im Hintergrund wird der hohe Verkaufserlöse einbringende Wein kultiviert.

Weltkrieg der Anteil des Großgrundbesitzes in allen westlich der Elbe-Saale-Linie gelegenen Räumen bloß zwischen 3% (Württemberg) und 6% (Baden, Westfalen). Nur das vom »Limes sorabicus«, der frühmittelalterlichen slawischen Westgrenze, zerschnittene Schleswig-Holstein bildete mit 16% eine Ausnahme.

Im ostelbischen Raum lagen die Werte dagegen sehr viel höher. Der Anteil des Großgrundbesitzes erreichte in Niederschlesien 31%, in Brandenburg 34%, in Ostpreußen 35%, in Pommern 45% und in Mecklenburg sogar 54%. Diese Unterschiede in der Agrarstruktur zwischen dem östlichen und dem westlichen Deutschland sind das Ergebnis eines jahrhundertelangen Entwicklungsprozesses. Durch die deutsche Ostkolonisation und die sich östlich der Elbe-Saale-Linie seit dem 15. Jahrhundert durch »Bauernlegen«, d.h. Einziehung oder Auszahlung bäuerlichen Besitzes, immer stärker herausbildende Gutswirtschaft (Rittergüter) kam es zum »agrarischen Dualismus« in Deutschland. Dieser wurde durch die preußische Bauernbefreiung (Steinsches Edikt von 1807), die in Wirklichkeit eine Bauernentwurzelung war, weiter verstärkt. Zwar konnte nun der Erbpächter durch Abgabe eines Drittels, der Zeitpächter durch Abtretung der Hälfte des von ihm bewirtschafteten Landes an den Grund- und Gutsherrn freier Bauer werden, aber er hatte oft keinen wirtschaftlichen Rückhalt und mußte auch seinen restlichen Besitz veräußern, was ihm durch die nun erfolgte Freigabe des Güterverkaufs ermöglicht wurde. Der dadurch ins Proletariat abgesunkene Bauer wanderte meist ab, da nun auch die »Bindung an die Scholle« aufgehoben war. Dies führte zu einer starken Abwanderung aus den Ostgebieten in die neu entstehenden Industrieräume um Berlin und an der Ruhr. Umgekehrt brachte diese »Bauernbefreiung« dem Großgrundbesitz einen neuen starken Besitzzuwachs. So gewann er durch Landentschädigung rund 420000 ha, weitere 100000 ha durch freien Verkauf von spannfähigen Bauernstellen und fast 500000 ha durch Einziehung von rund 100000 Kleinbauernbetrieben.

Um der weiteren Abwanderung und dem Einströmen polnischer Landarbeiter sowie den dadurch zu erwartenden sozialen und politischen Spannungen zu begegnen, versuchte der Staat, die Agrarsozialstruktur durch eine innere Kolonisation zu verbessern. So wurden durch das Ansiedlungsgesetz (1886) und das Rentengutsgesetz (1900) fast 22000 neue Rentengüter geschaffen. Die Gebietsverluste nach dem Ersten Weltkrieg (Westpreußen, Posen, Oberschlesien), verbunden mit einem Flüchtlingsstrom aus diesen meist agrarischen Räumen, führte nach 1919 zu einer Förderung der inneren Kolonisation. Das Reichssiedlungsgesetz sah vor, in allen Bezirken des Reichs den Flächenanteil der Großbetriebe an der landwirtschaftlichen Nutzfläche auf 10% zu reduzieren. Bis 1939 konnten auf diese Weise rund 80000 neue Siedlerstellen (mit 950000 ha) geschaffen und weitere 168000 Kleinbetriebe durch Landzulagen (280000 ha) aufgestockt werden. Dennoch blieb der »agrarische Dualismus« in Deutschland bis 1945 bestehen, um schließlich in der Nachkriegszeit durch einen Dualismus anderer Prägung, bäuerliche Betriebe auf der einen und Kolchos- bzw. Staatsbetriebe auf der anderen Seite, abgelöst zu werden. In krassem Gegensatz zu den ostdeutschen Rittergütern mit über 100 ha stehen die Zwerg- und Kleinbetriebe Südwestdeutschlands. In vielen Bezirken an Rhein und Mosel, Main und Neckar wird über die Hälfte der landwirtschaftlichen Nutzfläche von Betrieben unter 5 ha bewirtschaftet. Nur wenn es sich hierbei um Sonderkulturen (Wein-, Obst- und Gartenbau) handelt, sind diese arbeitsintensiven Betriebe dank ihrer Spezialisierung lebensfähig; andernfalls bildet sich meist das für das Neckarland charakteristische Arbeiterbauerntum heraus. Neben der geringen Betriebsgröße ist auch die extreme Flurzersplitterung ein Hindernis für den landwirtschaftlichen Fortschritt. Beide Strukturmängel beruhen auf der sogenannten Realerbteilung, die von den ehemaligen Territorialverhältnissen beeinflußt ist, und haben somit ebenfalls historische Ursachen.

Die aufgeführten Strukturmängel wie Flurzersplitterung, ungünstige Betriebsgrößen, traditionsverhaftete Wirtschaftsmethoden, aber auch die geringe Kreditwürdigkeit der Kleinbauern führten schon frühzeitig in vielen Teilen Deutschlands zu strukturverbessernden Maßnahmen. In diesem Zusammenhang sei an das Verbot der Erbteilung in vielen Territorien erinnert, besonders in denen der Reichsstädte, die sich durch die so erzielten landwirtschaftlichen Überschüsse eine ausreichende Marktbelieferung sichern wollten. Ein Musterbeispiel ist auch die be-

rühmte Vereinödung im Fürststift Kempten (1770–1810), die mit ihrer vollkommenen Zusammenlegung der vorher verstreuten Parzellen und mit der totalen Aussiedlung viele moderne Flurbereinigungen übertraf. Auch die von den dänischen Königen angeordneten Verkoppelungen in Schleswig-Holstein fallen in dieselbe Zeit. Der landwirtschaftlichen Intensivierung dienten auch die Kultivierungsmaßnahmen Friedrichs des Großen im Oder-Warthe- und im Netzebruch sowie auf den Talsandflächen Schlesiens, durch die im 18. Jahrhundert 60000 neue Siedlerstellen geschaffen wurden. Um 1720 wurden im Teufelsmoor bei Bremen und im deutschen Teil des Bourtanger Moors die ersten Fehnkolonien angelegt. Ende des 18. Jahrhunderts folgten die Moorsiedlungen im bayerischen Donaumoos.

Die landwirtschaftliche Intensivierung wurde seit dem 18. Jahrhundert durch zahlreiche landwirtschaftliche Gesellschaften und Vereine sowie durch viele »Agrarpioniere« wie Albrecht Thaer oder Justus von Liebig vorangetrieben. Die alte Dreifelderwirtschaft wurde durch »Besömmerung der Brache« verbessert, der Kleeanbau, der den sechsfachen Ertrag einer Wiese erbrachte, wurde ausgeweitet, und die Kartoffel erzielte nun auf ärmeren, sandigen Böden den dreifachen Nährwert des Getreides.

Durch Übergang zu verstärkter Stallfütterung konnten die Felder besser gedüngt werden, was wiederum zu noch intensiveren Fruchtfolgen (Fruchtwechselwirtschaft anstelle der Dreifelderwirtschaft) führte. Nachdem der Berliner Chemiker A.S. Marggraf 1747 den Zuckergehalt der Runkelrübe entdeckt hatte und 1801/02 in Kunern (Schlesien) die erste Rübenzuckerfabrik der Welt entstanden war, nahm der Zuckerrübenanbau eine stürmische Entwicklung. So stieg die verarbeitete Rübenmenge zwischen 1836 und 1890 von 26000 Tonnen auf 10,6 Millionen Tonnen, wobei die Zuckerausbeute durch die Erfolge der Pflanzenzüchtung und durch technische Verbesserungen von 2% auf 13% gesteigert werden konnte. Durch züchterische Maßnahmen ließen sich auch in anderen Produktionszweigen die Ernteerträge und Milchleistungen gewaltig anheben. So haben sich zwischen

Markttag in Stuttgart und geschmückter Dorfbrunnen

Aus der kleinbäuerlichen Umgebung Stuttgarts, wie zum Beispiel dem Remstal, das durch sein mildes Klima den Anbau von Gartenfrüchten und Frühgemüse begünstigt, kommen am Markttag zahlreiche Bauern noch selbst auf den Markt, um ihre Produkte zu verkaufen. Die Qualität dieser Lebensmittel sowie die ehrliche und herzliche Art der Marktbauern wird von den Städtern sehr geschätzt und gesucht.

Folgende Doppelseite:

Bauer beim Pflügen

Die Leistungsfähigkeit der deutschen Landwirtschaft wird auch in den nächsten Jahrzehnten davon abhängen, in welchem Ausmaß es den Landwirten weiterhin gelingt, sich technische Neuerungen zunutze zu machen und ihre Betriebe zu rationalisieren.

Landwirtschaftliche Leistungsschau beim Stuttgarter Volksfest

Das alljährlich im Oktober stattfindende Volksfest auf dem Cannstatter Wasen, dem nach dem Münchner Oktoberfest größten Fest der Bundesrepublik, ist mit einer großen landwirtschaftlichen Ausstellung verbunden, bei der die prächtigsten Bullen und Kühe des Landes prämiert werden. Solche Zuchtschauen dienen dem Erfahrungsaustausch der Züchter, der sich sodann in der zielstrebigen Züchtung bestimmter, noch leistungsfähigerer Fleisch- oder Milchrassen niederschlägt. Im württembergischen Raum sind die rotbunte Rinderrasse und die gelblichen Simmentaler Rinder häufig anzutreffen, während in Norddeutschland die schwarzweißen Züchtungen überwiegen.

1880 und 1910 die Roggenerträge je Hektar von 9,8 auf 18,4 Doppelzentner, die Weizenerträge von 12,8 auf 22,3 Doppelzentner und die Kartoffelerträge von 84,4 auf 137,6 Doppelzentner erhöht. Weitere Fortschritte brachten neue Bearbeitungsmethoden (eiserne Pflüge) sowie die Einführung des Chilesalpeters, der später durch die heimischen Düngemittel Kali, Thomasphosphatmehl und, nach dem Ersten Weltkrieg, auch durch Ammoniak u. ä. ergänzt bzw. ersetzt wurde.

Eine weitere Verbesserung brachten neue technische Erfindungen wie Dampfpflug, Mäh- und Sämaschinen, Milchzentrifugen, Dreschmaschinen, die bis zur Jahrhundertwende von Gütern und fortschrittlichen Bauern eingeführt wurden. Der Kapitalbedarf der Landwirtschaft konnte dabei durch die ländlichen Genossenschaften, die seit den Notjahren 1845/47 durch die Initiative von Friedrich Wilhelm Raiffeisen überall in Deutschland entstanden waren, gedeckt werden.

Die historisch bedingten Unterschiede in der Agrarstruktur – groß- und mittelbäuerliche Landwirtschaft im östlichen, mittel- und kleinbäuerliche Betriebe mit besserer Möglichkeit zur Intensivierung und Spezialisierung im westlichen Deutschland – bilden die Ausgangssituation für die Nachkriegsentwicklung, die in beiden Teilen Deutschlands einen höchst unterschiedlichen Verlauf nahm. In der Bundesrepublik ist ein »Gesundschrumpfen« zu vollbäuerlichen Betrieben, in der DDR eine Kollektivierung zu beobachten.

Die Vergangenheit hinterläßt ihre Probleme

Während in der ehemaligen Sowjetischen Besatzungszone nach Kriegsende rund 3,2 Millionen ha Land (mehr als 30% der landwirtschaftlichen Nutzfläche) entschädigungslos enteignet wurden, konnte in den westlichen Besatzungszonen im Rahmen einer Bodenreform nur eine Fläche von 343000 ha für Neusiedlungen ausgewiesen werden. Auf diesem Areal entstanden 55000 Höfe, die vorwiegend durch Flüchtlinge bewirtschaftet wurden. Außerdem erwarben Heimatvertriebene durch Kauf, Pacht und Einheirat weitere 31000 Höfe, die sich ebenso wie die Neubauernstellen – von denen in Schleswig-Holstein rund 13%, in Hessen jedoch nur 1,2% über 15 ha groß waren – später meist als zu klein erwiesen.

Noch schlimmere Probleme brachte in Erbteilungsgebieten die sehr starke Flurzersplitterung mit sich, kommt es doch z.B. in Südwestdeutschland mitunter vor, daß ein Kleinbetrieb von 5 ha in 150 einzelne Parzellen aufgesplittert ist, von denen viele nicht durch Wege erschlossen sind. Die daraus resultierenden Überfahrtsrechte ließen bis 1960 in über 1000 Gemeinden Süd- und Westdeutschlands die sogenannte zelgengebundene Dreifelderwirtschaft weiterbestehen. Die Gemarkung war in drei große Teilbereiche untergliedert (Zelgen), auf denen jeweils nur gleiche Fruchtarten angebaut werden durften (Flurzwang), so daß möglichst alle Bauern zu möglichst gleicher Zeit die möglichst gleiche Arbeit verrichteten. Dieser Flurzwang mit seiner Dreiteilung des Anbaues in Hackfrucht, Winter- und Sommergetreide ließ für landwirtschaftliche Intensivierung – etwa eine marktbedingte Ausweitung des Zuckerrüben- oder Braugerstenanbaues – wegen der streng eingehaltenen Dreifelder-Fruchtfolge keinen Raum. Weitere Nachteile der Flurzersplitterung waren die unwirtschaftlich kleinen, nicht durch Maschinen zu bearbeitenden Parzellen sowie die großen Zeitverluste für An- und Abfahrt. Kein Wunder, wenn in solchen Gebieten die Sozialbrache weit verbreitet ist.

Die regionalen Unterschiede der Parzellengröße zeigen folgende Zahlen: In Mainfranken und Neckarschwaben, in der Oberrheinebene und in Teilen des Rheinischen Schiefergebirges (Moseltal, Siegerland) kommen trotz teilweiser Flurbereinigung auf 100 ha landwirtschaftliche Nutzfläche mehr als 150 Teilstücke (»Handtuchfelder«), in Westfalen und Schleswig-Holstein, aber auch in weiten Teilen Niedersachsens jedoch weniger als 33!

Neben der Besitzzersplitterung ist auch die ungünstige Betriebsgrößenstruktur eine schwere Belastung für die Landwirtschaft. So entfielen 1976 im Saarland 51%, in Baden-Württemberg 44% und in Rheinland-Pfalz und Hessen je 42% aller Betriebe auf die Besitzgrößenklasse unter 5 ha. Umgekehrt lagen in Baden-Württemberg nur 12%, in Niedersachsen jedoch 31% und in Schleswig-Holstein sogar 42% der Betriebe in der Größenklasse 20–50 ha. Besonders kraß war das Verhältnis bei den Großbetrieben über 50 ha, die in Baden-Württemberg nur mit einem Anteil von 0,9%, in Schleswig-Holstein jedoch mit 15,9% vertreten waren. Ebenso wie die Besitzzersplitterung bestimmt auch die Betriebsgröße über die Möglichkeit der Mechanisierung und Rationalisierung bzw. über die Notwendigkeit eines Zu- oder Nebenerwerbs oder sogar einer Betriebsaufgabe. Kein Wunder, wenn zwischen 1949 und 1977 die Zahl der Zwerg- und Kleinbetriebe (1–5 ha) von 860000 auf 290000 geschrumpft ist und die von ihnen bewirtschaftete Fläche von 2271000 ha auf 742000 ha abgenommen hat.

Ein weiteres Problem liegt in den Siedlungsformen. Gerade in den fruchtbaren Altsiedelgebieten sind große Haufendörfer mit unregelmäßigem Grundriß vorherrschend, wobei die Erbteilung meist zu einer starken Siedlungsverdichtung mit beengten und nicht erweiterungsfähigen Hofanlagen führte. Der Gebäudebestand ist oft überaltert und entspricht meist nicht modernen Wohnansprüchen. Als Hemmnis für den landwirtschaftlichen Fortschritt stellen sich schließlich auch die traditionsverhafteten Wirtschaftsformen und die unproduktiven Anbaufrüchte heraus. So waren bis nach dem Zweiten Weltkrieg neben den schon genannten Felder-Wirtschaften mit Flurzwang die Feld-Wald-Wechselwirtschaft als Hauberg-Wirtschaft im Siegerland und als Reutberg-Wirtschaft im Schwarzwald anzutreffen, während die Acker-Grünland-Wirtschaft (Egarten-Wirtschaft) noch heute im Alpenland zu finden ist. Gekoppelt mit den Felder-Wirtschaften sind oft noch andere Traditionsformen wie alte Anbaufrüchte (Dinkel auf der Schwäbischen Alb und im Bauland), starke Tendenzen zur Selbstversorgung (Menggetreide, Hühnerhaltung), Festhalten an alten Trachten und Bräuchen (Rhön) u.a.

Hilfe für den Fortschritt – Flurbereinigung und Dorferneuerung

Die Besitzzersplitterung suchte man durch immer umfassendere Flurbereinigungsmaßnahmen zu beseitigen. So wurde zwischen 1945 und 1968 eine Fläche von der Größe Niedersachsens – 4,6 Millionen ha (= 46000 qkm) – bereinigt. In den folgenden 10 Jahren folgten weitere 2,3 Millionen ha, von denen knapp die Hälfte in Bayern und je ein Zehntel in Baden-Württemberg, Hessen, Rheinland-Pfalz und Nordrhein-Westfalen lagen. Augenblickliche Schwerpunkte der Flurbereinigung liegen in Schleswig-Holstein (»Programm Nord«), im nördlichen Westfalen und im fränkischen Raum.

Die Aufgaben der Flurbereinigung wurden dabei stets erweitert. Einzelverfahren wurden durch Gruppenverfahren abgelöst, der Zusammenlegungsgrad erhöht, die Feldbereinigung durch Wegebau, wasserwirtschaftliche Maßnahmen, durch Ausweisung von Baugelände, Naherholungsflächen, Schutzwäldern u. a. ergänzt. Erfreulicherweise wurden auch die Interessen des Naturschutzes immer mehr berücksichtigt. Im Gegensatz zu früheren Verfahren sind die heutigen Flurbereinigungsmaßnahmen nicht mehr allein auf die Interessen der Landwirtschaft, sondern auch auf die Bedürfnisse der nichtlandwirtschaftlichen Bevölkerung eingestellt. Stand in der Zeit um 1950 im Rahmen der Autarkiebestrebungen eine möglichst große Produktionsmenge im Vordergrund, so war man nun bestrebt, die Arbeitsproduktivität zu steigern. Der Arbeits- und Materialaufwand sollte in einem angemessenen Verhältnis zum Ertrag stehen.

Besonders aufwendige Maßnahmen erfordern die Rebflurbereinigungen, die gegenwärtig in allen deutschen Weinbaugebieten durchgeführt werden und das Landschaftsbild sowie die Betriebsstruktur nachhaltig beeinflussen. So wurden in den letzten 20 Jahren rund 20000 ha Rebflächen bereinigt, die Hälfte davon in Rheinland-Pfalz. Wie aufwendig diese Verfahren sind, kann man besonders deut-

lich im Kaiserstuhl bei Freiburg i. Br. beobachten, wo ganze Berge von riesigen Planierraupen umgestaltet wurden und werden. Dies ist möglich, weil die Berghänge von mehr als 10-20 m mächtigem Löß eingehüllt sind.

Weitere strukturverbessernde Maßnahmen betrafen die Industrieansiedlung in ländlichen Räumen, um frei werdenden landwirtschaftlichen Arbeitskräften neue Arbeitsplätze anzubieten. Dieser Trend wurde durch Umschulungsmaßnahmen unterstützt. Verstärkte Mechanisierung, Ausbau des Genossenschafts- und Berufsschulwesens hatten weitere Strukturwandlungen zur Folge. In den meisten Agrarlandschaften der Bundesrepublik führten diese durch den »Grünen Plan« unterstützten Maßnahmen zu einer Intensivierung und Spezialisierung der Landwirtschaft. Die Strukturwandlungen führten jedoch andererseits auf »Grenzertragsböden« zu einer Vergrünlandung oder Aufforstung sowie zu einer starken Ausdehnung der Sozialbrache, die gegenwärtig ein Areal von 200000 ha umfaßt.

Im Rahmen der Flurbereinigung war es auch möglich, die Betriebsgrößenstruktur durch staatlich geförderte Aufstockung (Zukauf oder Zupacht) zu verbessern. Strebte man zunächst die Schaffung vollarrondierter Höfe mit 10-20 ha Betriebsgröße an, so gelten heute Höfe über 20 ha als optimal.

Die oftmals beengten Siedlungslagen wurden durch Dorfauflockerung verbessert. So wurden - meist im Rahmen der Flurbereinigung - allein zwischen 1956 und 1968 nicht weniger als 20500 Aussiedlungen durchgeführt. Legte man zunächst Einzelhöfe an, so bevorzugt man heute die Gruppensiedlung mit 2-10 benachbarten Höfen. In vielen Orten wurden auch Dorfsanierungen mit Ausbau der Wasserversorgung und Abwasserbeseitigung, Modernisierung der Altgehöfte u. ä. durchgeführt. All diese Maßnahmen haben, ebenso wie die Dorfverschönerung, eine Hebung der Lebensqualität auf dem Land zum Ziel.

Folgende Doppelseite:

Weidende Kühe vor einer Windmühle in Ostfriesland

Rebumlegung

Im Kaiserstuhl haben die natürlichen Hänge (auf Seite 136 das Gebiet um den Badberg) künstlichen Terrassenanlagen Platz machen müssen (auf Seite 137 neuangelegte Terrassenberge bei Bickensohl). Dieser Umgestaltungsprozeß hat zu harten Auseinandersetzungen zwischen Naturfreunden und Winzergenossenschaften um die Frage geführt, ob man zur Vereinfachung und Rationalisierung der Winzerarbeit derart tiefgreifende Eingriffe in landschaftliche Biotope vornehmen dürfe.

Ein Wirtschaftszweig verändert sein Gesicht

Die Auswirkungen der strukturfördernden Maßnahmen führten zu einem grundlegenden Wandel der Agrarsozialstruktur. So ist die durchschnittliche Betriebsgröße seit 1950 von 6,8 ha auf 14,6 ha angestiegen, liegt jedoch immer noch an vorletzter Stelle innerhalb der EG. Diese Vergrößerung war nur möglich, weil die Zahl der landwirtschaftlichen Betriebe über 1 ha seit 1950 von 1650000 auf rund 850000 geschrumpft ist. Der Rückgang war besonders groß bei den Zwerg- und Kleinbetrieben unter 5 ha. Nur die Betriebe über 20 ha, die heute bereits zwei Drittel der landwirtschaftlichen Nutzfläche der Bundesrepublik bewirtschaften (1950 erst 30%!), nahmen zahlenmäßig in den letzten drei Jahrzehnten zu. Trotz dieser starken Veränderungen im Lauf der Zeit wurden die Unterschiede in der regionalen Betriebsgrößenstruktur kaum verwischt. So haben in Schleswig-Holstein 58% der Betriebe eine Größe von 20 ha und mehr, in Baden-Württemberg nur 13% und in Rheinland-Pfalz nur 17%.

Von den heutigen landwirtschaftlichen Betrieben entfällt etwa die Hälfte (48%) auf Vollerwerbsbetriebe, die ihre ganzen Einnahmen aus der Landwirtschaft beziehen. Sie haben eine Durchschnittsgröße von 23 ha und bewirtschaften drei Viertel der landwirtschaftlichen Nutzfläche der Bundesrepublik. Die Zuerwerbsbetriebe, die ihre Einkommen durch Zuerwerb aufbessern, und die Nebenerwerbsbetriebe, die ihre Haupteinkünfte bereits nicht mehr aus der Landwirtschaft beziehen, sind oftmals Übergangsphasen zur völligen Abwanderung der Beschäftigten in die Industrie. Diese Arbeiterbauern mit ihrer beruflichen Doppelexistenz sind besonders für die Realerbteilungsgebiete in Südwestdeutschland typisch.

Die neueren Strukturwandlungen in der Landwirtschaft hatten eine starke Mechanisierung zur Folge. So ging der Pferdebestand zwischen 1949 und 1976 von 1620000 auf 340000 zurück; die Zahl der Mähdrescher erhöhte sich jedoch im gleichen Zeitraum von 18000 auf 171000, die Zahl der Melkmaschinen von 6000 auf 460000, die Zahl der Traktoren stieg sogar von 30000 auf 1453000. Daß diese hohe Zahl auf eine Übermotorisierung hinweist, ersieht man aus einem Vergleich des Schlepperbesatzes. Bei den Kleinbetrieben unter 5 ha entfielen auf 1000 ha landwirtschaftliche Nutzfläche 251 Schlepper, bei den Großbetrieben über 50 ha dagegen nur 40 Schlepper!

Auch die landwirtschaftliche Anbaustruktur hat sich sehr stark geändert. So nahm die Getreideanbaufläche gegenüber der Nachkriegszeit (1951) um ein Viertel zu, wobei beim Weizen sogar eine Zunahme von 51%, bei der Gerste von 173% eintrat, während umgekehrt die Roggenanbaufläche auf die Hälfte absank. Eine beachtliche Zunahme erlebte auch die Zuckerrübenanbaufläche (91%), Abnahmen traten bei Kartoffeln (-63%), Futterrüben (-60%) und Klee bzw. Luzerne (-62%) ein. Die stärkste Zuwachsrate war beim Grünmais (+877%) und Körnermais (+1100%) zu beobachten, die beide jedoch nur 4% der landwirtschaftlichen Nutzfläche umfassen. Auch Obstanlagen (+15%) und Rebflächen (+52%) nahmen anteilsmäßig zu, Gartenland (-23%) und Grünland (-6%) dagegen ab.

Mit dieser beachtlichen Nutzflächenveränderung reagierte die deutsche Landwirtschaft auf veränderte Marktbedürfnisse, die ihrerseits durch veränderte Konsumgewohnheiten ausgelöst wurden. So sank in Deutschland der Pro-Kopf-Verbrauch bei Getreideerzeugnissen seit der Nachkriegszeit (1948/49) von 118 auf 67 kg, bei Kartoffeln sogar von 224 auf 87 kg! Umgekehrt stieg der Verbrauch bei Zucker von 20 auf 34 kg, bei Fleisch sogar von 19 auf 83 kg. Der Butterverbrauch hat sich verdoppelt, der Eierverbrauch versechsfacht. Kein Wunder, wenn heute drei Viertel der landwirtschaftlichen Erträge aus der Viehhaltung stammen.

Die Veränderung der Anbauflächen wird jedoch durch die Zunahme der Hektarerträge, die heute beim Weizen oder Roggen doppelt so hoch wie in der Vorkriegszeit sind, bei den Zuckerrüben und Kartoffeln immerhin um rund 50% höher liegen, weiter variiert. Auch die Milchleistung pro Kuh (4200 l/Jahr) hat sich gegenüber der Vorkriegszeit verdoppelt, die Legeleistung pro Henne (243 Eier/Jahr) fast verdreifacht.

Diese Ergebnisse wurden durch Erfolge der Pflanzen- und Tierzüchtung sowie der Pflanzen- und Tierernährung möglich. Bei der Pflanzenzüchtung standen höhere Hektarerträge, kürzere Reifezeiten und größere Winterhärte, bei der Tierzüchtung schnellere Gewichtszunahme, Fleischwüchsigkeit und bessere Futterverwertung im Vordergrund. Außerdem wurden im Rahmen der Spezialisierung Zucht und Mast voneinander getrennt.

Wegen der höheren Hektarerträge sind die Veränderungen der Erntemengen oft aussagekräftiger als der Wandel der Anbauflächen. So haben sich im Bereich der Bundesrepublik die Erntemengen bei Weizen seit der Vorkriegszeit (1935/38) versiebenfacht und bei Zuckerrüben vervierfacht. Bei Roggen sind sie trotz starker Reduzierung der Anbaufläche etwa gleichgeblieben.

Die hier bereits sehr deutlich werdende Produktivitätszunahme wird durch die fast vollständige Mechanisierung noch verstärkt. Benötigte man mit dem pferdebespannten Pflug noch 18 Stunden, um einen Hektar Land zu pflügen, so schafft man es heute mit dem Schlepper in 2 Stunden. Die Getreideernte mit der Sense erforderte 36 Stunden, mit dem Mähdrescher sind es nur noch 2 Stunden. Die Kartoffelernte von Hand (100 Stunden je ha) konnte mit dem Vollerntegerät auf 12 Stunden je ha gesenkt werden. Auch die Tierhaltung wurde rationeller organisiert. Industriell vorgefertigte Großställe machen es z.B. möglich, daß eine Arbeitskraft bis zu 3000 Schweine oder 30000 Legehennen versorgen kann. Bei dieser beachtlichen Entwicklung verwundert es nicht, wenn sich der Verkaufserlös der deutschen Landwirtschaft (rund 55 Milliarden DM) trotz Reduzierung der Zahl der Betriebe und der Arbeitskräfte seit 1950 mehr als vervierfacht hat. Diese Zahlen zeigen aber auch, daß der Landwirt von heute mit dem Bauern alter Prägung kaum mehr etwas gemein hat.

Das Nacheinander von traditionsverhafteten und fortschrittlichen Wirtschaftsweisen tritt uns auch im räumlichen Nebeneinander von Markteinflüssen und Beharrungstendenzen entgegen. So nahmen in den süd- und mitteldeutschen Beckenlandschaften alle Intensivierungsmaßnahmen immer denselben Verlauf. Von den boden-, klima- und absatzbegünstigten Kernlandschaften ausgehend, erfolgten nacheinander die Ausbreitung der bebauten Brache, der Rückgang des Flurzwanges und der Schafhaltung sowie die Ausdehnung des Gersten- und Zuckerrübenanbaues. Stets war die innere Zone der nächsten um Jahre und Jahrzehnte voraus.

Von der Junkerherrschaft zur LPG

Die Kollektivierung der Landwirtschaft in der DDR wurde durch die gerade auf ihrem Staatsgebiet sehr starke Verbreitung der Güter begünstigt. Sie erfolgte in drei Etappen. In der ersten Phase, die unmittelbar nach Kriegsende begann, wurden alle Großgrundbesitzer (über 100 ha) sowie alle »politisch belasteten« Bauern vollständig und entschädigungslos enteignet. Von dem enteigneten Land (30% der landwirtschaftlichen Nutzfläche) wurden 1,1 Millionen ha an Volkseigene Güter (VEG) übereignet, 2,2 Millionen ha jedoch an 330000 ehemalige Gutsarbeiter, Kleinpächter, Handwerker sowie an 83000 Heimatvertriebene vergeben. Diese Privatisierung, die unter der Devise »Junkerland in Bauernhand« erfolgte und den neuen Besitzern Anteile von 5 bis 10 ha zumaß, sollte einerseits den Landhunger der Gutsarbeiter und Kleinbauern befriedigen, andererseits die Produktion und Ernährung in den ersten Nachkriegsjahren sicherstellen.

Die zweite Phase, die ab 1952 den »planmäßigen Aufbau des Sozialismus« einleitete, war durch die Werbung für die Landwirtschaftlichen Produktionsgenossenschaften (LPG) und durch den Kampf gegen die Großbauern gekennzeichnet, die im zentralgelenkten Planungssystem in vielfacher Weise benachteiligt waren und sich dem Zusammenschluß widersetzten. Im Gegensatz dazu war die Kollektivierung für die mit Gebäuden, Maschinen und Geräten oftmals schlecht ausgestatteten »Neubauern« mitunter der bequemste Weg, ihre Lage zu verbessern, boten doch die Maschinen-Traktoren-Stationen (MTS) vielerlei Erleichterungen bei der Feldarbeit.

Um die Kollektivierung attraktiver zu machen, wurden drei Stufen eingeführt. Bei Typ I wurde nur das Ackerland eingebracht, bei Typ II zusätzlich auch tierische und maschinelle Zugkräfte. Typ III bedeutete dagegen auch die Einbeziehung von Wald, Grünland und Nutzvieh. Zur eigenen Nutzung verblieben dem Bauern nur noch 0,5 ha Land sowie maximal 2 Kühe, 2 Schweine und 5 Schafe (jeweils mit Nachwuchs) sowie Kleinvieh.

Die dritte Phase – die Vollkollektivierung – war am 15. April 1960 abgeschlossen, und der Anteil des Privatlandes war von 51,8% (1959) auf 7,6% abgesunken. Da jedoch mit der Kollektivierung das persönliche Interesse an einer Leistungssteigerung nachließ und die Hektarerträge oftmals unter denen der Vorkriegszeit lagen, versuchte man durch neue »ökonomische Hebel« Leistungsanreize zu bieten. Durch ein doppeltes Agrarpreisniveau, das für die freien Spitzen höhere Ankaufspreise vorsah als für die Pflichtablieferungen, konnten in den folgenden Jahren die Erträge deutlich gesteigert werden, liegen heute jedoch noch teilweise weit unter denen der Bundesrepublik - und das, obwohl Mitteldeutschland in der Zwischenkriegszeit die fortschrittlichere Landwirtschaft besaß. Vergleicht man die Gebiete der heutigen Bundesrepublik Deutschland (= 100%) und der DDR, so lag das Gebiet der DDR während der Vorkriegszeit (1935-1938) bei der Nahrungsmittelproduktion je Hektar mit 107% deutlich über, im letzten Jahrzehnt (1970-1980) mit etwa 75% jedoch deutlich unter der Bundesrepublik. Die tierische Produktivität, die früher ebenfalls im Bereich der DDR mit 113% einen Vorsprung vor der westdeutschen hatte, erreicht heute nur 85% derselben.

Nicht nur Besitz-, Betriebs- und Ertragsverhältnisse sind in der DDR anders als in der Bundesrepublik, sondern auch die Anbaustrukturen. Der höhere Tieflandanteil und die meerferne Lage haben in der DDR einen nur halb so hohen Grünlandanteil (20% der landwirtschaftlichen Nutzfläche) wie in der Bundesrepublik (40%) zur Folge. Wegen der geringeren Temperaturgunst und der höheren Frostgefährdung nimmt der Weinbau im Vergleich zur Bundesrepublik (rund 100000 ha) nur eine verschwindend kleine Fläche von 400 ha ein (Elbe, Saale und Unstrut), und auch der Obstanbau (große Plantagen bei Potsdam und Halle) tritt gegenüber der Bundesrepublik stark zurück. Beim Anbau auf dem Ackerland, das in der DDR mit 76% der landwirtschaftlichen Nutzfläche viel stärker in Erscheinung tritt als in der Bundesrepublik (56%), verrät der etwa gleich hohe Weizen- und Zuckerrübenanbau in beiden Ländern den großen Anteil der DDR an der Bördenzone. Aber auch die in der DDR viel ausgedehnteren Sandböden beeinflussen die Anbauzahlen; so liegt der Anteil des Kartoffel- und Roggenanbaus in der DDR (9% bzw. 10%) doppelt so hoch wie in der Bundesrepublik.

Hinsichtlich der Selbstversorgungsmöglichkeit ist zu sagen, daß die DDR aufgrund der viel geringeren Bevölkerungsdichte und des höheren Ackerlandanteils günstiger gestellt ist als die Bundesrepublik. Wegen der geringeren Produktivität gibt es jedoch immer wieder Versorgungsengpässe. Immerhin ist die Eigenversorgung mit Butter, Milch, Fleisch, Eiern und Kartoffeln gesichert. Importiert werden Gemüse, Obst und Getreide. So ist z.B. der Weizenimport doppelt so hoch wie die Eigenerzeugung.

Was die landwirtschaftlichen Betriebsgrößen betrifft, so sind die Unterschiede enorm. Während in der Bundesrepublik die durchschnittliche Betriebsgröße bei 14,6 ha liegt, beträgt sie in der DDR bei den Volkseigenen Gütern (VEG), auf die 3% der landwirtschaftlichen Nutzfläche entfallen, 466 ha, bei den Landwirtschaftlichen Produktionsgenossenschaften (LPG), die 89% der landwirtschaftlichen Nutzfläche bewirtschaften, jedoch 5178 ha (LPG Pflanzenproduktion) bzw. 4467 ha (Kooperative Abteilungen Pflanzenproduktion). Die gärtnerischen Produktionsgenossenschaften (GPG), die nur 0,3% der landwirtschaftlichen Nutzfläche bearbeiten, haben dagegen eine durchschnittliche Betriebsgröße von 84 ha.

Interessant ist in diesem Zusammenhang, daß die landwirtschaftliche Nutzfläche der DDR mit 6,3 Millionen ha nur halb so groß ist wie die der Bundesrepublik (12,6 Millionen ha), die Zahl der Vollarbeitskräfte der DDR (784000) aber im Vergleich zur Bundesrepublik (1056000) viel höher liegt und somit einen schlechteren Rationalisierungsgrad verrät. Außerdem macht sich hier bemerkbar, daß im Gegensatz zur BRD in der DDR auch im landwirtschaftlichen Bereich feste Arbeits- und Urlaubszeiten, sowie Schwangerschaftsurlaub etc. gelten.

Bodenschätze – die Energie- und Rohstoffbasis der Industrie

Hinsichtlich der Zahl der Beschäftigten, des Umfangs und Wertes der erzeugten Güter, der Vielseitigkeit der Produktion, der Stellung der Industrie innerhalb der Gesamtwirtschaft und der Leistungsfähigkeit der Industriebetriebe gehört Deutschland zu den führenden Industrieländern der Welt. Diese bevorzugte Stellung ist auf die besonders vielfältigen und oftmals sehr günstigen Standortbedingungen zurückzuführen. Eine breite Rohstoff- und Energiebasis (Eisenerze, Stein- und Brennkohle, Kalisalze) ermöglichte eine – gegenüber den »alten Industriestaaten« England und Frankreich – zwar spätere, aber stürmischere Entwicklung der Industrie, die Deutschland seit der Jahrhundertwende – hinter den USA – zum wichtigsten Industrieland der Welt werden ließ.

Kriegszerstörungen, Demontagen und die durch Gebietsverluste stark geschmälerte Rohstoffbasis hatten nach beiden Weltkriegen eine Impulswirkung bezüglich der Erschließung neuer Lagerstätten, Erprobung neuer Fertigungsmethoden sowie Modernisierung und Rationalisierung der Industriebetriebe.

Steinkohle ist bis heute der wichtigste der Bodenschätze Deutschlands geblieben, obwohl durch den Versailler Vertrag ein Drittel und durch die Gebietsabtretungen nach dem Zweiten Weltkrieg ein weiteres Viertel der Lagerstätten verlorengingen. Deutschland blieb auch eines der führenden Kohlenförderländer der Welt. Lag es bereits 1913 mit einer Steinkohlenproduktion von 199 Millionen Tonnen hinter den Vereinigten Staaten und Großbritannien an dritter Stelle in der Welt, so konnte es diesen Platz bis zum Zweiten Weltkrieg halten. 1938 erreichte die deutsche Kohleförderung, die durch die Gebietsabtretungen des Ersten Weltkriegs stark reduziert worden war, mit 187 Millionen Tonnen fast den Vorkriegsstand und wurde nur von den USA (355 Millionen Tonnen) und Großbritannien (231 Millionen Tonnen) übertroffen, während die Sowjetunion (113 Millionen Tonnen), Frankreich (46 Millionen Tonnen) und Polen (38 Millionen Tonnen) weit hinten lagen. Nach dem Zweiten Weltkrieg (1957) wurde die Bundesrepublik (151 Millionen Tonnen) auch von der Sowjetunion (328 Millionen Tonnen) und wenig später von China (1961: 430 Millionen Tonnen) überholt, lag aber immer noch auf Platz fünf der Weltrangliste. Die folgenden Jahre sind durch die Kohlekrise gekennzeichnet, die Deutschland besonders hart traf und 1959 ihren ersten Höhepunkt erreichte. Damals lagen in der Bundesrepublik rund 19 Millionen Tonnen Steinkohle auf Halde, weil steigende Importe billigerer amerikanischer Kohle, das Vordringen von preiswerterem Erdgas und Erdöl sowie der steigende Ausnutzungsgrad des Energiewerts der Kohle eine stark verminderte Nachfrage zur Folge hatten. Die Elektrifizierung der Bundesbahn (1977 ging das Dampflokzeitalter zu Ende) hatte ebenfalls einen starken Rückgang des Kohleverbrauchs zur Folge. Wenn die deutsche Kohleförderung zwischen 1960 und 1964 mit rund 142 Millionen Tonnen trotzdem sehr hoch war, so lag das an dem durch den wirtschaftlichen Aufstieg der EWG bedingte rasche Wachstum des Energiebedarfs, der seit 1950 von 293 Millionen Tonnen SKE (= Steinkohleneinheiten) auf 588 Millionen Tonnen SKE anstieg.

Die Auswirkungen der Kohlenkrise waren unübersehbar: Zwischen 1962 und 1973 ging die deutsche Kohleförderung kontinuierlich, begleitet von einer Reduzierung der Schachtanlagen und Arbeitsplätze, von 142 Millionen Tonnen auf 97,3 Millionen Tonnen zurück. So sank die Zahl der fördernden Zechen zwischen 1961 und 1971 von 140 auf 67, die der Beschäftigten unter Tage im gleichen Zeitraum von 287000 auf 135000. Umgekehrt stieg jedoch die Schichtleistung pro Mann unter Tage von 2207 kg auf 3825 kg. Wie erdrückend aber die Auslandskonkurrenz immer noch war, zeigen die australischen Schichtleistungen, die bereits 1972 unter Tage bei 35000 kg, über Tage sogar bei 65000 kg lagen. Nach dieser Reduzierung der Kohleförderung, die von vielen als »Selbstvernichtung der eigenen Energiebasis« bezeichnet wurde, traf die Ölkrise von 1973 die Bundesrepublik Deutschland besonders schwer. Die innerhalb kurzer Zeit von 17 Millionen Tonnen auf 1,5 Millionen Tonnen zusammengeschrumpften Haldenbestände zeigten jedoch den Wert einer Vorratshaltung. Als Folge der Ölkrise verringerte sich die deutsche Kohleförderung zwischen 1974 und 1978 nur noch von 94,9 Millionen Tonnen auf 83,9 Millionen Tonnen, womit sie heute den achten Platz in der Weltrangliste einnimmt.

Die Ölkrise hatte außerdem einen Stopp weiterer Zechenstillegungen und Personalentlassungen sowie eine stärkere Vorratshaltung zur Folge. Zusätzlich bemüht sich die Bundesregierung gegenwärtig mit einem Kostenaufwand von 750 Millionen DM um die Entwicklung neuer Kohle-Technologien, die die Abhängigkeit vom Öl mindern helfen sollen.

In der DDR, die bei der Teilung Deutschlands nur 1,8% der deutschen Kohleförderung übernahm, wurde der Steinkohlenabbau 1977 eingestellt. Er hatte im Jahresdurchschnitt gerade drei Millionen Tonnen betragen und wurde zuletzt nur noch im Zwickauer Revier betrieben. Heute wird der Steinkohlenbedarf vollkommen durch Importe aus der Sowjetunion und Polen gedeckt.

Die nach dem Zweiten Weltkrieg bei der Bundesrepublik verbliebenen Steinkohlevorkommen umfassen rund 81% der Vorkriegsvorräte und lassen sich in zwei große Bereiche gliedern: das rheinisch-westfälische Steinkohlengebiet, aus dem 91% der deutschen Kohleförderung kommen, und das Saarkohlebecken mit 9% der Förderung. Im rheinisch-westfälischen Steinkohlegebiet steht das Ruhrrevier mit 82% der deutschen Förderung mit weitem Abstand an erster Stelle, gefolgt vom Aachener Revier (6%) und dem Revier bei Ibbenbüren (3%). Weitere Kohlenlagerstätten, wie die Pechkohle Oberbayerns, die Kohlevorkommen im Frankenwald und am Deister, werden seit der Kohlekrise nicht mehr genutzt.

Der wirtschaftliche Wert der Kohle hängt einerseits von ihrer chemischen Zusammensetzung, andererseits aber von der Größe, Teufe und Mächtigkeit der Lagerstätten ab. Dies zeigt sich bei den geschätzten Kohlevorräten des Ruhrgebiets sehr deutlich. Mit einem Steinkohlevorrat von rund 200 Milliarden Tonnen liegt es zwar gleichauf mit Oberschlesien (210 Milliarden Tonnen) an erster Stelle in Mitteleuropa. Berücksichtigt man jedoch nur die abbauwürdigen Vorräte bis 1200 m Teufe, so wird das Ruhrgebiet (40 Milliarden Tonnen) von Oberschlesien (74 Milliarden Tonnen) weit übertroffen. Alle übrigen Kohlelagerstätten Mitteleuropas erreichen dagegen insgesamt nur 28 Milliarden bzw. (bis in 1200 m Teufe) 17 Milliarden Tonnen.

Förderturm einer Kohlegrube und Blick auf ein Stahlwerk im Saarland (S. 145)

Steinkohlen, wie sie im Saarland gefördert werden, sind bis heute die wichtigsten Bodenschätze Deutschlands, obwohl durch den Versailler Vertrag ein Drittel und durch die Gebietsverluste nach dem Zweiten Weltkrieg ein weiteres Viertel der Lagerstätten verlorengingen. Einen weiteren Einbruch erlebte die Steinkohlenförderung durch die Kohlenkrise nach dem Wegfall der Preisbindung für die deutsche Exportkohle nach 1953.

Die durchschnittliche Teufe liegt im Ruhrgebiet mit 810 m jedoch weit ungünstiger als in Oberschlesien (325 m) und in allen anderen mitteleuropäischen Revieren, wie etwa im Aachener Revier (610 m), im Saarrevier (535 m) und im Zwickauer Revier (600 m). Auch bei der mittleren bzw. größten Mächtigkeit der abbauwürdigen Flöze wird das Ruhrgebiet mit 1,0 m bzw. 2,5 m von allen anderen mitteleuropäischen Revieren und besonders von Oberschlesien (3,5 m bzw. 20 m) übertroffen. Lediglich bei der Gesamtmächtigkeit der abbauwürdigen Kohlen liegt das Ruhrgebiet (80 m) vor dem Saarrevier (70 m) und dem Zwickauer Revier (27 m).

Der besondere Vorzug der Kohlenlagerstätten des Ruhrgebiets liegt in ihrer chemischen Zusammensetzung: Sie bestehen zu 78% aus der sehr gut verkokbaren Fettkohle und zu 17% aus der für die petrochemische Industrie sehr wichtigen Gas- und Gasflammkohle. Aufgrund der Vielseitigkeit der Kohlebasis, der immer wieder modernisierten Förderanlagen, des reichlichen Wasserangebots an Rhein und Ruhr und der günstigen Verkehrslage konnte sich hier das größte Industrierevier Europas entwickeln.

Neben der Steinkohle ist die Braunkohle der wichtigste einheimische Energielieferant Deutschlands. Schon vor dem Ersten Weltkrieg war das Deutsche Reich das führende Förderland der Welt. Der Verlust wichtiger Steinkohlenreviere nach 1918 hatte eine weitere Kapazitätsausweitung zur Folge. 1922 übertraf die Braunkohlenförderung Deutschlands mit 137 Millionen Tonnen gewichtsmäßig sogar die Steinkohlengewinnung (119 Millionen Tonnen), und 1927 umfaßte die deutsche Braunkohlenförderung bereits 79%, im Jahre 1938 sogar 81% der Welterzeugung.

Durch die Teilung Deutschlands gingen mit den Ostgebieten 8% der abbauwürdigen Vorkommen verloren, 62% liegen nun in der DDR und nur noch 30% in der Bundesrepublik.

Zeche im Ruhrgebiet

Das Ruhrgebiet ist mit Abstand der größte industrielle Ballungsraum Deutschlands. Basierend auf der Steinkohlenförderung hat sich in diesem Gebiet, in dem die Großstädte Duisburg, Dortmund und Essen zusammen mit den mittelgroßen Städten Krefeld, Moers, Oberhausen, Bottrop, Mülheim, Gelsenkirchen, Recklinghausen, Herne, Bochum, Witten und Castrop-Rauxel zu einer einzigartigen Großstadtlandschaft verschmolzen sind, eine Industrie angesiedelt, die Eisen- und Stahlerzeugung, Aluminiumhütten, Ölraffinerien, Großchemie, Glas-, Porzellan- und keramische Industrie, Textilindustrie und Automobilwerke in bedeutender Größe aufzuweisen hat.

Die durch den Zweiten Weltkrieg mit seinen Gebietsabtretungen, Zerstörungen und Steinkohlen-Lieferverpflichtungen geschwächte Energiebasis hatte wiederum eine Ausweitung der deutschen Braunkohlenförderung zur Folge, die zwischen 1938 und 1959 von 193 Millionen Tonnen auf 310 Millionen Tonnen anstieg – von denen 95 Millionen Tonnen auf die Bundesrepublik, 215 Millionen Tonnen auf die DDR und 10 Millionen Tonnen auf das heute polnische Niederschlesien entfielen. Der deutsche Anteil an der Weltförderung, der 1952 rund 58% und 1978 immer noch 40,6% (davon 27,3% DDR, 13,3% Bundesrepublik) betrug, ist überragend. Noch immer ist die DDR, deren Förderung zwischen 1952 und 1978 von 160 Millionen Tonnen auf 253 Millionen Tonnen anstieg, das führende Braunkohlenland der Welt. Die Bundesrepublik, deren Fördermenge sich von 84 Millionen Tonnen auf 124 Millionen Tonnen erhöhte, wurde in den fünfziger Jahren von der Sowjetunion überholt und nimmt heute den dritten Platz unter den Braunkohlen-Förderländern der Welt ein.

Die deutschen Braunkohlenlagerstätten liegen am Nordrand der Mittelgebirgszone (Kölner und Leipziger Bucht, Raum Helmstedt und Niederlausitz) sowie in Tiefenzonen Mittel- und Süddeutschlands (Borken, Wölfersheim, Schwandorf) und weisen z.T. große Unterschiede auf.

Die Ville westlich von Köln ist das größte zusammenhängende Braunkohlengebiet Europas. Mit zwei abbauwürdigen Flözen bei einer mittleren Flözmächtigkeit von 50 m rangiert sie deutlich vor den Revieren Halle, Borna und Senftenberg mit jeweils drei 10 bis 30 m mächtigen Flözen. Auch nach dem Gesamtvorrat liegt die Ville mit 60 Milliarden Tonnen vor Senftenberg mit 24 Milliarden Tonnen sowie Halle und Borna mit je 8 Milliarden Tonnen deutlich an der Spitze. Nachteilig sind jedoch die Lagerungsverhältnisse in der Ville: Nur 3 Milliarden Tonnen sind im Tagebau zu gewinnen, in den mitteldeutschen Revieren dagegen 23 Milliarden Tonnen. Beim Tieftagebau liegt dagegen die Ville mit einem geschätzten Vorrat von 9 Milliarden Tonnen wieder deutlich vor den mitteldeutschen Revieren mit nur 2 Milliarden Tonnen.

Auch die Entwicklung der Förderleistung ist in den einzelnen Revieren sehr unterschiedlich. So stieg die Förderung zwischen 1938 und 1973 in der Ville von 58 Millionen auf 102 Millionen Tonnen, im Revier Borna von 30 Millionen auf 60 Millionen Tonnen und im Senftenberger Revier sogar von 35 Millionen auf 120 Millionen Tonnen. Im Revier Halle wuchs die Fördermenge jedoch nur noch von 55 Millionen auf 66 Millionen Tonnen an und in den kleineren westdeutschen Revieren von 10 Millionen auf 17 Millionen Tonnen. 1975 kamen 87% der bundesdeutschen Braunkohlen aus der Ville (107,4 Millionen Tonnen), 6,5% aus dem Revier Schwandorf (8,0 Millionen Tonnen), 4,0% aus dem Revier Helmstedt (4,9 Millionen Tonnen) und 2,5% aus den hessischen Revieren Borken und Wölfersheim (3,1 Millionen Tonnen).

Strom aus Braunkohle

Braunkohle verträgt wegen ihres im Vergleich zur Steinkohle geringeren Heizwertes und des relativ hohen Wasseranteils aus Gründen der Wirtschaftlichkeit keine Belastung mit Transportkosten. Sie wird deshalb meist an Ort und Stelle in elektrische Energie verwandelt, zu Braunkohlenbriketts gepreßt oder als Rohstoff in der chemischen Industrie verarbeitet. Im Unterschied zur Steinkohle kann die wenig verfestigte Braunkohle nur im Tagebau gewonnen werden, wobei das Verhältnis von Kohlen und Abraum immer ungünstiger wird und sich zwischen 1910 und 1975 von 3:1 auf 1:3 verschlechtert hat. Im Tieftagebau sind die Abraummengen sogar sechsmal höher als die Kohleförderung.

Um diese Massenbewegungen zu bewältigen, werden z.B. in der Ville die größten Schaufelradbagger der Welt mit täglichen Förderleistungen von 200000 m^3 und einem Stromverbrauch eingesetzt, der dem einer Großstadt entspricht. Die Braunkohlentagebaue in der Ville und in der DDR sind die gewaltigsten Eingriffe des Menschen in das Landschaftsgefüge und sollen deshalb hinsichtlich ihrer Erscheinung, ihrer Struktur und ihrer Probleme näher betrachtet werden.

Das rheinische Braunkohlengebiet im Dreieck Köln–Neuss–Aachen ist mit einer Jahresförderung von 110–120 Millionen Tonnen das größte zusammenhängende Revier Europas. Die Dynamik dieses Gebietes zeigt sich in vielerlei Hin-

Braunkohleabbau im Leipziger Revier

Braunkohle, die in der Regel dicht unter der Erdoberfläche lagert, wird im Gegensatz zur tiefer lagernden Steinkohle, die unter Tage durch Stollenvorantrieb herausgebrochen werden muß, meist mit riesigen Bagger-anlagen, wie der abgebildeten, im Tagebau ausgegraben. Die Braunkohle hat für die DDR eine enorme wirtschaftliche Bedeutung, da das Land über keine eigenen Steinkohle-vorkommen, dafür aber über bedeutende Braunkohlelager in der Leipziger Bucht und in der Niederlausitz verfügt. Noch heute werden in der DDR über 50% der benötigten Energie aus Braunkohle gewonnen.

sicht. So hat sich die Fördermenge seit 1938 verdoppelt, die »Verstromung« ist zwischen 1962 und 1973 von 45% auf 80% gestiegen, die Briketterzeugung von 32% auf 8% abgesunken.

Da der Braunkohleabbau von der Ville, einem 50 km langen Höhenzug, in dem die Flöze horstartig herausgehoben und nur von 20 m mächtigem Abraum überdeckt sind, über die Erftniederung nach Norden vorrückt, wird das Abraumproblem immer größer, sind doch hier die 20–100 m mächtigen Flöze oft von 200 m mächtigen Deckschichten überlagert. Gleichzeitig werden die Tagebaue immer ausgedehnter. So ist z.B. der Tagebau Fortuna-Garsdorf mit einer Ausdehnung von 12 km² und einer Jahresförderung von 180 Millionen Tonnen Kohle und Abraum einer der größten der Welt. Aus diesem Abbaufeld mit seinen Riesenbaggern, die bis zu 200000 m³ pro Tag fördern können, kommt die Hälfte der Braunkohlenerzeugung der Bundesrepublik. Doch schon erschließt man einen noch größeren, bis zu 500 m tiefen Tieftagebau im Hambacher Forst bei Jülich. Hier lagern in 200–500 m Tiefe nicht weniger als 4,5 Milliarden Tonnen Braunkohlen, die ab 1982 gefördert werden sollen, wobei eine jährliche Fördermenge von 50 Millionen Tonnen vorgesehen ist. Mit dem anfallenden Abraum sollen ausgekohlte Gruben aufgefüllt werden, während im Hambacher Tagebau später ein riesiger Trinkwasserspeicher vorgesehen ist, der mehr Wasser als alle Stauseen der Bundesrepublik zusammen enthalten wird.

Das Nordwärtswandern des Tagebaues hat zur Folge, daß die neuen Fördergebiete immer weiter von den älteren Kraftwerken und Brikettfabriken entfernt sind. Um diese auch weiterhin mit Braunkohlen versorgen zu können, wurde eine leistungsfähige Nord-Süd-Bahn als »Verbundschiene« errichtet. Das Nordwärtswandern hat weiterhin zur Folge, daß die nach erfolgtem Abbau durchgeführten Rekultivierungsmaßnahmen im Süden am weitesten fortgeschritten sind. Hier entstand im Raum Brühl mit seinen Seen und Wäldern ein ausgesprochener Naherholungsbereich (»Phantasialand«).

An anderer Stelle entstanden wieder neue Wald-, Wiesen- und Ackerflächen. Durch bis zu 100 m hohe Kippen wurde außerdem das Landschaftsrelief verändert. Der Braunkohlentagebau hat auch vielerorts das Siedlungsbild verändert. So wurden bisher über 20000 Einwohner aus 40 Ortschaften umgesiedelt, weitere 10000 sollen in den nächsten Jahren folgen. Der Übergang zum Tieftagebau brachte neue Probleme. Um den Grundwasserspiegel abzusenken, mußten über 100 leistungsfähige Tiefpumpen und mehr als 2000 Beobachtungsbrunnen sowie der 11 m breite und 25 km lange Kölner Ringkanal angelegt und die Erft umgeleitet werden.

Ähnliche Probleme treten auch in den Braunkohlenrevieren der DDR auf. So müssen bei Bitterfeld z.B. zahlreiche Bahnen und Straßen und selbst die Mulde umgeleitet werden. Im Bornaer Revier mußten bei den zehn Großtage-

Landschaftliche Rekultivierung der aufgebrauchten Kohlengebiete

Sowohl der Steinkohle- als auch der Braunkohleabbau bringen für die umgebenden Landschaften sehr hohe Belastungen mit sich. Deshalb wird in der heutigen Zeit, da das Bewußtsein für die Bedeutung der landschaftlichen Reserven und damit für den sorgsamen Umgang mit jedem Meter Boden steigt, versucht, die stillgelegten Halden und Gruben wieder in die natürliche Landschaft zu integrieren und so für den Menschen nutzbar zu machen. Zu diesem Zweck werden die Halden mit Grünpflanzen rekultiviert und die Mulden zu Bade- und Freizeitanlagen umgestaltet. Die Abbildung zeigt einen solchen rekultivierten und als Erholungsgebiet freigegebenen See im Leipziger Braunkohlegebiet. Auch im Ruhrgebiet sind auf dem Gelände von stillgelegten Steinkohlenzechen zum Teil regelrechte Freizeitparks errichtet worden.

Tagebau

Bei oberflächennahen Lagerstätten kann der Bergbau im Tagebau erfolgen. Hierbei kommen (etwa im Braunkohletagebau) riesige Schaufelradbagger zum Einsatz.

bauen bis zu 100 m Deckschichten entfernt und über 30 km lange Förderbänder zu entfernten Kippen transportiert werden. Außerdem wurden hier 40 Orte ganz oder teilweise verlegt. Bei der 1978 begonnenen Erschließung des Riesentagebaues in Groitzsch südlich von Leipzig mit einem geschätzten Braunkohlenvorrat von 200 Millionen Tonnen werden wegen der fünfmal größeren Abraummengen bereits Riesenbagger mit einer Förderleistung von 375 000 m^3/Tag eingesetzt.

Ein Problem der sächsischen Reviere liegt auch darin, daß sie nicht wie das der Ville in einer dünnbesiedelten, vorwiegend agrarischen, sondern in einer städte- und industriereichen Gegend liegen. Im Gegensatz zur Ville nutzen in den sächsischen Revieren neben zahlreichen Kraftwerken viele große Chemiebetriebe und eine größere Zahl Brikettfabriken die Braunkohlenbasis.

Im Niederlausitzer Revier findet man wieder eine andere Landschaftsstruktur. Hier liegen die Braunkohlenflöze unter sterilen eiszeitlichen Sanden, die von ausgedehnten Kiefernwäldern bedeckt sind. Das Niederlausitzer Revier hat seine Braunkohleerzeugung seit 1938 vervierfacht und besitzt mit 14 Milliarden Tonnen einen höheren geschätzten Tagebauvorrat als die Reviere Borna (5 Milliarden Tonnen), Halle (4 Milliarden Tonnen) und Ville (3 Milliarden Tonnen) zusammen.

Auch im Niederlausitzer Revier gab es große Strukturwandlungen. Während das leicht abbaubare Oberflöz bis 1945 völlig ausgebeutet war, wird seither das 4–14 m mächtige, jedoch von 20–90 m starken Sandlagen überdeckte Unterflöz abgebaut. Auch hier fehlt es nicht an Problemen. So führte die Grundwasserabsenkung um rund 18 m zu schwersten Schäden in der Land- und Forstwirtschaft. Weitere Schäden entstanden nach der Entwaldung durch Winderosion. Große Rekultivierungsmaßnahmen setzten erst in den letzten Jahrzehnten ein. So wurden riesige Flächen aufgeforstet und in den Restlöchern der Tagebaue Badeseen angelegt. Der 8 km lange Spremberger See, der sogar den Tegernsee an Größe übertrifft, dient vor allem der Wasserregulierung der Spree. Die sehr vielseitig verwendbare Niederlausitzer Braunkohle, die sogar verkokbar ist, dient als Energie- und Rohstoffbasis zahlreicher Kraftwerke und Brikettfabriken sowie einer vielfältigen chemischen Industrie.

Erdöl und Erdgas – die modernen Sorgenkinder

Der Erdölbedarf der Bundesrepublik stieg zwischen 1950 und 1978 von 3,1 auf 100,8 Millionen Tonnen an, von denen nur 5,1 Millionen Tonnen aus eigener Förderung gedeckt werden können. Die deutsche Förderung, die 1913 erst 121 000 Tonnen, 1935 bereits 427 000 Tonnen und 1950 rund 1,1 Millionen Tonnen erreichte, ist dabei kontinuierlich auf etwa 8 Millionen Tonnen im Jahre 1968 angewachsen und seither wieder leicht zurückgegangen. Trotz dieser relativ bescheidenen Fördermengen war die Bundesrepublik bis zur Erschließung des Nordseeöls durch Großbritannien und Norwegen der bedeutendste Erdölproduzent im westlichen Europa. Gegenwärtig ist die deutsche Förderung noch immer größer als die der Benelux-Staaten, Frankreichs und Italiens zusammen.

Die ältesten deutschen Ölfelder liegen in der Lüneburger Heide. Bei Wietze wurde 1858 die erste Bohrung niedergebracht. Hier begann 1874 die Förderung, und hier arbeitete bis 1963 das letzte Erdölbergwerk der Welt. Die Erdölfelder zwischen Weser und Ems lieferten 1978 noch 1,5 Millionen Tonnen, die weit ergiebigeren, aber kleineren Vorkommen westlich der Ems weitere 1,5 Millionen Tonnen und die Ölfelder Schleswig-Holsteins 0,5 Millionen Tonnen. Die übrigen, relativ unbedeutenden deutschen Erdölfelder liegen in der Oberrheinebene (Landau u. a.) und im Alpenvorland (u. a. Ampfing). Neuerdings versucht man, durch Einpressen von Dampf in die alten Lagerstätten (sogenanntes Sekundärverfahren) deren Ergiebigkeit wieder zu steigern. Außerdem beabsichtigt man, durch neue Bohrungen bis in 7000 m Tiefe im Alpenvorland, am Harzrand und in Südholstein neue Erdöl- und Erdgasfelder zu erschließen. Im Schelfbereich der Nordsee, von dem die Bundesrepublik nur einen verschwindend kleinen Anteil von 6% besitzt, hatte Deutschland von allen Anrainerstaaten bisher den geringsten Explorationserfolg. Trotzdem ist die Nähe der sehr ergiebigen britischen und norwegischen Erdöl- und Erdgasfelder ein großer Lagevorteil für die deutsche Energieversorgung.

Im Gegensatz zur Bundesrepublik besitzt die DDR keine nennenswerten Erdöl- und Erdgaslagerstätten. Die Erdölförderung umfaßt mit 0,2 Millionen

Tonnen nur 4% der bundesdeutschen, die Erdgasgewinnung ist sogar noch unbedeutender. Die einzigen erwähnenswerten Erdöl- und Erdgasfelder der DDR liegen in Reinkenhagen bei Stralsund sowie im Raum Salzwedel. Das ehemalige Erdölfeld bei Mülhausen in Thüringen ist seit 1954 erschöpft.

Die geringen eigenen Erdöl- und Erdgasvorräte der beiden deutschen Staaten haben eine große Auslandsabhängigkeit zur Folge. Diesbezüglich bestehen jedoch enorme Unterschiede zwischen der Bundesrepublik und der DDR. Sie betreffen sowohl den Umfang als auch die Herkunft der Ölimporte.

Im Gegensatz zu der 95,7 Millionen Tonnen umfassenden Öleinfuhr der Bundesrepublik (1978) liegt die Importmenge der DDR wegen des geringeren Motorisierungsgrads der Bevölkerung und der breiteren Braunkohlenbasis nur bei 17 Millionen Tonnen. Diese Menge kommt jedoch ausschließlich aus einem einzigen Förderland, nämlich der Sowjetunion, und zwar über die 1963 in Betrieb genommene Pipeline »Freundschaft«. Dies hat eine totale wirtschaftliche Abhängigkeit zur Folge. Um der gleichen Abhängigkeit zu entgehen und das Lieferrisiko zu verteilen, bemühte sich die Bundesregierung im Rahmen einer »Ölbeschaffungsstrategie« um möglichst viele Bezugsländer. Nach dem Beginn der Kohlekrise im Jahr 1957 brachten der Abbruch der diplomatischen Beziehungen zu den Erdöl produzierenden arabischen Staaten 1965 und das durch Verstaatlichungsmaßnahmen gekennzeichnete Ende des »Ölkolonialismus« zwischen 1967 und 1973 sowie zwei Dollarabwertungen und schließlich der Ausfall des Hauptlieferlandes Iran, das noch 1978 nicht weniger als 18% des deutschen Bedarfs deckte, große Probleme für die deutsche Energiesicherung. Die wichtigsten Lieferländer sind

Erdölverarbeitende Industrie

Erdölraffinerien, die das hauptsächlich aus den Ländern des Nahen Ostens und Südamerikas importierte Rohöl zu Benzin, Heizöl und anderen, von der Industrie benötigten Produkten verarbeiten, sind in den letzten 30 Jahren für die Bundesrepublik mehr und mehr zur Grundlagenindustrie schlechthin geworden. Rund 50% aller Energie werden in der BRD noch immer aus Öl gewonnen, und die chemische Industrie hat eine Unzahl von modernen Werkstoffen entwickelt, die auf Erdölsubstanz basieren.

Erdölraffinerie

Die überragende Bedeutung des Öls als Energielieferant und als Rohstoff hat dazu geführt, daß der Einfluß der erdölverarbeitenden Industrie innerhalb der Wirtschaft der BRD immer größer wurde. Die meist international verflochtenen Konzerne entziehen sich oft einer nationalen Kontrolle durch das Bundeskartellamt.

seither Libyen, Saudi-Arabien, Nigeria und Algerien. Erfreulicherweise bestehen bereits mehr als 10% der Importe aus norwegischem und britischem Nordseeöl.

Um die Krisenanfälligkeit der deutschen Ölversorgung wenigstens etwas zu vermindern, bemüht man sich insbesondere seit der ersten Ölkrise von 1973 um eine ausreichende Vorratshaltung. So betrugen 1979 die Lagerbestände bei Mineralöl und Mineralölprodukten in der Bundesrepublik 47,5 Millionen Tonnen im Wert von rund 7 Milliarden DM. Dadurch ist jedoch der Verbrauch nur für 155 Tage gesichert. Für die Mineralölbevorratung wurden – ähnlich wie beim Erdgas – unterirdische Kavernen angelegt. Sie bieten gegenüber der oberirdischen Lagerung Kostenvorteile, besitzen keine Flächenansprüche, stören nicht das Landschaftsbild und bieten größere Sicherheit, da Brandgefahr und Grundwasserverschmutzung unterbleiben. Das größte Kavernenfeld liegt in einem ausgelaugten Salzstock bei Wilhelmshaven. Es besteht aus 33 zylindrischen Kavernen mit je 30 m Durchmesser, 400 m Höhe und einem Fassungsvermögen von 10 Millionen Tonnen Rohöl.

Der Mineralölverbrauch der Bundesrepublik betrug 1978 rund 23 Millionen Tonnen Motorenbenzin, 22 Millionen Tonnen schweres Heizöl und 50 Millionen Tonnen leichtes Heizöl. Diese Zahlen lassen deutlich die Auswirkungen der starken Motorisierung sowie die Änderung der Heizgewohnheiten erkennen. Im Zeitraum 1979 und 1980 (1. Halbjahr) kann man bereits einen neuen Trend beobachten. Der Verbrauch von leichtem Heizöl ist um 15%, der von schwerem Heizöl um 12% gesunken, der Benzinabsatz jedoch um 4% angestiegen.

Die Erdgasförderung der Bundesrepublik, die zwischen 1953 und 1978 von 0,1 Milliarden m^3 auf 20,2 Milliarden anstieg und heute 37% des Bedarfs decken kann, stammt zu 95% aus den norddeutschen Feldern, die vor allem zwischen Weser und Ems liegen, sowie zu 5% aus dem Alpenvorland. Durch aufwendige Suchbohrungen hofft man, die nachgewiesenen Vorräte von 300 Milliarden m^3 in den nächsten Jahren verdoppeln zu können. Die benötigten Erdgasimporte kommen seit 1973/74 über Ferngasleitungen aus der Sowjetunion und aus dem niederländischen Erdgasfeld Slochteren sowie dem inmitten der Nordsee gelegenen norwegischen Feld Ekofisk. Die Erdgaserzeugung, die durch eine bereits früher stark entwickelte Industriegasgewinnung ergänzt wird, ist durch ein weitverzweigtes Erdgas-Pipeline-Netz mit den Verbrauchsgebieten verbunden. Eine neue Entwicklung setzte 1962 mit den unterirdischen Gasspeichern ein. Bei den Porenspeichern wird das Gas in aufgewölbte, allseits von undurchlässigen Schichten begrenzte poröse Gesteine (z.B. Sandstein) gepreßt. Kavernenspeicher bieten in ausgelaugten Salzdomen und Salzschichten eine Lagerungsmöglichkeit für Flüssiggas. Porenspeicher liegen u.a. bei Hamburg, Hannover, Darmstadt und Nürnberg, Kavernenspeicher bei Heide und Kiel.

Die bisher aufgezeigten primären Energieträger bilden die wichtigste Grundlage für die Erzeugung von Sekundärenergie. Die Elektrizitätserzeugung und Verbundwirtschaft zeigen anschaulich die natur- und wirtschaftsgeographische Vielfalt Deutschlands, bilden doch einerseits die Bodenschätze (Stein- und Braunkohle, Erdöl und Erdgas), andererseits die Wasserkräfte, die ihrerseits wiederum von Relief und Niederschlagsreichtum abhängen, die Grundlage der Stromerzeugung. Da die Braunkohlenlagerstätten in der Kölner und Leipziger Bucht sowie in der Niederlausitz liegen, die Steinkohlenvorkommen im Ruhrgebiet, Aachener Revier und Saargebiet, stehen dort auch die meisten und größten thermischen Kraftwerke: Frimmersdorf in der Ville, Schwarze Pumpe und Boxberg in der Niederlausitz. Die Wärmekraftwerke der Ville liefern rund 30% der bundesdeutschen Stromerzeugung, während in der DDR der Bezirk Cottbus/Niederlausitz der größte Energielieferant ist, da er 70% seiner Erzeugung an andere Bezirke abgeben kann. Umgekehrt hat der an zweiter Stelle in der Energieerzeugung stehende Bezirk Halle wegen der starken Industrialisierung und des damit verbundenen hohen Verbrauchs ein Stromversorgungsdefizit von 25%. Ähnliches gilt von den auf Steinkohlenbasis arbeitenden Kraftwerken im Ruhrgebiet, im Aachener Revier und im Saargebiet. Sie erzeugen zwar rund 20% des Strombedarfs der Bundesrepublik, liegen aber in Räumen besonders hohen Strombedarfes.

Die Zunahme der Erdgasförderung und der Ölimporte mit ihren anfallenden Überschüssen an schwerem Heizöl ließen in Nordwestdeutschland, vor allem bei Bremen, Hamburg und Minden, zahlreiche Kraftwerke mit Heizöl-, Erdgas- oder

Mischfeuerung entstehen. Die thermischen Kraftwerke sind jedoch nicht nur an den Lagerstätten zu finden, sondern auch an den Hafenstandorten (Importkohle, Importöl) der Nord- und Ostseeküste sowie entlang den schiffbaren Flüssen und Kanälen (Oberrhein, Neckar, Main), wo sie besonders in den Verdichtungsräumen Rhein-Main, Rhein-Neckar, Stuttgart und Nürnberg konzentriert sind. Weitere thermische Kraftwerke entstanden bei den Raffineriestandorten Karlsruhe und Ingolstadt. Ansonsten bildet der süddeutsche Raum mit seinen zahlreichen Wasserkraftwerken, die sich perlschnurartig an den wasser- und gefällereichen Alpenflüssen Inn, Isar, Lech, Iller und Hochrhein sowie am Oberrhein aufreihen, eine wichtige Ergänzung zu den thermischen Kraftwerken. Etwas geringer ist die Elektrizitätserzeugung in den Laufwasserkraftwerken an Neckar, Main und Mosel. Am Alpenrand und in der Mittelgebirgszone liegen auch fast alle Langzeit- und Pumpspeicherwerke, deren bedeutendste das Schluchsee- und Walchenseewerk sowie das Werk Waldeck (Edertalsperre) sind. Im Norddeutschen Tiefland liegt nur das Pumpspeicherwerk Geesthacht. Diese Werke haben die Aufgabe, Strombedarfsspitzen zu decken.

An die großen Flüsse sind wegen des enormen Kühlwasserbedarfs auch die Kernkraftwerke gebunden. So liegen von den bis 1980 in Betrieb genommenen Kernkraftwerken drei an der Unterelbe, eines an der Unter- und zwei an der Mittelweser, vier am Rhein, zwei am Neckar und je eines an Main, Donau und Isar.

Die DDR besitzt außer den Braunkohlekraftwerken nur noch wenige Pumpspeicher- und Langspeicherwerke (vor allem die Saaletalsperre) sowie ein einziges größeres Kernkraftwerk (KKW Nord bei Lubmin). Vergleicht man die Elektrizitätsversorgung beider deutscher Staaten miteinander, so fällt neben den großen Kapazitätsunterschieden (Bundesrepublik 353 Milliarden, DDR 96 Milliarden Kilowattstunden) vor allem die unterschiedliche Energiebasis auf. Diese beruht in der Bundesrepublik zu je einem Viertel (28%, 25%, 23%) auf Braunkohle, Steinkohle und Erdgas, zu 10% auf Erdöl, zu 8% auf Kernenergie und zu 6% auf Wasserkraft. In der DDR ist die Braunkohle (84%) die Hauptgrundlage der Elektrizitätserzeugung. Erdöl und Wasserkraft sind hier nur mit 3 bzw. 2% beteiligt.

Der auch in Zukunft stark ansteigende Strombedarf der Bundesrepublik soll nach den ursprünglichen Plänen der Bundesregierung bis 1990 zu etwa 66% durch Kernkraftwerke gedeckt werden, ein Vorhaben, das inzwischen bereits revidiert wurde. Unterzieht man die Energieversorgung der Bundesrepublik einer integrierten Betrachtung, so kommt man zu folgendem Ergebnis: Bis zum Zweiten Weltkrieg war das Deutsche Reich neben Großbritannien der Hauptenergielieferant Europas. Neben Steinkohle und Wasserkraft trat dabei in der Zwischenkriegszeit bereits die Braunkohle hervor, bei der das Deutsche Reich und später die DDR eine Spitzenstellung in der Welt einnahmen und einnehmen. In der Nachkriegszeit war die Bundesrepublik zunächst infolge der Montanverträge ein Billigkohlenlieferant der EWG-Staaten. Der Wegfall der Preisbindung, billige Importkohle und die Umstellung auf Erdöl und Erdgas hatten 1957 den Beginn der Kohlenkrise zur Folge, die zwischen 1962 und 1978 die deutsche Kohleförderung von 142 Millionen Tonnen auf 84 Millionen Tonnen zurückgehen ließ. Gleichzeitig stieg der Erdölverbrauch zwischen 1960 und 1972 kontinuierlich von 29 Millionen Tonnen auf 110 Millionen Tonnen SKE an, bevor dieses Wachstum durch die 1973 ausgelöste Ölkrise in eine leicht rückläufige Bewegung umgepolt wurde. Diese Entwicklung hatte wiederum zur Folge, daß sich zwischen 1972 und 1978 der Erdgasverbrauch von 27 Milliarden auf 53 Milliarden Kubikmeter verdoppelte, wobei im Gegensatz zum Erdölverbrauch (5,6%) der Anteil der Eigenerzeugung bei 37% liegt! Einen erfreulichen Aufschwung nahm auch der Anteil der einheimischen Braunkohle an der deutschen Energieerzeugung, denn die Braunkohlenförderung, die fast ausschließlich als Energiebasis der thermischen Kraftwerke dient, stieg zwischen 1966 und 1978 von 98 Millionen Tonnen auf 123,6 Millionen Tonnen. Das alles kann jedoch nicht darüber hinwegtäuschen, daß der Anteil der heimischen Rohstoffe Steinkohle und Braunkohle an der Primärenergie zwischen 1950 und 1980 von 87,2% auf 24,8% zurückging, während der Anteil von Erdöl und Erdgas im selben Zeitraum von 6,4% auf 66,8% anstieg. Da jedoch nur rund 5% des Erdöls und etwa 40% des Erdgases aus eigener Förderung stammen, führte dieser Strukturwandel zu einer starken Auslandsabhängigkeit nicht nur der Bundesrepublik, sondern auch der DDR.

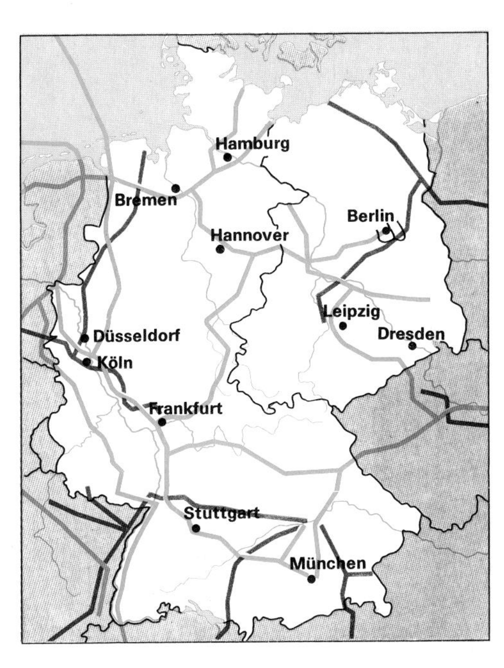

Erdöl- (rote Linien) und Erdgasleitungen (blaue Linien) in Deutschland.

Ist der Bergbau am Ende?

Zu den wichtigsten Bodenschätzen Deutschlands zählte früher das Eisenerz. Aber gerade hier zeigt sich besonders deutlich der Wandel in der Rohstoffversorgung seiner Industrien. 1913 stand das Deutsche Reich mit einer Eisenerzförderung von 28,6 Millionen Tonnen (davon 21,1 Millionen Tonnen aus Lothringen) hinter den USA an zweiter Stelle in der Welt. Der Erste Weltkrieg brachte jedoch eine erhebliche Verschiebung der Eisenerzbasis in Deutschland und Frankreich mit sich. Besaß das Deutsche Reich vor dem Krieg 33,6% aller Erzlagerstätten Europas, Frankreich jedoch nur 20,4% und Großbritannien 15,2%, so hatte sich nach der Abtretung Lothringens das Verhältnis total geändert. Nun lag Frankreich mit 41,1% vor Großbritannien und dem Deutschen Reich, das nur noch 6,9% aller europäischen Erzvorräte besaß. Durch die Gebietsverluste nach dem Ersten Weltkrieg war Deutschland gezwungen, seine eisenarmen, jedoch kiesel- und phosphorsäurereichen Erzlager auszubeuten und den größten Teil des Erzbedarfs zu importieren. So stand 1935 einer Fördermenge von 6 Millionen Tonnen ein Erzimport von 14 Millionen Tonnen - davon über 50% aus Schweden - gegenüber.

Die Hauptfördergebiete waren 1935 das Siegerland (36%), das Lahn-Dill-Gebiet (13%), der Raum Peine-Salzgitter (23%) und die Oberpfalz (16%). Da diese Gebiete durchweg im Bereich der späteren Bundesrepublik lagen, hatte diese nach dem Zweiten Weltkrieg weit günstigere Startbedingungen als die DDR. Die Förderleistungen im Bereich der heutigen Bundesrepublik stiegen zwischen 1950 und 1960 von 10,9 auf 19 Millionen Tonnen, sanken jedoch bis 1978 auf 1,6 Millionen Tonnen ab. Gleichzeitig stieg zwischen 1950 und 1977 der Erzimport der Bundesrepublik von 5 Millionen Tonnen auf 43 Millionen Tonnen an, wobei die Hauptlieferländer in Übersee lagen. So kamen 1977 immerhin 27% der importierten Eisenerze aus Brasilien, 18% aus Liberia, 14% aus Australien, 12% aus Kanada und 6% aus Südafrika, während der vorher sehr starke Anteil Schwedens auf 11% abgesunken war. Die DDR wird dagegen überwiegend von der Sowjetunion beliefert. Der starke Importdruck der billigeren und hochwertigeren ausländischen Erze hatte zur Folge, daß der traditionsreiche Eisenerzabbau im Siegerland (1960 nur noch 2 Millionen Tonnen) 1964/65 eingestellt wurde und der Abbau im Raum Peine-Salzgitter von 10 Millionen Tonnen (1960) auf 1,2 Millionen Tonnen (1977) abgesunken ist. Zwischen 1960 und 1978 sank die Zahl der Eisenerzgruben von 60 auf 4, die Zahl der Beschäftigten schrumpfte sogar innerhalb von 3 Jahren (1975-1978) von 24000 auf unter 1000 zusammen. Im Hinblick auf die Importabhängigkeit beim Erzbezug ist es von großem Vorteil, daß fast alle Hüttenwerke der Bundesrepublik (mit Ausnahme derjenigen in der Oberpfalz und im Saarland) an leistungsfähigen Wasserstraßen liegen; dadurch lassen sich die Transportkosten gering halten.

Ebenso wie beim Eisenerz ist die Bundesrepublik auch bei den für die Industrie so wichtigen Nichteisenmetallen (NE-Metallen) zu 95%-100% auf Importe angewiesen. Auch hier zeigt sich eine laufende Verschlechterung der Situation. So verlor Deutschland nach dem Ersten Weltkrieg mit Ostoberschlesien zwei Drittel seiner Zink- und ein Viertel seiner Bleierz-Lagerstätten, nach dem Zweiten Weltkrieg mit dem restlichen Oberschlesien 75% der Zink- und 40% der Bleierzeugung. Die Zink- und Bleierzlagerstätten im Rheinischen Schiefergebirge, die 1977 noch 35% bzw. 9% des deutschen Bedarfs deckten, sind inzwischen weitgehend erschöpft.

Die bedeutendsten deutschen Kupfererzvorkommen befinden sich im Raum Mansfeld-Eisleben-Sangerhausen (Förderung 1977: 17000 Tonnen Kupferinhalt). Sie fielen bei der Teilung Deutschlands an die DDR und decken dort knapp die Hälfte des Eigenbedarfs, während die erst nach 1960 erschlossenen riesigen Kupfererzlagerstätten Niederschlesiens (1977: 289000 Tonnen Kupferinhalt) Polen zum wichtigsten Kupferproduzenten Europas machen. Auch die einzigen nennenswerten Zinn- und Nickelerzlagerstätten Deutschlands im Erzgebirge kamen zur DDR. In der DDR wurden nach 1945 auch die damals bedeutendsten Uranerzlager Europas entdeckt und von der Sowjetisch-Deutschen-Wismut AG ausgebeutet. Das vollständig in die Sowjetunion ausgeführte Uranerz wurde vor allem bei Aue und Johanngeorgenstadt im Erzgebirge sowie bei Greiz, Ronneburg und Saalfeld abgebaut. Auch in den Sudeten wurden Uranerzlagerstätten (bei Waldenburg, Hirschberg und Glatz) erschlossen. Abbauwürdige Uranerzvorkommen gibt es auch in der Bundesrepublik, so zum Beispiel im Rheinischen Schiefergebirge, im Schwarzwald, im Fichtelgebirge und im Bayerischen Wald. Das erste Uranbergwerk der Bundesrepublik wurde 1959 im Hunsrück in Betrieb genommen.

Befeuchtung des Titanerzlagers im Bayerwerk in Uerdingen

Titanerz ist einer der rund 4000 Roh-, Hilfs- und Betriebsstoffe, die für die Produktion beschafft werden müssen. Aus Titanerzen werden in der chemischen Industrie Titanoxidpigmente gewonnen, die zur Herstellung von Lacken und Anstrichen, Kunststoffen, Gummi, Linoleum, Zement und ähnlichem verwendet werden.

Obwohl Deutschland über keinerlei Bauxitlagerstätten wie etwa Frankreich, Ungarn oder Jugoslawien verfügt, besitzt es eine bedeutende Aluminiumindustrie. Stand es bereits 1938 mit einer Aluminiumproduktion von 161000 Tonnen (28,6% der Welterzeugung) an erster Stelle, so nimmt heute (1978) die Bundesrepublik in der Produktion von Hüttenaluminium mit 739000 Tonnen (5,6% der Weltproduktion von 13,1 Millionen Tonnen) den vierten Platz hinter den USA, der Sowjetunion und Japan ein, während die DDR mit 65000 Tonnen weit hinten liegt. Eine große Rolle spielt jedoch auch die Rückgewinnung aus Abfällen. Immerhin produzierte die Bundesrepublik auf diese Weise weitere 413000 Tonnen (1978). Die jährlich benötigte Bauxitmenge beträgt rund 4 Millionen Tonnen. Der Rohstoff wurde 1977 zu 53% aus Australien, 32% aus Guinea, und 10% aus Sierra Leone importiert. Die Standorte der Aluminiumverhüttung liegen wegen des hohen Energieverbrauchs in der Nähe der Wärme- und Wasserkraftwerke (Ville, Ruhrgebiet, Oberbayerisches Chemiedreieck, Hochrhein) oder wegen der Rohstoffimporte verkehrsgünstig an der Küste (Raum Hamburg).

Deutschland gehört zu den salzreichsten Ländern der Erde. Bereits in vor- und frühgeschichtlicher Zeit wurde das meist aus Solequellen gewonnene Salz auf wichtigen Salzstraßen verfrachtet. In Hallstadt und Berchtesgaden gab es bereits keltische Salzbergwerke. Keltisch sind auch viele Ortsnamen, die auf Salzreichtum hindeuten, wie Halle, Schwäbisch Hall, Reichenhall, Hallstatt, Hallein und viele andere (Hal = Salz). Viele Städte kamen durch das Salz zu großem Reichtum, wie Schwäbisch Hall, dessen Münze, der Heller (Häller), weit verbreitet war, oder Lüneburg, das ein wichtiger Salzlieferant der Hanse war. München entstand als Brückenort an der alten Salzstraße von Salzburg nach Augsburg, und

Burg Prunn im Altmühltal

Imposant auf einen der zerklüfteten Kalkfelsen gebaut, welche das Tal der Altmühl säumen, ist die mittelalterliche Anlage der Burg Prunn bei Riedenburg. Im Jahr 1575 wurde hier eine wertvolle Handschrift des Nibelungenliedes gefunden, der sogenannte Prunner Codex. Die Kalkfelsen dienten bereits den Menschen der altsteinzeitlichen Kultur zum Bau von Höhlenwohnungen, die zum Teil noch erkennbar sind. Heute werden die Felsformationen des Altmühltals besonders zum Abbau von Schieferplatten genutzt. In diesem Schiefer werden dabei immer wieder versteinerte Zeugen urgeschichtlichen Lebens, wie zum Beispiel das Skelett des Urvogels Archäopteryx, gefunden.

auf dem »Goldenen Steig« wurde das Salz des Salzkammerguts von Passau nach Böhmen verfrachtet. Die deutschen Steinsalzlagerstätten finden sich im Norddeutschen Tiefland (u.a. bei Staßfurt, Schönebeck, Halle und Lüneburg), an der Werra (Heringen), im Muschelkalkbereich Süddeutschlands (Heilbronn, Rottweil) und in den Alpen (Reichenhall, Berchtesgaden).

Besonders rentabel ist der Abbau im Norddeutschen Tiefland, und zwar vor allem wegen des Vorkommens mächtiger Salzhorste, die durch starken tektonischen Druck bis nahe an die Oberfläche emporgepreßt wurden. Die Mächtigkeit dieser Salzlager beträgt im Durchschnitt rund 500 m und erreicht Maximalwerte von über 1000 m. Neben dem in Nordwestdeutschland betriebenen bergmännischen Abbau spielt aber auch die Salzgewinnung aus Salzsole, die an die Oberfläche gepumpt und in Salinen verarbeitet wird (Reichenhall), eine große Rolle. Der Salz- und Mineralreichtum vieler Heilquellen ist in zahlreichen Kurorten von erheblicher wirtschaftlicher Bedeutung. Mit einer Steinsalzförderung von rund 12 Millionen Tonnen (1976) steht die Bundesrepublik Deutschland an erster Stelle in Europa und an dritter in der Welt. Die Salzförderung in der DDR liegt dagegen nur bei 2,6 Millionen Tonnen.

Wichtiger als die Steinsalzvorkommen sind heute die oft mit ihnen vergesellschafteten Kalisalzlagerstätten, die sich vor allem in der Umrahmung des Harzes, im Fulda-Werra-Gebiet und in der Oberrheinebene finden, wo ihr Abbau im Elsaß (bei Mülhausen) eine große Bedeutung hat, während die Kalisalzförderung auf badischer Seite (Buggingen) 1973 eingestellt wurde. Die früher nur als ein lästiges Nebenprodukt der Steinsalzgewinnung betrachteten Kalisalze (Abraumsalze) wurden erst 1832 durch den Chemiker Justus von Liebig in ihrem hohen Düngewert erkannt und zunächst aus Abraumhalden, später im Bergbau gewonnen. Seit über 100 Jahren gehören die Kalisalze zu den wichtigsten deutschen Bodenschätzen. In Staßfurt wurde 1861 die erste Kalifabrik eröffnet, 1863 wurde der erste Kalidünger hergestellt. Bis zum Ersten Weltkrieg hatte das Deutsche Reich mit 96% der Weltförderung eine Monopolstellung, die durch die Abtretung der elsässischen Kalilager und die Entdeckung zahlreicher neuer Lagerstätten in aller Welt gemindert wurde. Trotzdem erzeugte das Deutsche Reich in der Zwischenkriegszeit noch über 70% der Weltproduktion. Durch die Teilung Deutschlands kam der weitaus größte Teil der Kalisalzvorräte (rund 80%) an die DDR. Auch bei den Produktionsstätten war die DDR begünstigt. So wurden 1936 von der Kaliproduktion 950000 Tonnen im Bereich der späteren DDR und nur 670000 Tonnen im Gebiet der späteren Bundesrepublik Deutschland erzeugt. Die Vergleichszahlen der folgenden Jahre zeigen zunächst eine Verdreifachung der Produktion gegenüber der Zwischenkriegszeit und eine unterschiedliche Produktionssteigerung in beiden deutschen Staaten. Lag 1950 die DDR mit 1340000 Tonnen noch deutlich vor der Bundesrepublik (1090000 Tonnen), so übertraf in den folgenden Jahren die Produktion der Bundesrepublik (1954: 1940000 Tonnen; 1964: 2201000 Tonnen) stets die der DDR (1460000 Tonnen bzw. 1837000 Tonnen). Bis 1975 wurde die Bundesrepublik (2,6 Millionen Tonnen) jedoch wieder von der DDR (3 Millionen Tonnen) überholt. Entfielen 1964 noch 22% (Bundesrepublik) bzw. 18% (DDR) der Weltproduktion (9,95 Millionen Tonnen) auf die beiden deutschen Staaten, so hatten diese 1975 nur noch einen Anteil von 12% (DDR) bzw. 11% (Bundesrepublik) an der auf rund 25 Millionen Tonnen angestiegenen Weltproduktion. Der Kaliexport spielt in beiden deutschen Staaten eine wichtige Rolle.

Zu den wirtschaftlich wichtigen Bodenschätzen Deutschlands gehören auch die ausgedehnten Natursteinvorkommen, die stets an bestimmte geologische Schichten gebunden sind und sich vor allem in der Mittelgebirgszone konzentrieren. Hier liegen die Basaltbrüche der Eifel und des Westerwalds, des Vogelsbergs und der Rhön, deren Material zum Deichbau oder als Straßen- bzw. Schienenschotter Verwendung findet. Berühmt sind auch die Quarzitbrüche des Hunsrück, die Granitvorkommen im Fichtelgebirge sowie die Marmorgesteine am Alpenrand. Schieferbrüche liefern Material für Schieferdächer und Verkleidungen der Häuser (Rheinisches Schiefergebirge, Thüringer Wald, Frankenwald). Besonders groß ist die Auswahl an Bausteinen. Sie reicht vom Buntsandstein des Spessarts oder Schwarzwalds über den Muschelkalk Mainfrankens und Neckarschwabens bis zu den vielfarbigen Keupersandsteinen, dem braunen Doggersandstein und den weißen Malmkalken des Jura. Diese Natursteine werden in jüngster Zeit zunehmend durch Beton und Kunststeine aus Bimskies (Neuwieder Becken) oder Hochofenschlacke (Ruhrgebiet) verdrängt.

Die Zementerzeugung ist an die Kalkvorkommen im Norddeutschen Tiefland (Itzehoe, Münsterländische Bucht), in der Mittelgebirgszone (Devonkalk im Schiefergebirge, Muschelkalk und Malmkalk im Süddeutschen Stufenland) sowie am Alpenrand (Kiefersfelden) gebunden. Ziegeleien findet man bei den Lehm- und Tonvorkommen vom Marschensaum bis zum Alpenrand. Groß ist die Zahl der Kies- und Sandgruben, die sich vor allem entlang der Flußläufe und in jungen Aufschüttungsgebieten (Oberrheinebene, Alpenvorland) häufen. Tonvorkommen, Kaolinlagerstätten und Flußspatvorkommen bilden vielerorts die Grundlage der Keramischen Industrie (besonders der Porzellanindustrie Oberfrankens) und der Glaserzeugung. Bedeutsam ist auch die Kieselgurförderung in der Lüneburger Heide, die etwa 10% der Weltproduktion umfaßt.

Das Monopol Deutschlands in der Bernsteingewinnung ist durch den Verlust Ostpreußens erloschen. Die wichtigsten Vorkommen an der Küste des Samlands, die seit 1912 auch im Tagebau ausgebeutet wurden und jährlich 500000 kg Rohbernstein lieferten, werden heute von der Sowjetunion genutzt. Die Bernsteinküste war bereits in vorgeschichtlicher Zeit das Ziel mehrerer »Bernsteinstraßen«, die neben den »Salzstraßen« zu den wichtigsten Handelswegen Mitteleuropas gehörten.

Nächste Doppelseite:

Sylvenstein-Stausee in Oberbayern

Die landschaftlich reizvoll gelegene Sylvenstein-Talsperre am Oberlauf der Isar dient zum einen der Regulierung des Flußwasserstands und zum anderen der Stromgewinnung. Jährlich liefert das Wasserkraftwerk des Stausees ca. 16 Millionen kWh. Insgesamt werden in der Bundesrepublik etwa zwei bis drei Prozent der benötigten Energie aus solchen mit Wasserkraft betriebenen Elektrizitätswerken gedeckt; die landschaftlich flachere DDR verfügt über keine nennenswerte Energiegewinnung aus Wasserkraft.

Auch Wasser ist ein Bodenschatz

Bodenschätze besonderer Art sind die Grundwasservorräte, die im Hinblick auf den immer höheren Wasserverbrauch der Privathaushalte und Industriebetriebe und die ständig steigende Verschmutzungsgefahr eine rasch zunehmende Bedeutung haben. Dabei ist das Grundwasser nur eine Teilgröße im Gesamtrahmen der Wasserwirtschaft, die als Objekt des Umweltschutzes eine immer stärkere Beachtung findet.

Die prognostizierte »Wasserbilanz« der Hydrologen für das Jahr 2000 sieht folgendermaßen aus: Von den rund 800 mm Niederschlag in der Bundesrepublik Deutschland verdunsten etwa 400 mm. Von den restlichen 400 mm fließen 290 mm als Oberflächenwasser ins Meer und nur 110 mm gelangen ins Grundwasser, von dem wiederum 77 mm in Quellen zutage treten. Die restlichen 33 mm bilden, angereichert um 10 mm Oberflächenwasser, den Grundwasservorrat. Von diesen insgesamt 43 mm werden 24 mm in Haushalten und im Kleingewerbe, 18 mm in der Industrie und 1 mm in der Landwirtschaft verbraucht. Die Nutzung des Oberflächenwassers ist mit 90 mm - ohne den bereits durch Verregnung (Anreicherung) ins Grundwasser eingeleiteten Anteil - rund doppelt so stark wie die des Grundwassers. Den größten Teil des Oberflächenwassers verbrauchen Industrie (77 mm) und Landwirtschaft (10 mm), und nur ein relativ kleiner, aber ständig zunehmender Teil (3 mm) entfällt auf die Haushalte und das Kleingewerbe.

Dieser stark vereinfacht dargestellte Wasserkreislauf hat zur Folge, daß die den Flüssen zugeleiteten Abwassermengen (99 mm) wesentlich höher sind als die Quellschüttungen (77 mm) und mehr als ein Viertel des zum Meere fließenden Oberflächenwassers umfassen. Dieses Flußwasser ist durch die Nutzung als Kühlwasser (Kraftwerke) und die dadurch bedingte Aufwärmung nochmals zusätzlich belastet.

Dieser Idealkreislauf wird durch die naturräumliche Gliederung und die unterschiedlichen Flußsysteme, Klimabereiche und Wasserverbrauchsgebiete in mannigfacher Weise abgewandelt. So wird das Verhältnis von Grundwasser zu Oberflächenwasser durch die hydrogeologische Struktur eines Gebiets bestimmt. Als Grundwasserspeicher gelten Kiese und Sande, wie sie im Norddeutschen Tiefland, in der Oberrheinebene und im Alpenvorland weit verbreitet sind. Schwer erschließbares Grundwasser findet man in den Buntsandsteingebirgen und in den verkarsteten Muschelkalk- und Juralandschaften sowie in Basaltbereichen. Grundwasserarm sind die tertiären und mesozoischen Letten, Tone und Mergel, die allerdings vielfach zu oberflächlicher Staunässe neigen und deshalb häufig zur Anlage von Fischteichen (Aischgrund, Wondrebsenke) genutzt werden. Auch in den Schiefern des Thüringer Walds und des Rheinischen Schiefergebirges finden sich nur stellenweise (u.a. in Störungszonen) größere Grundwasservorräte. Nicht zu nutzen ist

»Es klappert die Mühle am rauschenden Bach ...«

Die im deutschen Volkslied besungene Mühle, welche über ein Wasserrad die für die Maschinen benötigte Energie gewinnt, gehört längst der Vergangenheit an. Allerdings werden angesichts der Energieverknappung und -verteuerung in den letzten Jahren zunehmend Stimmen laut, die fordern, daß man sich auch auf diese kleintechnologischen, preiswerten Lösungen wieder stärker besinnen solle. Ebenfalls einen Platz in diesen Überlegungen findet dabei eine andere alte Müllertechnik: die Windmühle. Die abgebildeten Wasserräder fand der Fotograf in dem nahe der luxemburgischen Grenze gelegenen Saarburg.

das stark versalzene (brackische) Grundwasser im Marschensaum der deutschen Nordseeküste. In den Braunkohlenrevieren der Kölner und der Leipziger Bucht muß der Grundwasserspiegel durch künstliche Eingriffe beträchtlich abgesenkt werden, um die Braunkohlen im Tagebau gewinnen zu können. So wurde im Tieftagebau der Ville die Erft verlegt und der Grundwasserspiegel durch 100 Tiefpumpen, die etwa fünf Milliarden m^3 Wasser durch den 35 km langen und 11 m breiten Kölner Randkanal zum Rhein abpumpten, um 200 m abgesenkt.

Eine Verminderung der Grundwasservorräte erfolgt vielerorts durch die zunehmende Überbauung und die damit verbundene »Versiegelung« des Bodens. Dadurch kommt es auch zu einem verstärkten Abfluß und zu erhöhter Hochwassergefahr.

Neben den hydrogeologischen Verhältnissen des Gesteinsuntergrunds sind vor allem die regional unterschiedlichen Niederschlagshöhen für das Wasserangebot verantwortlich. Die niederschlagsreichen Gebirgszonen sind als »Regenfänger« die wichtigsten Wasserlieferanten, die im Regenschatten liegenden Beckenlandschaften und die großen Verdichtungsräume sind die Hauptverbrauchsgebiete. Hierbei ist es von großem Vorteil, daß der reich beregnete Nordrand der Mittelgebirgszone in nächster Nachbarschaft zur relativ niederschlagsarmen, aber dichtbesiedelten Bördenzone liegt. So gilt das Sauerland als »Wasserturm des Ruhrgebiets«, der Harz als Wasserlieferant von Hannover und Bremen. In beiden Gebirgen dienen zahlreiche Talsperren der Trinkwasserversorgung benachbarter Verdichtungsräume. Ähnliche Funktionen haben im Süden der niederschlagsreiche Schwarzwald (über 2000 mm) für die Oberrheinebene und die Rhön (1100 mm) für das trockenwarme Mainfranken.

Bedeutende Wasserlieferanten sind schließlich auch die Alpenflüsse, doch wird ein großer Teil des Wasserüberschusses durch die Donau, die »Dachrinne« des Alpenvorlands, in relativ dünnbesiedelte Räume abgeführt. Umgekehrt sind die dicht besiedelten Räume um Stuttgart und Nürnberg ausgesprochene Wassermangelgebiete. Als Ausgleich dieses Mißverhältnisses bietet die Landesnatur eine ideale Lösungsmöglichkeit an. Da die im Regenschatten gelegenen Verdichtungsräume im Neckar- und Regnitzbecken mit ihrer zusätzlich ungünstigen hydrogeologischen Struktur niedriger liegen als die Alpenflüsse, konnte man unter Ausnutzung des natürlichen Gefälles Fernwasserleitungen bauen. Der größere Wasserbedarf Neckarschwabens wird dabei durch drei Fernwasserleitungen gedeckt, von denen die ältere mit einem Durchmesser von 160 cm mit Grundwasser der Donau im Donauried und von einer Karstquelle auf der Schwäbischen Alb (Egauquelle), die beiden jüngeren Leitungen (Durchmesser 160 cm und 130 cm) durch Bodenseewasser gespeist werden. Das 750 km lange Leitungsnetz der Bodenseewasserversorgung (BWV) versorgt allein 550 Gemeinden mit über 2,5 Millionen Einwohnern. Das benötigte Wasser wird bei Sipplingen in 60 m Tiefe dem Bodensee entnommen. Die benötigte Wassermenge von 7,5 m^3/s beträgt dabei nur einen Bruchteil des natürlichen Bodensee-Abflusses von durchschnittlich 350 m^3/s.

Der gegenüber Neckarschwaben geringere Wasserverbrauch im Raum Nürnberg-Fürth-Erlangen wird durch eine rund 100 km lange Fernwasserleitung mit einem Rohrdurchmesser von 100 bis 140 cm aus dem Lechmündungsbereich gedeckt. Diese »Wasserversorgung Fränkischer Wirtschaftsraum« (WFW) liefert über 50% des in Nürnberg benötigten Wassers. Die übrige Wasserzufuhr erfolgt aus dem Veldensteiner Forst sowie aus Erlenstegen und Eichelberg.

Am komplexesten ist die Wasserver- und -entsorgung des Ruhrgebiets, das mit 3,5–4 Millionen Einwohnern der größte Verdichtungsraum Mitteleuropas ist. Grob betrachtet ergibt sich hier folgende Aufgabenverteilung: Die Ruhr als der Vorfluter des niederschlagsreichen Sauerlands ist in Zusammenhang mit über 40 Stauseen der Lieferant für Trinkwasser und industrielles Brauchwasser und zugleich der Abwasserkanal des teilweise stark industrialisierten Sauerlands. 115 Kläranlagen bewältigen rund 350 Millionen m^3 Abwasser pro Jahr und machen die Ruhr zu einem der saubersten Flüsse Deutschlands. Die Emscher hat im Gegensatz zur Ruhr die Hauptaufgabe, die Abwässer des gesamten Verdichtungsraums zu sammeln. Dieser durch den Kernraum des Ruhrgebiets mit 97% Stadtfläche und einer durchschnittlichen Bevölkerungsdichte von etwa 3400 Einwohnern/km^2 fließende Tieflandfluß ist durch Bergsenkungsgebiete bis zu 12 m in seinem natürlichen Gefälle empfindlich gestört und muß deshalb durch Deiche und mehr als 70 Pumpwerke lebensfähig erhalten werden. Der von den Kokereien eingeleitete Phenolanteil wird in 19 Filteranlagen gesammelt, von denen die größte in Bottrop dem Fluß allein täglich mehr als 1000 Tonnen Feststoffe (ein Güterzug) entzieht. Wegen des hohen Gehalts an Feinkohle wird das Klärmaterial in einem Elektrizitätswerk verbrannt. Weitere 23 Kläranlagen reinigen die eingeleiteten Abwässer, darunter das vollbiologisch arbeitende Werk »Emschermündung«. In die Aufgabenteilung der Ruhrgebietsflüsse ist schließlich auch die Lippe einbezogen. Obwohl in ihrem Bereich zahlreiche Trink- und Brauchwasser-Gewinnungsgebiete liegen, besteht ihre Hauptfunktion darin, die Schiffahrtswege des nördlichen Ruhrgebiets mit Wasser zu versorgen.

Neben den fließenden spielen auch die stehenden Gewässer eine Rolle. Sie finden sich gehäuft in den eiszeitlich überformten Landschaften des Norddeutschen Tieflands und des Alpenvorlands. In den Jungmoränengebieten des Baltischen Höhenrückens liegen von der Holsteinischen Schweiz über die Lauenburger und Mecklenburgische Seenplatte, die Pommersche und Kaschubische Schweiz bis zu den Seen Masurens über 10000 nach Größe und Wassertiefe verschieden gestaltete Seen. Besonders seenreich ist auch die Mark Brandenburg rund um Berlin. In den Altmoränengebieten Nordwestdeutschlands sind dagegen die Seen bis auf wenige Ausnahmen wie Dümmer, Steinhuder und Zwischenahner Meer meist verlandet. Im schwäbisch-bayerischen Alpenvorraum gibt es außer den großen Vorlandseen, deren größte der Bodensee (538 km^2), der Chiemsee (80 km^2), der Starnberger See (57 km^2) und der Ammersee (48 km^2) sind, noch tief im Gebirge liegende Seen wie Königssee, Eibsee oder Walchensee. Sie verdanken ihre Entstehung Rückzugsphasen des alpinen Eises.

Auffallend arm an Seen sind die deutschen Mittelgebirge, die nur in den ehemals vergletscherten Teilen von Schwarzwald und Bayerischem Wald Karseen (Feldsee, Mummelsee, Arbersee) oder Endmoränenseen (Titisee, Schluchsee) aufweisen. Die kreisrunden Maare der Eifel (Laacher See, Pulvermaar u.a.) sind dagegen wassergefüllte jungvulkanische Explosionstrichter, andere Seen wie der Salzunger See in Thüringen verdanken ihre Entstehung der Salzauslaugung im Untergrund und dem damit verbundenen Absacken der Erdoberfläche.

Eine große Rolle als Wasserspeicher spielen auch die Sümpfe und Moore, die teilweise aus verlandeten Seen hervorgegangen sind. Man unterscheidet zwischen den vom Grundwasser gespeisten nährstoffreichen Niedermooren oder Flachmooren und den ausschließlich vom Niederschlagswasser abhängigen nährstoffarmen und meist uhrglasförmig gewölbten Hochmooren.

Reich an Mooren sind feuchtkühle, niederschlags- und grundwasserreiche Gebiete wie Nordwestdeutschland und das Alpenvorland. Bekannt sind das Kolbermoor oder Murnauer Moos am Alpenrand, das größtenteils kultivierte Donaumoos und Donauried, das Hohe Venn im niederschlagsreichsten Teil der Eifel, das Bourtanger Moor und das Teufelsmoor in Nordwestdeutschland sowie die Lücher und Brücher der Mark Brandenburg.

So arm die Mittelgebirgszone an natürlichen Seen ist, so reich ist sie an Stauseen, deren älteste bereits im 17. und 18. Jahrhundert im Oberharz angelegt wurden. Schon vor dem Zweiten Weltkrieg gab es in Deutschland fast 160 Talsperren, und bis heute hat sich ihre Zahl trotz verkleinerter Staatsfläche erhöht. Die Anlage von Talsperren ist durch das Relief, den Niederschlagsreichtum und die nutzbaren Höhenunterschiede der Mittelgebirge stark begünstigt.

Über den gewaltigen Wasserbauwerken unserer Zeit darf man nicht die großartigen wasserwirtschaftlichen Anlagen früherer Jahrhunderte vergessen. An erster Stelle steht hier die vielerorts leider zu wenig bekannte, bergbaulichen Zwecken dienende Oberharzer Wasserwirtschaft. Bereits im 11. Jahrhundert besaß die Kaiserstadt Goslar 25 Wassermühlen, und seit dem 12. Jahrhundert wurde das Wasser im Oberharz zur Erzwäsche und zum Betreiben einfacher Wasserkraftanlagen in der Erzaufbereitung und Verhüttung verwendet, so z.B. zum Antrieb von Pochhämmern und Blasebälgen für die Luftzufuhr der Schmelzöfen. Zu diesem Zweck wurden kleine Staudämme angelegt, deren ältester bereits 1298 urkundlich erwähnt wurde. Da der Grubenbetrieb durch das Grundwasser immer mehr erschwert wurde und dessen mühsame Beseitigung durch Ledereimer, die sich die auf Leitern übereinander stehenden Wasserknechte zureichten, immer aussichtsloser wurde, endete im 14. Jahrhundert die erste Bergbauperiode. Dabei waren allerdings neben

Wasserdruckrohre zwischen der Schwarzenbachtalsperre und dem Murgtalelektrizitätswerk

Die schöne Bogenbrücke, über die auch der Fernwanderweg Pforzheim – Basel führt, überspannt die mächtigen Rohre, in denen das Wasser der idyllisch in einem Hochtälchen gelegenen Schwarzenbachtalsperre in das Murgtal bei Forbach hinunterschießt, wo es die Turbinen des Elektrizitätswerkes antreibt. Die Talsperre mit ihrer 44 m hohen Staumauer und ihrem Stauvermögen von 14,3 Millionen m^3 Wasser wurde im Jahr 1928 errichtet, um das Murgtal, das am stärksten industrialisierte Tal des Schwarzwalds, mit dem nötigen Strom zu versorgen.

den geschilderten technischen Schwierigkeiten auch wirtschaftliche Ursachen wie Holzmangel infolge Raubbaus, ungeregelter Abbau und Grubeneinstürze sowie Kapitalmangel ausschlaggebend.

Der im 16. Jahrhundert auf Veranlassung von Herzog Heinrich dem Jüngeren von Braunschweig (1514–1568) durch Bergleute aus dem Erzgebirge wieder aufgenommene Bergbau erreichte seinen großen Aufschwung durch ein ausgeklügeltes System der Wasserwirtschaft. Um das Grundwasser zu entfernen, wurden ab 1534 zahlreiche bis zu 9 km lange Abflußstollen angelegt, die bis zum niedriggelegenen Harzrand führten. Das Wasser der tieferen Abbausohlen wurde durch »Heinzen«, Holzrohre, in denen ein Seil mit Lederballen aufwärts gezogen wurde, auf Stollenniveau gehoben. Zu ihrem Antrieb dienten oft untereinander stehende und somit das Wasser höherer Stollen mehrfach nutzende Wasserräder. Da immer mehr Grundwasser beseitigt werden mußte und der Verwendungsbereich der Wasserräder immer vielseitiger wurde, nachdem man die Drehbewegung in geradlinige, Druck- und Zug- sowie unterbrochene Hubbewegung umsetzen konnte, wurden zwischen 1550 und 1750 im Oberharz 85 Teichanlagen geschaffen. Bis 1600 wurden dabei die Teiche immer oberhalb der Schachtöffnung angelegt, um das Wasser direkt auf die Wasserräder unter Tage leiten zu können. Ab 1617 war es dank der Erfindung des hölzernen Feldgestänges möglich, Kraftquelle und Verbrauchsort zu trennen, so daß Teiche auch in Nachbartälern angelegt werden konnten. Weitere Erfindungen wie die Kolbenpumpe, das Drahtseil oder die berühmte »Harzer Fahrkunst«, die den Bergleuten das mühsame Hinab- und Heraufsteigen in die bis zu 700 m tiefen Schächte erleichterte, waren nur durch die Nutzung der Wasserkraft möglich.

Im 18. und 19. Jahrhundert wagte man sich dann an besonders große Wasserbauwerke heran. So wurde 1714–21 im niederschlagsreichsten Gebiet des Harzes der Oderteich angelegt, der mit einem Fassungsvermögen von 1,7 Millionen m^3 über 150 Jahre lang (bis 1898) der größte künstliche Stausee Mitteleuropas war. Noch aufsehenerregender sind die großen Stollenbauten wie der 1777–99 angelegte, 24 km lange »Tiefe-Georg-Stollen« und der 365 m unter der Harzhochfläche liegende, 1803 begonnene und 1851–1864 vollendete 26 km lange »Ernst-August-Stollen«. Diese Stollen dienten der Wasserableitung, aber auch dem Erztransport, wozu zeitweise eine Flotte von 50 Booten im Einsatz war. Der bei Gittelde zutage tretende Ernst-August-Stollen erhielt um die Jahrhundertwende eine neue Funktion durch die Anlage von Grubenkraftwerken, stürzte doch nun das Wasser der Harzteiche in Fallrohrleitungen 364 m tief auf die unter Tage stehenden Turbinen, von wo es durch den Ernst-August-Stollen abfloß. Die Zukunft der Oberharzer Wassernutzung dürfte jedoch in der Trinkwasserversorgung liegen.

Die Oberharzer Wasserwirtschaft war jedoch noch weit vielseitiger als bisher dargestellt. So wurden im 16. Jahrhundert bis zu 60 km lange Flößstrecken angelegt, um die rasche und bequeme Anlieferung des für den Grubenausbau und die Hüttenwerke benötigten Holzes sicherzustellen. Wegen der ungenügenden Wasserführung der Bäche mußte jedoch die Holzflößerei im Schwallbetrieb, d.h. durch plötzliche Öffnung der Wehre, erfolgen. Auch dazu waren kleine Stauteiche erforderlich. Die Teiche des Harzes dienten darüber hinaus auch einer ertragreichen Fischzucht.

Diese Aufstellung zeigt, wie vielfältig und ökonomisch bedeutsam Wasserwirtschaft bereits in früheren Jahrhunderten sein konnte. Dies gilt um so mehr in heutiger Zeit, und zwar besonders für die Flüsse in Deutschland; auch dann, wenn man von ihrer Rolle als Verkehrsleitlinien und als Wasserstraßen einmal absieht. Die wasserreichen Flüsse des Alpenvorlands und seiner Nachbargebiete, wie Hochrhein, Iller, Lech, Isar und Inn, werden durch ganze Kraftwerkstreppen zur Stromerzeugung herangezogen. Dasselbe gilt in teilweise abgeschwächter Form auch für die kanalisierten Flüsse der Mittelgebirgszone (Oberrhein, Main, Neckar, Mosel) und des Norddeutschen Tieflands (Weser).

Die deutschen Flüsse sind, abgesehen von ihrer Bedeutung für die Trinkwasserversorgung, auch wichtige Wasserlieferanten für die Industrie, besonders für die chemische Industrie, weshalb fast alle großen Chemiewerke wie die BASF (Ludwigshafen), die Farbwerke Hoechst (Frankfurt a.M.-Höchst), die Farbenfabriken Bayer (Leverkusen), das Leunawerk (Leuna) oder die Anlagen des »Oberbayerischen Chemiedreiecks« bei Burghausen (Inn) an größeren Flüssen liegen.

Wie hoch der Wasserverbrauch der chemischen Industrie ist, verdeutlicht ein Beispiel: Die BASF in Ludwigshafen verbraucht mit einer Milliarde m^3/Jahr etwa soviel Wasser wie alle Privathaushalte des bevölkerungsstärksten Bundeslands Nordrhein-Westfalen (17 Millionen Einwohner) zusammengenommen. Groß ist auch die Wasserentnahme für Kühlzwecke, weshalb fast alle großen Kernkraftwerke an oder in der Nähe großer Flüsse liegen. Da die Wiedereinleitung des erwärmten Kühlwassers zur Störung des biologischen Gleichgewichts führen kann, wird von Seiten des Naturschutzes immer wieder auf diesbezügliche Gefahren hingewiesen.

Die deutschen Flüsse sind jedoch nicht nur wichtige Wasserlieferanten, sondern leider auch riesige Abwasserkanäle. So strömen beispielsweise mit dem Rheinwasser tagtäglich 90000 Tonnen Schmutz- und Schadstoffe in die Niederlande. Trotz ihrer teilweise starken Verschmutzung sind sie jedoch in vielen Fällen beliebte Reiseziele, und sie dienen nicht nur dem Wassersport, sondern ihre schönen Uferlandschaften mit malerischen Städten und Dörfern, Burgen und Schlössern werden auch gern zur Wochenend- oder Ferienerholung besucht.

Eine besondere Bedeutung kommt den Seen zu, die wie Bodensee, Ammersee oder Starnberger See als Wasserstandsregulatoren und Klärbecken für die sie durchströmenden Flüsse dienen und außerdem wichtige Wasserspeicher darstellen. Auch sie dienen – soweit wasserwirtschaftliche Gesichtspunkte (Trinkwasserspeicher) dem nicht widersprechen – als beliebte Erholungsräume. Viele Seen und Teiche, Bäche und Flüsse sind von großer Bedeutung für die Fischerei. Bekannt sind die Donauwelse, Bodenseefelchen und Rhönforellen. Die Teichwirtschaft (Karpfenzucht) ist vor allem in Schleswig-Holstein, in Sachsen (Moritzburg), im Aischgrund und in der nördlichen Oberpfalz (Wondrebsenke) verbreitet.

Der Bodensee, Deutschlands größter Wasserspeicher

Der Bodensee, ein riesiges wassergefülltes Zungenbecken des eiszeitlichen Rheingletschers und mit einer Fläche von 538 qkm der größte See, an dem Deutschland Anteil hat, ist von außerordentlicher Wichtigkeit für das Rheintal und den gesamten schwäbischen Raum. Er reguliert nicht nur den durch ihn hindurchfließenden Rhein, sondern bildet auch ein gewaltiges Wasserreservoir, aus dem riesige Mengen Wasser zur Aufbereitung als Trinkwasser entnommen werden, mit dem dann zahlreiche wasserarme schwäbische Städte bis hin zur baden-württembergischen Landeshauptstadt Stuttgart versorgt werden. Auch auf der Schweizer Seite wird für die Stadt St. Gallen Trinkwasser aus dem See gewonnen.
Die Abbildung zeigt den nordwestlichen Teil des Bodensees, den Überlinger See, mit der schräg gegenüber der Insel Mainau liegenden Wallfahrtskirche Birnau.

Die Industrie und wo sie angesiedelt ist

Die deutsche Industrie ist sehr ungleichmäßig über den geographischen Raum verteilt. Das zeigt schon eine Verbreitungskarte der Industriebeschäftigten: Im Ruhrgebiet, im Siegerland, im Raum Bielefeld sowie im Rhein-Main- und im Rhein-Neckar-Raum, in den Großräumen Stuttgart und Nürnberg, im Coburger Land und im Raum Hof beträgt ihr Anteil an der Gesamtbevölkerung über 20%, in den übrigen Bereichen der Bördenzone und der Rhein-Neckar-Achse liegt er über 12%. Ausgesprochen industriearm (mit unter 6% Industriebeschäftigten) sind dagegen weite Bereiche Schleswig-Holsteins, der Lüneburger Heide und Ostfrieslands, außerdem die Eifel, der Hunsrück und das bayerische Alpenvorland.

Obwohl die Industrie vorwiegend auf die großen Städte konzentriert ist, gibt es zwischen den einzelnen Städten erhebliche Unterschiede. Das liegt daran, daß in den großen Zentren neben der Industrie auch andere Wirtschaftszweige konzentriert sind, die den Anteil der Industriebeschäftigten schmälern können. Besonders wichtig ist dabei der Dienstleistungssektor (= tertiärer Sektor). So sind in fast allen Landeshauptstädten der Bundesrepublik »nur« zwischen 34% und 45% der Beschäftigten im produzierenden Gewerbe tätig; in Kiel, Hamburg und Bonn liegen die Werte jedoch deutlich darunter und nur in Stuttgart darüber. Von den sonstigen Halbmillionenstädten haben Köln, Essen und Dortmund (wegen fehlender Verwaltungsfunktionen) einen verhältnismäßig hohen Anteil des produzierenden Gewerbes (45%–55%) der Beschäftigten. Dieser Prozentsatz liegt noch

höher (55%–65%) in den Industriestädten Wuppertal, Duisburg, Oberhausen, Gelsenkirchen sowie in vielen Städten des Großraums Stuttgart (Esslingen, Reutlingen, Pforzheim) und in Ludwigshafen, Schweinfurt, Erlangen, Fürth, Ingolstadt und Augsburg. Noch ausgeprägtere Industriestädte (mit einem Anteil von über 65% Industriebeschäftigten) sind Solingen und Remscheid sowie viele Orte des Bergischen Landes; außerdem Salzgitter und Wolfsburg, Rüsselsheim und viele Orte im Rhein-Main-Gebiet und im Rhein-Neckar-Raum (z.B. Frankenthal) sowie mehrere Städte im Großraum Stuttgart (u.a. Neckarsulm, Bietigheim, Böblingen, Sindelfingen). Das gleiche gilt für viele Pfortenstädte der Schwäbischen Alb zwischen Villingen-Schwenningen und Heidenheim.

Deutschlands Industrieräume decken sich weitgehend mit den Bereichen hoher Bevölkerungsdichte bzw. mit den Verdichtungsräumen. Sie decken sich ebenso mit denjenigen Räumen, in denen das Bevölkerungswachstum seit 1939 mehr als 80% betrug. Es sind auch dieselben Bereiche, die durch ihren hohen Anteil an ausländischen Arbeitnehmern und ihre oftmals überdurchschnittlichen Einkommensstrukturen auffallen. Die größeren und dichter besiedelten Industrieräume haben meist eine sehr vielseitige und mannigfach untereinander verflochtene Wirtschaftsstruktur, die kleineren sind dagegen oft nur einseitig strukturiert wie z.B. Oberfranken (Porzellan- bzw. Textilindustrie), Schweinfurt (Kugellagerindustrie), Pirmasens (Schuhindustrie) oder Wolfsburg (Autoindustrie).

Textilindustrie im Nagoldtal bei Calw im Nordschwarzwald

Die Baumwollspinnerei Kentheim, aus deren Produktionsstätten die abgebildeten Aufnahmen stammen, ist Teil eines industriellen Kleinzentrums im Nagoldtal bei Calw.
Im Abstand von wenigen Kilometern haben sich hier entlang des Flusses eine Reihe von Textilfabriken angesiedelt; außer der Baumwollspinnerei sind dies die Calwer Decken- und Tuchfabriken, eine Strickwarenfabrik (mittlerweile umgesiedelt), sowie als Zulieferbetrieb eine Kratzenfabrik, welche die in der Wollfabrikation benötigten Kämme (Kratzen) herstellte (mittlerweile stillgelegt).
Alle diese Fabriken nutzten bei ihrer Gründung die Flußlage, die ihnen durch den Bau von Stauwerken, Kanälen und Turbinenanlagen eine Versorgung ihres Maschinenparks mit eigener Energie ermöglichte. Als Arbeiter standen ihnen dabei vor allem die Kleinbauern der umliegenden Dörfer zur Verfügung, die sich aufgrund ihrer kleinen Anbauflächen zur Absicherung ihrer Existenz zunehmend nach einem Zubrot in der Industrie umsehen mußten. Diese Feierabendbauern, die durch ihren Besitz in der Gegend verwurzelt waren, boten den Vorteil großer Standorttreue.
Für die reinen Arbeiterfamilien baute die Baumwollspinnerei betriebseigene Wohnungen mit Gärten in der angrenzenden Ortschaft Kentheim. Aus diesen Gründen waren 40- und 50jährige Betriebszugehörigkeiten in der Fabrik, die sich heute bereits in der dritten Generation in Familienbesitz befindet, keine Seltenheit, und nahezu die gesamte Dorfbevölkerung war in der Baumwollspinnerei beschäftigt. Dies änderte sich zum Teil, als die deutsche Textilindustrie seit den sechziger Jahren durch Billigimporte aus dem Ausland in wirtschaftliche Schwierigkeiten kam und zudem die Arbeiter durch die zunehmende Motorisierung auch weiter vom Wohnort entfernte Arbeitsplätze erreichen konnten.
Die Textilindustrie mußte nun zunehmend auf ausländische Arbeiter, die in den südeuropäischen Ländern angeworben wurden, zurückgreifen und zugleich durch Modernisierung des Maschinenparks und durch Rationalisierung der Arbeitsplätze die Produktivität erhöhen. Trotzdem konnte in der deutschen Textilindustrie in dieser Zeit der Konkurs etlicher, auch größerer Firmen nicht vermieden werden.
Die Abbildung links zeigt einen Arbeiter an modernen Ringspinnmaschinen, auf denen der vorgesponnene Baumwollfaden auf die von den Webereien gewünschte Garnstärke gedrillt wird; das rechte Foto zeigt, wie durch das Zusammenspinnen verschieden gefärbter Baumwollstränge Garne mit Mischfarben produziert werden.

Rohstoffe – Standortfaktoren und Lagevorteile

Welches aber sind die Standortfaktoren und Lagevorteile, die zu dieser ungleichmäßigen räumlichen Verteilung der deutschen Industrie geführt haben? Am einfachsten läßt sich diese Frage bei den alten und jungen Bergbaugebieten und der dortigen Aufbereitungsindustrie beantworten, denn ihre Rohstoffabhängigkeit liegt auf der Hand. Dasselbe gilt auch für die Aufbereitungs- und Verarbeitungsindustrien in den Agrargebieten, in Waldgebirgen und in Fischereihäfen. Die ältesten Bergbau- und Industriegebiete lagen ausnahmslos in den variszisch gefalteten, niederschlagsreichen Waldgebirgen, wo ausstreichende Erzadern, Holzreichtum und Wasserkraft günstige Standortvorteile für Eisenerzbergbau und Buntmetallgewinnung boten. Beispiele für alten Bergbau sind der Harz und der Thüringer Wald, das Erzgebirge und das Siegerland. Alte Stauteiche, Halden und Stollen erinnern noch heute vielfach an den ehemaligen Bergbau.

Mit der Erfindung der Dampfmaschine und des mechanischen Webstuhls begann auch in Deutschland das Industriezeitalter. Die Wurzeln der deutschen Industrie bildeten die Eisengießereien an der Saar, im Rheinland und in Schlesien sowie die im 18. Jahrundert entstandenen Spinnereien und Webereien in Sachsen und Schlesien. Noch immer waren Holzkohle und Wasserkraft die wichtigsten Energielieferanten. Die Einheit von Rohstoff- und Energieangebot wurde erst zerschlagen, als die Holzkohle durch die Steinkohle und viel später die Wasserkraft durch die zu jedem beliebigen Ort transportierbare Elektrizität abgelöst wurde. Nun wanderten Bergbau und Industrie in die Gebirgsvorländer mit ihren reichen Stein-, Braunkohlen- und Kalilagerstätten ab. Dieser wichtige wirtschaftsgeographische Prozeß ist im Bergischen Land und Ruhrgebiet ebenso zu erkennen wie am Harzrand, im Erzgebirge und in der Leipziger Bucht, in Sudeten und in Oberschlesien.

Herstellung von Chlor und Natronlauge in den Bayer-Werken

Der Chemiekonzern Bayer, das größte Unternehmen seiner Art in der Bundesrepublik, mit Hauptsitz in Leverkusen, produziert pro Jahr etwa 660 000 Tonnen Chlor und 705 000 Tonnen Natronlauge. Die elektrolytische Herstellung dieser wichtigen Grundstoffe ist weitgehend automatisiert und wird nur von einigen Spezialisten überwacht. Filteranlagen in den Fabriken sorgen dafür, daß hierbei die Chloremission in die Umwelt das gesundheitsschädliche Maß nicht überschreitet.

Die Heimindustrie mit ihren funktional oft sehr einfachen Beziehungen trat nun in den zu Notstandsgebieten abgesunkenen Mittelgebirgen die Nachfolge des Bergbaus an. Erinnert sei an die Spitzenherstellung, den Musikinstrumentenbau und die Spielwarenindustrie des Erzgebirges und des Thüringer Walds. Die größten Industriegebiete Deutschlands entstanden im 19. Jahrhundert am Nordsaum der Mittelgebirgsschwelle mit ihren vielfältigen Bodenschätzen. Nun genügte die Rohstoffbasis allein aber nicht mehr. Weitere wichtige Standortfaktoren wie Verkehrslage, Energieangebot und Kapital wurden ebenso entscheidend. Vor allem aber benötigte man genügend Arbeitskräfte, was zu großen Binnenwanderungen und zu einem sprunghaften Anwachsen der neuen Industriestädte führte. So stiegen beispielsweise zwischen 1820 und 1910 die Einwohnerzahlen Dortmunds von 4400 auf 214200, Essens von 4700 auf 294600 und Gelsenkirchens sogar von 505 auf 169500.

Die eisenschaffende und -verarbeitende Industrie war durch eine zunehmende Technisierung und weltwirtschaftliche Verflechtung gekennzeichnet. Reiche Steinkohlenvorkommen und Eisenerzlagerstätten ließen Deutschland zu einem der führenden Eisen- und Stahlproduzenten werden. So stand das Deutsche Reich bis zum Zweiten Weltkrieg bei der Roheisen- und Rohstahlgewinnung hinter den USA auf dem zweiten Platz in der Welt. Heute wird die Bundesrepublik mit ihrer Rohstahlerzeugung von 41,3 Millionen Tonnen (1978) nur von der Sowjetunion, den USA und Japan übertroffen.

Der Aufschwung der deutschen Schwerindustrie wurde durch zahlreiche technische Entwicklungen begünstigt. Meilensteine dieses Prozesses waren die erste Dampfmaschine (1788) und der erste Kokshochofen (1796) Deutschlands in Oberschlesien sowie die Gründung der Krupp'schen Gußstahlfabrik (1811) in Essen.

Schmiedepresse in der Borsig AG in Westberlin

Die 1837 in Berlin gegründete Lokomotiven- und Maschinenfabrik August Borsig gehört heute zur Salzgitter-AG-Gruppe, bei der die Bundesrepublik Deutschland einen Großteil der Aktien besitzt.

Elektrostahlwerk in Bous an der Saar

Das Steinkohlenfördergebiet zwischen Saarbrücken und Saarlouis, in welchem auch die Industriegemeinde Bous mit dem Mannesmann-Röhrenwerk liegt, ist nach dem Ruhrgebiet das zweitgrößte Zentrum der deutschen Stahlindustrie.

Das 1856 eingeführte Bessemerverfahren ermöglichte die Stahlerzeugung, das 1877 erfundene Thomasverfahren die Verwertung der phosphorhaltigen Erze Lothringens. Später brachten das Siemens-Martin-Verfahren (1864) sowie – nach dem Zweiten Weltkrieg – die Herstellung von Oxygen- und Elektrostahl weitere Verbesserungen.

Die Entwicklung der Hochofentechnik hatte auch zur Folge, daß zur Erzeugung von Roheisen immer weniger Koks benötigt wurde. Allein zwischen 1950 und 1975 konnte der Koksbedarf pro Tonne Roheisen teilweise um 50% gesenkt werden. Diese Verschiebung des Erz-Koks-Verhältnisses brachte dem westlichen Ruhrgebiet (Rheinschiffahrt) und den Seehäfen große Standortvorteile, da nunmehr der Transportkostenanteil von Kohle bei der Stahlherstellung erheblich gesunken war und die ehemalige Regel, daß das Erz zur Kohle transportiert wird, ungültig wurde. Als Ergebnis dieser Entwicklungen findet man Hüttenwerke heute nicht nur im rheinisch-westfälischen Industriegebiet und im Saarland (auf Kohlebasis), sondern auch in den Hafenstandorten Bremen, Lübeck und Stettin, wo importiertes Erz und billige Importkohle zusammentreffen.

Die DDR besitzt weder Eisenerze noch verkokbare Steinkohlenvorkommen. Ihre Eisenhüttenindustrie hatte deshalb sehr ungünstige Startbedingungen. Die nach dem Zweiten Weltkrieg teilweise neuerrichtete Schwerindustrie der DDR basiert deshalb fast ausschließlich auf sowjetischen Erzen und polnischer Importkohle und liegt deshalb meist an schiffbaren Strömen. Nur das Hüttenwerk Unterwellenborn bei Saalfeld hat zum Teil eine eigene Erzbasis. Die Braunkohlenlagerstätten der DDR eignen sich nur am Rande zur Verkokung. Sie sind vielmehr die Grundlage einer ausgedehnten chemischen Industrie. Das Leunawerk bei Merseburg ist eines der größten chemischen Werke der Welt.

Weitere auf Bodenschätzen basierende Grundstoffindustrien sind die Zink-, Blei-, Kupfer- und Aluminiumverhüttung, die wegen der Importabhängigkeit von

Abgaswolken über einer Chemieanlage

Daß trotz verschärfter Umweltschutzgesetze, die den Einbau von Schmutz- und Schadstoffiltern vorschreiben, die Abgase der Großindustrie, besonders der Chemiewerke, weiterhin zu den akuten Problemen eines hoch industrialisierten Landes wie der Bundesrepublik und auch der DDR gehören, zeigt diese Abbildung.

Übersee meistens die Hafenstandorte bevorzugen, aber auch in hohem Maße energieabhängig sind.

Die bergwirtschaftliche Aufbereitungsindustrie, die der Konzentration der Erze und damit der Senkung der Transportkosten dient, findet man vor allem im Mansfelder Kupferbergbau und im Eisenerzgebiet von Salzgitter.

Rohstofforientiert ist schließlich auch die fischverarbeitende Industrie, die ihre Standorte (Bremerhaven, Cuxhaven, Flensburg u.a.) deshalb an der Küste hat. Dasselbe gilt für die an die verschieden strukturierten Agrarräume angepaßte landwirtschaftliche Verarbeitungsindustrie, sei es aus Gründen niedriger Transportkosten oder weil verderbliche Waren verarbeitet werden. Hier ist vor allem die Häufung der Zuckerfabriken in der Bördenzone zwischen Hannover und Leipzig und in der Kölner Bucht sowie mit weniger, aber moderneren Werken in der Hessischen Senke und der Oberrheinebene, in Mainfranken, Neckarschwaben und im Dungau sehr auffallend. Die Obst- und Gemüseanbaugebiete Südwestdeutschlands und des Küstenlandes sind dagegen Standorte der Konservenindustrie (Braunschweig, Schwartau). In Obstbaugebieten finden sich außerdem Großkeltereien, in Weinbaugebieten Sektkellereien, in den Grünlandgebieten des Alpenvorlands, Nordwestdeutschlands und der nördlichen DDR Großmolkereien und milchverarbeitende Betriebe.

Eine Rohstoffabhängigkeit besteht bei vielen Industriebetrieben auch hinsichtlich der Wasserversorgung. So entfallen allein auf die chemische Industrie 20% des Wasserverbrauchs der Bundesrepublik, auf die Hüttenindustrie 15%, auf die Holzschliff-, Zellstoff- und Papierindustrie sowie den Kohlebergbau je 10%.

Auch die Holzverarbeitungsindustrie in den deutschen Mittelgebirgen ist rohstofforientiert. Die Woll- und Leinenerzeugung hat dagegen ihre ursprüngliche Rohstoffbindung an Schafweidegebiete bzw. Flachsanbauregionen weitgehend verloren.

Verarbeitungsindustrien gehen andere Wege

Zeigt sich selbst bei der Produktionsgüterindustrie bereits eine zunehmende Lösung von der Rohstoffbasis, so spielt diese bei den meisten Verarbeitungsindustrien eine völlig untergeordnete Rolle. Hier treten andere Standortfaktoren in den Vordergrund: Verkehrs- und Absatzlage, qualifiziertes Arbeitskräfteangebot, historische Einflüsse. Auch teilweise stärkere Import- und Exportabhängigkeiten, Modetrends und Konjunktureinflüsse spielen hier eine Rolle. Es sei nur an die Textil- oder Fahrzeugindustrie erinnert. Bei der oft sehr differenzierten Verbrauchsgüterindustrie spielen oft auch räumliche Verflechtungen aufgrund der zahlreichen Zulieferbetriebe eine große Rolle. So sind beispielsweise die Zulieferbetriebe der deutschen Autoindustrie über die ganze Bundesrepublik verstreut. In Wolfsburg, Bochum, Köln, Rüsselsheim, Ingolstadt, München und anderen Städten erfolgt die Autoproduktion, aber aus Hamburg, Hannover, Fulda und Hanau kommen die Reifen, aus Neckarsulm, Stuttgart und Frankfurt die Motorkolben, aus Aschaffenburg und Frankfurt die Lenkräder, aus Kassel und Stuttgart die Batterien, aus Neuss und Nürnberg Vergaser, aus Heidelberg und Villingen-Schwenningen die Instrumente, aus Heilbronn und Neu-Ulm die Dichtungen, aus Ludwigsburg und Stuttgart die Zündkerzen. Diese starke Verknüpfung macht auch verständlich, warum jeder sechste Arbeitnehmer in der Bundesrepublik von der Autoproduktion abhängig ist. Geht die Produktion zurück, so sind nicht nur die Autofabriken, sondern auch die zahlreichen Zulieferbetriebe betroffen.

Standorte der deutschen Verarbeitungsindustrien, bei der stets mehrere Rohstoffe zu völlig neuen Gütern verarbeitet werden, sind die Bergbaugebiete mit ihren vorwiegend rohstofforientierten Grundstoffindustrien, die Verdichtungs-

zonen und Großstädte, die Seehäfen und Flußläufe sowie Agrarräume und Mittelgebirgszonen. Die Bergbaugebiete mit ihren Grundstoff- bzw. Produktionsgüterindustrien, die sich vor allem im Bereich der Steinkohlen-, Braunkohlen-, Erz- und Kalilagerstätten am Nordrand der Mittelgebirgszone, aber auch im Saarland oder Siegerland befinden, haben eine breite Palette von Verarbeitungsindustrien nach sich gezogen. Oft sind, wie bei der chemischen Industrie, Grundstoff- und Verarbeitungsindustrie kaum zu trennen.

Die Vielfalt der industriellen Verflechtungen zeigt sich besonders deutlich im Rhein-Ruhr-Gebiet, wo sich aufgrund unterschiedlicher Kohlensorten im Süden auf der sehr gut verkokbaren Fettkohle die Hüttenindustrie, im Norden auf der Gas-, Gasflamm- und Flammkohle die Kohlechemie entwickelte, wobei sich beide Grundstoffindustriebereiche in der Emscherzone überschneiden. Rund um die zentrale Schwerindustriezone gruppieren sich im Westen und Osten die Buntmetallverhüttung, im Norden und am Rhein die chemische Industrie und im Bergischen Land die leichte Eisenindustrie. Um Krefeld und Mönchengladbach sowie im Raum Wuppertal ist die Textilindustrie stark verbreitet. Die Ville sowie das zentrale Ruhrrevier sind Standorte zahlreicher thermischer Kraftwerke, die den hohen Strombedarf des Reviers decken. Vielerorts, besonders an der Rheinachse, bewirkt die Verkehrsgunst eine bunte Mischung verschiedener Industrien.

Die Kohlekrise sorgte im zentralen Ruhrgebiet für die Abkehr von der Monostruktur (Eisenhüttenindustrie auf Kohlebasis). Das Opelwerk in Bochum und mehrere Textilbetriebe für weibliche Arbeitskräfte sind die bekanntesten Beispiele für Industrieneugründungen. Stark verbreitet ist im ganzen Revier die Nahrungs-

Automobilproduktion bei Porsche in Stuttgart

Stuttgart und seine Umgebung ist mit den Porschewerken in Zuffenhausen und den noch wesentlich größeren Daimler-Benz-Werken in Untertürkheim und in Sindelfingen eines der bedeutendsten Zentren des europäischen Automobilbaus. Die Aufnahmen geben einen Einblick in die Fertigungshallen der Stuttgarter Sportwagenfabrik.

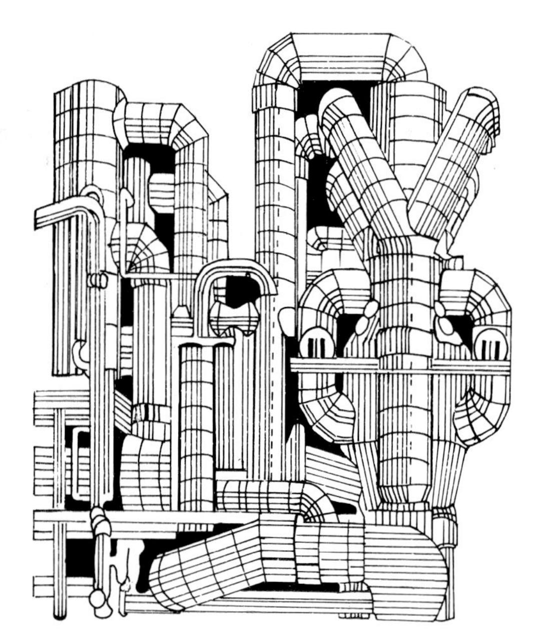

Raffinerie

Die Großanlagen der chemischen Industrie dienen dazu, Naturstoffe und technische Produkte zu »raffinieren« (aus frz. »verfeinern«, »läutern«).

und Genußmittelindustrie, die einerseits durch Boden- und Klimagunst (Jülicher und Soester Börde, Vorgebirge bei Bonn), andererseits durch den Bedarf von fast 11 Millionen Menschen begünstigt ist. Dortmunder Bier und Westfälischer Schinken haben einen guten Ruf!

Eine weit weniger starke Differenzierung besitzen das Aachener Revier (Kohlebergbau, thermische Kraftwerke, Eisen-, Textil und Elektroindustrie), das Saarrevier (Kohlebergbau, thermische Kraftwerke, Eisenverhüttung und -verarbeitung sowie Fahrzeugbau und Textilindustrie) und der Raum Halle-Leipzig (Braunkohlenförderung, thermische Kraftwerke, chemische Industrie, Eisen- und Metallverarbeitung, Fahrzeugbau, Elektroindustrie, Nahrungsmittelindustrie).

Der ebenfalls rohstofforientierte Industrieraum um Salzgitter (Erzbergbau, Eisenverhüttung und -verarbeitung, Fahrzeugbau, Elektroindustrie, optische Industrie, Konservenindustrie u.a.m.) konnte in der Nachkriegszeit sein Industriespektrum beträchtlich erweitern, das Lausitzer Braunkohlengebiet ist dagegen noch immer sehr einseitig orientiert (thermische Kraftwerke, chemische Industrie, Fahrzeugbau).

Im Gegensatz zu den durch vielfältige Bodenschätze begünstigten Dichtezonen des nördlichen Deutschlands entbehren die Verdichtungsräume Süddeutschlands – mit Ausnahme des Saarlandes – fast überall jeglicher Rohstoffgrundlage. Ursachen der Industrialisierung waren hier die teilweise günstige Verkehrslage, ein Angebot an qualifizierten Arbeitskräften, die dichte Besiedlung als Folge der Realerbteilung im südwestdeutschen Raum, historische Ursachen (Glaubensflüchtlinge in Hanau oder Pforzheim), die große Städtedichte aufgrund der ehemaligen territorialen Zersplitterung sowie das Wasserangebot großer Flüsse. Die günstige Verkehrslage, besonders an Kanälen oder schiffbaren Flüssen, erlaubt den billigen Antransport der Rohstoffe; das große Angebot an qualifizierten Arbeitskräften ist die Grundlage für eine starke Branchendifferenzierung, und die territoriale Zersplitterung schuf oftmals eine die Industrialisierung begünstigende Konkurrenzsituation (Mannheim–Ludwigshafen, Karlsruhe–Wörth, Mainz–Wiesbaden, Frankfurt–Höchst); das große Wasserangebot der Flüsse begünstigte die chemische Industrie, die Papier- und Zellstoffindustrie und die Errichtung von Großmühlen.

Das Rhein-Main-Gebiet mit seinen 2,6 Millionen Einwohnern ist mit Ausnahme der Zementindustrie (Mainz, Wiesbaden) eines der besten Beispiele für ein Industriegebiet, das sich ohne jegliche örtliche Rohstoffgrundlage zu einem der vielseitigsten deutschen Wirtschaftsräume entwickeln konnte. Allein das Wasserangebot von Rhein und Main ließ eines der größten Chemiewerke der Welt (Höchst) sowie mehrere Zellstoffwerke (Stockstadt, Kostheim) entstehen. Die Fahrzeugindustrie (Rüsselsheim), Eisenverarbeitung (Gustavsburg), Textilindustrie (Aschaffenburg), Lederverarbeitung (Offenbach), Edelsteinindustrie (Hanau), dazu zahlreiche Mühlen, Großbrauereien (Frankfurt), Sektherstellungsbetriebe (Rheinhessen, Ingelheim), Elektroindustrie (Frankfurt), Glasindustrie und Apparatebau (Mainz) sowie die optische Industrie in Bad Kreuznach zeigen die Breite des industriellen Spektrums.

Das Rhein-Neckar-Gebiet besitzt eine etwas geringere Branchenvielfalt, aber dafür eine noch stärkere Betonung der chemischen Industrie, die dagegen im Großraum Stuttgart wegen des wasserarmen Neckars und der beengten Industriegassen in den Flußtälern stark zurücktritt. Im Neckarraum um Stuttgart sind dagegen vor allem Maschinenbau und elektrotechnische Industrie (Stuttgart), Textilindustrie (Reutlingen, Backnang), Fahrzeugbau (Neckarsulm, Stuttgart, Sindelfingen) und feinmechanische Industrie verbreitet. Mit dieser breiten Streuung steht der Neckarraum in krassem Gegensatz zum viel einseitiger strukturierten Verdichtungsraum des Saarlands, der noch eine Dominanz der Schwerindustrie erkennen läßt und durch die Grenzlage und den immer noch fehlenden leistungsfähigen Wasserstraßenanschluß noch zusätzlich benachteiligt ist.

Die Verdichtungsräume von Nürnberg und München weisen dagegen ein breitgefächertes Industrieangebot auf, das viele Spezialindustrien wie Bleistiftherstellung, Lebkuchenproduktion und Spielwarenfabrikation in Nürnberg, oder Bierbrauereien, Fotoartikelherstellung und Kraftfahrzeugbau in München aufweist. Weitere räumliche Industriekonzentrationen finden sich an den großen Hafenstandorten. Typische »Hafenindustrien« sind die importorientierten Erdölraffine-

Kieler Hafen mit Howaldts-Werftanlage

Im Schiffsbau rangiert die Bundesrepublik hinter den Giganten Japan, Schweden, den USA und Großbritannien gleichauf mit Frankreich, Polen und Spanien. Analog zum weltweiten Trend ist die Tendenz jedoch stetig rückläufig. So verringerte sich die Belegschaft der Seeschiffahrtswerften in der Bundesrepublik im Zeitraum von 1975 bis 1980 von 71000 auf 50000 Beschäftigte. Die Schiffsbauwerften sind dabei in den bedeutenden Hafenstädten Hamburg, Bremen/Bremerhaven, Kiel, Lübeck und Emden konzentriert. Eine gewisse Weltgeltung erhält sich die bundesdeutsche Werftindustrie dadurch, daß sie auf Schiffe mit Sonderaufbauten (Forschungsschiffe, technologisch aufwendige Spezialschiffe) spezialisiert ist.

rien, Kaffeeröstereien, Margarineherstellungs- und Fischverarbeitungsbetriebe. Der Schiffsbau und seine Nebenindustrien spielen in allen Nordseehäfen sowie in Kiel und Lübeck eine große Rolle. Charakteristisch für Bremen und Hamburg sind auch die Freihafenindustrien (Spirituosenherstellung, chemische Industrie, Schiffsausrüstungsindustrie u.a.). Hafenstädte sind auch bevorzugte Standorte von Hüttenwerken. Bremen, Lübeck und Stettin besitzen Eisenhütten, Hamburg und Stade Aluminiumhütten, Hamburg und Nordenham Buntmetallhütten. Bei großen Häfen wie Hamburg und Bremen kommen noch zahlreiche Nahbedarfs- und Großstadtindustrien (Elektroindustrie etc.) hinzu.

Neben den bisher betrachteten flächenhaften Industriegebieten stellen viele Flüsse und Kanäle oftmals linienhafte Industriegassen dar. Typische Flußindustrien sind an den Oberläufen Hammerwerke, Säge- und Papiermühlen, am Mittellauf Gerbereien, Bleichereien, Färbereien (Iller, Neckar) oder chemische Industrie (Inn, Hochrhein), wobei das billige Stromangebot (Wasserkraft) eine große Rolle spielt. Der günstigste Standort liegt an Binnenschiffahrtswegen, da sie den billigen Massentransport der Rohstoffe und der Fertigprodukte erlauben und ein ausreichendes Brauchwasserangebot gewährleisten. Hier liegen außer Großmühlen (Köln, Mannheim) und Chemie-Großbetrieben (Ludwigshafen, Höchst, Leverkusen) auch zahlreiche Papier- und Zellstoffwerke (Kelheim, Aschaffenburg-Stockstadt, Mainz-Kostheim, Mannheim-Waldhof).

Eine weitere Industriekonzentration findet man in den Mittelgebirgen, bei denen es sich oft um alte Bergbaugebiete handelt. Mittelgebirgsindustrien sind u.a. im Thüringer Wald und im Erzgebirge, im Sauerland und im Bergischen Land,

Großdrehbank bei AEG in Westberlin

Die AEG (Allgemeine Elektricitäts-Gesellschaft) mit Sitz in Berlin und Frankfurt/Main ist eines der bedeutendsten Unternehmen in der Elektroindustrie und besonders der Starkstromtechnik. An riesigen Drehbänken, wie der abgebildeten, werden Teile für Kraftwerke, Turbinen, Transformatoren, Reaktoren, E-Loks und Motoren gefertigt.

im Schwarzwald und auf der Schwäbischen Alb verbreitet. Im Thüringer Wald führte z.B. die Entwicklung vom Eisenerzbergbau über die Verarbeitung bis zur hochentwickelten Waffenherstellung. Wegen der Hochwertigkeit der Erzeugnisse und des geringen Materialbedarfs störte es nicht, als die örtliche Erzbasis entzogen wurde. Neben der Kleineisenindustrie (Schleusingen) und der Herstellung von Feuerwaffen (Suhl) werden heute Puppen (Sonneberg), Christbaumschmuck (Lauscha) und Thermometer (Schmiedefeld) hergestellt. Ähnlich vielseitig ist die Industrie im Bergischen Land und im Sauerland, wo Klingen in Solingen, Werkzeuge in Remscheid, Schlösser und Beschläge in Velbert hergestellt werden. Im Erzgebirge spielen vor allem die Textilindustrie, die Spielwarenherstellung und der Musikinstrumentenbau als Nachfolgeindustrie des im 18. und 19. Jahrhundert erloschenen Silberbergbaus eine große Rolle.

Ein besonders stark industrialisiertes Mittelgebirge waren die Sudeten, die vor allem auf der böhmischen Seite (Reichenberg), aber auch auf der schlesischen Abdachung (Glatz) eine vielseitige Textilindustrie (Baumwolle, Wolle, Seide, Kunstfasern) aufwiesen, die im nördlichen Vorland zwischen Bautzen und Ratibor durch die 250 km lange Zone der Leinenindustrie abgelöst wurde. Die Töpfereien von Bunzlau, die Juteindustrie von Bautzen, die Glasindustrie von Hirschberg, die Porzellanindustrie von Reichenberg und die Schmuckwarenindustrie von Gablonz vervollständigen das bunte Bild dieser industriereichen Gebirgszone.

Wurde diese Industriezone bereits früher von der deutschen Reichsgrenze zerteilt, so werden zwei andere Mittelgebirgs-Industriezonen jetzt von der Grenze zwischen der Bundesrepublik Deutschland und der DDR zerrissen: das Industrie-

gebiet des Vogtlands und Oberfrankens (Woll- und Baumwollverarbeitung, Porzellanindustrie) sowie das Industriedreieck Kassel-Mühlhausen-Eisenach-Hersfeld mit Woll- und Baumwollindustrie, Maschinen- und Fahrzeugbau. In drei weiteren Mittelgebirgsregionen spielt die Textilindustrie eine wichtige Rolle: im Raume Minden-Bielefeld-Gütersloh (Leinen- und Seidenindustrie), im Bereich der Schwäbischen Alb und ihres Vorlands (Baumwollindustrie) sowie im Allgäu (Baumwoll- und Leinenindustrie).

Doch damit ist die Industrie der deutschen Mittelgebirge noch nicht erschöpfend behandelt. Zahlreiche weitere Industriegebiete wie das Siegerland und das Lahn-Dill-Gebiet mit ihrer eisenschaffenden Industrie oder der Pfälzer Wald mit seiner Woll- und Schuhindustrie wären hier noch anzuführen. Im Schwarzwald ist seit 1660/80 die Uhrenindustrie beheimatet. Sie wurde in den letzten Jahrzehnten durch die Rundfunk- und Fernsehgeräteindustrie ergänzt. Im östlichen und südlichen Schwarzwald (Nagold- und Wiesental) ist auch die Textilindustrie verbreitet. Das Alpenvorland mit seinen gefälle- und wasserreichen Flüssen ist dagegen durch chemische Industrie (oberbayerisches Chemiedreieck bei Burghausen) sowie durch Textilindustrie (Allgäu, Raum Augsburg) und durch Holzindustrie geprägt.

Vieles wäre noch zur deutschen Industrie zu sagen, z.B. über die Veränderung der Branchenstruktur zugunsten der Verbrauchsgüterindustrie oder über den Energie- und Rohstoffbedarf einzelner Industriezweige, die Errichtung von Zweigwerken im Ausland, die Konkurrenz von Billigpreisländern und insbesondere über die Exportabhängigkeit der einzelnen Branchen. Trotz zahlreicher offener Fragen wurde eines deutlich: Die ursprüngliche Bindung an die eigene Rohstoffbasis wurde durch die Energie-Fernversorgung mit Elektrizität, Ferngas und Ölpipelines weitgehend gelöst. Dadurch wurde zwar eine stärkere Streuung der Industrie ermöglicht, aber die Importabhängigkeit nahm gewaltig zu. Transportkostenminimierung, qualifiziertes Arbeitskräfteangebot und vieles andere mehr spielten nun eine immer stärkere Rolle, wobei Traditionsgebundenheit und rationelles Streben nach dem besten Standort oftmals in Widerstreit lagen.

Deutschland, die Verkehrsdrehscheibe Europas

Die Lage in der Mitte des Kontinents macht Deutschland zur »Verkehrsdrehscheibe Europas«. In der Tat führen die kürzesten und schnellsten Verbindungen von Skandinavien nach Italien, von den Britischen Inseln nach Südosteuropa, von Spanien und Frankreich nach Polen und Rußland über Deutschland. Dabei liegen die engste Stelle des Ärmelkanals, die Halbinsel Jütland und die dänischen Inseln, die Donaupforten von Wien, Budapest und Belgrad und die verkehrswichtigen Alpenpässe gerade an den richtigen Stellen, um den Verkehr aus den Nachbarräumen bequem nach Deutschland zu leiten. Deutschland besitzt aber nicht nur natürliche Lagevorteile innerhalb des Kontinents, sondern es nimmt auch eine zentrale räumliche Stellung im Gefüge der größten Industrie- und Verdichtungszonen Europas ein. Welch ein Vorzug liegt allein darin, daß sich die Bevölkerungsdichteachsen Europas im Ruhrgebiet kreuzen und daß jenseits der Rheinmündung mit Großbritannien einer der wichtigsten Industriestaaten der Welt liegt. Fast alle großen Verdichtungsräume der Nachbarstaaten haben direkte Verbindung mit deutschen Dichtezentren. Das gilt für das zentrale Pariser Becken und die nordfranzösischen und lothringischen Industrieräume ebenso wie für das wirtschaftsstarke Schweizer Mittelland, für Nordböhmen oder Oberschlesien und vor allem für Belgien und die Niederlande, wo einerseits durch die Maas-Sambre-Linie eine Verbindung zum Ärmelkanal und nach Paris, andererseits beiderseits des Rheins eine Verknüpfung mit der Randstad Holland besteht. Ebenso wichtig wie die zentrale Lage Deutschlands in der Mitte Europas ist seine Lage an zwei eisfreien Meeren mit zahlreichen günstigen Hafenstandorten. Die Meereslage ist vor allem deshalb wichtig, weil Deutschland als hochentwickelter Industriestaat durch intensive Handelsverflechtungen mit allen Teilen der Welt verbunden ist. Nur dank ihrer Lage am Meer konnte sich die Bundesrepublik zu einem der drei bedeutendsten Welthandelsländer entwickeln. Neuerdings spielen auch die Adria und das Ligurische Meer, die sich wie zwei riesige natürliche Hafenbecken Mitteleuropa entgegenstrecken, als Ausgangspunkte wichtiger Erdölleitungen eine immer bedeutendere Rolle für die weltwirtschaftlichen Verknüpfungen Deutschlands. Eine weitere wichtige Pipeline-Verbindung führt nach Osteuropa, von wo die Erdöl- und Erdgasleitungen »Freundschaft« und »Nordlicht« sibirisches Erdöl und Erdgas liefern.

Die verkehrsbegünstigende Wirkung des Meeres wird durch zahlreiche in geringen Abständen voneinander in die Nord- und Ostsee mündende Flüsse weit in das Binnenland hineingetragen. Diese von Süden nach Norden gerichteten Flüsse stellen zugleich wichtige Querspangen zwischen den in Ost-West-Richtung verlaufenden deutschen Landschaftszonen mit ihrer unterschiedlichen Besiedlungs- und Wirtschaftsstruktur dar. Dank der klimatischen Mittellage Deutschlands sind diese Flüsse wasserreicher als im Süden und Osten Europas und weit seltener vereist als im Osten und Norden des Kontinents.

Die wichtigsten Verkehrsleitlinien sind die Flußläufe von Rhein und Elbe. Sie werden durch die Küstenschiffahrt und durch ein weitverzweigtes Kanalnetz zu einem Raster von Schiffahrtswegen verdichtet, das sich über Mosel, Main, Neckar und Donau auch bis in die südlichen Teile des Landes erstreckt. Weitere wichtige Verkehrsleitlinien bilden in Nordsüdrichtung die Landbrücke Schleswig-Holsteins und die weiter südlich die Mittelgebirge durchziehende Grabenbruchzone (Leinegraben, Hessische Senke, Oberrheingraben), die den Verkehr einerseits durch die Rhonefurche direkt zum Mittelmeer, andererseits über die Schweizer Alpenpässe zur italienischen Halbinsel leiten. Das Mittelrheintal verbindet die Benelux-Staaten und das Ruhrgebiet mit den wirtschaftlich wichtigsten Bereichen Süddeutschlands, der Schweiz und Ostfrankreichs, das Elbetal Hamburg und

Drei parallele Verkehrssysteme im Rheintal: Bahn, Straße und Strom

Das Rheintal ist ohne Zweifel von alters her Deutschlands wichtigste Verkehrsleitlinie. Durch dieses schiffbare, den äußersten Südwesten des Landes mit dem Meer verbindende Flußtal führen die bedeutenden Verkehrsadern, welche die industriellen Ballungsgebiete um Stuttgart (über den Seitenfluß Neckar), Karlsruhe, Mannheim/Ludwigshafen und Frankfurt/Mainz mit denjeningen von Köln/Aachen und dem Ruhrgebiet verbinden.

Berlin mit Prag und Wien. Westöstlich verlaufende natürliche Verkehrsleitlinien sind das durch ein Geflecht von eiszeitlich geprägten breiten Urstromtälern gekennzeichnete Norddeutsche Tiefland, die durch Bodenschätze und Bodengunst bevorzugte Bördenzone am Nordrand der Mittelgebirgsschwelle sowie das hochgelegene, aber relativ reliefarme Alpenvorland. Eine große Bedeutung für die Ausbildung des Verkehrsnetzes haben auch die reichen, vorwiegend am Nordrand der deutschen Mittelgebirgszone konzentrierten Lagerstätten von Steinkohle und Eisenerz, die – mit Ausnahme des Saarlandes – durch Binnenschiffahrtswege erschlossen sind. Das gilt für die Kalibergbaugebiete allerdings nur teilweise. Die Braunkohlenvorkommen werden dagegen meist an Ort und Stelle in elektrische Energie umgewandelt und belasten das öffentliche Verkehrsnetz in nennenswertem Umfang nur in der DDR durch den Brikettversand.

Die meisten Rohstoffe der deutschen Industrie müssen jedoch eingeführt werden. Bei der Rohstoffabhängigkeit der deutschen Industrie verwundert es nicht, wenn sich entlang der bedeutendsten Flüsse und Kanäle wichtige Industriegassen entwickelten. So dient das Verkehrsnetz einerseits der Ein- und Ausfuhr von Rohstoffen bzw. Fertigerzeugnissen, andererseits der Sammlung und Verteilung auf dem Binnenmarkt. Die dritte Aufgabe gilt der Bewältigung des stark angewachsenen Durchgangsverkehrs.

In den Verdichtungsräumen führen die täglichen Pendlerströme zu einer Konzentration des öffentlichen Personennahverkehrs und zu einer oftmals unkontrollierten Verdichtung des Individualverkehrs. Verkehrsströme bilden sich auch zwischen landwirtschaftlichen Überschußgebieten und den Verbrauchszentren, zwischen den Bergbaugebieten und den revierfernen Industrieräumen sowie zwischen den Seehäfen und den Standorten der import- und exportorientierten Industrien.

Flüsse und Kanäle helfen Transportkosten senken

Die ziemlich regelhafte Anordnung des deutschen Fluß- und Kanalnetzes sowie seine Lage zwischen Nordsee, Ostsee und Mittelmeer ist von allergrößter verkehrsgeographischer Bedeutung. Die in nahezu gleichmäßigen Abständen (150–200 km) von Süden nach Norden fließenden Flüsse durchqueren die westöstlich verlaufenden Landschaftszonen Deutschlands und verbinden somit Bereiche unterschiedlicher Wirtschaftsstruktur miteinander. Alle nach Norden fließenden schiffbaren Flüsse sind im Norddeutschen Tiefland unter Ausnutzung der eiszeitlichen Urstromtäler durch ein westöstlich ausgerichtetes Kanalnetz miteinander verbunden, und alle durchqueren die fruchtbare, an Bodenschätzen reiche und deshalb stark industrialisierte und dicht besiedelte Bördenzone am Nordsaum der Mittelgebirge. Die überragende Sonderstellung des Rheins als verkehrsreichster Binnenschifffahrtsstraße der Welt beruht darauf, daß er als einziger deutscher Strom nicht nur die Mittelgebirgszone, sondern darüber hinaus mit seinen Nebenflüssen Mosel, Main und Neckar auch die dicht besiedelten Beckenlandschaften Süddeutschlands mit dem Rhein-Ruhr-Gebiet, dem größten Verdichtungsraum und Industriegebiet Europas, sowie mit den dichtbesiedelten Benelux-Staaten und der Nordsee verbindet. Am Rhein und seinen Nebenflüssen liegen denn auch die meisten und größten Binnenhäfen Europas.

Die europäische Bedeutung des Rheinsystems beruht darauf, daß einerseits gegenüber der Rheinmündung der Wirtschaftsraum der Britischen Inseln liegt, andererseits in genauer Verlängerung der Oberrheinebene die Schweizer Alpenpässe den Weg zum italienischen »Stiefel« freigeben. Die Grabenbruchzone der Rhein-Rhone-Furche bietet außerdem über die Burgundische Pforte – unter Umgehung der Westalpen – in absehbarer Zeit eine leistungsfähige Binnenschiffahrtsstraße zwischen Nordsee und Mittelmeer. Ähnliches gilt für die künftige Großschiffahrtsstraße Rhein-Main-Donau, die dank der günstigen Flußanordnung und der günstigen Talwasserscheiden ab 1995 eine 3400 km lange transkontinentale Binnenwasserstraße zwischen Nordsee und Schwarzem Meer darstellen wird. Die Sonderstellung des Rheins wird weiterhin dadurch erhöht, daß er durch das norddeutsche Kanalnetz mit allen anderen großen deutschen und auch polnischen Flüssen, durch das Kanalnetz der Beneluxstaaten und Nordostfrankreichs mit vielen schiffbaren Flüssen der westlichen Nachbarstaaten verbunden ist. Die Tatsache, daß der Rhein zwischen Basel und Karlsruhe Grenzfluß ist und seine Mündung in den Niederlanden liegt, kann seine verkehrsgeographische Bedeutung kaum schmälern. Aus volkswirtschaftlicher Sicht ist es allerdings von Nachteil, daß der größte Teil der deutschen Binnenschiffahrt auf die Rheinmündungshäfen und nicht auf die deutschen Nordseehäfen orientiert ist. Der Bau des Dortmund-Ems-Kanals, durch den das Ruhrgebiet mit Emden einen eigenen Seehafen erhielt, sowie die Anlage des Mittellandkanals mit seinen Abzweigungen, von denen der 1976 fertiggestellte Elbe-Seiten-Kanal die wichtigste ist, sollte deshalb die Konkurrenzfähigkeit der deutschen Nordseehäfen erhöhen.

Die verkehrsgeographische Bedeutung der übrigen norddeutschen Flüsse ist jeweils abhängig von ihrer Lage und Länge, ihrem Einzugsbereich, der wirtschaftlichen Bedeutung der durchflossenen Räume und den Wasserabflußverhältnissen. Wichtig ist auch, ob die Flüsse, wie Ems, Weser und Elbe, in die Nordsee oder, wie Trave, Oder, Weichsel und Memel, in die Ostsee münden. Die kurze und wasserreiche Ems stellt als Teil des Dortmund-Ems-Kanals gewissermaßen einen deutschen Mündungsarm des Rheins dar und bildet eine leistungsfähige Verbindung zwischen Ruhrgebiet und Nordsee. Das an der Emsmündung als Erz- und Kohlehafen aufgeblühte Emden ist heute ein wichtiger Industriestandort (VW-Werk) und mit 8,3 Millionen Tonnen Umschlag der viertgrößte deutsche Seehafen. Weser und Elbe haben beide den Vorteil, daß sie innerhalb des Staatsgebietes der Bundesrepublik in die Nordsee münden. Mit ihren bis zu 15 km breiten Trichtermündungen ermöglichen sie dank des Gezeitenhubs, der nur hier 3 m übersteigt, der Seeschiffahrt ein tiefes Eindringen ins Binnenland. Dadurch konnten sich Hamburg (54 Millionen Tonnen Umschlag) und Bremen (mit Bremerhaven 25 Millionen Tonnen Umschlag) zu den wichtigsten deutschen Nordseehäfen entwickeln, wobei die Grenze zur DDR Hamburg von seinem natürlichen Hinterland abtrennt.

Elbe, Havel und Spree, die wichtigsten schiffbaren Flüsse der DDR, sind untereinander sowie mit der Oder und vielen brandenburgischen und mecklen-

burgischen Seen durch Kanäle verbunden. In ihrem Einzugsbereich liegen mit West- und Ost-Berlin, Magdeburg und Riesa die wichtigsten Binnenhäfen Mitteldeutschlands. Die Oder spielt nur als Grenzfluß eine Rolle, denn ihre Mündung und die wichtigen Industrie- bzw. Hafenstandorte Oberschlesien, Breslau und Stettin liegen jenseits der polnischen Grenze. Der billige Transportweg für polnische Steinkohle aus Oberschlesien ließ jedoch mit Eisenhüttenstadt ein wichtiges Schwerindustriezentrum der DDR entstehen.

Der wichtigste deutsche Kanal, der von Kiel zur Unterelbe führende Nord-Ostsee-Kanal, gehört neben dem Suez- und dem Panamakanal zu den drei größten Seekanälen der Welt. Der von 1887 bis 1895 als Kaiser-Wilhelm-Kanal erbaute und von 1907 bis 1914 erweiterte Kanal ist 98,6 km lang, 103 m breit, 11,30 m tief und für Schiffe bis zu 60000 BRT befahrbar. Sechs Hochbrücken (jeweils 42 m hoch) und 14 Fähren queren den Kanal. Die alte Drehbrücke bei Rendsburg wurde 1961 durch einen Straßentunnel (Europastraße 3) ersetzt. Die Endschleusen bei Brunsbüttel haben die Aufgabe, die Gezeitenunterschiede zwischen Nordsee (Tidenhub bei Brunsbüttel 3,50 m) und Ostsee (Tidenhub bei Kiel 0,07 m) auszugleichen. Die Schleusen bei Kiel werden nur bei anomalem Wasserstand (Windstau u. ä.) geschlossen. Wenn auch der Nord-Ostsee-Kanal mit jährlich

Weserkreuz bei Minden

Die moderne Verkehrsplanung hat nicht nur Straßenüberbrückungen, sondern auch Flußkreuzungen geschaffen. Die Abbildung zeigt die 375 m lange Brücke, auf der der künstliche Wasserstrom des Mittellandkanals, der in Verbindung mit anderen Kanälen die Schiffahrt von Dortmund nach Berlin ermöglicht, das Flußbett der Weser bei Minden überbrückt. Durch diesen Kanal wurden die vier wichtigsten schiffbaren Flüsse in Deutschland, Rhein, Ems, Weser und Elbe, zu einem zusammenhängenden Wasserstraßennetz verbunden.

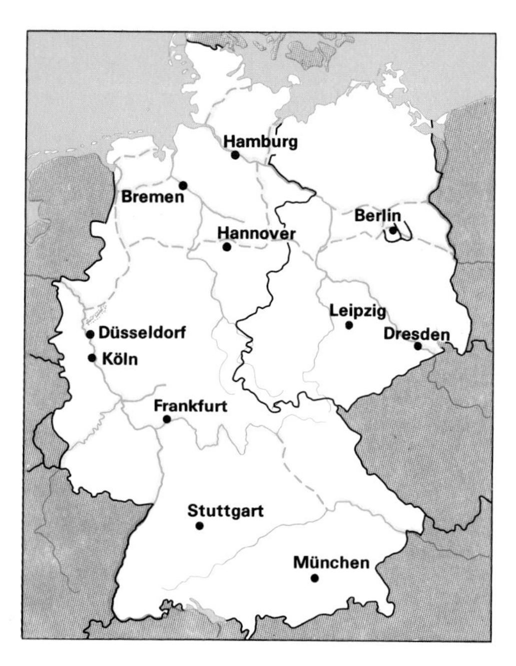

Flüsse und Kanäle in Deutschland

Die Karte zeigt die wichtigsten Wasserstraßen Deutschlands, wobei die blauen Streifen die schiffbaren Abschnitte der Flüsse markieren, während die unterbrochenen blauen Linien Kanäle anzeigen.

51,2 Millionen Tonnen Fracht nur ein Drittel der Tonnage des Panama- oder Suezkanals aufweist, so übertrifft er jedoch diese beiden Kanäle hinsichtlich der Anzahl der Schiffe, die ihn passieren (rund 60000 pro Jahr), um das Zehnfache. Die geringe durchschnittliche Schiffsgröße ergibt sich durch den hohen Anteil von Küsten- und Binnenschiffen.

Im Gegensatz zum Suez- und Panamakanal spielt der Mittel- und Kurzstreckenverkehr im Nord-Ostsee-Kanal die Hauptrolle, denn rund 90% des Verkehrsaufkommens entfallen auf den Europaverkehr. Die Benutzung des Kanals bietet den Vorteil, daß sich die Fahrt von Hamburg nach Kiel um 45 Stunden verkürzt. Außerdem wird die gefährliche Umschiffung der Nordspitze Jütlands (Jammerbucht) überflüssig. Der Nord-Ostsee-Kanal hatte bereits einen Vorgänger im Eider-Kanal, der die vertiefte Eider mit Kiel verband und von 1777 bis 1784 von der dänischen Regierung erbaut wurde. Dieser Eider-Kanal übertraf mit einer Fahrwassertiefe von 3,50 m alle übrigen deutschen Kanäle und wurde jährlich von rund 4000 Schiffen benutzt. Eine noch ältere Verbindung zwischen Nord- und Ostsee stellt der 1391 bis 1398 von Lübeck zur Elbe gebaute Strecknitz-Kanal dar. Dieser älteste Kanal auf deutschem Boden wurde durch den 1900 eröffneten 62 km langen Elbe-Lübeck-Kanal (Elbe-Trave-Kanal) abgelöst, der für Schiffe bis 1000 Tonnen befahrbar ist und die Höhenunterschiede des baltischen Höhenrückens in 7 Schleusen überwindet.

Während der Nord-Ostsee-Kanal ein Durchstich- oder Niveaukanal ist, sind die Binnenschiffahrtskanäle des Norddeutschen Tieflands trotz der geschickten Ausnutzung der Urstromtäler ausgesprochene Schleusenkanäle, die jedoch fast durchweg Schiffsgrößen bis 1350 Tonnen (Europa-Schiff) erlauben. Das Rückgrat des norddeutschen Kanalnetzes bildet der zwischen 1906 und 1938 erbaute Mittellandkanal. Bei einer Länge von 367 km verbindet er Rhein, Ems, Weser und Elbe mit Anschluß nach Berlin, überwindet dabei einen Höhenunterschied von 23,80 m und muß mehrere Flüsse auf hohen Brücken überqueren. Die technisch interessantesten Anlagen sind die 14 m hohe, 375 m lange Brücke über die Weser bei Minden, die Hindenburgschleuse bei Hannover (lange Zeit die größte Schleuse Europas) und das Schiffshebewerk Rothensee bei Magdeburg, das den Höhenunterschied zur Elbe überwindet. Der Mittellandkanal findet im Dortmund-Ems-Kanal, im Rhein-Herne-Kanal sowie im Datteln-Hamm-Kanal und im Wesel-Datteln-Kanal seine westliche Fortsetzung. Nach Osten zu stellen der Elbe-Havel- und der Oder-Havel-Kanal mit dem berühmten Schiffshebewerk von Niederfinow (36 m Höhenunterschied) sowie der Spree-Havel-Kanal die Verbindung nach Berlin und zur Oder her. Somit ist der Mittellandkanal das Herzstück einer 900 km langen Binnenwasserstraße, die vom Rhein bis Stettin führt. Die Leistungsfähigkeit des Mittellandkanals wird durch Stichkanäle nach Osnabrück, Hannover, Hildesheim und Salzgitter bedeutend erhöht.

Der Mittellandkanal hat durch die Teilung Deutschlands und die dadurch stark geschrumpften Ruhrkohlenlieferungen nach Berlin und Mitteldeutschland (die durch polnische Kohlenimporte ersetzt worden sind) ebenso gelitten wie Hamburg, das durch die Grenze zur DDR den größten Teil seines Hinterlands verlor. Um beiden Verkehrseinbußen zu begegnen und gleichzeitig das Zonenrandgebiet zwischen Wolfsburg und Hamburg aufzuwerten, wurde am 15. Juni 1976 der 115 km lange, 53 m breite Elbe-Seiten-Kanal (1350 Tonnen) eröffnet. Dieser Kanal ist wesentlich leistungsfähiger als die Elbe, die zwischen Magdeburg und Hamburg wegen oftmaligen Wassermangels nur an 70 Tagen im Jahr mit dem vollbeladenen Europaschiff (1350 Tonnen) befahrbar ist. Den Höhenunterschied von 61 m zwischen der Elbe und dem Mittellandkanal bei Fallersleben überwindet der Elbe-Seiten-Kanal in zwei Schiffshebewerken bei Lüneburg und Uelzen, von denen das in Lüneburg-Scharnebeck das größte in Europa ist. Es besteht aus acht Betontürmen, zwischen denen die Schiffe in zwei jeweils 100 m langen und 12 m breiten Wassertrögen innerhalb von drei Minuten einen Höhenunterschied von 38 m überwinden. Der Elbe-Seiten-Kanal erschließt nicht nur über die Elbe für Hamburg, sondern auch über den Elbe-Lübeck-Kanal für Lübeck ein neues Hinterland.

Im Bereich der Mittelgebirgszone und des Alpenvorlands waren Kanalbauten aufgrund der Reliefverhältnisse sehr schwierig. Um so mehr bemühte man sich deshalb um den Ausbau des vorhandenen Flußnetzes. So wurde zwischen 1817 und 1874 der Oberrhein zwischen Basel und Mainz reguliert. Durch diese vom badischen Obersten Johann Gottfried Tulla begonnene Maßnahme wurde der vielfach aufgespaltene und verschlungene Lauf des Oberrheins um 82 km verkürzt, die Hochwassergefahr beseitigt und neues Kulturland gewonnen. Gleichzeitig verstärkte sich jedoch die Tiefenerosion des Flusses. Durch den Bau zahlreicher Staustufen hat man neuerdings versucht, diese für den Grundwasserspiegel schädliche Nebenerscheinung aufzuhalten.

Im Mittelrheintal mußten dagegen durch Sprengungen zahlreiche Felsenriffe beseitigt und die Fahrrinne verbreitert werden. Diese 1834 vom preußischen Staat begonnenen Arbeiten wurden 1974 mit der letztmaligen Verbreiterung der Fahrrinne am Binger Loch vorläufig abgeschlossen. Ähnliche Regulierungsarbeiten wie am Rhein wurden an Neckar, Main und Donau sowie an fast allen mittel- und norddeutschen Flüssen durchgeführt. Kein deutscher Fluß befindet sich auf einer längeren Strecke noch im Naturzustand. Am einschneidendsten sind jedoch die in diesem Jahrhundert durchgeführten Kanalisierungsmaßnahmen. So erreichte die Mainkanalisierung bereits 1921 Aschaffenburg, 1940 Würzburg und im Zug des Ausbaus des Rhein-Main-Donau-Großschiffahrtswegs 1962 Bamberg. Die jeweiligen Endhäfen waren dabei zunächst besonders begünstigt, aber ihre Umschlagszahlen nahmen nach Fortführung der Wasserstraße wieder ab. Waren beim Main 35 Staustufen erforderlich, so genügten beim kürzeren Neckar bereits 26. Die Neckarkanalisierung wurde 1920 begonnen und erreichte 1960 den Endhafen Plochingen. Wegen des starken Schiffsverkehrs wurden bei den Neckarstaustufen meist Doppelschleusen eingebaut.

Der durch Tulla bereits begradigte Oberrhein erlebte nach dem Ersten Weltkrieg von Basel ausgehend eine starke Kapazitätserhöhung durch den 1928 begonnenen Bau des durchweg auf französischem Territorium gelegenen Rheinseitenkanals (»Grand Canal d'Alsace«), der laut Versailler Vertrag fast das gesamte Rheinwasser für die Schiffahrt und für die Stromgewinnung nutzen darf. So können für den bei Basel vom Rhein abzweigenden Kanal bis zu 1080 m^3/s Wasser entnommen werden, während dem Rhein selbst nur 50 m^3/s Restwasser verbleiben. Diese übermäßig starke Wasserentnahme hatte für das deutsche Ufergebiet katastrophale Folgen: Es kam zu einer »Versteppung« ehemals feuchter Zonen. Wälder und Obstbäume starben ab, und die Aufrechterhaltung landwirtschaftlicher Kulturen wurde unmöglich. Außerdem war das deutsche Ufer von den Entwicklungsmöglichkeiten, die die Lage an einem großen Strom bietet, ausgeschlossen. Im Zusammenhang mit der für Frankreich wichtigen Moselkanalisierung konnte in den Luxemburger Verträgen (1956) erreicht werden, daß der Kanal nicht, wie ursprünglich vorgesehen, bis Straßburg ohne Berührung mit dem Rhein verläuft, sondern unterhalb von Breisach am Kaiserstuhl wieder in den Strom einmündet. In das alte Flußbett wurden Kulturwehre eingebaut, um den Rhein zu stauen und den Grundwasserspiegel anzuheben. Zwischen dem Kaiserstuhl und Straßburg sieht die »Schlingenlösung« eine weitgehende Nutzung des bisherigen Rheinlaufs vor. Lediglich die Schleusen und Kraftwerke wurden in Kanalschlingen auf französischem Territorium errichtet. In den Luxemburger Verträgen, die die Rückkehr des Saarlandes regelten und die Schlingenlösung am Oberrhein ermöglichten, verpflichtete sich die Bundesrepublik ersatzweise, die Mosel zu einem Großschiffahrtsweg auszubauen. Die 1964 vollendete Moselkanalisierung durch 14 Schleusen und zahlreiche Uferveränderungen versah das lothringisch-luxemburgische Industriegebiet mit einem billigen Transportweg zum Ruhrgebiet und nach Rotterdam und führte somit zu einer erheblichen Standortverbesserung.

Auch die Donau wurde auf ihrem schiffbaren Oberlauf zwischen Passau und Kelheim korrigiert und kanalisiert. Von neun vorgesehenen Kraftwerken sind vier, darunter die beiden größten, das Kachletwerk (1927) und das Jochensteinwerk (1957), bereits fertiggestellt. Die Verkehrsbedeutung der Donau wird jedoch erst dann voll zur Geltung kommen, wenn um 1995 der »Europakanal Rhein-Main-Donau« vollendet sein wird. Doch noch fehlt das Kernstück der 3400 km langen transkontinentalen Binnenwasserstraße, deren Bau durch die aufgrund der Flußgeschichte vorhandenen Talwasserscheiden am Rande der Frankenalb erleichtert wird. Der eigentliche Main-Donau-Kanal besteht aus einer 91,8 km langen Nordrampe, von der 70 km zwischen Bamberg und Nürnberg bereits in Betrieb sind, aus

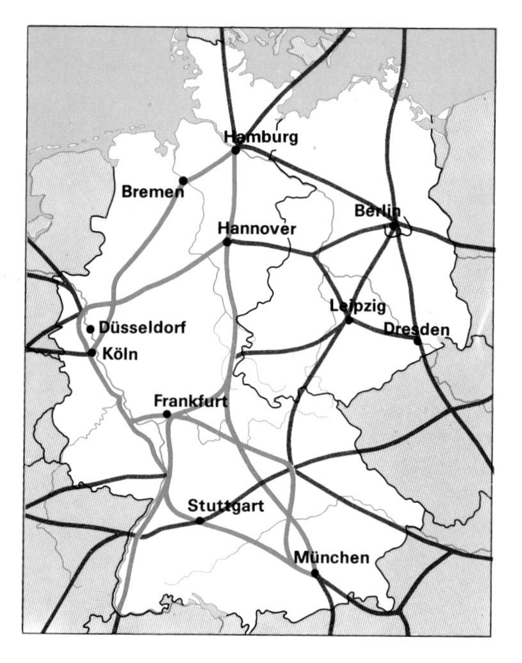

Das deutsche Eisenbahnnetz

Die grünen Linien zeigen das Streckennetz der Inter-City-Verbindungen der Deutschen Bundesbahn, während die roten Linien die Anbindung dieses Netzes an internationale Eisenbahnverbindungen darstellen.

einer 50,5 km langen Südrampe und einer 16,6 km langen Scheitelstrecke in 406 m Höhe. Alle 16 Schleusen, von denen 7 bereits fertiggestellt sind, erlauben die Durchfahrt von 1500-Tonnen-Schiffen. Welch große Bedeutung die noch unvollendete Rhein-Main-Donau-Großschiffahrtsstraße bereits heute spielt, zeigt der Umschlag in den Main-, Kanal- und Donauhäfen, der 1978 bei 31 Millionen Tonnen lag. Trotz der imponierenden Umschlagszahlen dieser innerbayerischen Entwicklungsachse bringt der Kanal zahlreiche Probleme mit sich: Er hat einen großen Flächenbedarf, benötigt riesige Wassermengen, die die Anlage von Speicherseen erfordern, führt jedoch durch ein niederschlagsarmes und teilweise verkarstetes Gebiet. Der Kanal ist teuer im Bau, hat aber nach Ansicht vieler Verkehrsfachleute nur die Kapazität einer Nebenbahn. Die größten Probleme liegen auf wirtschaftspolitischem Gebiet, da man existenzbedrohende Dumpingpreise der COMECON-Staaten auf dieser transkontinentalen Wasserstraße befürchtet.

Wie bei den großen norddeutschen Kanälen gibt es auch beim Rhein-Main-Donau-Kanal bereits Vorläufer. So hatte die Gunst der Talpforten in der Frankenalb bereits um 800 Karl den Großen zum Bau der unvollendeten »Fossa Carolina« und 1656 den Bischof von Eichstätt zum Projekt einer Kanalverbindung veranlaßt. Aber erst König Ludwig I. von Bayern stellte zwischen 1836 und 1845 mit dem Ludwig-Donau-Main-Kanal eine Verbindung zwischen Donau- und Rheinsystem her. Bereits vor der Vollendung dieser »Klammer des neuen bayerischen Staates« wurde jedoch 1844 die kanalparallele Bahnlinie Nürnberg-Bamberg eröffnet und somit die Rentabilität des Kanals durch das gleichzeitig beginnende Eisenbahnzeitalter verhindert.

Die deutsche Handelsflotte ist mit 2203 Schiffen (darunter 134 Fahrgastschiffen) mit 8,8 Millionen Tonnen mehr als doppelt so groß wie die Binnenflotte mit 3,9 Millionen Tonnen (1979). Das Deutsche Reich hatte bereits zwischen 1870 und 1914 dank der forcierten Flottenpolitik Wilhelms II. seine Handelstonnage mehr als verfünffacht (von 1,0 Millionen BRT auf 5,3 Millionen BRT) und vor dem Ersten Weltkrieg dadurch 11,3% des Weltflottenbestandes erreicht. 1914 wurde die deutsche Flotte nur von der britischen übertroffen. Mit dem Ersten Weltkrieg verlor das Deutsche Reich über 90% seiner Handelstonnage, konnte sich jedoch bis 1938 wieder eine Flotte mit 4,1 Millionen BRT schaffen.

Durch den Zweiten Weltkrieg verlor Deutschland nicht nur seine gesamte Handelsflotte, sondern auch viele Werften. Bis 1961 war der Bau größerer Schiffe verboten. Trotzdem verfügt allein die Bundesrepublik heute über eine doppelt so große Flotte wie 1938 und steht damit an 11. Stelle unter den Staaten der Welt.

Vom Seegüterumschlag der bundesdeutschen Seehäfen (1978: 140,6 Millionen Tonnen) entfielen 70% auf den Empfang und 30% auf den Versand. Darin zeigt sich die Rohstoffarmut der hochindustrialisierten Bundesrepublik. Ein weiteres Charakteristikum der deutschen Seehäfen ist die klare Überlegenheit der Nordseehäfen. Allein Hamburg (52,6 Millionen Tonnen), Wilhelmshaven (30,6 Millionen Tonnen) und die bremischen Häfen (21,8 Millionen Tonnen) bewältigen 78% des deutschen Seegüterumschlages, der zu zwei Drittel auf Massengüter (Öl, Erze, Kohlen, Getreide), zu einem Drittel auf Sack- und Stückgüter entfällt.

Bei den einzelnen Häfen ist eine Spezialisierung festzustellen. In Hamburg und Bremen spielen der Stückgutverkehr, in Bremerhaven, Lübeck und Kiel die Fischerei, in Emden, Brake und Nordenham der Erzumschlag eine wichtige Rolle. Puttgarden und Travemünde sind wichtige Fährhäfen, die von der Umleitung des Nord-Süd-Verkehrs um die DDR profitieren. Wilhelmshaven ist dank seiner für 200000-Tonnen-Tanker geeigneten Fahrrinnen auf der Außenjade Deutschlands wichtigster Erdölimporthafen.

Die Seehäfen der DDR leiden darunter, daß sie nicht an großen Flußmündungen liegen und deshalb auch nicht an das Binnenschiffahrtsnetz angeschlossen sind. Mit einem Umschlag von 16 Millionen Tonnen erreichen sie gerade 11% der bundesdeutschen Häfen. Einziger wichtiger Hafen ist Rostock (12,9 Millionen Tonnen), das dank forcierter Ausbaumaßnahmen seinen Umschlag seit 1965 verdoppeln konnte. Bei Wismar (2,3 Millionen Tonnen) spielt der Kali-Umschlag eine Rolle, bei Stralsund (0,8 Millionen Tonnen) der Ostseeverkehr und bei Saßnitz der Fährverkehr nach Skandinavien.

Die Eisenbahnen – unentbehrlich und unrentabel

Das reliefabhängige Eisenbahnnetz zeigt eine deutliche Anlehnung an die naturgeographische Struktur. Flußtäler, sonstige Tiefenzonen sowie reliefarme Gebiete sind deutliche Verkehrsleitlinien. Das zeigt sich bei der Oberrheinebene und beim Mittelrheintal ebenso wie bei der Hessischen Senke, dem Leinegraben der Bördenzone und bei den Urstromtälern im Norddeutschen Tiefland. Das Alpenvorland bildet eine Verkehrsleitlinie in Ost-West-Richtung, die Halbinsel Jütland und die dänischen Inseln (Vogelfluglinie) bündeln den Nord-Süd-Verkehr.

Die Ausrichtung der Bahnlinien auf die Tiefenzonen mit ihren klima- und bodenbegünstigten Kornkammern, ihren reichen Kohle-, Erz- und Kalilagerstätten, ihren durch Bergbau und Flußlage begünstigten Industriegassen und Verdichtungsräumen gewährleistet dem deutschen Bahnnetz zugleich ein hohes Güter- und Personenverkehrsaufkommen. Die Ursachen der beispielsweise im Vergleich zu Frankreich stark dezentralen Netzgestaltung in Deutschland mit vielen nahezu gleichwertigen Bahnknotenpunkten liegen aber vor allem in der politischen Struktur Deutschlands im 19. Jahrhundert begründet.

Im Gegensatz zum straff organisierten zentralistischen Staatsaufbau Frankreichs wies Deutschland eine starke territoriale Zersplitterung in viele Teilstaaten auf. Dieser Unterschied wirkte sich schon in den ersten Jahrzehnten des Eisenbahnbaus aus. Während in Frankreich 1845 außer Paris nur wenige Räume (Lyon, Elsaß) Eisenbahnlinien besaßen, gab es in Deutschland wegen der vielen deutschen Bundesstaaten zahlreiche isolierte Bahnlinien und Netze (z.B. in Hessen, Baden und Bayern, sowie in den preußischen Provinzen Rheinland und Schlesien). In Mitteldeutschland waren dagegen die Linien der Königreiche Preußen, Sachsen und Hannover bereits zu einem Netz zusammengewachsen.

Im Jahr 1855 (27 Jahre nach der ersten Eisenbahn in Frankreich, 20 Jahre nach der ersten Bahnlinie in Deutschland) waren die heutigen unterschiedlichen Netzstrukturen in ihren Konturen bereits klar vorgegeben. In Frankreich gab es schon ein ausgeprägtes, von Paris ausstrahlendes Radialnetz, in Deutschland dagegen ein unübersichtliches, vielfach miteinander verknüpftes Netz. Dabei sind die Eigeninteressen der deutschen Teilstaaten deutlich erkennbar. Die ersten preußischen Linien verbanden bereits 1850 Berlin mit den Seehäfen Bremen, Hamburg und Stettin sowie mit dem Rheinland (Köln, Aachen) und Oberschlesien. Die Stammlinie des Königreichs Sachsen, die erste Fernbahn Deutschlands, verband schon 1839 Leipzig mit Dresden. In Bayern gab es bereits 1835 die älteste Bahnlinie Deutschlands zwischen Nürnberg und Fürth, eine weitere Linie 1840 zwischen München und Augsburg. In Württemberg führte die erste Bahnlinie von Stuttgart nach Ulm, in Baden von Mannheim nach Freiburg.

Ein weiteres Merkmal der Netzentwicklung sind zahlreiche miteinander konkurrierende Linien verschiedener Staaten. So wurde in Konkurrenz zur französischen Linie im Elsaß (1841) im benachbarten Baden wenige Jahre später (1845) eine Nord-Süd-Linie fertiggestellt. Bayern baute 1853, Württemberg 1854 eine Linie zum Bodensee. Die erste West-Ost-Eisenbahnlinie in Nordbayern wurde deshalb gebaut, weil Bayern den Verkehr zwischen den Messestädten Frankfurt und Leipzig an sich ziehen wollte. Die bayerische Linie über Würzburg - Bamberg war aber erst 1854 fertig, die Konkurrenzlinie über Kassel bereits 1852. Besonders deutlich sind die Einflüsse ehemaliger Territorialgrenzen bei den Bahnlinien Würzburg - Heidelberg, Offenburg - Konstanz (Schwarzwaldbahn) und München - Lindau. Die Bahnlinie Würzburg - Heidelberg wäre am kürzesten über Wertheim - Miltenberg - Eberbach mit Main- und Neckartal als Leitlinien zu bauen gewesen, wobei nur ein längerer Tunnel im Odenwald nötig gewesen wäre. Aber die Bahn hätte nacheinander durch Bayern, Baden, Bayern, Hessen, Baden, Hessen, Baden geführt und wurde deshalb weiter südlich ausschließlich auf badischem Gebiet gebaut. Hier waren jedoch große Höhenunterschiede, fünf größere und zahlreiche kleinere Wasserscheiden zu überwinden und nicht weniger als 13 Tunnels zu bauen. Wenn diese Linie bis 1879 nicht einmal ab Neckarelz dem Neckartal folgte, so lag das nicht an den vielen Flußschlingen, die später acht Tunnels erforderten, sondern am hessischen Talabschnitt bei Hirschhorn.

Noch einschneidender waren die politischen Interessen bei der badischen Schwarzwaldbahn. Der kürzeste und bequemste Weg hätte über das württembergische Schramberg geführt. Aber man wollte unbedingt auf badischem Territorium bleiben und hatte hier so große Höhenunterschiede, enge Täler und wider-

Vorherige Doppelseite:

Fehmarnsundbrücke, ein Teilstück der Vogelfluglinie

Die Vogelfluglinie entspringt einem gemeinsamen Plan der Bundesrepublik, Dänemarks und Schwedens, der zum Ziel hat, die dänische Insel Seeland mit der Hauptstadt Kopenhagen, sowie die gesamte skandinavische Halbinsel durch eine schnelle Auto- und Zugstrecke mit Deutschland und Mitteleuropa zu verbinden. Da diese Verbindung den direktesten Weg nehmen soll, den auch die Zugvögel bei ihrem herbstlichen Zug in den Süden einschlagen, wurde das Projekt Vogelfluglinie getauft. Technisch sind dabei vier große Hindernisse zu überwinden, nämlich die Wasserstrecke zwischen dem deutschen Festland und der Insel Fehmarn, den dänischen Inseln Lolland und Falster und der Hauptinsel Seeland, auf der Kopenhagen liegt, sowie der Sund zwischen Seeland und Südschweden. 1963 wurde die 1000 m lange Brücke über den Fehmarnsund eröffnet. Der Beginn des letzten und größten Teilstücks, der Brücke über den 18 km breiten Fehmarnbelt, ist noch nicht abzusehen. Einstweilen wird der Fehmarnbelt vom Auto- und Zugverkehr auf großen Fährschiffen der Deutschen Bundesbahn und der Dänischen Staatsbahnen überquert.

standsfähige Granitmassive zu überwinden, daß die badische Schwarzwaldbahn mit ihren Doppelschleifen, ihrem Höhenunterschied von 448 m auf 11 km Luftlinie und ihren 39 Tunnels heute die berühmteste Gebirgsbahn Deutschlands ist.

Ähnliches gilt in abgeschwächter Form für die Verbindung München - Lindau. Diese Bahnlinie hätte fast gradlinig durch die Schotterflächen und Hügelländer des Alpenvorlands gebaut werden können, dabei aber teilweise über württembergisches Gebiet geführt. Um auf bayerischem Territorium bleiben zu können, war eine steigungs- und kurvenreiche Trassierung am Alpenrand erforderlich.

In Niedersachsen ist besonders die von der 1838 als erster Staatsbahn Deutschlands gegründeten Braunschweigischen Staatseisenbahn erbaute Linie Braunschweig - Holzminden interessant. Um auf braunschweigischem Territorium bleiben zu können, nahm man den unbequemen Umweg über Kreiensen in Kauf. Wie sehr sich die Linienführung nach den Interessen der deutschen Teilstaaten richtete, zeigen besonders deutlich auch die Konkurrenzknotenpunkte Halle/Leipzig, Hamburg/Altona oder Hannover/Lehrte. Bis 1855 waren die einzelnen Länderbahnen zu einem weitmaschigen Netz zusammengewachsen, wobei zuerst der Ost-West-Verkehr, nach Eröffnung der Alpenbahnen und der Fährlinien nach Skandinavien auch der Nord-Süd-Verkehr eine wichtige Rolle spielte. Deutschland wurde trotz zahlreicher territorialer Sonderinteressen auch auf dem Schienenweg zu einer Drehscheibe des internationalen Durchgangsverkehrs.

Technische Meisterwerke des Eisenbahnbaus sind die bereits erwähnte, 1873 vollendete Schwarzwaldbahn, die mit ihren Kehrschleifen und 39 Tunnels Vorbild für die Gotthardbahn war, sowie die nach dem Krieg 1870/71 erbaute »Kanonenbahn«, die von Berlin über Koblenz nach Metz führte und im Lahn- und Moseltal zahlreiche Tunnels aufweist. Auch die den Schweizer Kanton Schaffhausen umgehende »Sauschwänzlebahn« wurde aus strategischen Gründen erbaut. Sie ist heute wegen ihrer Kehrschleifen und Viadukte eine beliebte Museumsbahn. Von großem touristischen Interesse sind auch die 1887 eröffnete Höllentalbahn mit ihren 14 Tunnels und ihrer Maximalsteigung von 50‰, sowie die Murgtalbahn und die »Schiefe Ebene« bei Neuenmarkt - Wirsberg (Dampflokmuseum) in Oberfranken. In der DDR ist die schmalspurige, 1899 eröffnete Harzquerbahn heute eine Touristenattraktion.

Strukturwandlungen nach dem Zweiten Weltkrieg

Der Zweite Weltkrieg brachte für die deutschen Eisenbahnen riesige Verluste an Bahnanlagen und rollendem Material. So fielen 8000 von 24000 Lokomotiven, 35000 von 60000 Personenwagen und 150000 von 600000 Güterwagen dem Krieg zum Opfer. 4300 km Gleis, 70 Tunnel und 3952 Brücken wurden zerstört oder stark beschädigt. Die Nachkriegszeit brachte weitere Verluste durch Reparationen und Demontagen. So wurde in der sowjetischen und französischen Besatzungszone auf Doppelgleisstrecken fast durchweg das zweite Gleis demontiert. Durch die deutsche Teilung kamen von dem 1938 rund 68230 km langen deutschen Eisenbahnnetz 26,5% an die damalige sowjetische Besatzungszone, 20,3% mit den deutschen Ostgebieten an Polen und 53,2% des Streckennetzes verblieben in der späteren Bundesrepublik. Von den drei elektrifizierten Bahnnetzen Deutschlands kam das süddeutsche zur Bundesrepublik, das sächsische zur DDR und das schlesische zu Polen. Für die DDR wurden die Nachteile der deutschen Teilung dadurch gemindert, daß sie mit den Herzlandschaften des ehemaligen Deutschen Reichs auch das engmaschige Eisenbahnnetz im Raum Berlin und in Sachsen erhielt. Dadurch ist die Eisenbahndichte (14 km/100 km^2) dort noch höher als in der Bundesrepublik (13,3 km/100 km^2), womit die DDR an dritter Stelle in der Welt liegt. Nach den Zerstörungen und Demontagen der Kriegs- und Nachkriegszeit dienten die Jahre bis 1965 dem Wiederaufbau und dem Neubau einiger durch die Staatsgrenze bedingter Umleitungsstrecken (Außenring Berlin, Gerstungen), sowie der Elektrifizierung des »sächsischen Dreiecks«. Die beiden Fünfjahrespläne bis 1975 brachten Netzverbesserungen und die Neuverlegung des zweiten Gleises auf 900 km Streckenlänge. In Halle, Leipzig, Dresden und Magdeburg wurde ein S-Bahn-Verkehr eröffnet. 1976 begann das zweite Elektrifizierungsprogramm, das 1000 km umfaßt und das »sächsische Dreieck« mit Berlin und Rostock verbindet. Außerdem wurden ein Städteschnellverkehr eingerichtet und viele unrentable

Nebenbahnen stillgelegt. So schrumpfte das Netz der Schmalspurbahnen zwischen 1945 und 1975 von 2015 km auf 312 km. Zur Zeit ist die DDR wegen des noch immer starken Einsatzes von Dampfloks ein Eldorado für Eisenbahnfreunde aus aller Welt.

Für die Bundesrepublik brachte die deutsche Teilung die Umpolung der Verkehrsströme aus der West-Ost-Richtung in die Nord-Süd-Richtung. Die bereits vor dem Krieg bedeutsame Rheinachse wurde zum Rückgrat des Schienenverkehrs in der Bundesrepublik. Eine zweite, früher weniger wichtige Nord-Süd-Strecke hatte den Verkehr Hamburg - München und den nach Westen verlagerten Verkehr Skandinavien - Italien aufzunehmen. Dem ständig zunehmenden Verkehr nach Nordeuropa dienen die 1963 eröffnete Vogelfluglinie, die über die Fehmarnsundbrücke zum neuen Fährhafen Puttgarden führt, ebenso zahlreiche von Travemünde ausgehende Auto- bzw. Eisenbahnfähren. Im Schienenverkehr bemühte man sich deshalb um eine beschleunigte Elektrifizierung der Nord-Süd-Strecken. Von den bisherigen Endpunkten Stuttgart und Nürnberg ausgehend, wurden der Raum Frankfurt, die Rheintalstrecke, das Ruhrgebiet und schließlich die Verbindungen Frankfurt - Hamburg und Dortmund - Hamburg elektrifiziert. Die Ausdehnung des elektrischen Streckennetzes zeigen folgende Zahlen: Von 1957 bis 1979 wuchs das elektrifizierte Netz von 1600 km auf rund 11000 km. Durchschnittlich wurden pro Jahr 400 km elektrifiziert, das Maximum lag 1965 bei 830 km. Deutlich ist dabei die Bevorzugung der Verdichtungsräume (München - Stuttgart - Frankfurt - Köln - Ruhrgebiet - Hannover - Hamburg) zu erkennen, ebenso die Dominanz der Nord-Süd-Magistralen. Die Ost-West-Verbindungen (z. B. Saarbrücken - Karlsruhe - Nürnberg - Furth im Wald oder Passau - München - Bodensee) haben dagegen meist Dieselbetrieb.

Obwohl das elektrische Netz zur Zeit erst knapp 40% des Gesamtnetzes umfaßt, hat die elektrische Zugförderung in der Bundesrepublik Deutschland einen Anteil von 85%, der Rest entfällt auf Dieseltraktion. Der Dampfbetrieb wurde 1977 eingestellt. Seine letzten Einsatzgebiete lagen im Emsland und in Oberfranken.

Moderner Schnelltriebwagen (ET 403) der Deutschen Bundesbahn

Die Deutsche Bundesbahn bedient die an den Schnellzugstrecken gelegenen Großstädte mit sogenannten Intercity-Zügen, die seit 1979 in stündlichem Rhythmus verkehren. Das Intercity-Netz ist identisch mit den am stärksten vom Personenverkehr frequentierten Strecken der Bundesbahn.

Neue Trends im Schienenverkehrswesen

Großen Einfluß auf die Struktur des Schienenverkehrs hatte die Änderung der Heizgewohnheiten seit dem Beginn der sechziger Jahre. Der Kohletransport auf der Bahn ging stark zurück, während gleichzeitig der stetig steigende Erdöl- und Erdgasbedarf immer häufiger über Pipelines abgewickelt wurde. Diese Tendenz wurde durch Veränderungen im Energieverbrauch der Verkehrsmittel noch zusätzlich verstärkt. So entfällt etwa ein Drittel des Erdölverbrauchs auf Kraftfahrzeuge. Umgekehrt sank der Verbrauch von Lokomotivkohle zwischen 1958 und 1978 von 8,1 Millionen Tonnen – das sind 8000 vollbeladene Güterzüge – auf Null, während der Stromverbrauch der Eisenbahn im gleichen Zeitraum von 1,2 Milliarden kWh auf 6,1 Milliarden kWh anstieg. Die für die Stromgewinnung wichtigen Elektrizitätswerke liegen aber in den Steinkohlen- bzw. Braunkohlenrevieren oder sie werden durch Pipelines versorgt. Im Personenverkehr nahm die Zahl der Bahnreisenden seit 1958 von 1,6 Milliarden auf 1 Milliarde ab. Eine Zunahme erfolgte jedoch in den sechs größten Verdichtungsräumen durch den Ausbau leistungsfähiger S-Bahn-Netze. Außerdem sind in sieben großen Städten U-Bahnen in Betrieb oder im Bau, in weiteren Großstädten gibt es U-Straßenbahnen. Als Beispiel für den Personennahverkehr sei München herausgegriffen, das seit dem Olympiajahr 1972 ein leistungsfähiges S-Bahn-Netz und eine U-Bahn besitzt. Hier wurden sieben nach Westen und fünf nach Osten ausstrahlende Vorortlinien

Pegnitztalbahn in der Fränkischen Schweiz

durch eine innerstädtische Tunnelstrecke miteinander verbunden. Diese S-Bahn-Linien werden im Stadtzentrum von zwei nordsüdlich verlaufenden U-Bahn-Linien gekreuzt. Dieser Nahverkehr auf der Schiene erleichtert zwar die Verkehrsprobleme im Raum München, erfordert aber einen jährlichen Zuschuß von 1 Milliarde DM!

Damit ist ein weiterer Problemkreis angesprochen: das Riesendefizit des Schienenverkehrs, das in den letzten Jahren meist bei 4,5 Milliarden DM lag, jedoch durch die gemeinwirtschaftlichen Aufgaben des Bahnverkehrs mitbedingt ist. Um dieses Defizit zu senken, ergreift man seit Jahren Konsolidierungsmaßnahmen. Grundpfeiler der Bundesbahnpolitik sind Konzentration auf eisenbahnspezifische Verkehre sowie Investitionen zur Rationalisierung und Modernisierung. Die Konzentration und Rationalisierung betrifft sowohl den Personalabbau als auch die Verkürzung des Streckennetzes. So wurde die Zahl der Mitarbeiter seit 1958 von 512000 auf 315000 reduziert. Das Streckennetz schrumpfte im gleichen Zeitraum von 30800 km auf 28500 km, von denen wiederum 5000 km nur noch dem Güterverkehr dienen. Seit 1976 ist ein »betriebswirtschaftlich optimales Netz« im Gespräch. Dazu wäre jedoch die Umstellung des Personenverkehrs bei 6000 km Schienenstrecke auf Busbedienung erforderlich, während beim Güterverkehr die Streckenstillegung von der künftigen Nachfrage abhängt.

Aus diesem Grund wurden 1977 etwa 6500 km verkehrsschwache Personenverkehrslinien und 4800 km Güterverkehrsstrecken gesamtwirtschaftlich untersucht und 1978 und 1979 in »Regionalgesprächen« mit den betroffenen Institutionen und Verbänden diskutiert. Dabei zeigte sich, daß diese Streckenstillegungen viele Probleme aufwerfen, da periphere Räume nun noch mehr geschädigt würden. Es käme zu Zentralitätsverlusten bei vielen Städten, zu Standortnachteilen für die Industrie, zur Reduzierung von Kurgast- und Urlauberzahlen. Im Gegensatz zu den geplanten Konzentrationsmaßnahmen sind große Investitionen auf anderen Gebieten zu beobachten. Sie betreffen vor allem den Personennahverkehr in den Ballungsräumen und den Neubau von leistungsstarken Schnellbahntrassen auf den überlasteten und veralteten Nord-Süd-Strecken. So gibt es auf der Rheinstrecke zwischen Köln und Mainz 137 Gleisbögen, die mit verminderter Geschwindigkeit befahren werden müssen. Auf der Linie Hannover-Würzburg liegen sogar 196 enge Gleisbögen. Andererseits sind diese Strecken so überlastet, daß 40% der Güterzug-Reisezeiten durch notwendige Aufenthalte verbraucht werden.

Um diesen Mangel zu beheben, sind vier »Neubaustrecken« für Geschwindigkeiten von 200 km/h – vergleichbar der französischen Neubaustrecke Paris–Lyon – geplant. Zwei dieser Neubaustrecken, die bis zu 40% in Tunnels liegen, sind bereits im Bau: die Verbindungen Hannover–Würzburg und Mannheim–Stuttgart mit zusammen 400 km Länge. Wesentlich länger ist das Netz der »Ausbaustrekken«, die mit geringeren Baumaßnahmen modernisiert werden. Gegenwärtig werden 175 km Bahnlinien mit einer Geschwindigkeit von 200 km/h befahren, 1983 sollen es 500 km sein.

Unter den eisenbahnspezifischen Verkehren haben der »Huckepackverkehr« und der Containerverkehr stark zugenommen. So stieg zwischen 1968 und 1978 die Zahl der Huckepacksendungen (Lkw bzw. Anhänger) von 13000 auf 176000 und die Zahl der beladenen Großcontainer von 40000 auf 394000. Die gerade in Gang gekommenen Strukturwandlungen zugunsten der Eisenbahn werden durch die augenblickliche Ölverteuerung und durch zunehmendes Energie- und Umweltbewußtsein weiter verstärkt.

Vorhergehende Doppelseite:

Wutachtalbahn im Südschwarzwald

Parallel zum Ausbau von Schiffahrtswegen wurden in Deutschland frühzeitig auch große Anstrengungen zur Erbauung eines flächendeckenden Eisenbahnnetzes unternommen. Dabei wurden zum Teil schwierige und kühne Konstruktionen mit Tunnels und Brücken in Kauf genommen, wie wir sie heute nur noch beim Autobahnbau erleben. Ein Beispiel für mit hohem technischem Aufwand erbaute Nebenstrecken ist die Wutachtalbahn im Südschwarzwald, von der auf der Abbildung der Fützener Viadukt mit einem nostalgischen Bimmelbähnchen zu sehen ist. Die Pegnitztalbahn in der Fränkischen Schweiz, die wie das Bild auf Seite 190 verdeutlicht, Tunnel an Tunnel reiht, gehört ebenso wie die tunnelreiche Schwarzwaldbahn oder Moselbahn zu den Leitlinien des internationalen Verkehrs (hier: Paris–Frankfurt–Nürnberg–Prag).

Das Straßennetz – ohne Konkurrenz

Vorgeschichtliche Bernstein- und Salzstraßen, mustergültig ausgebaute Römerstraßen sowie ein weitmaschiges Netz mittelalterlicher Handelsstraßen bilden die Grundlage des modernen Straßenbaues, der mit den Chausseen im 18. Jahrhundert begann und sich über die Makadam-, Pflaster-, Teer- und Asphaltstraßen bis zu den modernen Autobahnen entwickelte. Dabei litt der Straßenbau und -verkehr seit der Mitte des 19. Jahrhunderts zunehmend unter dem Ausbau des Eisenbahnnetzes, nahm jedoch seit dem Ersten Weltkrieg in qualitativer und quantitativer Hinsicht einen stürmischen Aufschwung.

Aufstieg zur Schwäbischen Alb beim Aichelberg

Der Aichelberg am Rande der Schwäbischen Alb ist einer der bekanntesten Berge in Deutschland. Und zwar nicht deshalb, weil er besonders imposant wäre, sondern weil er fast täglich im Radio erwähnt wird. »Auf der Autobahn Stuttgart–München kommt es am Albaufstieg beim Aichelberg zu mehreren Kilometern Stau«, ist eine der häufigsten Meldungen des Verkehrsfunks. Da die Schwäbische Alb auf ihrer nach Nordwesten gekehrten Seite in einer sehr steilen Stufe aufsteigt, mußte hier die Autobahn auf einer Trasse mit relativ starker und langer Steigung angelegt werden, was für den langsamen Schwerlastverkehr erhebliche Schwierigkeiten mit sich bringt und so zu Verkehrsverdichtungen und Rückstaus führt.

Im Gegensatz zum Eisenbahnverkehr ist der Straßenverkehr reliefunabhängiger, ja, viele frühere Straßen mieden die oftmals versumpften Täler und führten ohne Rücksicht auf Steigungen über die Höhen. Solche Hoch-, Höhen- und Kammstraßen gibt es in vielen Teilen Deutschlands. Erinnert sei an den Rennsteig im Thüringer Wald, den Eselsweg im Spessart oder die quer über Taunus und Westerwald führende wichtige Handelsstraße von Frankfurt nach Köln.

Die Reliefunabhängigkeit des Straßenverkehrs führte im Eisenbahnzeitalter vielfach zu Verkehrsverlagerungen in die nun bevorzugten Täler, was wiederum viele alte Handelsstädte, die nun in eine Abseitslage kamen, stagnieren ließ. So führten beispielsweise die Rheintallinien der neuen Eisenbahn zu einer Verödung der alten Handelsstraße über Limburg, die dem gestreckten Altmühltal folgende Bahnlinie Hamburg-München zu einer Abseitslage der vielen Reichsstädte an der alten Handelsstraße Würzburg-Augsburg. Durch die Eisenbahnen erhielten umgekehrt an Talknoten oder Talpforten gelegene Orte wie Bebra, Gemünden oder Treuchtlingen eine erhöhte Verkehrsbedeutung.

Im Zeitalter des Autobahnbaues kam es zu einer neuerlichen Umwertung, da die Autobahnen reliefabhängiger als die bisherigen Straßen, aber reliefunabhängiger als die Eisenbahnen sind. Eine Autobahnführung durch die gefällsarmen Täler kam jedoch meist nicht in Frage, weil diese Täler in ihren wichtigsten Abschnitten durch den Eisenbahnbau bereits eine wesentliche Bevölkerungsverdichtung erfahren hatten und die Raumenge, die hohen Grundstückspreise, der Flächenanspruch der Autobahnen sowie die vielen technischen Kunstbauten und nicht zuletzt das zunehmende Umweltbewußtsein dem Autobahnbau entgegenstanden.

Nur breite Täler oder Tiefenzonen wie die Naturleitlinien des Leinegrabens, der Hessischen Senke, des Oberrheingrabens oder die Wittlicher Senke, das Maintal zwischen Schweinfurt und Bamberg sowie das Naabtal hatten außer der Bahn-

Folgende Doppelseite:

Expansiver Straßenbau bei Koblenz

Das Wohnhaus gibt sich mit seinen Blumenkästen an den Fenstern optimistisch, doch seine Lage ist, wie man sieht, nicht einfach. Die An- und Abfahrten der benachbarten Hochstraße sind ihm förmlich übers Dach gewachsen. Die explosionsartige Verdichtung des Straßenverkehrs seit Ende der fünfziger Jahre bringt die stark verbauten Großstädte und Ballungszonen in Bedrängnis. In dieser Notlage müssen oft Verkehrsschneisen mitten durch Wohngebiete geschlagen, unterirdische Tunnelstraßen gebaut, oder aber, wie auf der Abbildung zu sehen, Hochstraßen auf Stelzen errichtet werden.

linie noch Platz für eine Autobahn. In den meisten anderen Fällen mußten die Autobahnen talparallel über die Höhen geführt werden. Hier erwies sich die weite Verbreitung von Rumpfflächen in den Mittelgebirgszonen zur Anlage eines steigungsarmen Autobahnnetzes geradezu als ideal.

Die eingetieften Täler mußten allerdings durch zahlreiche Brückenbauten, die oft eindrucksvolle Denkmäler der Ingenieurbaukunst darstellen, überspannt werden. Das hat wiederum zur Folge, daß die Autobahnen nach Möglichkeit über weniger zertalte Hochflächen, d.h. in ziemlicher Entfernung von den großen Tälern, verlaufen. Dies führt jedoch dazu, daß viele Verkehrsknotenpunkte, die – wie Bebra oder Gemünden – ihre Bedeutung gerade dem Zusammentreffen mehrerer Täler verdanken, von den Autobahnen umgangen werden. Sind jedoch die an Talknoten gelegenen Städte so groß, daß ein direkter Autobahnanschluß nicht zu umgehen ist, so häufen sich, wie im Umkreis von Koblenz oder Würzburg, Brücken und Viadukte.

Die unterschiedliche Linienführung von Straße, Eisenbahn und Autobahn ist besonders dort interessant, wo Autobahnen im Bereich der Mittelgebirgszone mitten durch Großstädte oder Verdichtungsräume geführt werden. Sie gehören, wie etwa im Raum Saarbrücken oder Wuppertal, zu den aufwendigsten und technisch interessantesten Deutschlands. In den meisten Fällen bemüht man sich jedoch (z.B. Köln, Mainz oder Frankfurt), die Großstädte durch Autobahnringe oder, wie bei Nürnberg, Stuttgart oder München, durch tangentiale Autobahnführung zu umgehen. Die Kernstädte und Verdichtungsräume müssen jedoch durch ein teilweise sehr engmaschiges Schnellstraßennetz, dessen Fahrbahnbreiten, Kurvenradien und Ausfahrtenabstände sich von denen der Autobahnen unterscheiden, angeschlossen werden. Um einen zügigen Verkehrsstrom zu ermöglichen, werden bei den Bundesfernstraßen heute ein Drittel der Baukosten für Brücken, Tunnels und Stützmauern aufgewendet.

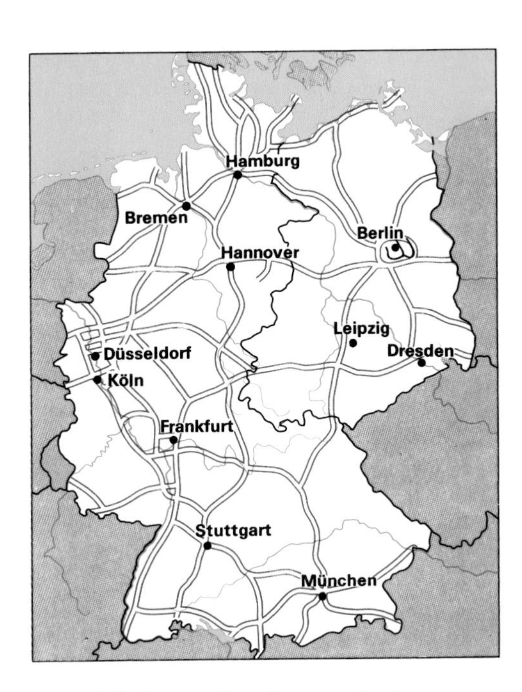

Die wichtigsten Straßenverbindungen in Deutschland

Territorialgrenzen und Straßenführung

Das deutsche Straßennetz verdankt seine Ausbildung ähnlich wie das Eisenbahnnetz weitgehend den ehemaligen Territorialverhältnissen. Das trifft bereits für die Römerstraßen zu, die zwischen Basel und Köln die linksrheinischen Städte bevorzugten. Die mittelalterlichen Handelsstraßen folgten ebenfalls der »Rheinachse«. Die wichtigsten Verbindungen führten linksrheinisch von Flandern über Köln, Mainz und Basel zu den Schweizer Alpenpässen und nach Italien. Eine andere Handelsstraße verlief von Lübeck über Lüneburg, Braunschweig, Nürnberg und Augsburg zum Brenner nach Italien. Weitere wichtige Handelsplätze und Knotenpunkte waren Frankfurt, Leipzig und Breslau. Diese Handelsstraßen wirkten oft wie Magnete für die Bildung oder Erweiterung von Territorien, die ihrerseits wieder ein meist auf lokale Bedürfnisse ausgerichtetes Straßennetz entstehen ließen. Oftmals wurden aber auch wichtige Handelswege durch zahlreiche Territorialgrenzen behindert. Darauf beruht beispielsweise die Burgenvielfalt am Rhein. Auch die »Romantische Straße« von Wertheim bzw. Würzburg nach Augsburg ist ein gutes Beispiel dafür, wie eine wichtige Handelsstraße zum Magneten für Territorienbildung und -erweiterung wird. Wertheim war Mittelpunkt einer Grafschaft, Tauberbischofsheim kurmainzische Amtsstadt, Grünsfeld gehörte zum Hochstift Würzburg, Königshofen zu Kurmainz, Mergentheim war Deutschordensresidenz, Weikersheim hohenlohische Residenzstadt, Röttingen ein würzburgisches Amtsstädtchen, Creglingen gehörte zu Ansbach, und Rothenburg war Freie Reichsstadt. Zu allem Überfluß kamen nach der napoleonischen Flurbereinigung diese Orte in bunter Reihenfolge zum Großherzogtum Baden, Königreich Württemberg oder Königreich Bayern, so daß neue Ländergrenzen diese alte Handelsstraße zerschnitten, die überdies wegen ihrer Randlage in den neuen Territorien einen Bedeutungsverlust erlitt. Außerdem wurden die Verkehrsströme nun durch die von Würzburg über Ansbach nach München führende Haupteisenbahnlinie abgelenkt und im Grenzraum nur Nebenbahnen errichtet. Dadurch unterblieb der wirtschaftliche Aufschwung in den stolzen Reichsstädten und Zwergresidenzen, die in einen Dornröschenschlaf versanken, bis sie als »Perlen« einer Romantischen Straße für den Fremdenverkehr entdeckt wurden.

Autobahnen sind besondere Straßen

Die Entwicklung des Autobahnnetzes verlief anders als die des übrigen Straßennetzes und des Eisenbahnnetzes. Hier standen nicht Länderinteressen, sondern überregionale strategische Interessen im Vordergrund. Während die Eisenbahnen ein unübersichtliches Netz bilden, zeigen die Autobahnen eine gitterförmige Struktur mit vier West-Ost- und vier Nord-Süd-Linien. Dabei waren die Ost-West-Linien bis zum Zweiten Weltkrieg wegen ihrer strategischen Bedeutung meist voll ausgebaut, während von den Nord-Süd-Linien damals nur die Autobahn Berlin – Leipzig – München vollendet war. Insgesamt umfaßte das deutsche Autobahnnetz 1945 eine Länge von 3860 km.

Die Teilung Deutschlands brachte dann bei den Autobahnen dieselbe Umpolung wie beim Bahnnetz. Von den 3860 km des Autobahnnetzes des Deutschen Reiches fielen 2110 km (55%) an die Bundesrepublik Deutschland. Wie bei den Eisenbahnen verblieb das dichtere Liniennetz in der Deutschen Demokratischen Republik, der ehemaligen Mitte Deutschlands. Das Autobahnnetz der Bundesrepublik war dagegen noch weniger als das Bahnnetz geeignet, die neuen nordsüdlich gerichteten Verkehrsströme aufzunehmen. Man bemühte sich deshalb zunächst um die Fertigstellung (1962) der bereits vor 1930 geplanten Nord-Süd-Autobahn von Hamburg über Frankfurt nach Basel (Hafraba). Da diese Autobahn den Nord-Süd-Verkehr um Bayern herumgeleitet hätte, baute man zwischen 1957 und 1964 die Spessartautobahn von Frankfurt nach Würzburg sowie zwischen 1962 und 1968 die Rhönautobahn von Hersfeld nach Würzburg. Dadurch erreichte man eine deutliche Verkehrsverbesserung zum Ruhrgebiet und zu den großen Seehäfen. Außerdem konnte man freie Kapazitäten der Autobahn Berlin – Nürnberg – München nutzen. In den letzten Jahrzehnten wurden rund 5700 km Autobahnen neu gebaut, so daß heute in Süddeutschland drei Nord-Süd- und drei Ost-West-Autobahnen, in der Mittelgebirgszone nördlich der Mainlinie vier Nord-Süd- und eine Ost-West-Autobahn und im Norddeutschen Tiefland vier Nord-Süd- und zwei Ost-West-Autobahnen bestehen.

Man ist bestrebt, einzelne Verdichtungsräume durch mehrere Autobahnen zu verbinden. So führen vom Ruhrgebiet zum Rhein-Main-Gebiet und von dort zum Rhein-Neckar-Raum jeweils drei parallele Autobahnen. München kann man von Frankfurt aus über Nürnberg oder Stuttgart, Hamburg von Dortmund aus über Bremen oder Hannover erreichen. Dank des zügigen Ausbaus wuchs das Autobahnnetz bis 1980 auf eine Gesamtlänge von 7380 km, womit die Bundesrepublik die führende Stellung im Fernstraßenbau Europas halten konnte. In der DDR, deren Autobahnnetz gegenwärtig 1800 km umfaßt, wurden in der Nachkriegszeit nur einige kurze Autobahnabschnitte bei Berlin sowie die 70 km lange Verbindung Leipzig - Karl-Marx-Stadt (Chemnitz) und die 1978 vollendete 228,5 km lange Autobahn Berlin - Rostock gebaut. Auch das übrige Straßennetz der DDR bleibt mit einer Gesamtlänge von rund 50000 km weit hinter dem der Bundesrepublik (etwa 175000) zurück. Hinzu kommt, daß die Straßen der Bundesrepublik, vor allem die rund 33000 km Bundesstraßen, erheblich besser ausgebaut sind und in den letzten Jahren vielfach mehrspurig und kreuzungsfrei neu- oder umgebaut wurden.

Der Siegeszug des Kraftfahrzeugs in Deutschland

Außer den Verkehrswegen ist vor allem der Kraftfahrzeugbestand interessant. Die Straßen und Autobahnen der Bundesrepublik werden gegenwärtig von rund 23 Millionen Personenkraftwagen, 3 Millionen Zweirädern, 64000 Omnibussen, 1,25 Millionen Lastkraftwagen und 1,6 Millionen Traktoren befahren. Dabei stieg die Zahl der Kraftfahrzeuge bislang ständig weiter an, zwischen 1979 und 1980 zum Beispiel um 1140000! Zu diesem großen Kfz-Bestand kommen Millionen von ausländischen Fahrzeugen, die Deutschland dank seiner zentralen Lage, der gut ausgebauten Fernstraßen und der gebührenfreien Autobahnen alljährlich durchfahren. Steht die Bundesrepublik hinsichtlich des Kraftfahrzeugbestands hinter den USA und Japan bereits knapp vor Frankreich und Italien an dritter Stelle in der Welt, so liegt sie bei der Kraftfahrzeugdichte pro Straßenkilometer neben den Benelux-Staaten an der Spitze aller vergleichbaren Staaten. Bei der Kraftfahrzeugdichte, bezogen auf die Einwohnerzahl, nimmt sie mit etwa 380 Pkw pro 1000 Einwohner und knapp vor Schweden, Frankreich, Luxemburg und der Schweiz den ersten Platz in Europa ein. Die Kraftfahrzeugindustrie der Bundesrepublik Deutschland liegt mit einer Produktion von jährlich über 4 Millionen Fahrzeugen an dritter Stelle in der Weltrangliste. Der hohe Motorisierungsgrad in der Bundesrepublik ist einerseits ein Spiegelbild des hohen Lebensstandards, andererseits Ursache für viele Verkehrsprobleme, die vor allem mit dem hohen Anteil des sogenannten Individualverkehrs zusammenhängen.

Welch stürmische Entwicklung das Kraftfahrzeug in Deutschland nahm - begünstigt durch die Pionierleistungen von Nikolaus August Otto, Gottlieb Daimler, Carl Benz, Rudolf Diesel, Robert Bosch, Ferdinand Porsche und Felix Wankel -, ist aus folgenden Zahlen zu ersehen: 1914 gab es im Deutschen Reich 55000 Pkw, 8000 Lkw und 20000 Motorräder, d. h. insgesamt 83000 Kraftfahrzeuge. Bis 1928 hatte sich der Bestand fast verzehnfacht (rund 800000) und bis 1936 (2460000) nochmals verdreifacht. Nun standen die Motorräder (1180000) an erster Stelle, gefolgt von Pkw (950000), Lkw (280000) und Zugmaschinen (50000). Bis 1938 war der Kraftfahrzeugbestand weiter auf 3,27 Millionen angestiegen. Heute gibt es auf der beinahe nur halb so großen Fläche der Bundesrepublik zehnmal so viele Kraftfahrzeuge wie 1936, wobei die Anzahl der Personenwagen sogar zwanzigmal höher liegt als damals.

Bereits 1954, also 9 Jahre nach Kriegsende, gab es in beiden deutschen Staaten doppelt so viele Kraftfahrzeuge wie 1936 im gesamten Deutschen Reich. Dabei waren allerdings von den 4680000 Kfz der Bundesrepublik nicht weniger als 2,3 Millionen Motorräder, Roller und Mopeds und nur 1,4 Millionen Pkw, 600000 Lkw und 380000 Zugmaschinen. Vergleicht man diese Zahlen mit den heutigen, so hat sich in den letzten 25 Jahren der Bestand bei den Pkw versechzehnfacht, bei den Zugmaschinen vervierfacht und bei den Lkw verdoppelt. Die Zahl der Zweiräder ist dagegen nur um 30% angestiegen. In der DDR, wo 1954 erst 420000 Kraftfahrzeuge registriert waren, gab es damals 250000 Zweiräder, je 80000 Pkw und Lkw sowie 10000 Zugmaschinen. Heute hat die DDR einen Bestand von

Autobahnknoten bei Duisburg-Kaiserberg

Um möglichst viele Regionen an ein weitgespanntes Fernstraßennetz anzuschließen, sind die Bundesautobahnen untereinander verbunden. Die dabei entstehenden Knotenpunkte können nicht in Form einfacher Kreuzungen angelegt werden, sondern bedürfen eines komplizierten Systems von Ab- und Auffahrten, die einen enormen Landschaftsverbrauch verursachen.

rund 4,5 Millionen Kfz, wobei die Pkw mit 2,5 Millionen weit an der Spitze stehen, gefolgt von 1,2 Millionen Krafträdern und 350 000 Lastkraftwagen. Eine große Rolle spielen jedoch auch die nicht in der Kfz-Statistik enthaltenen 2,4 Millionen Kleinkrafträder. Vergleicht man den Motorisierungsgrad in der Bundesrepublik und den in der DDR miteinander, so gibt es, berechnet auf die Einwohnerzahl, in beiden deutschen Staaten dieselbe Straßenlänge und eine ähnliche Lkw-Dichte. Die Pkw-Dichte pro Einwohner erreicht jedoch in der DDR nur knappe 40% derjenigen der Bundesrepublik, die Zahl der Motorräder pro Einwohner ist jedoch 13 mal höher als in der Bundesrepublik.

Technische Meisterwerke auch im Straßenbau

Wie bei den Eisenbahnen gibt es auch bei den Straßen teilweise hochinteressante technische Bauwerke; besonders markante Brücken prägen oftmals sogar das Bild einer Landschaft oder einer Stadt. Das gilt nicht nur für moderne Bauten.

Berühmt sind die römische Moselbrücke in Trier, die aus dem Mittelalter stammende Lahnbrücke in Limburg, die Alte Mainbrücke in Würzburg und die Steinerne Brücke in Regensburg. Berühmt sind auch die mit Häusern bestandene Alte Nahebrücke (1300) in Bad Kreuznach, die 1580 vollendete gedeckte Holzbrücke über den Rhein in Bad Säckingen und die 1786–88 erbaute Karl-Theodor-Brücke in Heidelberg. Die zweite Hälfte des 19. Jahrhunderts war vor allem die Zeit der großen Eisenbahnbrücken und -viadukte, doch wurden in den damals schnell wachsenden Städten auch zahlreiche Flußbrücken errichtet. Besonders bekannte Beispiele sind die Rheinbrücken von Worms, Mainz, Koblenz und Köln sowie die Elbbrücken in Hamburg, Magdeburg und Dresden. Vor dem Zweiten Weltkrieg entstanden mit den Autobahnen zahlreiche oft vorzüglich in die Land-

Spessartautobahn mit Haseltalbrücke

Kein Reisender muß heute bei seiner Fahrt durch den Spessart mehr in jenem gruseligen Wirtshaus übernachten, das der deutsche Dichter Wilhelm Hauff in seiner Novelle »Das Wirtshaus im Spessart« beschrieben hat; über die neuerbaute Autobahn kann er rasch Würzburg oder in der anderen Richtung Frankfurt erreichen. Und selbst wenn er in jenem Wirtshaus übernachten wollte, er würde es nicht mehr finden, denn es hat der Autobahn und einem modernen Rasthof weichen müssen. Die Spessartautobahn wurde als direkte und schnelle Verbindung des Raumes Nürnberg/Fürth mit Frankfurt und den dortigen weiterführenden Autobahnen gebaut. Trotz dieses Nutzeffektes ist, wie die Abbildung verdeutlicht, der Bau einer Autobahn durch solche ökologisch noch intakten Landschaften wie den Hochspessart problematisch. Autobahnen als möglichst kurven- und steigungsarme Hochgeschwindigkeitsstraßen können auf die landschaftlichen Gegebenheiten wenig Rücksicht nehmen, und so wird manches zusammengehörige Waldstück zerschnitten, manches stille Tal durch eine Betonspannbrücke gestört. Hier gilt es sorgsam den Wert intakter Landschaft gegen den Nutzwert der Straße aufzuwägen. Gerade in den letzten Jahren hat sich in der Bevölkerung ein erhöhtes Bewußtsein für dieses Problem gebildet, was zur Folge hatte, daß einige allzusehr nur vom straßenplanerischen Gesichtspunkt entworfene Autobahnen, wie zum Beispiel die Quertrasse durch den Schwarzwald, die landschaftlich einmalige Gebiete zerschneiden würden, von den Behörden wieder zurückgenommen werden mußten.

schaft eingefügte Brückenbauten, unter denen die 550 m lange und 61 m hohe Werrabrücke bei Hedemünden, die 513 m lange und 60 m hohe Lahnbrücke bei Limburg und die 288 m lange und 68 m hohe Mangfallbrücke die größten sind.

Diese Brücken werden in ihren Abmessungen aber von den zahlreichen Autobahnbrücken der Nachkriegszeit bei weitem übertroffen, die sich vor allem an der Sauerland-, Rhön- und Spessartautobahn häufen. So gibt es auf der Spessartautobahn 18 größere Talbrücken, unter denen die Haseltalbrücke (720 m lang, 68 m hoch) und die Heidingsfelder Talbrücke (723 m lang, 65 m hoch) die wichtigsten sind. Die größte unter den 23 Talbrücken der Rhön-Autobahn ist die 965 m lange und 100 m hohe Grenzwaldbrücke bei Bad Brückenau, die ihrerseits wieder von der Siegtalbrücke (1010 m lang, 102 m hoch) an der Sauerland-Autobahn übertroffen wird. Diese gewaltigen Brücken werden aber wiederum durch die Bauwerke der letzten Jahre in den Schatten gestellt. So erreicht die 935 m lange Moseltalbrücke bei Winningen eine Höhe von 136 m, und die Kochertalbrücke bei Schwäbisch Hall ist sogar 185 m hoch. Die größte Autobahnbrücke Norddeutschlands (520 m lang, 42 m hoch) führt bei Rendsburg über den Nord-Ostsee-Kanal.

Bedeutende deutsche Straßenbrücken sind aber auch die Rheinbrücken zwischen Bonn und Emmerich, die 76 m hohe Echelsbacher Brücke in Oberbayern, sowie die Köhlbrandbrücke im Hamburger Hafen. Allein an den Bundesfernstraßen gibt es heute mehr als 130000 Brücken, von denen 130 länger als 1000 m sind. In der DDR wurden dagegen die Autobahnbrücken aus der Vorkriegszeit, unter denen die Brücke über die Freiberger Mulde (403 m lang, 70 m hoch) und die Teufelstalbrücke beim Hermsdorfer Kreuz (250 m lang, 55 m hoch) die größten sind, noch nicht durch neuere Bauten übertroffen.

PAN AM
AIR INDIA

Der Luftverkehr in Deutschland

Auf den elf bundesdeutschen Verkehrsflughäfen wurden 1978 rund 45 Millionen Fluggäste abgefertigt. Diese Zahl spiegelt einerseits die günstige Lage Deutschlands in der Mitte Europas wider, andererseits aber auch die hohe Bevölkerungsdichte und die hochentwickelte Wirtschaftsstruktur des Landes. Jedes deutsche Bundesland – außer Rheinland-Pfalz und Schleswig-Holstein – besitzt je einen, Nordrhein-Westfalen und Bayern sogar je zwei Verkehrsflughäfen. Ihre Rangfolge richtet sich dabei weniger nach der Einwohnerzahl als vielmehr nach der Wirtschaftskraft und Verkehrsgunst der einzelnen Verdichtungsräume. Der überragende Großflughafen Frankfurt/Rhein-Main liegt in der geographischen Mitte der Bundesrepublik und im zweitgrößten Verdichtungsraum des Landes, außerdem im Schnittpunkt der wichtigsten Autobahnen, Schienenverkehrswege und Binnenwasserstraßen. Kein Wunder, wenn in Frankfurt/Rhein-Main mit 15,8 Millionen Fluggästen ebenso viele Flugpassagiere abgefertigt werden wie in Düsseldorf (6,3 Millionen), München (5,6 Millionen) und Hamburg (4,2 Millionen) zusammengenommen. In der Rangfolge nehmen West-Berlin (4,0 Millionen), Stuttgart (2,7 Millionen), Köln/Bonn (2,1 Millionen) und Hannover (2,1 Millionen) die nächsten Plätze ein; erst mit weitem Abstand folgen die Verkehrsflughäfen Nürnberg (814 000), Bremen (668 000) und Saarbrücken (162 000).

Beim Frachtverkehr (775 000 Tonnen) ist die überragende Stellung von Frankfurt/Rhein-Main noch deutlicher, entfallen doch auf ihn allein mehr als drei Viertel (78%) der Luftfracht. Frankfurt/Rhein-Main ist auch der Heimatflughafen der 1954 wiedergegründeten Deutschen Lufthansa, deren Luftflotte (95 Flugzeuge) 1978 auf einem Streckennetz von rund 450 000 km immerhin 12,6 Millionen Fluggäste beförderte und damit eine führende Stellung im der Weltluftfahrt einnimmt.

Interessant ist die Tatsache, daß die Zahl der Verkehrsflughäfen im Bereich der Bundesrepublik seit 1939 von 39 auf 11 abgenommen hat. Darin drückt sich der Übergang vom Mittelstreckenverkehr zum Langstreckenverkehr, vom Propellerflugzeug zum schnelleren Düsenjet aus.

Die DDR besitzt mit Berlin-Schönefeld ihren einzigen internationalen Flughafen. Nach dem Passagieraufkommen (unter 2 Millionen/Jahr) würde dieser Flughafen nur an neunter Stelle in der Bundesrepublik stehen. Berlin-Schönefeld ist Heimatflughafen der Interflug, die mit 30 Flugzeugen ein Streckennetz von 85 000 km befliegt, am gesamten Flugverkehr der DDR zu 90% beteiligt ist und zu den wichtigsten Fluggesellschaften des Ostblocks gehört. Die Strecke Berlin (Ost) – Moskau ist mit 320 000 Flugpassagieren pro Jahr die am stärksten frequentierte Linie der Ostblockstaaten.

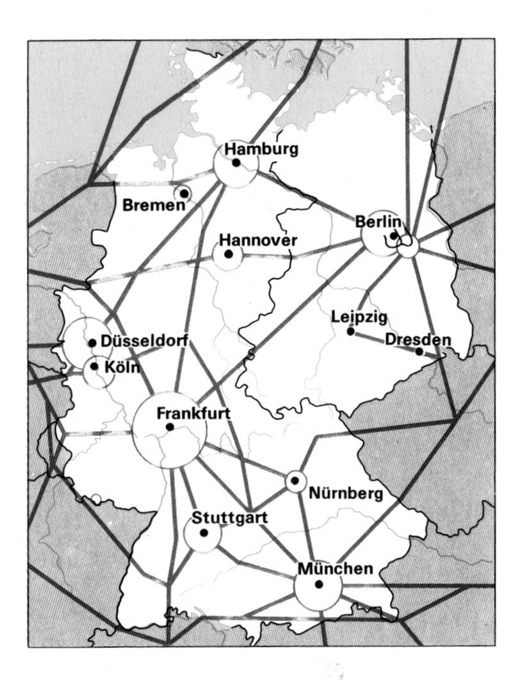

Die Flugverbindungen in Deutschland

Die Größe der Kreise zeigt die relative Verkehrsfrequenz der Flughäfen an.

Der Flughafen in Frankfurt am Main

Der zentralen geographischen Lage Frankfurts in der Bundesrepublik verdankt der Flughafen Frankfurt/Rhein-Main seine überragende Bedeutung: An ihm werden so viele Fluggäste abgefertigt wie in Düsseldorf, München und Hamburg zusammen.

Die Umwelt in Gefahr

Die explosionsartige Bevölkerungszunahme in den vergangenen 100 Jahren – 1871 lebten auf dem Gebiet der heutigen Bundesrepublik Deutschland 20,4 Millionen Menschen, 1978 immerhin 61,3 Millionen (einschließlich West-Berlin) – und die noch viel stärkere Bevölkerungsverdichtung in den Großstädten und Ballungsgebieten – 1871 lebten 5% der deutschen Gesamtbevölkerung in Großstädten (über 100 000 Einwohner), 1979 aber knapp 35% (Bundesrepublik) – führte zu einer immer stärkeren Belastung des Naturhaushalts. Die allgemeine Zunahme des Lebensstandards sowie die zunehmende Motorisierung und die relative Vergrößerung der Wohnungen führten nicht nur zu einem erhöhten Müll- und Abwasseranfall, sondern auch zu einer überdurchschnittlichen Zunahme der Siedlungs- und Verkehrsflächen, die sich allein im letzten Jahrzehnt (1970–1980) um 420 000 ha ausdehnten. Das ist mehr als das Achtfache der Fläche West-Berlins. Außerhalb der Siedlungs- und Verkehrsareale wird jedoch der immer knapper werdende Grund und Boden als land- und forstwirtschaftliche Nutzfläche, als Naherholungs- und Ferienraum sowie durch Talsperren, Kies- und Sandgruben, Elektrizitäts-Fernleitungen, Mülldeponien immer intensiver und zum Teil sogar mehrfach genutzt, so daß auch hierdurch große Umweltbelastungen auftreten.

Die gerade in den Ballungsräumen konzentrierte Industrie führt vielerorts zu starken Gewässer- und Luftverschmutzungen sowie zu großen Lärmbelästigungen. Auch die Zunahme und der Strukturwandel des Energieverbrauchs hat stärkere Wasser- und Luftverunreinigungen sowie Flächenansprüche für Pipelines, Ölraffinerien, Heizkraft- und Elektrizitätswerke, Stauseen zur Folge.

Selbst die zunehmenden Freizeitaktivitäten belasten die Umwelt durch Bereitstellung von Erholungsflächen, Schädigung des natürlichen Pflanzenwuchses und landwirtschaftlicher Kulturen sowie durch Lärmbelästigung und Umweltverschmutzung (Abgase der Kraftfahrzeuge).

Saubere Gewässer – noch immer große Ausnahmen

Die Gewässerverschmutzung ist eines der schwerwiegendsten Umweltprobleme. Die Verunreinigung der Flüsse und Seen nahm in den letzten 100 Jahren, bedingt durch Industrialisierung und Bevölkerungswachstum, so stark zu, daß die natürliche Selbstreinigungskraft, die auf der Tätigkeit sauerstoffverbrauchender Bakterien beruht, stellenweise bereits zusammengebrochen ist. Stickstoffverbindungen, Phosphate und mit ihnen belastete Abwässer haben nämlich eine düngende Wirkung auf Algen und andere Wasserpflanzen, die sich deshalb – ebenso wie Kleinstlebewesen – schnell vermehren und nach dem Absterben durch Zersetzung so viel Sauerstoff verbrauchen, daß keine Fische mehr im Wasser leben können. Auch die Einleitung von zu warmem Kühlwasser führt zu akutem Sauerstoffmangel, der ein »Umkippen« des ganzen Flusses zur Folge haben kann.

Die stärkste Abwasserfracht liefern die dicht besiedelten und stark industrialisierten Ballungsgebiete. Aber auch in ländlich strukturierten Räumen kommt es zu Gewässerverschmutzungen. Hier können nicht nur Unkraut- und Schädlingsbekämpfungsmittel, sondern bei zu starker Düngung auch Nitrate ausgewaschen werden und ins Grundwasser gelangen, wie dies in verschiedenen deutschen Gemüse- und Weinbaugebieten beobachtet wurde. Andernorts fällt oftmals durch die Tiermassenhaltung mehr Flüssigmist an als die verfügbare landwirtschaftliche Nutzfläche verkraften kann. Um eine Überdüngung zu vermeiden, wird deshalb dieser Flüssigmist in das Gewässernetz abgeleitet, wo es dadurch zu einem Sauerstoffschwund kommt.

Nicht nur zwischen verschiedenen Wirtschaftsräumen bestehen Unterschiede in der Abwassereinleitung, sondern auch zwischen verschiedenen Stromsystemen. Am meisten gefährdet ist dabei der Rhein. Er hat den weitaus größten Einzugsbereich (252 000 km²) mit der von anderen großen Flußsystemen unerreichten Bevölkerungsdichte von 500 Einwohner/qkm (am Niederrhein sogar von 2000 Einwohner/km²) und somit den größten Abwasseranfall von Städten und Industrieanlagen. Wie stark die Verschmutzung zugenommen hat, ersieht man daraus, daß 1885 noch 130 000 Lachse im Rhein gefangen wurden, 1900 nur noch 60 000, 1930 noch 10 000 und 1950 ganze 3000. Daran ist nicht nur die große Bevölkerungs- und Industriedichte schuld, sondern vor allem die Art der industriellen Abwässer. So gelangen aus den oberelsässischen Kaligruben fast 10 Millionen Tonnen Salze in den Rhein, die Zellstoff- und Papierfabriken am Oberrhein und Untermain belasten den Fluß mit Schwefel- und Salzsäure, die zahlreichen, am ganzen Flußlauf zu findenden Chemiewerke mit Säuren, Laugen und Schwefelverbindungen. Aus den Stahlwerken Lothringens, des Saargebiets und des Ruhrreviers gelangen giftige Metallverbindungen, aus den Kokereien Karbolsäure ins Flußwasser. Der rege Schiffsverkehr gefährdet den Rhein nicht nur durch Altöl, sondern auch durch schädliche Frachten, die bei Unfällen – von denen sich jährlich über 100 ereignen – in den Fluß gelangen. Zu allem Überfluß liegen im Einzugsgebiet des Rheins auch die meisten Kraftwerke der Bundesrepublik, die mit ihrem Kühlwasser den Fluß aufheizen.

Die Verschmutzung des Rheins ist auch deshalb so stark, weil wegen zahlreicher Staats- und Ländergrenzen die Überwachung oft nicht streng genug gehandhabt werden kann. So leitet die Schweizer Großstadt Basel ihre Abwässer ungeklärt in den Rhein, der ja ohnehin hier das Staatsgebiet verläßt, und dasselbe gilt vom oberelsässischen Kalibergbau sowie von der Montanindustrie Lothringens und Luxemburgs. Selbst am bayerischen Untermain fallen kurz vor der Landesgrenze große Abwassermengen an (Obernburg, Aschaffenburg, Stockstadt), ebenso im hessischen Flußabschnitt kurz vor der Mainmündung (Höchst) oder am Niederrhein kurz vor der niederländischen Grenze. Die Gefährdung für das jeweilige Nachbarland ist auch deshalb so schwer erkennbar, weil in den Gewässerverschmutzungskarten in den weitaus meisten Fällen nur das eigene Staatsgebiet dargestellt wird.

Parkanlagen als Naturersatz: Wilhelma in Stuttgart

In hochzivilisierten Zonen wie Mitteleuropa gibt es kaum einen Fußbreit Erde, der im Verlauf der Geschichte vom Menschen nicht irgendwie umgestaltet worden wäre. Selbst was noch als reine Natur erscheint, wie zum Beispiel die Wälder der Mittelgebirge, hat mannigfache Änderungen mitgemacht: Ursprünglich kahle Flächen sind aufgeforstet worden, in ehemals geschlossenen Waldungen Rodungen für den Ackerbau gelegt, ursprünglich mit Laubmischwald bewachsene Gegenden durch forstwirtschaftlich profitablere, weil schnellwüchsigere Nadelholzkulturen ersetzt worden; die Reihe der Beispiele ließe sich beliebig fortsetzen. Hier ist Natur verändert worden, aber es ist Natur geblieben; dagegen ist in den Industrie- und Stadtzonen Natur verschwunden und durch eine vom Menschen geschaffene Kunstlandschaft ersetzt worden. Da die Menschen aber nicht gänzlich ohne Natur leben wollen und können, mußten in diesen Zonen Areale für Pflanzenbewuchs freigehalten oder nachträglich wieder freigemacht werden. Diese Areale, Parks genannt, dienen zum einen der körperlichen und seelischen Erholung der Stadtbevölkerung und zum anderen der Erhaltung der biologischen Voraussetzungen für das Leben, da Pflanzen die in der Stadt massenhaft verbrauchte Atemluft erneuern können. Gerade weil die Parks für die Stadtbevölkerung eine so große Bedeutung haben, die zur Verfügung stehenden Flächen aber meist beschränkt sind, hat man Parkanlagen mit besonders schönen, auch exotischen Pflanzen angelegt; ihre Pracht entspricht dem Naturbedürfnis der Großstadtbewohner. Die Abbildung zeigt einen tulpenumstandenen Kunstsee mit einem regelrechten Magnolienwald im Hintergrund in der Wilhelma in Stuttgart, die Zoo und Park in einem vereinigt.

Außer dem Rhein und seinen Nebenflüssen, von denen Neckar, Untermain und Emscher am stärksten belastet sind, gehören die Unterweser und Unterelbe mit ihrem starken Schiffsverkehr und den Abwässern der hochindustrialisierten Verdichtungsräume Bremen und Hamburg zu den am meisten verunreinigten Flüssen. Im niedersächsischen Industriegebiet und im Raum Leipzig mit seiner vielfältigen Industrie und seinen zahlreichen Chemiewerken gehören die wasserarmen Flüsse Leine bzw. Weiße Elster und Pleiße zu den am stärksten verschmutzten Gewässern Deutschlands. Werra, Weser, Unstrut und Saale sind wegen des Kalibergbaus außerdem zusätzlich mit einer starken Salzfracht belastet. An der Donau tritt nur im Raum Kelheim (Zellstoffwerke) eine stärkere Verschmutzung auf.

Relativ saubere Flüsse und Seen sind die obere Fulda und Lahn, der Obermain, der obere Lech und der Hochrhein sowie der Bodensee. Das ist besonders deshalb wichtig, weil viele dieser Gewässer der Wasserversorgung großer Städte oder Verdichtungsräume dienen. Am problematischsten ist dagegen die Situation dann, wenn ein stark verschmutzter Strom wie der Oberrhein, Untermain oder Niederrhein durch grundwasserreiche Gebiete fließt. Um die hier auftretenden Probleme auszuschalten, plant man z. B. am Oberrhein neben dem als Schiffahrtsstraße und Abwasserkanal dienenden Fluß selbst unter Ausnutzung der Altrheinarme eine zweites, nur der Wasserversorgung dienendes Zirkulationssystem.

Um der Gewässerverschmutzung zu begegnen – immerhin ist gut ein Viertel alles oberflächlich abfließenden Wassers in der Bundesrepublik Abwasser –, sind kostspielige Kläranlagen mit mechanischer, chemischer und biologischer Reinigung notwendig. Das Fernziel ist, bis 1990 rund 90% aller Abwässer einer mechanischen und vollbiologischen Reinigung zu unterziehen. Wie wichtig das Abwasserproblem ist, zeigt die Tatsache, daß alljährlich mehr als 50% aller Umweltinvestitionen (zwischen 1971 und 1975 allein über 37 Milliarden DM) für die Abwässerreinigung getätigt wurden. So hat man z. B., um Bodensee und Tegernsee reinzuhalten, zahlreiche Kläranlagen und Abwasserringleitungen angelegt.

Luftverschmutzungen in Stadt und Land

Landstraße und Obstwiesen im Frühling

Die Fülle der Bäume, welche längs dieser Landstraße stehen, läßt hoffen, daß die Natur die Belastungen der Straße hier noch aufzufangen vermag. Offen ist freilich die Frage, unter welchen Einbußen; auch die damit befaßte Wissenschaft vermag nicht eindeutig zu sagen, welche Auswirkungen der auf der Straße anfallende Reifenabrieb, das winterliche Streusalz sowie die von den Autos produzierten Bleirückstände und Abgase auf das Wachstum der Bäume und vor allem auf die Qualität der Früchte haben, die vom Menschen verzehrt werden.

Im Gegensatz zur Gewässerverschmutzung, die meist linienhaft auftritt, kann die Luftverschmutzung flächenhaft in Erscheinung treten und dadurch oft größere Räume belasten. Die Luftverunreinigung ist eine Gefahr für pflanzliches, tierisches und menschliches Leben und wird durch eine große Anzahl von Schadstoffen hervorgerufen, die als Rauch, Staub, Gase oder Geruchsstoffe die Umwelt belasten.

Wie groß die Emissionen (Stofftransporte von der Technosphäre in die Atmosphäre) sind, kann nur grob geschätzt werden. So wurden 1970 in der Bundesrepublik etwa 9,3 Millionen Tonnen Kohlenmonoxid (davon 6,4 Millionen Tonnen durch den Verkehr), 1,7 Millionen Tonnen Staub (davon 1,1 Millionen Tonnen durch Industrie und Gewerbe), 4 Millionen Tonnen Schwefeldioxid (davon 3,6 Millionen durch Energieerzeugung) und 0,5 Millionen Tonnen Kohlenwasserstoff (davon 0,23 Millionen Tonnen durch den Verkehr) in die Atmosphäre geleitet.

Beim Verkehr, der den Großteil des Kohlenmonoxids, der Stickoxide und der Kohlenwasserstoffe erzeugt, ist das Kraftfahrzeug der bei weitem größte Luftverschmutzer. Die starke Motorisierung, die dichte Besiedlung sowie das engmaschige Straßen- und Autobahnnetz haben zur Folge, daß verkehrsbedingte Umweltprobleme in allen Teilen Deutschlands zu finden sind. Wegen der Verkehrsdichte und der Häufigkeit von Verkehrsstaus sind jedoch die Ballungsgebiete und zahlreiche neuralgische Autobahnkreuzungen besonders gefährdet. Außerordentlich nachteilig ist, daß die Kraftfahrzeuge ihre Schadstoffe gerade im Fußgängerniveau ausstoßen. Neben Kohlenmonoxid, Stickoxiden und Kohlenwasserstoffen sind vor allem Staub (Reifenabrieb, Eisenstaub, Asbeststaub u.ä.) sowie Bleiemissionen (jährlich rd. 7000 t) besonders schädlich.

Eine teilweise noch stärkere, aber örtlich auf wenige Großflughäfen konzentrierte Luftverschmutzung geht vom Flugverkehr, eine vor allem auf Hafenstädte, Schleusenbereiche und Engtalstrecken beschränkte Luftverunreinigung von der Binnen- bzw. Seeschiffahrt aus. Die durch die Eisenbahn bedingte Luftverschmutzung ist durch die von 1958 bis 1977 erfolgte Einstellung des Dampfbetriebes auf allen Strecken der Deutschen Bundesbahn sowie durch die starke Elektrifizierung und die Reduzierung der Dieseltraktion auf ein Minimum zurückgegangen. Dasselbe gilt für die durchweg elektrifizierten Untergrund-, Stadt-, Straßen- und Vorortbahnen. Daß aber auch hier vielerlei Emissionen auftreten können, zeigt das Beispiel der Stuttgarter Straßenbahn, die allmonatlich durch Abrieb eine Tonne Eisenstaub erzeugt.

Kraftwerke und Industriebetriebe geben Fluorverbindungen, Chlorwasserstoffe und krebserregende Kohlenwasserstoffe an die Atmosphäre ab. Viele Industriebetriebe (Teerverarbeitungswerke, Zucker- und Fischmehlfabriken) sorgen für geruchsintensive Gase und Dämpfe, andere, wie Zement- und Gipswerke, für starken Staubanfall. Bei der räumlichen Konzentration von Industrie und Verkehr in den Ballungsgebieten wundert es nicht, wenn dort der Bleigehalt der Luft bei extremen Wetterlagen 1000mal höher ist als in den Mittelgebirgen oder an der Nordseeküste und der Schwefeldioxidgehalt in Mannheim oder Gelsenkirchen 10mal höher als auf Sylt.

Die Luftverschmutzung in den Ballungsgebieten ist noch gravierender, weil sich dort oft riesige Dunstglocken bilden, die den vertikalen Luftaustausch verhindern. Austauscharme Wetterlagen führen dabei zur Smogbildung (Smog: Zusammengesetzt aus smoke = Rauch und fog = Nebel). Die größten deutschen Ballungsgebiete wie das Ruhrgebiet, Berlin, Köln, das Rhein-Main- und Rhein-Neckar-Gebiet sowie der Stuttgarter und Münchener Raum haben bereits wiederholt Smog-Situationen erlebt. Das Bundesemissionsschutzgesetz sieht für solche Fälle Betriebs- und Verkehrseinschränkungen sowie Verbote bestimmter Brennstoffe vor.

Um die Luftverschmutzung zu mindern, bemüht man sich, den Individualverkehr durch den Ausbau schienengebundener Nahverkehrsnetze einzuschränken, die Stadtzentren durch Schaffung von Fußgängerzonen autofrei zu machen, die Wohngebiete durch Grünanlagen aufzulockern (z.B. Grünzonen und »Revierparks« im Ruhrgebiet) und das »Park-and-ride-System« auszubauen. Bei vielen neuen Stadtplanungen wird der Umweltschutz gezielt mit einbezogen.

Auch im ländlichen Raum nimmt die Luftverschmutzung immer mehr zu. Das Versprühen von Pflanzenschutzmitteln – besonders aus Hubschraubern –

und das Abbrennen des wegen der starken Spezialisierung der Betriebe nicht mehr verwendbaren Strohs auf den Feldern sind die gravierendsten Beispiele. Besonders die letztgenannte, in vielen »Kornkammern« Deutschlands praktizierte Unsitte führt nicht nur zu Luftverschmutzung, sondern auch zu Nebelbildung und zu dadurch verursachten Verkehrsunfällen. Außerdem vernichtet dieses »Flämmen« zahlreiche Ökosysteme. Eine Folge der Tiermassenhaltung ist außerdem die Geruchsbelästigung, etwa in der Schweinezucht und Bullenmast. Diese sehr unangenehme Umweltbelastung versucht man durch Hofaussiedlung und Luftwaschanlagen zu mildern.

Strahlenschutz ist vor allem bei Kernkraftwerken und Wiederaufbereitungsanlagen von großer Wichtigkeit. Dabei spielen auch die Beseitigung radioaktiver Abfälle, die unschädliche Ableitung radioaktiver Abwässer und Abluft eine wichtige Rolle. Mehrere Störfälle, vermeintlich zu geringe Sicherheitsvorkehrungen und nicht zuletzt deshalb ablehnende Haltung der Bevölkerung zur Atomenergie führten wiederholt zu Protestaktionen (Wyhl, Brokdorf, Gorleben). Nach dem Energieprogramm der Bundesregierung sind aber trotz der enormen Kosten von 1 bis 3 Milliarden DM je Werk zusätzlich zu den 15 bereits in Betrieb genommenen Anlagen insgesamt 22 weitere große Kernkraftwerke geplant bzw. befinden sich im Bau.

Dem Strahlenschutz kommt auch deshalb große Bedeutung zu, weil in absehbarer Zeit die Kraftwerke der ersten Generation mit ihren Druck- und Siedewasserreaktoren vermutlich durch die viel leistungsfähigeren Kraftwerke der zweiten Generation mit ihren Hochtemperaturreaktoren ersetzt werden. Diese vieldiskutierten »schnellen Brüter« mit ihrer Plutoniumerzeugung erfordern jedoch strengste Sicherheitsvorkehrungen, könnte doch nach Meinung der Wissenschaftler 1 kg Plutonium bei 18 Millionen Menschen Krebs auslösen.

Luftverunreinigung und Umweltbelastung im Ruhrgebiet durch Großindustrie

Luftschutzalarm hat bislang bedeutet, daß im Krieg feindliche Bomberverbände eine Stadt anfliegen. Seit den siebziger Jahren hat dieses Wort in den industriellen Ballungsgebieten einen neuen Aspekt bekommen; Luftschutzalarm, auch Smogalarm genannt, wird nun auch im Frieden gegeben, und zwar immer, wenn in einer der als besonders gefährdet eingestuften Zonen die Schadstoffkonzentration in der Atemluft so angestiegen ist, daß befürchtet werden muß, daß sich Kreislaufkollapse in der Bevölkerung mehren. Für diesen Fall ist vorgesehen, daß der Automobilverkehr ebenso wie bestimmte besonders schadstoffträchtige Industrien solange stillgelegt werden, bis der Giftstoffgehalt in der Luft wieder abgesunken ist. Bislang sind begrenzte Smogalarmsituationen in der Bundesrepublik vor allem im Frankfurter und Kölner Raum sowie im Ruhrgebiet vorgekommen. Eine wichtige Rolle hierbei spielt die Wetterlage: Winterlicher Hochdruckeinfluß mit Nebelbildung in Bodennähe und geringer vertikaler Luftaustausch sind die Voraussetzungen für eine Selbstvergiftung der Ballungsräume und die Auslösung von Smogalarm.

Müllbeseitigung – ein Problem der Wegwerfgesellschaft

Die Müllbeseitigung stellt wegen der hohen Bevölkerungsdichte, der beengten Raumverhältnisse und nicht zuletzt wegen des hohen Lebensstandards ein großes Problem dar. So wurden 1975 in der Bundesrepublik etwa 119 Millionen Tonnen Abfälle beseitigt. An öffentliche Beseitigungsanlagen wurden davon 58722000 Tonnen Müll geliefert. Gut die Hälfte war Hausmüll, und der Anteil von Bodenaushub und Bauschutt erreichte rund 38%. Dabei nimmt die Müllmenge in der Bundesrepublik ständig zu, was u.a. durch die stets weiter steigende Verwendung von Kunststoffen als Verpackungsmaterial, durch die Begünstigung von Einwegflaschen, Konservendosen und Plastikbehältern bedingt ist. Außerdem wird die »Wegwerfgesellschaft« durch Modetrends, Abschreibungsmöglichkeiten für neue Autos etc. begünstigt. Kein Wunder, wenn sich die jährlich anfallende Menge des Hausmülls in der Bundesrepublik seit 1950 verfünffacht, der Müllanfall Hamburgs sich sogar verzehnfacht hat. Zur Zeit fallen in der Bundesrepublik pro Einwohner etwa 500 kg Hausmüll, Sperrmüll und Straßenkehrricht an, wobei die Müllmenge in Großstädten doppelt so hoch ist wie in Orten mit weniger als 20000 Einwohnern. Umgekehrt produzieren kleinere Gemeinden doppelt soviel Sperrmüll (40 kg/Einwohner) wie Großstädte (18 kg/Einwohner).

Bereits das Sammeln und der Abtransport des Mülls ist eine kostspielige kommunale Dienstleistung. Ein noch größeres Problem aber stellt die Müllbeseitigung dar, denn gerade dort ist der Müllanfall am höchsten, wo der für Deponien notwendige Boden am knappsten und teuersten ist. Bis vor wenigen Jahren wurde der Müll meist ungeordnet in Müllkippen abgelagert. So wurde noch 1970 der Müll von 63% der Bevölkerung der BRD ungeordnet und nur der Abfall von 15% geordnet abgelagert. Von den rund 50000 Müllplätzen erfüllten nur 130 die Ansprüche, die an eine Deponie gestellt werden. Diese Müllkippen waren oftmals eine Gefahr für Mensch und Landschaft. Sie waren Brutstätten für Krankheitserreger, verseuchten mit ihren Abwässern das Grundwasser und führten mit ihren Schwelbränden zu Geruchsbelästigungen. Aufsehenerregende Giftmüllskandale, u.a. in Hanau und in Hamburg, lenkten das Interesse einer breiten Öffentlichkeit auf diese Probleme.

Heute ist man bestrebt, zentrale Großbehandlungsanlagen sowohl in ländlichen Gebieten als auch in Verdichtungsräumen anzulegen. Die Müllbeseitigung erfolgt dabei vor allem durch Ablagerung in großen Deponien, durch Kompostie-

Kernkraftwerk Grafenrheinfeld

Der Strom aus Kernkraftwerken ist Ende der sechziger Jahre unter dem Schlagwort der »sauberen, umweltfreundlichen« Energie propagiert worden. In der Tat ist die sichtbare Umweltbelastung gegenüber herkömmlichen Wärmekraftwerken um ein Vielfaches geringer. Die aufwendige Umzäunung der Kernkraftwerke (Abbildung Seite 209) signalisiert allerdings bereits unübersehbar, daß die Kernenergie doch nicht so unbedenklich zu sein scheint. Die Umweltgefährdung ist in Wirklichkeit gegenüber den herkömmlichen Kraftwerken nicht geringer, sondern nur andersartig geworden. Während z.B. bei einem Kohlekraftwerk die Bedrohung der menschlichen Gesundheit durch Ruß und verbrauchte Luft noch sinnfällig mit den Augen und der Nase wahrgenommen werden kann, ist die Bedrohung durch Kernkraftwerke, in Form der unter Umständen tödlichen oder krebserregenden radioaktiven Strahlung, nicht mehr sinnlich erkennbar, sondern nur noch über physikalische Messungen feststellbar; die Kernenergie hat deshalb auch verschiedentlich den Beinamen »der unsichtbare Tod« bekommen. Die Auseinandersetzung um den Ausbau der Kernenergie ist mittlerweile in der Bundesrepublik zu einer der größten gesellschaftspolitischen Kontroversen geworden. Den einen ist die Kernenergie der Garant für eine energiemäßig gesicherte Zukunft; die anderen verweisen auf die Risiken sowie auf bereits geschehene Unfälle wie im amerikanischen Harrisburg und das heute schon ins Haus stehende Problem der Beseitigung des radioaktiven Abfalls.
Das wichtigste und bedenkenswerteste Argument gegen einen voreiligen Ausbau der Kernenergie dürfte sein, daß hier ein physikalisch-chemischer Prozeß begonnen wird, der nicht wie bei einem herkömmlichen Kraftwerk durch Knopfdruck wieder beendet werden kann, sondern, wenn er einmal begonnen ist, ca. 20000 Jahre selbsttätig weiterläuft, denn diese riesige Zeitspanne lang bleibt das zur Herstellung von Kernenergie notwendige radioaktive Material aktiv, d.h. für die Umwelt, oder genauer gesagt, für die Menschen höchst gefährlich.

rung oder Verbrennung. Die Mülldeponien, große geordnete Müllkippen, werden zum Grundwasser hin abgedichtet und laufend kontrolliert. Sind sie aufgefüllt, werden sie mit Erde bedeckt und bepflanzt. Vielerort bilden diese Müllberge heute beliebte Naherholungsgebiete. Im Ruhrgebiet werden sie vor allem zur Anlage von Revierparks genutzt.

Die Müllkompostierung erzeugt aus Hausmüll und Klärschlamm Kompost zur Bodenverbesserung. Da jedoch 40% des Mülls, vor allem Metalle, Kunststoffe und Glas, nicht kompostierbar sind, gibt es nur wenige Kompostwerke in der Bundesrepublik. Als die rentabelste Form der Müllbeseitigung gilt heute die Müllverbrennung trotz des geringen Heizwertes von Müll (1000–2000 kcal/kg gegenüber 9000 kcal/kg bei Steinkohle). Der Platzbedarf der Kraftwerke ist geringer als derjenige der Deponien, die Transportentfernungen sind kleiner und die Müllbeseitigung erfolgt – bei strikter Einhaltung aller Schutzmaßnahmen – umweltfreundlich. Die Energieerzeugung entlastet nicht nur das Stromnetz, sie deckt auch einen Teil der Unkosten. Selbst die Müllschlacke kann z.B. zum Wegebau genutzt werden. Die erste Müllverbrennungsanlage der Welt wurde vor der Jahrhundertwende in Hamburg errichtet. Dort hatten sich nach der großen Choleraepidemie von 1896, die mehr als 70000 Menschenleben forderte, alle Randgemeinden geweigert, weiterhin Müll und Abfälle aus der Hansestadt abzunehmen. Auch in Hamburg arbeitet seit 1973 das modernste Müllkraftwerk Europas, das 50% des Mülls der Hansestadt beseitigt. Bis 1985 will Hamburg seinen gesamten brennbaren Müll verfeuern.

Im Ruhrgebiet, wo noch 1970 die ungeordneten Ablagerungen weit in der Überzahl waren, wird seit 1980 die gesamte Müllentsorgung durch drei große Müllkraftwerke, drei Kompostwerke sowie zwei riesige und 13 mittelgroße Mülldeponien gewährleistet. Diese Mülldeponien werden weit besser in das Landschaftsbild eingepaßt werden als die vielen, z.T. inzwischen verflachten und begrünten Abraumhalden des Steinkohlenbergbaus oder die oftmals recht umfangreichen Kohlehalden. Abraum- und Kohlehalden prägen auch weite Teile des Saarlands und des Aachener Reviers. Riesige Abraumhalden findet man außerdem im Siegerland sowie in den Steinbruchgebieten von Mayen/Eifel, Kirchheim bei Würzburg und Solnhofen-Eichstätt. Sie sind im Gegensatz zu den Abraumhalden des Braunkohlentagebaus in der Ville meist nicht begrünt und wirken deshalb wie Fremdkörper in der Landschaft.

Große Probleme bringen der Sondermüll und vor allem radioaktive Abfälle mit sich, denn in der Bundesrepublik fallen jährlich etwa 1200 Tonnen abgebrannter Brennelemente an, die bisher in Frankreich und Großbritannien wiederaufbereitet wurden. Da diese Staaten ihre Anlagen nun für den eigenen Bedarf benötigen, müssen in der Bundesrepublik zentrale Anlagen und Lagerbecken errichtet werden. Besondere Sorgen bereitet die Endlagerung des Atommülls, die bisher im stillgelegten Salzbergwerk Asse bei Braunschweig erfolgt und künftig im geplanten Entsorgungszentrum Gorleben in einem Salzstock vorgesehen ist.

Die Wiederverwertung von Abfällen, das sogenannten Recycling, spielt trotz der teilweise hohen Kosten eine immer größere Rolle. So werden aus Abfallgips Gipsplatten, aus alten Flaschen Glasphalt, ein sehr widerstandsfähiger Straßenbelag, aus Autoschrott Stahl und aus manchen anderen Abfällen sogar Schweinefutter gewonnen. Verbreitet ist auch die Altpapier- und Altölaufbereitung sowie die Runderneuerung von Altreifen. Die Industrie- und Handelskammern versuchen durch die Einrichtung von Abfallbörsen neue Interessenten für Abfallprodukte zu gewinnen.

Einen wichtigen »Rohstoff« stellen auch in Deutschland die Autowracks dar, denn jedes Auto liefert rund 500 kg Schrott. Dabei fallen in der Bundesrepublik alljährlich mehr als 1,5 Millionen Schrottautos an. Um diese Wracks zu beseitigen, wurden seit 1969 bundesweit über 30 Shredderanlagen errichtet, die jährlich 70000–200000 Altautos verschrotten können. Wegen seines hohen Reinheitsgrades erlaubt dieser so aufbereitete Schrott im Gegensatz zum früheren »Paketschrott« die Erzeugung von Qualitätsstahl. Die Shredderanlagen stellen allerdings wegen der Staub- und Lärmemissionen, der Explosionsgefahr und der ausgedehnten Schrottlagerplätze eine starke Umweltbelastung dar und werden deshalb meist abseits größerer Siedlungsflächen errichtet.

Kampf dem Lärm

Teleskopantennen bei Raisting

Ein im Vergleich zur Gesundheitsgefährdung durch Luftverschmutzung oder radioaktive Strahlung harmloseres, aber durch seine Häufigkeit in einem hochindustrialisierten Raum wie Deutschland doch bedenkenswertes Problem ist die »ästhetische Umweltverschmutzung«. Dieses Schlagwort bezeichnet die Zersiedelung geschlossener Naturlandschaften durch nicht an die Umgebung angepaßte Bauwerke. Es ist dabei an große technische Anlagen wie die abgebildete Teleskopantennenstation zu denken, vor allem aber an Straßen und Siedlungen.

Die Lärmbelästigung hat, bedingt durch den technischen Fortschritt, in den letzten Jahrzehnten ständig zugenommen. So ist der Straßenverkehrslärm in den Städten seit 1900 um das Achtfache angestiegen. Da der Lärm nicht nur eine Belästigung, sondern auch ein medizinisches Problem (Gehörleiden, Schlaflosigkeit, Konzentrationsschwäche) ist, hat man durch Gesetz Höchstwerte innerhalb von Siedlungen festgelegt. So darf der Dauerschall in Wohngebieten tagsüber 55 Dezibel, (nachts 35 Dezibel), in Industriegebieten 70 Dezibel nicht überschreiten. Die Meßskala ist dabei nicht linear: Jede Zunahme um 10 Dezibel bedeutet vielmehr eine Verdoppelung der Lautstärkewahrnehmung. Die erlaubte Lautstärke in Industriegebieten liegt also viermal höher als in reinen Wohnbereichen. Wie stark die Lärmbelästigung trotz aller Vorschriften dennoch sein kann, zeigen folgende Zahlen: 48 Straßen in Köln haben tagsüber einen Lärmpegel, der mit 81 Dezibel doppelt so hoch liegt wie der in Industriegebieten zulässige. Beim Start eines Düsenflugzeugs auf dem Flughafen Düsseldorf-Lohhausen werden 20000 Menschen mit einem Lärm von 110 Dezibel (also mit 16fachem Industrielärm) und über 1 Million Menschen mit 90 Dezibel, d. h. mit vierfachem Industrielärm belastet. Dabei wird Lärm von über 100 Dezibel als schmerzhaft empfunden. Große Lärmverursacher sind die Autobahnen, Schnellstraßen, Rangierbahnhöfe, Flugplätze, Industriebetriebe und Baustellen. In Ferienorten sorgen Tanzlokale, in Wohngebieten Rasenmäher, in ländlichen Räumen Traktoren und Mähdrescher für Lärmbelästigungen.

Um die Lärmbelästigung einzudämmen, werden immer mehr Lärmschutzwälle am Rand von Autobahnen und Schnellstraßen geschaffen, rund um die Großflughäfen wurden Lärmschutzzonen festgelegt und in vielen Häusern Schallschutzeinrichtungen installiert. Aus Gründen des Schallschutzes werden die neuen Schnellbahnstrecken wenn möglich in Einschnitte bzw. Tunnels verlegt. Dies geschieht, wie beim Pfingstbergtunnel an der im Bau befindlichen Schnellbahnstrecke Mannheim - Stuttgart, sogar in ebenem Gelände.

Ein großes Problem stellen auch die Militärflughäfen dar, die gerade in der Nachbarschaft beliebter Erholungsgebiete an Rhein und Mosel, an Nord- und Ostseeküste sowie im Alpenvorland konzentriert sind und mit ihrem Düsenlärm den Erholungswert dieser Räume mindern.

Auch Böden reagieren empfindlich

Auf den ersten Blick sind Bodenschäden in Deutschland im Vergleich mit denen im Mittelmeerraum oder in Nordamerika kaum der Rede wert. Aber bei genauerer Betrachtung sind sie doch erheblicher, als man zunächst glauben könnte. Durch übermäßige Düngung, Einsatz von Unkraut- und Schädlingsbekämpfungsmitteln (besonders im Wein- und Hopfenbau) sowie durch die Zufuhr von Schadstoffen aus der Luft kann es beispielsweise zu Vergiftungserscheinungen kommen. So wurde etwa in Nordenham in der Nähe eines Metallwerks eine Anreicherung von Schwermetallen im Boden festgestellt. Dabei enthielt eine Viehweide 120mal mehr Blei und 150mal mehr Zink als normal. Milch und Fleisch der betroffenen Rinder waren ungenießbar. Ein ähnlicher Fall wurde im Jahr 1980 aus Besigheim am Neckar bekannt. Die Ölverschmutzung durch landwirtschaftliche Fahrzeuge, die Zufuhr von Bioziden und die Düngung mit Müllklärschlamm können nicht nur zur Bodenzerstörung, sondern auch zur Schädigung des Grundwassers führen.

Die Bodenabschwemmung (oder Bodenerosion) nimmt durch die im Rahmen der Flurbereinigung durchgeführten Parzellenvergrößerungen sowie durch die Rodung von Bäumen, Sträuchern und Ackerrainen sehr stark zu. Besonders betroffen sind steile Weinberge, bei denen die alten Stützmauern beseitigt wurden. Dort kommt es insbesondere nach Unwettern zu verheerenden Abschwemmungsschäden. Durch die Anlage von künstlichen Teichen und Auffangbecken versucht man deshalb dem Bodenabtrag zu begegnen. Das Ausmaß der durch menschliche Eingriffe bedingten Bodenabschwemmung läßt sich übrigens in den Tälern von Tauber und Jagst an den vielen Lesesteinhaufen ablesen, unter denen die alte Bodenoberfläche nahezu völlig erhalten blieb.

Ökologische Schäden, d. h. Störungen des natürlichen Gleichgewichts zwischen Tier, Pflanze und Umwelt treten sehr häufig auf und sind oft diskutiert worden. So werden durch Flurbereinigungen, Verkehrsbauten, Luft- und Gewässerverschmutzung sowie Verwendung von Bioziden viele Ökosysteme, also Wirkungsgefüge zwischen Lebewesen verschiedenster Art und ihrer Umwelt, zerstört und die diesen Ökosystemen innewohnende Kraft der Selbstregulierung aufgehoben.

Das natürliche Gleichgewicht – lebensnotwendig und doch gestört

Beispielsweise führte die Entfernung von Hecken und Bäumen im Rahmen der Flurbereinigung zu einer Verarmung der Vogelwelt, die Wasserverschmutzung in Rhein und Neckar zum Aussterben vieler Fischarten, die Braunkohlengruben der Lausitz zur Schädigung der Kiefernwälder und die Ölverschmutzung an der Nordseeküste wiederholt zu Tierkatastrophen. Umgekehrt haben die hohen Jagdpachten zur Folge, daß viele Wälder mit Wild überbesetzt sind und auch dadurch das Gleichgewicht in der Natur stellenweise gestört ist.

Besonders schwerwiegend sind die Auswirkungen des Straßenverkehrs, der jährlich 15 000 Menschenleben und über 500 000 Verletzte fordert. Groß sind auch die Tierverluste, denn jedes Jahr ereignen sich mehr als 300 000 Zusammenstöße zwischen Kraftfahrzeugen und Wild. So werden im Jahresdurchschnitt auf Deutschlands Straßen und Autobahnen 700 Stück Rotwild, 800 Stück Damwild, 1000 Stück Schwarzwild sowie 60 000 Rehe und 120 000 Hasen getötet. Außerdem kommen im Straßenverkehr alljährlich Hunderttausende von Igeln, Fröschen, Kröten und Vögeln ums Leben. Auch das Abbrennen von Stoppelfeldern sowie der Einsatz

von Mähmaschinen erfordert große Tierverluste, vor allem unter Hasen, Rehkitzen, Fasanen und Rebhühnern. Der Pflanzenwuchs entlang der Autobahnen und Fernstraßen wird dagegen durch Streusalz- und Bleieinwirkungen nachhaltig geschädigt.

Die Senkung des Grundwasserspiegels durch Flußbegradigungen, Bachregulierungen oder Drainagen kann sich dagegen nachteilig auf den Pflanzenwuchs auswirken. Erinnert sei nur an die katastrophalen Folgen der durch den Rheinseitenkanal bedingten Grundwasserabsenkung in Südbaden. Auch die Trockenlegung von Mooren führt zu Eingriffen in den Wasserhaushalt und hat negative Folgen für Pflanzen und Tierwelt.

Um ökologische Schäden zu mindern und natürliche Lebensgemeinschaften zu schützen, wurden 1231 Natur- und Landschaftsschutzgebiete sowie 59 Naturparks und zwei Nationalparks geschaffen, deren Gesamtfläche rund ein Fünftel des Bundesgebietes umfaßt. Manche Autobahnen und Schnellstraßen wurden mit Wildschutzzäunen versehen, die neu bereinigten Fluren mit Vogelschutz- und Windschutzpflanzungen ausgestattet und das Abbrennen von Stoppelfeldern vielerorts verboten.

Die Umweltbelastung zeigt innerhalb Deutschlands nicht nur strukturelle, sondern auch regionale Unterschiede. Je nach Bevölkerungsdichte, Siedlungs- und Wirtschaftsstruktur, Reliefgestaltung und Nutzflächenverteilung ergeben sich unterschiedliche Umweltprobleme. Am stärksten ist die Belastung in den Verdichtungsräumen. Luftverschmutzung durch Haushalte, Industriebetriebe und Verkehrskonzentration, Wasserver- und -entsorgungsprobleme, großer Müllanfall, Mangel an Freizeit- und Erholungsflächen belasten in diesen Räumen die Lebensbedingungen. Die Luftverschmutzung kann dabei in Kessellagen (Stuttgart, Wuppertal) lästiger sein als in freier Höhenlage (Solingen, Remscheid), bei Fehlen von Waldflächen (Gelsenkirchen, Mainz) unangenehmer als in waldreicher Umgebung (Heidelberg, Kaiserslautern).

In Bergbaugebieten werden die oben skizzierten Probleme durch Bodensenkungen und Haldenaufschüttungen (Ruhrgebiet), durch natürliche und künstliche Grundwasserabsenkungen (Ville) sowie durch giftige Abwässer erweitert. In Agrargebieten führen dagegen vor allem chemische Düngung und Schädlingsbekämpfung, sowie Tiermassenhaltung zu Umweltbeeinträchtigungen. In den Erholungsgebieten hat die zeitweilig starke Konzentration von Erholungssuchenden eine Lärmbelästigung sowie eine Schädigung von Boden und Vegetation, die oft starke Verkehrszunahme eine Luftverschmutzung und Lärmbelästigung zur Folge, wodurch der Erholungswert dieser Räume sehr beeinträchtigt werden kann. An der Nord- und Ostseeküste können außerdem durch Meeresverschmutzungen und Beschädigung der Schutzpflanzungen Schäden auftreten.

Vorhergehende Doppelseite:

Landschaft am Plöner See

Satte grüne Wiesen und Felder, efeuumrankte Baumgruppen dazwischen, im Hintergrund ein See und darüber eine weit gespannte, klare Himmelskuppel mit luftigen weißen Wolkenformationen – so wünschen wir uns die Landschaft, in der wir leben wollen. Und diese Landschaft gibt es in Deutschland noch, wie das in der Nähe des Großen Plöner Sees gemachte Foto zeigt. Wollte man den Kalender- und Postkartenfotografen glauben, so gibt es sie noch sehr oft; aber leider zeigen die Bilder häufig nur einen harmonisierenden Ausschnitt der Wirklichkeit, und ein kleiner Schwenk mit der Kamera würde oft genügen, um die Illusion von der Traumlandschaft zu zerstören.

Einseitig gedüngte Wiese

Bunte Wiesen mit ihren Hunderten von verschiedenen Gräsern und Blumen verschwinden in der Bundesrepublik immer mehr. Einseitige Düngung führt zu einer Reduzierung des Artenbestandes und macht die Wiesen einfarbig wie auf unserem Foto, auf dem der Löwenzahn »den Ton angibt«.

Umweltschutz – Was wird getan?

Maßnahmen zum Schutz der Umwelt blicken aber gerade in Deutschland bereits auf eine lange Tradition zurück. So wurden schon 1869 im Norddeutschen Bund Gesetze gegen industrielle und gewerbliche Emissionen erlassen. Das Württembergische Wassergesetz von 1900 und die Reichsgewerbeordnung von 1901, die eine Überprüfung aller wichtigen Emissionen vorsah, galten lange Zeit als vorbildlich. Die Gründung von Wasserwirtschaftsverbänden zur Sicherung der Wasserversorgung und Abwasserbeseitigung im Ruhrgebiet (ab 1904) und die Gründung des »Siedlungsverbandes Ruhrkohlenbezirk« (1920) gaben weitere Anstöße, ebenso das Reichsnaturschutzgesetz von 1935.

Aber erst in der Nachkriegszeit wurde als Gegenreaktion zu dem aufgrund der wirtschaftlichen Expansion überstarken Strukturwandel von Landschaft und Siedlung die Notwendigkeit ökologischen Denkens erkannt. Nun erschienen viele vorher nach rein ökonomischen Gesichtspunkten getroffenen Entscheidungen in einem anderen Licht. Zahlreiche Gesetze wurden erlassen, um den Wasserhaushalt, den Strahlenschutz, die Luftreinhaltung, den Schutz vor Baulärm, Fluglärm etc. zu gewährleisten. Auch in den Landesentwicklungsplänen wurden nun Umweltprobleme stärker berücksichtigt. Außerdem wurde der Landschafts- und Naturschutz verstärkt und immer wieder die Frage nach der Belastbarkeit einzelner Räume gestellt.

Flankiert von den bereits skizzierten gesetzlichen Bestimmungen haben Staat und Wirtschaft mit immensen Ausgaben den Umweltschutz ausgebaut. Der Löwenanteil der Gesamtaufwendungen (1971/75) entfiel dabei auf die Abwasserbeseitigung (37,2 Milliarden DM), die das schwerwiegendste Problem darstellt. Relativ hoch sind auch die Aufwendungen für Luftreinhaltung (8 Milliarden DM) und Müllbeseitigung (6,9 Milliarden DM), ins Gewicht fallen außerdem die Ausgaben für Naturschutz (4,5 Milliarden DM) und Lärmschutz (3,2 Milliarden DM). 6,9 Milliarden DM entfielen auf sonstige Umweltschutzmaßnahmen.

Diese Aufstellung läßt bereits die wichtigsten Maßnahmen erkennen. Auf dem Gebiet der Abwasserbeseitigung stehen der Bau von Kanalisationen und Kläranlagen sowie die Sanierung der Flüsse, besonders die oft diskutierte »Rheinsanierung«, im Vordergrund. Nach dem »Verursacherprinzip« haben Betriebe, die Abwässer gesetzeswidrig einleiten, die dadurch entstehenden Umweltschäden kostenpflichtig zu beseitigen. Auch die Luftüberwachung wird streng gehandhabt. Das Smog-Alarm-System in Nordrhein-Westfalen sieht stufenweise Gegenmaßnahmen vor. In einem Emissionskataster sind alle Quellen der Luftverunreinigung nach Ausmaß und Zusammensetzung der Schadstoffe erfaßt. Bei der Müllbeseitigung steht die Anlage von Deponien und Müllkraftwerken im Vordergrund, aber auch dem Recycling wird große Aufmerksamkeit geschenkt. Der Naturschutz sorgt für die Erhaltung und Erweiterung der Natur- und Landschaftsschutzgebiete und die Aufrechterhaltung der natürlichen Ökosysteme. Der Lärmschutz ist besonders bei der Anlage neuer Autobahnen, Schnellbahnen, aber auch bei der Errichtung von Trabantenstädten, Shredderanlagen u. ä. wichtig. Der Strahlenschutz und der Schutz vor ökologischen Schäden (etwa durch die Flurbereinigung) sind ebenfalls sehr ernst zu nehmende Aufgaben.

Umweltschutz kostet Geld. Das führt zu mancherlei Interessenkonflikten. Wer soll das Geld aufbringen? Bund, Länder, Gemeinden oder einzelne Industriebetriebe? Ist diese Frage geklärt, tauchen bereits neue Probleme auf: Sollte man mit dem für Umweltschutz ausgegebenen Summen nicht lieber Tausende von neuen Arbeitsplätzen schaffen? Andererseits wird argumentiert, daß durch gezielte Umweltschutzmaßnahmen Heil- und Pflegekosten in Milliardenhöhe eingespart würden und das Leben dank dieser Maßnahmen erst lebenswert sei. Immerhin hat sich in den letzten Jahren eine Stärkung des Umweltbewußtseins, ja sogar eine gewisse Umweltaktivität durchgesetzt. Daß sich die bisherigen Aufwendungen und Mühen bereits gelohnt haben, zeigt das »Gutachten 1978« des »Rats der Sachverständigen für Umweltfragen«. Darin wird festgestellt, daß sich in der Bundesrepublik die Schadstoffbelastung der Land-Ökosysteme in den letzten Jahren nicht mehr verschlechtert hat.

Die politischen Zentren in der deutschen Geschichte

Niederwalddenkmal über dem Rhein bei Rüdesheim

Das Niederwalddenkmal, das auf einem 25 m hohen, reliefverzierten Sockel ein 10,5 m hohes Bronzestandbild der Germania trägt, wurde zwischen 1877 und 1883 als Nationaldenkmal zur Erinnerung an die Neugründung des Deutschen Reiches im Jahr 1871 errichtet. Es sollte die historische Größe, die Stärke und die Einigkeit des nach jahrhundertelanger nationaler Zersplitterung neugeschaffenen Reiches demonstrieren; daher auch die Reklamierung der Germania als einer Art germanischer Urmutter, die ihre versprengten Söhne nun wieder unter der Kaiserkrone einigt. Das Denkmal signalisiert den großen Nachholbedarf der Deutschen an national integrierenden Symbolen. Die Nationen, an denen sich das deutsche Nationalbewußtsein stets maß, Frankreich und England, hatten längst Denkmäler und Symbole, die ihre Größe bezeugten: Arc de Triomphe und Trafalgar Square mit Nelsonsäule als Zeichen imperialer Stärke, Panthéon und Westminster Abbey als Stätten nationalen Selbstverständnisses, in denen die großen Toten der Nation verehrt werden. Die Deutschen haben zwar seit 1842 auch ihre Ruhmeshalle, die Walhalla, aber die war mehr eine selbstgefällige Eskapade des eitlen Bayernkönigs Ludwig I. als ein Akt nationalen Selbstverständnisses.

Jeder Staat hat seine Hauptstadt. In ihr konzentriert sich der politische Verwaltungsapparat, und in der Regel fällt die politische mit der wirtschaftlichen Zentrale eines Landes zusammen. In dieser Hinsicht hat Deutschland eine problematische Geschichte. Schon der Prozeß der Herausbildung einer einheitlichen deutschen Nation wurde durch die Interessengegensätze der Territorialherrscher immer wieder unterbrochen und gehemmt. Wilfried Frhr. von Bredow, Professor für Politische Wissenschaft an der Philipps-Universität Marburg, skizziert im folgenden Kapitel den Werdegang der deutschen Nation anhand ihrer politischen Zentren bis hin zu der heutigen Situation, in der die einstige deutsche Hauptstadt geteilt und die BRD in Bonn eine Hauptstadt gefunden hat, die sich als dauerhaftes Provisorium etablierte.

Transport der Reichsinsignien von Nürnberg nach Frankfurt 1790 (unten) **und Empfang des saudi-arabischen Königs Chalid durch Bundespräsident Carl Carstens** (nächste Seite)

Wie wenig die modernen Nationen, was immer wieder behauptet wird, sich auf die Natur gründet und wie sehr sie stattdessen ein künstliches politisches Gebilde sind, zeigt sich nicht zuletzt an der Rolle, die dem Militär seit Jahrhunderten bei der Selbstdarstellung der Nationen zugedacht wird. Das Militär wird als ein Mittelpunkt herausgehoben, um den sich die unterschiedlichen Interessengruppen sammeln können. Einen solchen Mittelpunkt hat die deutsche Geschichte seit der Wende zur bürgerlichen Gesellschaft nie von sich aus angeboten, er mußte erst von den Repräsentanten der Nation aufgebaut werden.

Deutschland und die Deutschen sind ihren Nachbarn und sich selbst in der Geschichte häufig als rätselhaft und schwer deutbar erschienen. Faszination und Furcht vor diesem Land und seinen Bewohnern lagen und liegen dicht beieinander. Gewiß gibt es auch über andere Völker zahllose Klischees und Vorurteile. Aber es scheint so, als könnte man sie nirgends widersprüchlicher finden. Das Volk der Musik, der Dichter und Denker – auch eines der Richter und Henker, wie es ein verbitterter Zeitgenosse des Nationalsozialismus einmal ausgedrückt hat. Biedermeier und Hausmusik auf der einen Seite, perfektionierte und bürokratisch ohne das geringste Unrechtsbewußtsein gehandhabte Massentötungsmaschinerien auf der anderen. Die gesamte deutsche Geschichte von Martin Luther bis Bismarck und Hindenburg sahen und interpretierten einige Historiker nach der Katastrophe des Dritten Reichs und seines Untergangs als Vorgeschichte der nationalsozialistischen Barbarei. Solches Urteil, durchaus nicht aus dem Mund von fanatischen Propagandisten oder Narren gekommen, verfehlt die Wirklichkeit. Wie aber kann man sie besser treffen? Von Ralf Dahrendorf stammt die Bemerkung, es gäbe wenige moderne Länder, deren Menschen ähnlich ratlos vor der Gesellschaft stehen, zu der sie selbst gehören; man kann wohl hinzufügen: und die ähnlich ratlos vor ihrer eigenen politischen Geschichte stehen.

Die deutsche Geschichte des 20. Jahrhunderts ist voller Brüche, was nicht verhindert hat, daß es in ihr auch soziale und politische Kontinuitäten gibt; sie ist voller gewaltiger und kläglich endender Eruptionen, was nicht verhindert hat, daß es in ihr auch soziale und politische Idyllen gibt; sie ist schließlich geprägt von einer

Abfolge politischer Regime, die nicht wenige der heute lebenden Deutschen alle »durchgemacht« haben: das wilhelminische Kaiserreich, die Weimarer Republik, das Dritte Reich, die Deutsche Demokratische Republik und die Bundesrepublik Deutschland. Für ein paar Jahre gehörte sogar Österreich zu Deutschland.

Gibt es trotz aller Unterschiede der Regime dennoch so etwas wie eine deutsche Identität, eine zugleich abstrakte und dennoch politisch höchst wirksame Staatsräson, eine das Alltagsbewußtsein und die Alltagspolitik übersteigende Idee der deutschen Geschichte? Keine sehr populäre Frage, teils, weil man von solchen Ideen und Ideologien genug hat, teils, weil die unbehagliche Erinnerung an den verfehlten Teil der deutschen Geschichte alles andere zu überschatten droht. Weder darf diese Erinnerung verdrängt werden, etwa nach dem Motto: es war ja gar nicht so schlimm, und woanders war es ja auch schlimm, noch sollte ihr gestattet werden, so übermächtig zu werden, daß man bei der Erklärung der Gegenwart auf die Vergangenheit zu blicken sich gar nicht mehr traut.

Deutschland heute - die beiden deutschen Staaten in den antagonistischen Bündnissystemen und mit ganz verschiedenen, in Grundelementen sogar entgegengesetzten Gesellschaftssystemen - kann aber nicht richtig begriffen werden, wenn man die geschichtliche Entwicklung unbeachtet läßt.

Das Problem der deutschen Nation

Seit dem ausgehenden Mittelalter bildete sich die Institution des Nationalstaats als Akteur der politischen Entwicklung heraus. Er garantierte Sicherheit im Inneren. Er beanspruchte Souveränität und Handlungsfreiheit in der internationalen Politik. Man muß sich diesen Bereich der internationalen Politik als ein von damals bis zur Gegenwart sich ständig ausdehnendes System vorstellen. Einige wenige Nationalstaaten in Europa expandierten zu gewaltigen Kolonialmächten. Ihre Reiche blieben aber nicht stabil, sondern unterlagen ständigen Veränderungen. Die regio-

Doppeladler des alten deutschen Reichswappens als Gasthausschild.

Das Gasthaus, das sich mit diesem Symbol schmückt, appelliert beim Besucher an historisch orientierte Wertvorstellungen. Der Reichsadler verspricht Altehrwürdigkeit und Gediegenheit. – Diese Assoziation hat sich indes nicht immer eingestellt. So klagt Friedrich Carl von Moser schon 1766: »... so, wie wir sind, sind wir schon Jahrhunderte hindurch ein Räthsel politischer Verfassung, ein Raub der Nachbarn, ein Gegenstand ihrer Spöttereyen, ausgezeichnet in der Geschichte der Welt, uneinig unter uns selbst, kraftlos durch unsere Trennungen, stark genug, uns selbst zu schaden ... ein in der Möglichkeit glückliches, in der That selbst aber sehr bedauernswürdiges Volk.«

nalen Akzente verschoben sich (z.B. von Südamerika nach Asien und Afrika), und auch die Position der führenden Macht wurde häufig gewechselt. Das viktorianische England war die letzte davon, bevor das gesamte System seinen Charakter zu ändern begann.

Wenn aber Nationalstaaten, Nationen, die internationale Politik bestimmten, wie muß man sich dann die Rolle Deutschlands in diesem Prozeß der Herausbildung von Weltpolitik denken? Über die Schwierigkeit, ja Unmöglichkeit, einen identifizierbaren Akteur ausfindig zu machen, klagte schon Friedrich Carl von Moser im Jahr 1766: »Wir sind Ein Volk, von Einem Nahmen und Sprache, unter Einem gemeinsamen Oberhaupt, unter Einerley unsere Verfassung, Rechte und Pflichten bestimmenden Gesezen, zu Einem gemeinschaftlich grossen Interesse der Freyheit verbunden, auf Einer mehr als hundertjährigen Nationalversammlung zu diesem wichtigen Zweck vereinigt, an innerer Macht und Stärke das erste Reich in Europa, dessen Königscronen auf Deutschen Häuptern glänzen und so, wie wir sind, sind wir schon Jahrhunderte hindurch ein Räthsel politischer Verfassung, ein Raub der Nachbarn, ein Gegenstand ihrer Spöttereyen, ausgezeichnet in der Geschichte der Welt, uneinig unter uns selbst, kraftlos durch unsere Trennungen, stark genug, uns selbst zu schaden, ohnmächtig, uns zu retten, unempfindlich gegen die Ehre unseres Nahmens, gleichgültig gegen die Würde der Geseze, eifersüchtig gegen unser Oberhaupt, mißtrauisch unter einander, unzusammenhängend in Grundsätzen, gewaltthätig in deren Ausführung, ein grosses und gleichwohl verachtetes, ein in der Möglichkeit glückliches, in der That selbst aber sehr bedauernswürdiges Volk.«

Eine wohlformulierte Klage! Weil die Zersplitterung des Heiligen Römischen Reiches Deutscher Nation nach dem Ende des Dreißigjährigen Kriegs 1648 ins Unüberschaubare angestiegen war, weil die im Namen dieses Reichs angesprochene »deutsche Nation« eben gerade *kein* Akteur der internationalen Politik war, sind die Schwierigkeiten, eine politisch handlungsfähige deutsche Nation zu benennen, bis zum heutigen Tag nicht gemeistert worden. Die typischen Versuche, z.B. mit der Formulierung eines Konzepts der »Kulturnation« (im Gegensatz zur »Staatsnation«) einen »deutschen Begriff« der Nation zu erfinden, blieben zumindest zwiespältig.

Deutschland – eine verspätete Nation?

In der europäischen Geschichte des 19. Jahrhunderts gab es zwei solcher verspäteter Nationen, nämlich Italien und Deutschland. Benedetto Croce, der bekannte italienische Philosoph, hat sicherlich recht, wenn er bei einem Vergleich der nationalen Einigungsbestrebungen in Italien und in Deutschland feststellt, es habe sich in Deutschland weder um eine Freiheits- noch um eine Unabhängigkeitsbewegung, ja nicht einmal um eine vollständige nationale Einigung gehandelt. Für die Deutschen, deren Denker ein so großes Gewicht auf die kulturellen Bestandteile der Nation legten (gemeinsame Sprache, gemeinsame Sitten), wurde die Bildung der Nation ein von oben kalkulierter Machtprozeß. Kein Wunder, daß sich die Denker, die Ideologen, bei der Legitimierung dieses Machtprozesses und seiner weiteren Folgen häufig rettungslos in ihren eigenen Denkmustern verfingen. Der Zerstörung der bürgerlichen politischen Vernunft von Herder über Fichte und Hegel bis zu dem mißverständlichen und mißverstandenen Nietzsche stand aber auch eine Tradition der tapferen und sich des eigenen Differenzierungsvermögens nicht schämenden politischen Vernunft gegenüber. Darüber kann auch die Haltung jener universitären Wissenschaftler nicht hinwegtäuschen, die sich 1914 wohlvorbereitet dem politischen Schwachsinn in die Arme warfen, bloß weil er kollektiv war. Die große Anklageschrift von Georg Lukács gegen das deutsche Geistesleben (»Die Zerstörung der Vernunft«) trifft also meistens daneben (auch bei den genannten Philosophen). Aber die Zurückweisung dieser viel zu pauschalen Kritik muß all die ärgerlichen Versuche ausklammern, die die verspätete Macht des Deutschen Reichs politisch dadurch zu überhöhen trachteten, daß die deutsche Nation als nicht nur auf gemeinsame kulturelle Merkmale und einen gemeinsamen (wie immer zustandegekommenen und wie immer ermittelten) politischen Handlungshorizont, sondern auf die Natur selbst gegründet dargestellt wird. »Die Nation ist objektiv da«, hat noch im Jahr 1965 ein Historiker des deutschen Sprachraums behauptet. Wenn die Worte ihren Sinn nicht vollständig verloren haben, ist diese sich auf eine wortreiche Tradition stützende Aussage ganz einfach falsch.

Politisches Handeln nach innen und außen

Modernere Ansätze in den Sozialwissenschaften, in denen auch Vergleiche mit Nationsbildungsvorgängen der Gegenwart ihren Platz haben, kommen ohne die Berufung auf die Natur aus. Statt Nationalität unmittelbar auf Gemeinsamkeit der Sprache, der Erinnerungen und der Geschichte zurückzuführen, geht man hier davon aus, daß die betreffenden Bevölkerungen durch ein hohes Maß von sozialer Kommunikation integriert sind und sich so von Fremdgruppen abheben. Die verschiedenen nationalen Symbole erscheinen dann als Verstärker bei diesen Vorgängen der Binnenkommunikation, wobei es aus soziologischer Sicht relativ gleichgültig ist, was für Symbole eine solche Funktion der Verstärkung übernehmen. Die Binnenkommunikation der Deutschen im Verlauf ihrer Geschichte muß man sich also ansehen, wenn - Tragfähigkeit dieses nüchternen Ansatzes vorausgesetzt - Aussagen über die Probleme der deutschen Nation und der Nationsbildung der Deutschen erarbeitet werden sollen. Nicht daß es an solcher Binnenkommunikation gemangelt hätte. Jedoch konnten sich kaum jemals über eine längere Dauer hin festere Muster solcher Kommunikationswege und -formen bilden. Unterschiedlichste Ereignisse und Tatbestände haben dies gemeinsam verhindert: die Ausrichtung auf Rom und den Süden oder auf den zu kolonisierenden Osten im hohen Mittelalter, die Sprengkraft des Religionsstreits nach der Reformation, die geographische Lage, der Dualismus Preußen - Österreich im 19. Jahrhundert, der Zusammenbruch der internationalen Politik im Ersten Weltkrieg, um nur diese zu nennen. Politisches Handeln aus diesem Raum heraus blieb über Jahrhunderte hindurch dadurch gekennzeichnet, daß »Außen«-Politik nur in symbolischen Formen getrieben wurde, die Innenpolitik hingegen nach den Mustern der Außenpolitik. Das ist etwas zu pointiert ausgedrückt, und es mag durchaus Zeiten gegeben haben, wo z.B. Preußen sehr wohl seine Rolle als eine eher kleine, wenn auch recht bissige mittlere Macht im Konzert der Mächte angemessen ausgefüllt hat. Aber Preußen war nicht Deutschland, in vieler Beziehung nur ein Randstaat.

Man kann sich Binnenkommunikation ähnlich wie ein Spinnennetz vorstellen: Zahl und Qualität der Bindungen und Verbindungen in einem bestimmten Raum sind merklich größer als die Zahl und Qualität der Bindungen und Verbindungen aus diesem Raum hinaus in andere Räume. Beim genaueren Hinsehen muß man den Vergleich mit einem Spinnennetz aber fallenlassen. Denn in einer Gesellschaft gibt es hundertfältige Arten solcher Bindungen: familiäre, religiöse und kulturelle. Dasselbe gilt für die Verbindungen: wirtschaftliche und politische. Speziell die zuletzt genannten Verbindungen sind deutlich auf bestimmte Zentren hin geordnet. Macht, also Dispositionsfreiheit, in den verschiedenen sozialen Sphären muß gebündelt werden, um in komplexeren Verbindungen wirksam eingesetzt werden zu können. Wirtschaftliche Zentren einer Gesellschaft entstehen in der Regel da, wo die Gegebenheiten günstig sind, Bodenschätze gehoben werden oder Energien billig gewonnen werden können. Auch für diese Regel gibt es Ausnahmen. Politische Zentren hingegen, von denen aus politisches Handeln nach innen und außen gesteuert wird, haben darüber hinaus auch noch einen beträchtlichen symbolischen Wert. Sie repräsentieren, verkörpern das soziale Gebilde, das von hier aus politisch gesteuert wird. Sie repräsentieren es zugleich nach innen, also den eigenen Staatsbürgern gegenüber, um einen modernen Ausdruck zu benutzen, und nach außen gegenüber allen anderen Akteuren der internationalen Politik. Noch heute wird in vielen politischen Kommentaren der Medien oft nur der Name der Hauptstadt eines Landes genannt, wenn man das ganze Land und seine Politik meint.

Geschichte und Geschichtsbewußtsein

Zur Binnenkommunikation gehört auch, daß man sich über vielerlei schon mit Hilfe von Kurzformeln verständigen kann, weil jeder weiß, was damit gemeint ist. Solche Kurzformeln kann man zwar rasch lernen, aber darauf kommt es nur in zweiter Linie an. Wichtiger ist etwas anderes: Ein im groben vorhandenes Selbstverständnis einer Gesellschaft, das Parteiungen und Konflikte selbstverständlich nicht ausschließt, schafft erst die Voraussetzung für den sinnvollen Gebrauch solcher Kurzformeln. Die eigene Geschichte, von der Familien- über die Heimat- bis zur nationalen Geschichte, bietet ein Reservoir zur kollektiven Selbstverständigung. Welche Traditionen, welche Vorbilder, welche Lehren hält sie für uns bereit? Was ist warum schiefgegangen, was geglückt? Darüber nachzudenken ist für eine soziale

Gruppe und ihre Integration wichtig. Es geht allerdings wirklich um das Nachdenken, weniger um die vielfach beschworene »gemeinsame Besinnung«.

Für die Deutschen nach 1945 war es schwierig, mit der deutschen Geschichte umzugehen. Nicht wenige haben sich nicht weiter darum zu kümmern versucht. Andere haben die Geschichtslosigkeit und das mangelnde Geschichtsbewußtsein der Deutschen beklagt. Das sind nun zwei sehr verschiedene Sachen, denen nur gemein ist, daß sie sich als Vorwürfe wenig eignen. Die Resonanz auf manche vordergründigen Versuche zur Wiederbelebung von Geschichtsbewußtsein war außerordentlich. Es wäre aber kurzschlüssig, wollte man eine Art Neo-Biedermeier mit machtgeschützter Innerlichkeit und beschaulichem Geschichtsbewußtsein für Gegenwart und Zukunft empfehlen.

Etwas anderes ist es mit der »verlorenen Geschichte« der Deutschen. Nach dem Zusammenbruch des Dritten Reichs konnte manchem aus äußeren und aus ganz subjektiven Gründen der Verlust der Geschichte entweder gleichgültig sein oder gar als ein Gewinn erscheinen. Solche Fluchtreflexe lassen sich aber nicht lange durchhalten. Zur Bewältigung der Gegenwart braucht es die Arbeit an der Vergangenheit, nicht zuletzt auch an der, die traurig macht.

Madonnenfigur in einer deutschen Kirche

Die Religion gehört zu jenen Formen der sozialen Binnenkommunikation, die, modernen Sozialwissenschaftlern zufolge, auch ein Kernstück der Nation ausmachen können. Gleichwohl zeigt sich gerade auch in diesem Bereich, wie schwer die Deutschen es sich damit gemacht haben, dauerhaft gültige Muster zu schaffen: die Ausrichtung auf Rom oder den zu kolonisierenden Osten im Mittelalter oder der Religionsstreit nach der Reformation haben national verbindliche religiöse Kommunikationsformen immer wieder behindert.

Trotz Berlin ohne Hauptstadt

Jener bedauernswerte Clown, der über Gott und die Welt, Deutschland und sich selbst ins Zweifeln gerät, sitzt in einer bezeichnenden kleinen Szene von Heinrich Bölls berühmten Roman »Ansichten eines Clowns« auf den Stufen der Eingangstreppe zum Bonner Hauptbahnhof – ein Häufchen provinziellen Elends. Elend provinziell mag auch dem einen oder anderen Besucher die Hauptstadt der Bundesrepublik Deutschland erschienen sein, liebenswert zwar als kleines Universitätsstädtchen, jedoch überhaupt nicht angelegt zur Repräsentanz einer der wichtigsten Industrienationen der Welt.

Die Geschichte, warum Bonn und nicht zum Beispiel Frankfurt am Main zur »Bundeshauptstadt« gewählt, nein: bestimmt wurde, ist häufig erzählt worden: ein Beispiel dafür, daß private Vorlieben und historische Zufälle einen durchaus symbolischen Charakter besitzen können. Auch wenn Bonn nicht zuletzt deshalb zur Hauptstadt wurde, weil es um die Überbrückung eines vermeintlichen Provisoriums ging und der Anspruch Berlins als gewissermaßen natürlicher Hauptstadt eines wiedervereinigten Deutschlands in den Grenzen von 1937 auf solche Weise nachdrücklich offengehalten werden konnte, knüpfte diese Entscheidung auf verblüffende Weise an eine lange deutsche Tradition an.

Denn die deutsche Geschichte kennt nur für eine ganz kurze Zeitspanne den Zustand, der für die meisten anderen Länder normal ist: die politische Ordnung ist aus Gründen der Effizienz und der Repräsentanz an ein politisches Zentrum gebunden, das zugleich Sitz der Staatsmacht und wichtigste Schaltstelle aller politischen Entscheidungen ist. Das Römische Reich hatte sogar den Namen der Hauptstadt angenommen. In der Neuzeit und insbesondere seit dem 19. Jahrhundert gibt es kaum einen Staat, der nicht besonderen Wert auf den Auf- und Ausbau seiner Hauptstadt legt. Selbst wenn solche spektakulären Entscheidungen wie der völlige Neuaufbau einer Hauptstadt inmitten des brasilianischen Urwalds dem Europäer als Ausfluß einer kleinbürgerlichen Gigantomanie erscheinen mag (jedenfalls dem Europäer, der die europäische Geschichte nicht kennt!), so fügt sich das künstliche und in kunstvoller Architektur errichtete Brasilia doch ein in die selbstverständlichen Normen nationaler Integrationspolitik. In der Tat geht es ja in erster Linie um die »innere Repräsentanz« eines Staates, wenn die Frage nach der Hauptstadt und ihres Umbaus zur Debatte steht. Die architektonisch sehr wohl dubiosen Regierungsgebäude Washingtons haben diese Stadt dennoch für alle Amerikaner zum unbestrittenen politischen Zentrum der USA werden lassen, in dem sie sich selbst und ihre Geschichte wiedererkennen. Für den Vielvölkerstaat der Sowjetunion ist Moskau, ist der Kreml ein Ort von unschätzbarer Integrationskraft. Frankreich wäre nicht Frankreich ohne Paris.

Es kommt, anders gesagt, bei einer Hauptstadt weniger darauf an, daß sie die größte, schönste, wirtschaftlich interessanteste Stadt eines Landes ist. Sie muß stattdessen, wenn der Ausdruck gestattet ist, so etwas wie Charisma besitzen, um als politisches Zentrum akzeptiert zu werden. Von ihr geht dann auch legitimato-

Die Habsburger

Die über Jahrhunderte sich erstreckende Folge von deutschen Königen bzw. Kaisern aus dem Hause Habsburg beginnt mit der Königswahl Rudolfs I. im Jahr 1273; von 1438 bis 1806 herrschten sie – mit Ausnahme der Jahre 1742 bis 1745 – ohne Unterbrechung. Am Grabmal Maximilians I. (gest. 1519) in der Innsbrucker Hofkirche stellen 28 überlebensgroße Standbilder Vorfahren und Zeitgenossen des »letzten Ritters« dar.

rischer Glanz auf die politische Ordnung selbst über. Zentrum und Peripherie brauchen einander; normales staatliches Leben findet nur im spannungsreichen Einklang von Zentrum und Peripherie statt. Auf solche Formulierungen kommt man rasch, wenn man die deutsche Geschichte betrachtet und sie mit der anderer Länder vergleicht. Natürlich wäre es ganz unsinnig zu behaupten, weil es in Deutschland kaum jemals eine »richtige Hauptstadt« gegeben hat, ist seine Geschichte so und nicht anders verlaufen. Das hieße, ein Symptom überbewerten. Das Problem der fehlenden Hauptstadt ist nicht Ursache, vielmehr Ausdruck der politischen Probleme Deutschlands im Verlauf seiner Geschichte.

Das alte Römische Reich Deutscher Nation hat vom 9. Jahrhundert an bis zu seinem Untergang 1806 eigentlich keine Hauptstadt gehabt, und es war keineswegs Zufall, daß es niemals zur Herausbildung einer Hauptstadt gekommen ist. Es lag im Gegenteil im Rahmen der verfassungsmäßigen Bedingungen dieses Reiches, daß seine Herrscher es nicht auf ein politisches Zentrum hin ausrichten konnten. »Im Unterschied vom Westfrankenreich, wo die ethnische Gliederung sehr früh einer landschaftlichen und dynastischen Platz macht, findet das ostfränkische und deutsche Reich in den Stämmen eine großzügige Raumordnung vorgegeben. Während ihm die Beherrschung des fränkisch-schwäbisch-romanischen Lothringen mit seinen dynastischen Bildungen westfränkischen Gepräges große Schwierigkeiten macht, kann es sich im Raum der vier Hauptstämme Franken, Sachsen, Bayern und Schwaben, viel weniger bei den Thüringern und Friesen, an das halten, was dort geschaffen worden ist. Versuche der Könige, die Stämme als Ganzheiten durch Pfalzgrafen als beamtete Königstellvertreter zu »regieren«, haben keine dauerende Wirkung erzielt und erst recht nicht zur Bildung von königlichen Vororten geführt« (Wilhelm Berges). Als Ausnahme ist allenfalls Aachen als Sitz des lothringischen Pfalzgrafen zu nennen. An der Spitze der Stämme standen Herzöge. Und wenn diese auch im Grundsatz die Einigkeit des Reiches anerkannten, so achteten sie doch darauf, daß dieses Reich »föderalistisch« blieb. Seit dem 12. Jahrhundert war Frankfurt der Ort der Herrscherwahl, der Platz, an dem sich das Reich von Wahl zu Wahl neu konstituierte.

Die raumgestaltende Funktion der Stämme trat schon im Mittelalter zurück. Von wachsender Bedeutung erwies sich demgegenüber die raumgestaltende Funktion der Adelsherrschaft. 250 bis 300 adelige Familien verwalteten im Mittelalter alle wichtigen Reichsämter. Während in anderen europäischen Ländern Bürger, Gelehrte und Beamte seit dem 13. Jahrhundert das öffentliche Leben zunehmend beeinflußten, verstärkte sich in Deutschland das Übergewicht des Adels noch. Damit aber ging eine eigentümliche Raumordnungspolitik einher: Bestimmt von familiären Ereignissen wie Heiraten, Todesfällen und Erbstreitereien wurden Auf- und Umbau kleinerer und größerer politischer Territorien zu einem immerwährenden Spiel des Zufalls. Die Herrschaft der mittelalterlichen Könige ging nicht von einem festen politischen Zentrum aus. Das hatte wichtige politische und wirtschaftliche Gründe. Immerhin hätte man sich auch beides zusammen vorstellen können: die Installierung einer Hauptstadt und die herrschaftlichen Reisen. Dies wurde nicht zuletzt dadurch verhindert, daß die Problematik des Reichsguts ungelöst blieb. Für jeden König war sein eigenes Stammgut wichtigste Quelle seiner Macht. Da aber mit dem Wechsel der Könige auch das Stammgut häufig Veränderungen unterworfen war oder ganz wechselte, richtete fast jeder neue König ein neues politisches Zentrum ein, das in wenigen Jahren natürlich keine gefestigte Position erobern konnte. Regensburg, Magdeburg, Worms, Speyer, Goslar oder Straßburg – die Zahl der Städte, die vom 9. bis zum 13. Jahrhundert kurzfristig als »Hauptstadt« fungierten, ist noch viel länger. Weder das römische Kaisertum noch die katholische Kirche und schließlich auch die der agrarischen Struktur entwachsenden Städte haben in Deutschland ein Gegengewicht zu den dezentralen politischen Tendenzen bilden können und wollen. Die Entwicklung der Städte folgte überwiegend wirtschaftlichen Gesichtspunkten, wobei also günstige Verkehrsverbindungen oder die Nähe zu Bodenschätzen wie Salz mehr ins Gewicht fielen als politische Überlegungen. So überflügelte Nürnberg z.B. Regensburg rasch an Bedeutung, weil es an der Kreuzung der wichtigen Fernstraßen Lübeck – Venedig und Prag – Frankfurt lag.

Auch in anderen europäischen Ländern kann man damals noch kaum Ansätze zur Herausbildung eines zentralistisch geordneten Staates erkennen. Aber das

Anhänger des Fußballklubs Rot-Weiß Essen bei einem Spiel im Ruhrgebiet

Wie beliebig in der Binnenkommunikation eines Staates nationale Symbole sein können, zeigt sich etwa am Fußball. Die Begeisterung für regionale Mannschaften oder die bundesdeutsche Nationalmannschaft ist völlig unabhängig davon, ob die Spieler der Mannschaft tatsächlich dem regionalen Raum entstammen oder überhaupt Deutsche sind. Wichtig ist nur, daß die Mannschaft einen Bezugspunkt bildet, an dem sich alle orientieren können, über alle differierenden Interessen hinweg.

änderte sich bald. Der Prozeß der Umbildung der Reiche in moderne Staaten begann an der Peripherie Europas (Sizilien, England). In Deutschland konnten sich die Territorialherren in den folgenden Jahrhunderten erfolgreich gegen eine politische Konzentration beim König und in einer Hauptstadt zur Wehr setzen. Die westeuropäische Staatsentwicklung fand in Deutschland zwar auch statt, aber gleichsam en miniature, in den vielen kleinen Territorien und Kleinstaaten. Wie aber verhielt sich das aufstrebende Bürgertum diesem Zustand gegenüber, der ihm eigentlich aus rein wirtschaftlichen Gründen unangenehm sein mußte? Gewiß gab es von hier aus Unterstützung für die Vorstellung eines starken Kaisertums, das die Unwägbarkeiten zwischenadliger Konflikte im Innern möglichst weit einschränken sollte. Das Bürgertum unterstützte das ohnehin schwache Reich aber aus Mangel an Weitblick gleichwohl nicht so andauernd und opferungsfreudig, um einen genügenden Schutz seiner politischen Selbstbestimmung erfahren zu können: »Von den rund 3000 mittelalterlichen deutschen Städten aller Größen, die man gezählt hat, sind um 1500 nur rund 80, später gar nur rund 50 Reichs- und Freie Städte, und von diesen haben es nur wenige, wie Nürnberg, Ulm, Rothenburg, zu einem größeren Territorium gebracht, während alle übrigen unter Beschneidung oder Verlust ihrer Selbstverwaltungsrechte in kleine Territorien und Fürstenstaaten als Landstädte eingegliedert und wirtschaftlich gelenkt, wenn nicht geknechtet werden« (Wilhelm Berges). Der Sieg über die Städte ist übrigens durchaus ein gesamteuropäisches Phänomen. Die kulturelle und ökonomische Kraft des Bürgertums, die sich ganz deutlich in Renaissance und Reformation manifestierte, reichte noch nicht aus, um auch politisch dominierend zu werden.

Die Ausbildung des modernen Staates, die Zentralisierung der politischen Macht sind nicht denkbar ohne den fürstlichen Absolutismus. Dies hatte auch Rückwirkungen auf die Kultur: Der neue Staat war um das Schloß des Fürsten konzentriert, im Barock oft sogar versuchsweise im buchstäblichen Wortsinn. Städte,

die auch politische Zentren sein wollten, wurden nun Sitz von Residenzen: Bonn, Brühl, Aschaffenburg, Wilhelmshöhe, Herrenhausen, Celle, Potsdam und viele mehr. Die zahlreichen kleinen Residenzen mit ihrem Hauch vergangener, niemals die Größenordnung des Pittoresken überschreitender politischer Macht erscheinen heute als ansehnliche Großantiquitäten, eine Sichtweise, der zum Beispiel Thomas Manns Roman »Königliche Hoheit« einen Gutteil seines Charmes verdankt. Damals jedoch waren sie ein Zeichen für den weiteren Verfall des Reiches. Für die Franzosen galten der Louvre und danach Versailles als Mittel- und Orientierungspunkt des politischen Lebens. In Deutschland gab es lauter kleine Orientierungspunke, damit also eben gerade keine die Grenzen der Klein- und Kleinstterritorien übersteigende Orientierung. Unter den Luxemburgern und dann den Habsburgern war zuerst Prag und dann zu Beginn des 17. Jahrhunderts Wien die »erste Stadt« des Reiches. Aber eben nicht die Hauptstadt.

»Das Scheitern der Versuche, das Reich zu verstaatlichen, löst die Anachronismen aus, welche die deutschen Zustände im 17. und 19. Jahrhundert kennzeichnen. An der Schwelle des bürgerlichen Jahrhunderts gleicht das deutsche Reich einem steinalten Baum, dessen Schößlinge und Triebe losgelöst vom alten Lebenszusammenhange wuchern, während der Stamm selbst längst nicht mehr zu schattengebender Krone aufsteigt und so grau geworden ist wie der Fels, der ihn allein noch hält« (Wilhelm Berges). Lange hielt er nicht: Im Jahr 1804 nahm der (deutsche) Kaiser Franz II. nach Rücksprache mit Napoleon, der im gleichen Jahr Kaiser der Franzosen wurde, den Titel eines Kaisers von Österreich an. Das Haus Habsburg begründete diesen Schritt mit dem Hinweis auf die ihm erblich zustehenden Reichslehen. Dies ist eine Absage an die Idee des Reichs, dessen Realität schon lange nicht mehr auffindbar war. Im August 1806 kam es dann überraschend formlos endgültig zum Fall des Reichs - der Kaiser von Österreich erklärte schlicht seine Funktion als Kaiser des Deutschen Reichs für erloschen. Das Fazit des Chronisten lautet: » ... noch immer entspricht der staatsrechtlichen Monströsität der schwerste organische Fehler dieses Reiches. Es hat bis 1804/06 seine Kaiserresidenz Wien, glanzvoll anziehend, musisch, es hat München, Kassel, Heidelberg, Detmold, Bückeburg, Oldenburg, Wolfenbüttel, Gotha, Weimar, Dresden - es hat diese und viele andere Residenzen, aber es hat keine Mitte, kein schlagendes Herz, keine Hauptstadt« (Wilhelm Berges).

Schloß und alte Neckarbrücke in Heidelberg

Das Heidelberger Schloß, das nach und nach aus einer mittelalterlichen Burganlage entstanden ist und mit dem Ottheinrichsbau, der 1556 bis 1566 hinzugefügt wurde, das bedeutendste deutsche Bauwerk der Renaissance beherbergt, ist bis zu seiner Zerstörung im Jahr 1693 durch Truppen des französischen »Sonnenkönigs« Ludwig XIV. ohne Zweifel eine der repräsentativsten Residenzen im deutschen Reichsgebiet gewesen; eine dominierende Stellung konnte sie aber, wie so viele andere Residenzen, nie einnehmen. Diese fehlende Ausrichtung Deutschlands auf eine beherrschende Mitte, wie sie England frühzeitig in London und Frankreich in Paris findet, hält der deutsche Historiker Wilhelm Berges für den »schwersten organischen Fehler« des über Jahrhunderte stets in unzählige Teilstaaten zersplitterten Heiligen Römischen Reiches Deutscher Nation: »Es hat bis 1804/06 seine Kaiserresidenz Wien, glanzvoll anziehend, musisch, es hat München, Kassel, Heidelberg, Detmold, Bückeburg, Oldenburg, Wolfenbüttel, Gotha, Weimar, Dresden – es hat diese und viele andere Residenzen, aber es hat keine Mitte, kein schlagendes Herz, keine Hauptstadt.«

Das Jahrhundert der Hauptstädte und Imperien

Im 17. und 18. Jahrhundert war Wien Kaiserresidenz. Zur Hauptstadt wurde es erst im 19. Jahrhundert, zur Hauptstadt Österreichs, das nunmehr eine selbständige Rolle im Konzert der weltpolitischen Mächte spielte. Andere Hauptstädte von ähnlich großer oder noch größerer Bedeutung waren Paris, London und Petersburg; noch nicht Berlin, wenngleich nicht zu übersehen ist, daß sich in Preußen viele kluge Köpfe seit Beginn des 19. Jahrhunderts daranmachten, Berlin zu einer Hauptstadt aufzubauen. Die Gründung der Berliner Universität durch Wilhelm von Humboldt liegt z.B. auch auf dieser Linie.

Das 19. Jahrhundert war das Jahrhundert der Hauptstädte und der Imperien. Noch heute ist in den Hauptstädten Europas jene bürgerliche Vehemenz spürbar, mit der das System der kapitalistischen Produktion und des weltumspannenden Handels expandierte. Je weiter die Peripherie entfernt lag, um so mächtiger mußte das Zentrum ausgebaut werden. Das gilt sozusagen auch für die »innere« Peripherie - soziale Spannungen als Begleiterscheinung der industriellen Revolution beeinflußten auch den Städte- und besonders den Hauptstadtbau. Der Boulevard Haussman in Paris lädt ein zum Flanieren; aber er wurde so und nicht anders angelegt, um der Gendarmerie und den Soldaten freies Schußfeld gegen rebellierende Arbeitermassen zu geben.

Über den Charme der Hauptstädte jener Imperien des 19. Jahrhunderts ist viel geschrieben worden, über die reizvollen Passagen und die weiträumigen Siegeralleen, über die künstlichen Parks und die trotz aller Hektik überschaubaren Brennpunkte des turbulenten Verkehrs. In Deutschland gab es so etwas nicht. Geradezu bezeichnend für die deutsche Entwicklung in den ersten beiden Dritteln des 19. Jahrhunderts ist der tatkräftige Ausbau Münchens als einer, wenn man so sagen kann, regionalen Hauptstadt. Bayern war 1806 Königreich und souveräner

Staat geworden. In diesem Königreich gingen eine ganze Reihe von größeren und kleineren, weltlichen, geistlichen und bürgerlichen Herrschaftsbereichen auf, die für sich kaum lebensfähig waren. Sie alle zu integrieren stellte eine beträchtliche Aufgabe dar. Ihre Lösung ist zu großen Teilen das Verdienst des »allmächtigen Ministers« Maximilian von Montgelas. Selbst eher ein kühl kalkulierender und Emotionen gegenüber mißtrauischer Verstandesmensch, verfolgte Montgelas für Bayern eine zwar erfolgreiche, aber letztlich anachronistische Politik des Staatsabsolutismus. Der von ihm errichtete Verwaltungsstaat war effizient, aber er stand allen nationalen oder gar demokratischen Vorstellungen indifferent bis ablehnend gegenüber. Nach dem Vorbild vergangener Zeiten wurde diesem disponierenden Staat ein wirkungsvolles und ansehnliches politisches Zentrum geschaffen: Akademien für die bildenden Künste und für die Musik, Staatsarchiv, Staatsgemäldesammlung, Staatsbibliothek, schließlich jene klassizistische Architektur des Königsplatzes – Monarchie, Beamtenschaft und Kultur waren in der Hauptstadt deutlich sichtbar verkörpert. Aber es handelte sich eben bloß um eine *Landes*hauptstadt.

Immerhin haben diese von einem konservativen Effizienzdenken getragenen und im übrigen von den romantisch-reaktionären und schwärmerischen Gedanken König Ludwigs I. ausgeschmückten Bemühungen um die Landeshauptstadt München dieser zu einem Flair verholfen, der ihr noch heute gelegentlich das liebevoll gebrauchte Wort von der »heimlichen Hauptstadt« einbringt, wenn auch die Jahre der kulturellen Blüte um die Jahrhundertwende und im ersten Drittel des 20. Jahrhunderts schon lange vorbei sind.

Die Hauptstadt Berlin

Berlin wurde die Hauptstadt des (zweiten) Deutschen Reichs, weil die Einigung und Konstituierung des Reichs eine Folge preußischer Politik war. Nach 1871 nahm das Deutsche Reich einen raschen Aufschwung, es nahm maßgebend an der

europäischen Politik teil, die damals einen sehr viel höheren Rang besaß als heute, und es beteiligte sich ein wenig an der Kolonialpolitik. Berlin gelangte sozusagen kopfüber in den Rang einer der Hauptstädte der Welt, und es hatte durchaus seine Mühe, durch die Hektik der Gründerjahre hindurch diesen Rang angemessen auszufüllen. Alles in allem gelang dies aber überraschend schnell, und zwar im Positiven wie im Negativen. Zu letzterem: Ein Klischee jeder Hauptstadtdebatte seit dem 19. Jahrhundert ist wohl der Vorwurf der Dekadenz, des Sittenverfalls und der schreienden Unmoral, für die der »Sumpf« der Groß- und insbesondere der Hauptstadt zugleich Symptom und verantwortlich ist. Berlin und seine rasch entstehenden Trivialmythen von der quirligen »Berliner Luft«, von leichtem Leben und den jeweils modernsten Vergnügungsmoden, mit seinen Cafés und den diese bevölkernden Literaten galt schon vor dem Ersten Weltkrieg, erst recht jedoch während des Krieges und danach als ein Sündenbabel sondergleichen.

Eine Hauptstadt steht immer in natürlicher Spannung zur »Provinz«, ist ohne sie gar nicht denkbar. Während es vorher in Deutschland nur Provinz gab, stellte sich im Kaiserreich dieses aus Frankreich und England bekannte Spannungsfeld auch zwischen Berlin und allen anderen Orten in Deutschland her. Berlin war Zentrum geworden: politisches und kulturelles, Zielpunkt höchster Bewunderung und stirnrunzelnder Abneigung. Literarische Zeugnisse für diesen raschen Aufstieg Berlins zur Hauptstadt gibt es in großer Zahl, von Erich Kästners »Emil und die Detektive« und seinem »Fabian« über Döblins »Berlin Alexanderplatz« bis zu den frühen Gedichten des Facharztes für Haut- und Geschlechtskrankheiten Dr. med. Gottfried Benn.

Berlin war aber nur für wenige Jahre die deutsche Hauptstadt. Von 1871 bis 1918, das sind 47 Jahre, war es zunächst Hauptstadt des Kaiserreichs. Der Kaiser dankte ab, und aus dem verlorenen Krieg und den Ansätzen einer sozialen und politischen Revolution ging die Weimarer Republik hervor, die den Namen nicht der Hauptstadt, sondern eines kleinen Residenzstädtchens trug, weil das Parlament zeitweilig dorthin ausweichen mußte. Die 15 Jahre der Weimarer Republik waren

Folgende Doppelseite:

Triptychon »Die Großstadt« von Otto Dix

Nach dem Ersten Weltkrieg, der Not und den Wirren der Nachkriegszeit kamen die »goldenen zwanziger Jahre« mit ihrer hektischen, überschäumenden Lebensgier. Ihre Lebensphilosophie aus Hoffnung und Nihilismus, Überfluß und Not, Sinnlichkeit und Brutalität ergab den idealen Nährboden für die künstlichen Lebewelten der Großstädte, in denen sich alle Elemente dieser Philosophie und der ihr zugrundeliegenden materiellen Wirklichkeit zusammenballten. Es war die Zeit der rauschenden Bälle, des Charleston, der exzentrischen Modeeinfälle, aber zugleich auch die Zeit der Kriegskrüppel, der Arbeitslosen, der Prostitution und Halbwelt wie auch des heraufkommenden Faschismus. In seinem dreiteiligen Gemälde »Die Großstadt« versuchte der Maler Otto Dix (1891–1969) in den Jahren 1927/28 die lärmende Widersprüchlichkeit der großstädtischen, »goldenen« zwanziger Jahre zu versinnbildlichen. Er ist nicht der einzige Künstler, der sich in dieser Zeit zur Gestaltung dieses Themas gedrängt fühlt; Alfred Döblin in seinem Roman »Berlin Alexanderplatz« und Bertolt Brecht in der »Dreigroschenoper« oder der Oper »Aufstieg und Fall der Stadt Mahagonny«, arbeiteten am selben Phänomen wie Otto Dix.

Der Kurfürstendamm in Berlin (West) bei Nacht

Berlin spielte im Lauf der deutschen Geschichte immer wieder eine bedeutende Rolle. 1709 entstand die Stadt aus dem Zusammenschluß von Altberlin, Kölln, Friedrichswerder, Dorotheenstadt und Friedrichstadt als Residenzstadt Berlin. Die Revolution in Preußen brach am 18. März 1848 hier aus. Seit 1871 Hauptstadt des neuen Reiches, überschritt Berlin als erste Stadt des deutschen Sprachraums die Millionengrenze. Die starke Industrialisierung führte zu einem schnellen Anwachsen der Arbeiterklasse und machte Berlin bald zum Zentrum der deutschen sozialistischen Bewegung. Nach dem Zweiten Weltkrieg wurde die weitgehend zerstörte Stadt aufgrund des Viermächtestatus vom 5. Juni 1945 in vier Besatzungssektoren eingeteilt und von den Siegermächten regiert. Nach der westdeutschen Währungsreform am 23. Juni 1948, die den Anschluß der Westsektoren an das Währungs- und Wirtschaftssystem der Westzonen bewirkte, und der politisch-psychologisch so folgenreichen Blockade der Zufahrtswege vertiefte sich die Spaltung Berlins, dessen östlicher Teil 1949 zur Hauptstadt der DDR erklärt wurde.

turbulent, kulturell ein Höhepunkt des deutschen Geisteslebens, wirtschaftlich eine Katastrophe, politisch wenig mehr als ein krampfhaftes Zwischenspiel zwischen Kaiserreich und Diktatur. Führende Schichten in Deutschland konnten und wollten die Niederlage des Weltkriegs nicht verwinden. Die nicht sehr weitblickende Politik der Siegermächte trug auch dazu bei, daß in Deutschland die Kontinuität des kaiserlichen Großmachtstrebens trotz veränderter Verhältnisse salonfähig blieb. Die Republik konnte sich keine ausreichenden Legitimitätsgrundlagen verschaffen, und innenpolitisch standen ihr große Teile des Bürgertums und der Arbeiterschaft ebenso fern wie die Streitkräfte. Außenpolitisch war die Republik gar nicht so erfolglos, aber das wurde nicht anerkannt. Berlin war zwar nicht die »Hauptstadt der Bewegung« (ein nichtssagendes nationalsozialistisches Schmuckwort für München), aber in der Zeit des Dritten Reichs, das zwölf erschütternde Jahre währte, wuchs diese Stadt weiter in ihrer Funktion als Deutschlands Hauptstadt.

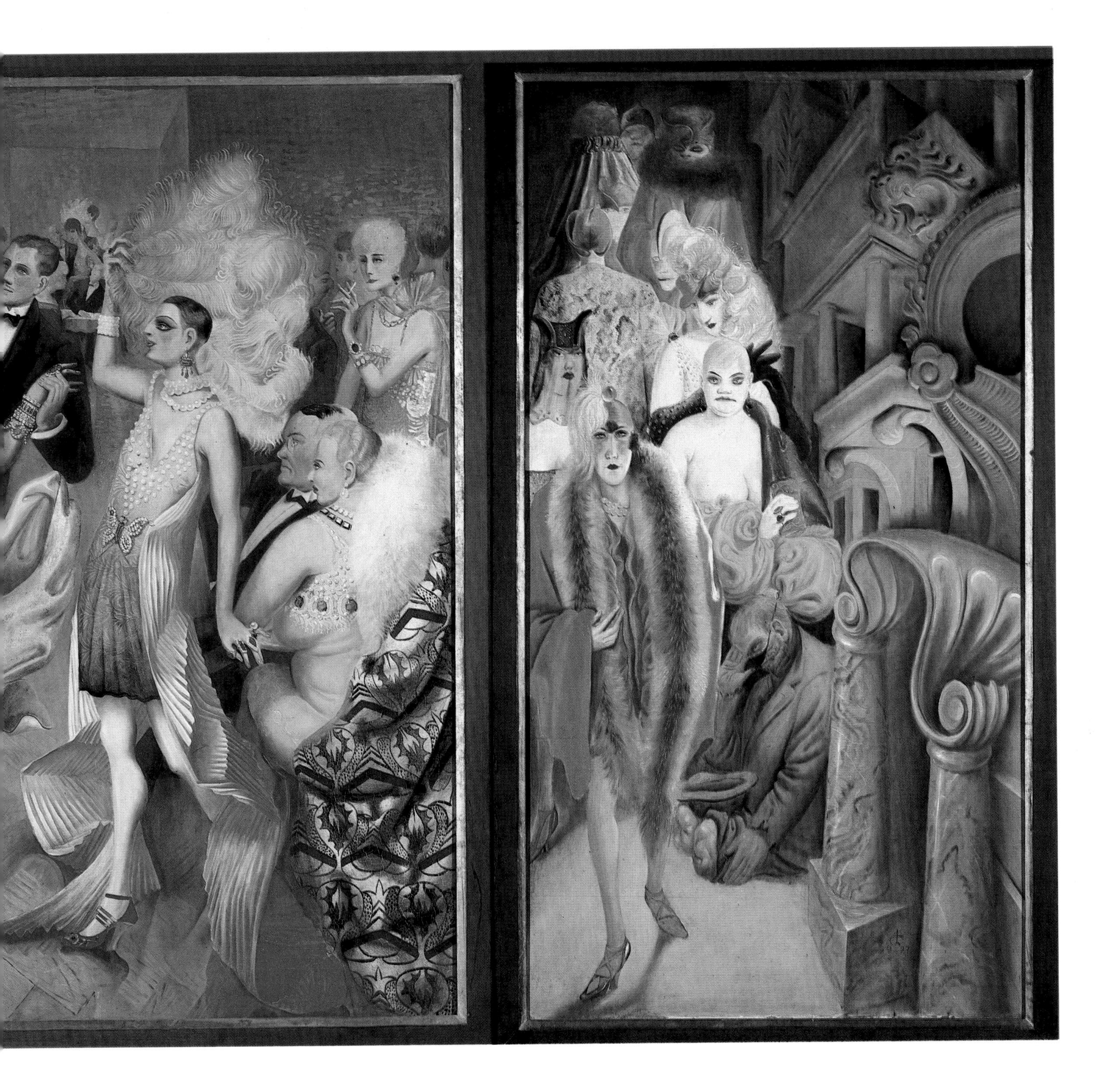

Triptychon »Die Großstadt« von Otto Dix

(Vgl. die Anmerkungen auf Seite 229.)

Drei Ereignisse können stellvertretend für das Schicksal des politischen Zentrums des Dritten Reichs während dieser Jahre genannt werden: die Diskriminierung, Ausstoßung und schließlich Vernichtung der deutschen Juden, die eine große Gemeinde in Berlin bildeten und einen großen Einfluß auf das intellektuelle Leben der Hauptstadt ausgeübt hatten; die Olympischen Spiele von 1936, während der Berlin Gastgeber der Sportler aus aller Welt war, und zwar ein perfekter (was immer sich hinter den Kulissen abspielte, ahnten die Gäste kaum); schließlich die weitgehende Zerstörung im Zweiten Weltkrieg. Seit 1945 gibt es die Hauptstadt Berlin nicht mehr. Die vier Siegermächte des Zweiten Weltkriegs haben Deutschland in Zonen und Berlin in Sektoren aufgeteilt. Die drei Westzonen wurden 1949 zur »Bundesrepublik Deutschland«, die Ostzone im gleichen Jahr zur »Deutschen Demokratischen Republik«. Nach den Vorstellungen der Besatzungsmächte ist die geteilte Stadt Groß-Berlin unter ein besonderes Statut gestellt, wobei es Differenzen in den Auffassungen der drei westlichen Alliierten und der Sowjetunion gibt. Für letztere soll das Viermächte-Statut nur West-Berlin betreffen, während Ost-Berlin ein Teil der DDR geworden ist. Diese Sichtweise wird von den Westmächten nicht geteilt.

Berlin – Hauptstadt der DDR

Was Berlin als Hauptstadt der DDR betrifft, überlappen sich komplizierte völkerrechtliche und ganz handfeste politische Überlegungen (das braucht kein Widerspruch zu sein) mit geographischen und sogar geostrategischen Gegebenheiten. Berlin wurde nach 1945 geteilt, blieb aber doch lange Jahre hindurch ein Ort der Kommunikation zwischen Ost und West. Mit dem Bau der Berliner Mauer im August 1961 wurde diese Kommunikation jedoch abrupt auf ein Minimum beschränkt. Die drei Westsektoren Berlins bilden so etwas wie einen kulturell höchst lebendigen Außenposten der westlich-kapitalistischen Zivilisation in der DDR, dessen Bedeutung für die Entwicklung der Bundesrepublik sehr hoch eingeschätzt werden muß. Der Ostsektor Berlins ist von der Regierung der DDR zur Hauptstadt ihres Landes gekürt worden. Dafür mögen sowohl praktische als auch symbolische Gründe den Ausschlag gegeben haben. Gegen die Attraktivität des kräftig vom Westen subventionierten West-Berlin sollte Ost-Berlin wohl mit seiner Hauptstadtfunktion für den »preußischen Teil« Deutschlands als der eigentliche Nachfolger der alten Reichshauptstadt auftreten. Bei einer Wiedervereinigung Deutschlands unter sozialistischem Vorzeichen würde mit einer Hauptstadt Berlin an das gesamtdeutsche Nationalgefühl, zu dessen traditionellem Symbol Berlin gerade auch nach 1945 geworden ist, angeknüpft werden können.

Der Ausbau Ost-Berlins zur Hauptstadt der DDR stellte sich als ein gar nicht so einfach zu lösendes Problem dar. Sehr treffend hat dies Hans Heinrich Mahnke formuliert: »Zum einen galt es, Ost-Berlin als Teilstadt technisch aus dem innerstädtischen Verbund herauszulösen. Zum anderen bereiteten die politisch-sozialen Bedingungen Berlins, im besonderen die bis zum 13. August 1961 »offene Grenze« und die geistig-geographische Nähe zum Westen besondere Hindernisse. Die DDR mußte hier ihre staatliche und ideologische Daseinsberechtigung ständig empirisch nachprüfbar in Frage stellen lassen.« Spätestens an diesem 13. August 1961 war die Entscheidung der DDR-Regierung für den langfristigen Ausbau Ost-Berlins zur Hauptstadt der DDR gefallen. Zwar blieb die Option einer Wiedervereinigung offen, jedoch ist die Regierung der DDR längst dazu übergegangen, den Ausbau ihrer Metropole nicht mehr als Provisorium zu betrachten. Eine wichtige Rolle bei der Konstituierung der Hauptstadt der DDR als einer eigenständigen Metropole spielen die zahlreichen Restaurationen preußischer Repräsentationsgebäude. Bekannte Beispiele sind das Alte Palais Wilhelms I. von Carl Ferdinand Langhans, die Oper von Georg Wenzeslaus von Knobelsdorff, das Prinzessinnenpalais, die Alte Königliche Bibliothek, die Schinkelsche Wache und sein Schauspielhaus. Hinzugekommen sind eine Reihe nicht minder repräsentativ gemeinter Neubauten wie einzelne Ministerien, der »Palast der Republik« oder der unvermeidliche Fernsehturm.

In seinem Überblick über die Bemühungen der DDR, Ost-Berlin zur Hauptstadt auszubauen, kommt Hans Heinrich Mahnke, ein durchaus kritisch eingestellter Beobachter aus der Bundesrepublik, zu folgendem Ergebnis: »Zusammenfassend ist zu den gegenwärtigen Hauptstadtfunktionen von Ost-Berlin festzustellen, daß die Teilstadt zu einem selbständigen Stadtorganismus herangewachsen ist, wenngleich bis jetzt noch Beeinträchtigungen der Hauptstadtfunktion aus der historischen Situation und der rechtlichen Sonderlage festzustellen sind. In den Funktionsbereichen Hauptstadt (zentrale politische, staatsleitende, geistig-kulturelle Funktionen), Industrie, Wissenschaft, Forschung, Lehre und Kultur ist Ost-Berlin Mittelpunkt der DDR, entspricht der Standard von Ost-Berlin den Erfordernissen der DDR von heute ... Im allgemeinen hat Ost-Berlin den Teilstadteffekt faktisch und politisch weitgehend überwunden und hat für die Bürger der DDR große Attraktivität als Arbeits-, Wohn- und Besuchsstadt. Ost-Berlin ist damit nicht nur nach dem Text der Verfassung, sondern auch aufgrund seiner gesellschaftlichen Funktion für das politische Selbstverständnis der Bevölkerung der DDR ihre Hauptstadt.«

Berliner Dom und Fernsehturm am Alexanderplatz (Berlin)

Der Neorenaissancebau des Doms bildete zusammen mit dem mächtigen Komplex des Schlosses eines der baulich-repräsentativen Zentren der alten Hauptstadt Berlin. Das Schloß wurde im Zweiten Weltkrieg durch Bomben völlig zerstört und nicht mehr aufgebaut; auch der Dom hat Schaden gelitten. Heute, nach der Teilung der Stadt, bildeten ihre beiden Hälften eigene, neue Zentren aus. Der Standort des neuen Zentrums in Ostberlin, das von der DDR als Hauptstadt proklamiert wurde, ist unübersehbar durch den auf der Abbildung rechts vom Dom im Hintergrund sichtbaren Fernsehturm markiert worden; an seinem Fuß liegt der mit großem baulichem Aufwand gestaltete neue Alexanderplatz, der mit jenem durch Alfred Döblins Roman berühmt gewordenen Alexanderplatz der zwanziger Jahre nur noch wenig gemeinsam hat.

Und Bonn?

Jener Hans Schnier, der bedauernswerte Clown in Heinrich Bölls berühmtem Roman, dessen Traurigkeit über Gott und die Welt und die Geschichte der Deutschen in eklatantem Widerspruch zum Klischee von der rheinischen Fröhlichkeit steht, würde heute von den Stufen des Eingangs zum Bonner Hauptbahnhof ein ganz anderes Stadtbild wahrnehmen. Bonn hat sich sehr stark verändert. Seit ein paar Jahren wird versucht, aus dem mittleren Universitäts- und Beamtenstädtchen ein echtes politisches Zentrum zu machen. Davor ist über Bonn viel gespottet worden. Sein Nachtleben müsse ausfallen, wenn »die Dame« gerade Urlaub mache, hieß es. Das Wort vom »Bundesdorf« machte die Runde durch alle Kabaretts der fünfziger und frühen sechziger Jahre. Die Veränderungen der letzten Jahre hinterlassen einen zwiespältigen Eindruck. Der Ruch des Provinziellen läßt sich natürlich nicht mittels einer Gemeindereform aus der Welt schaffen, auch wenn heute Bad Godesberg ein Stadtteil von Bonn ist. Auf der grünen Wiese zwischen Bonn und Bad Godesberg entstand ein Regierungsviertel aus der Retorte. Die Gebäude der beiden großen Parteien, das neue Bundeskanzleramt, die Grünanlagen und Verkehrswege durch Bonn – darunter die Nord-Süd-Eisenbahnlinie, die die Stadt durchschneidet – für all diese Neubauten und Arrangements mag man wohl das Wort »achtbar« parat halten; aber schon »eindrucksvoll« wäre eine Übertreibung.

Nicht der föderalistische Aufbau der Bundesrepublik hat die Herausbildung Bonns als repräsentative Hauptstadt verhindert oder auch nur aufgehalten, denn politische Macht findet sich in den Landeshauptstädten nur in begrenztem Ausmaß, ganz gleich, ob sie nun Kiel, Düsseldorf, Wiesbaden oder München heißen. Im Gegenteil: politisches Zentrum ist Bonn heute ganz unumstritten, auch wenn die Zentren von Industrie, Handel und Banken woanders liegen. Aber zunächst ging es darum, den Hauptstadtanspruch Berlins für ein wiedervereinigtes Deutschland nicht anzutasten. Diesem politischen Ziel galt in West-Berlin der aufwendige Wiederaufbau des Reichstags. In Bonn entsprach dieser Entscheidung der Verzicht auf die Betonung der Hauptstadtfunktionen. Als sich nach und nach herausstellte, daß die Wiedervereinigung noch lange auf sich warten lassen würde, hatte sich in Bonn bereits notgedrungen ein Gewucher von Ämtern und Behörden etabliert, eine Entwicklung, die sich nicht mehr ohne weiteres rückgängig machen ließ.

Anders als in der Vergangenheit braucht sich das Fehlen einer »voll funktionsfähigen« Hauptstadt gegenwärtig für die (West-)Deutschen nicht als ein Handicap auszuwirken. Man könnte sogar diese Not als unfreiwillige Tugend betrachten. Denn wenn es richtig ist, daß der westeuropäische Integrationsprozeß trotz aller Verzögerungen und Schwierigkeiten voranschreitet, dann könnte den Bürgern der zweiten und bis jetzt bemerkenswert stabilen deutschen parlamentarischen Demokratie die Identifizierung mit dem neu entstehenden politischen Gebilde Westeuropa leichter fallen als vielen ihrer Nachbarn, die den langsam abbröckelnden Glanz vergangener politischer Weltgeltung in nationalstaatlichem Rahmen noch in ihren Metropolen vor Augen haben.

Der Weg zur deutschen Einigung – vom Fürstenstaat zum Kaiserreich

Am Thema des Problems der deutschen Nation und am Thema der fehlenden Hauptstadt lassen sich Eigenheiten der deutschen Geschichte über mehrere Jahrhunderte hinweg untersuchen. Anders als viele historisierende Betrachter dieser Geschichte im vorigen und in diesem Jahrhundert sollte man sich heute jedoch voreiliger Wertungen enthalten. Patriotischer Jubel oder auch das Gegenteil haben der Urteilskraft immer schon geschadet.

Die Geschichte der Einigung Deutschlands im 19. Jahrhundert ist von Zeitgenossen häufig als eine Geschichte des Aufstiegs beschrieben worden, der sozusagen mit der Wohnungsnahme auf dem Gipfel nationaler Stärke und internationaler Geltung enden sollte. Daß der Zustand nationaler Einigung – wie immer im einzelnen legitimiert und unter welchen Opfern auch immer erfochten – so bald wieder aufgehoben sein würde, hat sich 1871 in Versailles niemand vorgestellt. Und auch nicht, daß mit diesem Ort auch der Vertrag verbunden sein würde, der Deutschland wieder von dem Gipfel internationaler Geltung in den Rang einer mittleren Macht zurückversetzen würde.

So falsch und oft bewußt irreführend es war, den Vertrag von Versailles als *die* Wurzel des Nationalsozialismus hinzustellen, so darf doch nicht übersehen

München

Blick von der Kuppel der Theatinerkirche auf die Residenz.

werden, daß die Vision der nationalstaatlichen Einigung Deutschlands in den Jahren der Weimarer Republik eine Kraft entwickelt hat, welche die Demokratie erstickte.

Die Einigung Deutschlands, die dann mit den Mitteln des Nationalsozialismus herbeigeführt wurde, wurde nur anfangs als eine nationale Politik im Sinn des 19. Jahrhunderts bezeichnet. Dies war sogar, wie sich spätestens nach 1938 herausstellte, eine gezielte Täuschung, denn es ging Hitler und der nationalsozialistischen Führung um die Eroberung von weit mehr. Man kann diese Weltherrschaftspläne eigentlich nur als wahnsinnig bezeichnen; das, was am meisten daran zu fürchten war und in einem höheren Sinne weiter zu fürchten ist, ist die Bereitwilligkeit, mit der so viele Menschen daran mitwirkten.

Ludwigsburg. Blick in den Schloßhof

Vielfach läßt sich in der deutschen Geschichte aufzeigen, daß politische Zentren in wirtschaftlich unbedeutenden Städten entstanden oder daß sich wirtschaftliche Zentren weitab von politischen Kristallisationspunkten bildeten. Ludwigsburg, 1709 durch Ausbau seines Schlosses zum größten Barockbau auf deutschem Boden und durch Angliederung einer auf dem Reißbrett geplanten Stadt zum dritten württembergischen Zentrum neben Stuttgart und Tübingen erhoben, ist das Beispiel einer Stadt, die um eine Residenz angelegt wurde und zeitweilig politisches Verwaltungszentrum war, ohne wirtschaftliche Bedeutung besessen zu haben.

Aus der Perspektive des 19. Jahrhunderts war Deutschland seit dem Mittelalter, seit der Reformation, seit dem Dreißigjährigen Krieg ein zerrissenes und zersplittertes Land. Man könnte eigentlich meinen, daß die Staatsbildungen in Europa und die erfolgreiche Innen- und Außenpolitik dieser neuen Machtgebilde während des 15. bis 18. Jahrhunderts auch in Deutschland einen starken politischen Sog erzeugten, daß jene Klagen wie die von Friedrich Carl von Moser sich mit den Jahren zu einer starken nationalen Bewegung verdichteten. Oder man könnte sich vorstellen, daß es entgegen den ausländischen Vorgängen so etwas wie eine politische Legitimation der äußersten Dezentralisierung gab, einen Katalog der Vorteile des Aussteigens aus der »großen« internationalen Politik.

Beide Vorstellungen treffen nicht zu. Dafür gibt es eine Reihe von Gründen. Zunächst einmal muß man so etwas wie einen Stau der nationalen Stimmungen im Deutschland des 18. Jahrhunderts feststellen. Wenn die überlieferten Zeugnisse des intellektuellen Lebens jener Jahre nicht trügen oder nicht nur ein oberflächliches Bild vermitteln, dann gab es zwar damals viele Impulse, die zur Überwindung der inneren Grenzen drängten. Aber die wirksamsten dieser Impulse fanden sich nicht auf dem Feld der *Politik*, vielmehr auf dem der *Kultur*. Schon die deutsche *Aufklärung*, eine in Philosophie und Dichtkunst durchaus liebenswerte, ansonsten jedoch harmlosere Variante dessen, was zum Beispiel im Frankreich des »siècle des lumières« an knallharten Auseinandersetzungen vor sich ging, wirkte sich »nur konservierend auf die Zustände der Gesamtverfassung« aus, »denn indem das aufgeklärte Fürstentum gerade in Deutschland eine Reihe ausgezeichneter Vertreter aufwies, bekam die Staatsgewalt der Territorien einen neuen Inhalt, und indem die Beglückungsbestrebungen dieser Fürsten die Untertanen ganz anders wie bisher in ein persönliches Verhältnis zum Fürsten setzten, fand der alte Servilismus eine neue Rechtfertigung« (Paul Joachimsen). Ein spektakuläres und später bald heftig umstrittenes Beispiel für derartige Beglückungsbestrebungen eines ökonomisch nicht sehr günstig gestellten Landesherrn bietet der Subsidienvertrag, den der Landgraf Friedrich II. von Hessen-Kassel 1776 mit England abschloß. Bei diesem größten Geldgeschäft, das je von einem hessischen Fürsten abgeschlossen wurde, ging es um die Hergabe hessischer Soldaten für den Dienst unter der englischen Krone in Nordamerika. Gegen die Summe von 108000 Pfund jährlich lieferte Landgraf Friedrich II. zwischen 1776 und 1784 rund 17000 Soldaten. Dieses Geschäft wurde seinerzeit von allen Beteiligten als eine gute Sache angesehen oder jedenfalls von fast allen: Die »verkauften Soldaten« nämlich waren mit ihrem Los nicht unbedingt zufrieden. Der Segen, den das ins Land strömende Geld brachte, das der aufgeklärt-bildungsbeflissene Landgraf in Manufakturen, wissenschaftlichen Einrichtungen und repräsentativer Architektur anlegte, verteilte sich auf viele Untertanen.

Die moralische Verbesserung des Volksgeistes galt überhaupt als ein Hauptziel der deutschen Aufklärung. Das aufkommende Bürgertum hielt schon Lessings »Minna von Barnhelm« für eine hochpolitische Komödie; es ließ sich ungern in solch brenzlige Gefilde verlocken und zog sich lieber auf eine sorgsam gepflegte Innerlichkeit zurück. Die Einheit wurde, ein durchgängiges Motiv von der Aufklärung über den Sturm und Drang, die Weimarer Klassik bis zur Romantik, eher als ein symbolisches Ziel erstrebt: Einheit der Kultur, Einheit des Lebensgefühls, Identität als Mischung aus Heimweh und Fernweh, nostalgische Rückblicke auf das Mittelalter.

Dennoch aber fühlten sich die Deutschen dabei nicht wohl: Die aufgeklärten Landesherren konnten trotz aller aufrichtigen Bemühungen (und es gab ja auch nicht wenige, denen es an Aufrichtigkeit und an Bemühen fehlte) die bestehenden politischen Zustände nicht so herrichten, daß sie als Idylle und vielleicht sogar als politisches Vorbild für eine lebbare Zukunft dienen konnten. Auf's Wirtschaftliche bezogen: Der Merkantilismus funktionierte nicht gut genug, um die verschiedenen ökonomischen Bedürfnisse der Zeitgenossen zu befriedigen.

Freiheitskriege – Einheitskriege

Sowohl aus politischen als auch aus wirtschaftlichen Gründen brach das bildungsbürgerliche Idyll um die Wende vom 18. zum 19. Jahrhundert zusammen. Die von England auf den Kontinent übergreifende *industrielle Revolution*, die jakobinischen Ideen von Demokratie und bürgerlichen Freiheiten, schließlich die Eroberungen Napoleons entzogen solchen Idyllen die Grundlage. Nach Napoleons Siegeszügen wurde die territoriale Neugliederung Deutschlands rasch und geschäftsmäßig eingeleitet. Im Reichsdeputationshauptschluß von 1803 wurden die alten geistlichen Fürstentümer beseitigt. Zahlreiche kleine weltliche Fürstentümer und Grafschaften sowie die meisten Reichsstädte wurden mediatisiert, d.h. einer Landeshoheit unterworfen. Diese Landeshoheiten wurden dadurch natürlich gestärkt: So profitierten besonders Bayern, Württemberg und Baden von Napoleons Absicht, statt des deutschen Kaiserreichs mehrere mittelstarke Königreiche als östliche Nachbarn Frankreichs zu schaffen. Im übrigen hatten sich die Franzosen die linksrheinischen deutschen Ländereien selbst zugeschlagen.

Daß diese Umgestaltung in einigen Ländern, so in Bayern, erfolgreich vonstatten gehen konnte, lag einmal an der Schwäche der alten Strukturen, mehr aber noch an der Wirksamkeit der Administrationen, die den napoleonischen Pragmatismus und seine Vorstellungen zur Verwaltungsreform (die zu oft nicht ausreichend gewürdigt werden) übernahmen. Durch die Zeit der Freiheitskriege hindurch, sozusagen im politischen Hintergrund wirksam, entwickelten sich die Administrationen der deutschen Länder zu den entscheidenden Machtzentren während der Restaurationsphase 1815–1848. Vor- und Nachteile dieser Entwicklung liegen gleichermaßen auf der Hand, denn wer regierte von 1815 bis 1848 in Deutschland?

Eine treffende Antwort auf diese Frage gibt Paul Joachimsen: »Das war das deutsche *Beamtentum*. Mit Recht hat man diese Zeit die klassische Zeit des Beamtentums genannt. Dies Beamtentum hat damals enorme Arbeit geleistet, es hat seinen reichlichen Anteil an der schnellen Heilung der Kriegsschäden wie an der großartigen wirtschaftlichen Entwicklung Deutschlands, der Zollverein ist im wesentlichen sein Werk. Es beseitigt das Defizit in den Staatshaushalten, bringt Ordnung in die Finanzen, niemals früher hat Deutschland Gesetz und Ordnung in dem Maße gekannt. Aber es bringt zwei Schäden für die nationale Entwicklung mit sich: Es ist zunächst seinem Wesen nach partikularistisch und es schafft, auf dem aufgeklärten Despotismus des 18. Jahrhunderts, dessen legitimes Kind es ist, fortbauend nun den neuen, rein staatlichen Partikularismus. Erst durch das Beamtentum ist der preußische, bayrische, hannoversche, badische Staat zu einem so geschlossenen Ganzen geworden, daß sich in den alten und den neuen Teilen zwar nicht gleichmäßig, aber im ganzen doch überraschend schnell ein neues Staatsbewußtsein entwickelte. Damals sind die schweren Bollwerke aufgeworfen worden, die sich selbst einer bundesstaatlichen Einigung so lange entgegenstellt haben.«

Wenn man sich die starke Stellung der verschiedenen Administrationen vor Augen hält und zudem – ganz ohne Vorwurf sei's gesagt – in Rechnung stellt, daß solche Institutionen ihrer Natur nach auf geordnete Routine und möglichst widerstandsfreies Ablaufen der von ihnen erfaßten Vorgänge drängen, dann wird unübersehbar, daß die politischen Eruptionen der Freiheitskriege sehr bald in überschaubare Bahnen gelenkt werden würden.

Die deutschen Freiheitskriege, getragen von einer Welle patriotischer Begeisterung der Intellektuellen jener Zeit, sind ein zwiespältiges Phänomen. Machtpolitik und plötzlich aufbrechender nationaler Fanatismus, bürgerlicher Reformeifer und politische Romantik, von der Carl Schmitt mit guten Gründen behauptet hat, daß es sich dabei eigentlich nur um eine Karikatur des Konservatismus handelte, später im Krieg selbst gewiß auch ein kräftiger Schuß Körnerscher Abenteuermentalität – dies alles ging in den Jahren zwischen 1800 und 1815 eine seltsame, explosive und schillernde Verbindung ein. Mit jener aufgeklärt-eingehegten Idylle der deutschen Zersplitterung ging auch gleich die Idee eines die Nationen übersteigenden Weltbürgertums über Bord. Von Ernst Moritz Arndt, Friedrich Jahn, von Heinrich von Kleist gibt es aus jenen Jahren Aussprüche brennenden Hasses auf die Franzosen, törichtes Zeugs, das aber als verbales Feuerholz für nationalistische Zündeleien bis in unser Jahrhundert verfügbar blieb.

Die Freiheit, um die es ging, war also die äußere Freiheit, die Freiheit von Fremdherrschaft. In Preußen, das nach einer zehnjährigen Neutralitätsfrist in den Jahren 1806/1807 gegen Napoleon Front machte und dabei rettungslos unterlag, wurde wenigstens versucht, dieses Ziel mit dem einer inneren, auf bürgerliche Freiheiten ausgerichteten Reform und mit dem einer nationalstaatlichen Einigung Deutschlands auf einen Nenner zu bringen. Politiker und Offiziere – Stein, Scharnhorst, Gneisenau, Humboldt, um nur sie zu nennen – setzten sich in einer auch ein bißchen als eine »Stunde Null« empfundenen Situation Preußens für eine Reorganisation von Staat und Gesellschaft, von Verwaltungs-, Rechts- und Militärsystem ein, an deren Ende ein innerlich gefestigtes, bürgerliches, national geeintes Deutschland stehen sollte. »Ich habe nur ein Vaterland, das heißt Deutschland, und da ich nach alter Verfassung nur ihm und keinem besonderen Teil desselben angehöre, so bin ich auch nur ihm und nicht einem Teil desselben von ganzer Seele ergeben.« Diese häufig zitierte Passage aus einem Brief des Freiherrn vom Stein spielt auf die Verfassung des ehemaligen Römischen Reichs Deutscher Nation an, denn ihr entsprechend waren die Freiherrn vom Stein reichsunmittelbar. Es scheint noch einmal die Möglichkeit auf, aus dem alten Reich eine Kontinuität zu entwickeln, die zu einem im Sinn des 19. Jahrhunderts modernen Nationalstaat hinführt. Diese Möglichkeit ist jedoch ungenutzt geblieben.

Die Behörden in Preußen waren zumeist gar nicht erfreut über die anti-napoleonische Aufbruchsstimmung Ende des Jahres 1812 und in den folgenden Monaten. Aber weder sie oder der kühle und keineswegs reformeifrige Minister Hardenberg noch König Friedrich Wilhelm III. selbst konnten sich der Erhebung des Volkes entgegenstellen. »Der König ist nicht mehr in der Lage, die Begeisterung zu unterdrücken, die sich beinahe aller Geister bemächtigt hat, und die sich auf eine eindrucksvolle Art offenbart«, schrieb Anfang 1813 ein für England tätiger

Schlesische privilegirte Zeitung.

No. 34. Sonnabends den 20. März 1813.

Se. Majestät der König haben mit Sr. Majestät dem Kaiser aller Reußen ein Off- und Defensiv-Bündniß abgeschlossen.

An Mein Volk.

So wenig für Mein treues Volk als für Deutsche, bedarf es einer Rechenschaft, über die Ursachen des Kriegs welcher jetzt beginnt. Klar liegen sie dem unverblendeten Europa vor Augen.

Wir erlagen unter der Uebermacht Frankreichs. Der Frieden, der die Hälfte Meiner Unterthanen Mir entriß, gab uns seine Segnungen nicht; denn er schlug uns tiefere Wunden, als selbst der Krieg. Das Mark des Landes ward ausgesogen, die Hauptfestungen blieben vom Feinde besetzt, der Ackerbau ward gelähmt so wie der sonst so hoch gebrachte Kunstfleiß unserer Städte. Die Freiheit des Handels ward gehemmt, und dadurch die Quelle des Erwerbs und des Wohlstands verstopft. Das Land ward ein Raub der Verarmung.

Durch die strengste Erfüllung eingegangener Verbindlichkeiten hoffte Ich Meinem Volke Erleichterung zu bereiten und den französischen Kaiser endlich zu überzeugen, daß es sein eigener Vortheil sey, Preußen seine Unabhängigkeit zu lassen. Aber Meine reinsten Absichten wurden durch Uebermuth und Treulosigkeit vereitelt, und nur zu deutlich sahen wir, daß des Kaisers Verträge mehr noch wie seine Kriege uns langsam verderben mußten. Jetzt ist der Augenblick gekommen, wo alle Täuschung über unsern Zustand aufhört.

Brandenburger, Preußen, Schlesier, Pommern, Litthauer! Ihr wißt was Ihr seit fast sieben Jahren erduldet habt, Ihr wißt was euer trauriges Loos ist, wenn wir den beginnenden Kampf nicht ehrenvoll enden. Erinnert Euch an die Vorzeit, an den großen Kurfürsten, den großen Friedrich. Bleibt eingedenk der Güter die unter

Aufruf des preußischen Königs zum Kampf gegen Napoleon

Mit dem nebenstehenden Aufruf erklärte der preußische König Friedrich Wilhelm III. am 20. März 1813 seine Bereitschaft, mit Rußland und der seit 1812 immer stärker werdenden nationalen Freiheitsbewegung in Deutschland gegen die napoleonische Besatzung zu kämpfen. Wie alle Kriegserklärungen ist auch diese den ideologischen Notwendigkeiten entsprechend aufbereitet. So ist die in dem Aufruf aufgestellte Behauptung, Deutschland sei durch die napoleonische Besetzung wirtschaftlich und kulturell gelähmt worden, historisch betrachtet nur halb richtig. Verschwiegen wird hierbei, daß Napoleon zunächst für viele Deutsche als Befreier aus feudalabsolutistischer Abhängigkeit und Überbringer der bürgerlichen Rechte der Gleichheit aller Bürger vor dem Gesetz und der Handelsfreiheit gekommen war; erst später verlor Napoleon die durch diese Maßnahmen erreichten Sympathien durch die hohen Rekrutierungen und Kontributionen unter der Bevölkerung zum Unterhalt seiner kostspieligen Feldzüge.

Beobachter des preußischen Staatslebens. Die Proklamation des Befreiungskampfs in der Erklärung »An Mein Volk« vom 17. März 1813, vom König nur widerstrebend vorgenommen, weckte auch außerhalb Preußens Hoffnungen auf eine nationaldeutsche Vereinigung. Die Begeisterung und die Hoffnung blieben aber nur ein kurzes Zwischenspiel. Weiterblickende Zeitgenossen, darunter der heute fast ganz vergessene Christian von Massenbach, warnten vor dem überschäumenden Franzosenhaß der Deutschen, der sich mit einer unmerklichen Drehung in einen Haß auf die Französische Revolution und ihre politischen und sozialen Zielvorstellungen verwandeln ließ. Die Freiheitskriege gegen den ohnehin schon wankenden Napoleon konnten leicht die Katastrophen von 1806 verdrängen und das militärische Selbstbewußtsein der Deutschen wieder anheben. Im Vergleich zu der immensen politischen Arbeit, die zu leisten war, um innere Freiheit und Einheit zu erreichen und abzusichern, waren sie aber nicht mehr als ein Ausflug auf einen Abenteuerspielplatz.

Der Wiener Kongress

»Es muß ein innerlich Ganzes werden aus dem vielgliedrigen Deutschland, oder das Blut so vieler Edler ist umsonst geflossen. Aber das Wie dieser neuen Schöpfung liegt freilich als eine der schwierigsten Aufgaben da und kann nicht nach allgemeinen Theorien geleistet werden. Die Staatskunst kennt überhaupt gar keine Schöpfungen von vorne an; ihr Werk gründet sich auf dem Gegebenen, und für Deutschland ist wohl mehr gegeben, als man eben wünschen möchte.« Dieser Skeptizismus Friedrich Christoph Dahlmanns, eines klugen Liberalen jener Zeit, war wohl begründet. Der Wiener Kongreß 1814/1815 setzte eine Neuordnung Deutschlands durch, bei der auf die Einheitshoffnungen der Deutschen ebensowenig Rücksicht genommen wurde wie auf die Forderung nach Einschränkung der Fürstenmacht.

Der Wiener Kongress versammelte die höchsten Vertreter der europäischen antirevolutionären Diplomatie. Gegenüber der jüngsten Vergangenheit sollte das nunmehr zu erstellende internationale System auf den Prinzipien der monarchistischen Legitimität und eines europäischen Mächtegleichgewichts beruhen. Keine der europäischen Großmächte – England, Rußland und (trotz der Niederlage Napoleons) Frankreich – konnte an einem starken, geeinten Mitteleuropa interessiert sein. Österreich war es deshalb nicht, weil es dann seine Besitzungen auf dem Balkan und in Italien anders organisieren, wenn nicht großenteils in Autonomie hätte entlassen müssen.

Aus dieser Interessenlage ergab sich geradezu zwangsläufig, daß für Deutschland eine staatenbündische Lösung gefunden wurde. Dem im Juni 1815 geschlossenen *Deutschen Bund* gehörten 34 souveräne Fürsten und vier Freie Städte an. Die Konstruktion war unübersichtlich und repräsentierte so gut wie keine zentrale Macht. Österreich und Preußen gehörten dem Deutschen Bund nur mit ihren früher zum Deutschen Reich gezählten Territorien an, so daß die preußischen Provinzen Ostpreußen, Westpreußen und Posen nicht dazu gehörten. Preußen und Österreich brauchten sich entsprechend nicht an Bundesbeschlüsse zu halten, wenn es um diese außerbündischen Gebiete ging. Dies hatte in Einzelfällen erhebliche Konsequenzen.

Vollberechtigte Mitglieder des Deutschen Bundes waren aber auch ausländische Herrscher, so der englische König in seiner Eigenschaft als König von Hannover bis 1837, der niederländische König als Großherzog von Luxemburg und Limburg bis 1866 und schließlich auch der dänische König als Herzog von Holstein und Lauenburg bis 1864. Man kann sich leicht denken, daß hier bereits völkerrechtliche und politische Verwicklungen vorprogrammiert waren. Einziges Gesamtorgan des Deutschen Bundes bildete der *Bundestag.* Man darf sich unter dieser Einrichtung keinesfalls ein dem heutigen Bundestag in Bonn vergleichbares Parlament vorstellen. Im Bundestag, dessen Sitz Frankfurt am Main war, kamen die Regierungsbeauftragten der Mitgliedsstaaten des Deutschen Bundes zusammen, man könnte ihn also eher mit einem auf eine Region beschränkten Vorläufer der Generalversammlung der UNO vergleichen. Allerdings ging es im Bundestag in Frankfurt nicht nach dem Grundsatz: ein Land, eine Stimme. Stattdessen hatte man ein System der Stimmenverteilung ausgeklügelt, nach dem die größeren Länder mehr, die kleineren weniger Einfluß auf die Versammlung ausüben konnten. Der Deutsche Bund umfaßte drei Kategorien von Mitgliedern. Da waren zunächst Österreich (das den Vorsitz führte) und Preußen, unbestreitbar die mächtigsten Mitgliedsstaaten. Gegen die Absprachen dieser beiden Mächte, bis 1848 eine häufig geübte Praxis, konnten die anderen kaum etwas unternehmen. Die Königreiche Bayern, Württemberg, Sachsen und Hannover konnten sich, wenn auch sozusagen eine Klasse tiefer, ebenfalls zu den Großen unter den Mitgliedern rechnen, wohingegen alle übrigen kaum bundespolitische Bedeutung für sich reklamieren konnten. Da in der Bundesakte von 1815 allen Mitgliedern das Recht auf eine selbständige Außenpolitik garantiert war, da außerdem Preußen und Österreich ihre eigenen außenpolitischen Vorstellungen weder miteinander abstimmen noch von anderen beeinflussen lassen wollten, blieb der Deutsche Bund außenpolitisch vollkommen irrelevant. Größere Bedeutung erlangte er hingegen in der Innenpolitik, wo es einen Gleichklang preußischer und österreichischer Herrschaftsinteressen gab: Hier ging es um die Abstimmung von Polizei- und Überwachungsmaßnahmen gegen den »demokratischen Spuk«. Der war noch in vielen Köpfen lebendig, insbesondere im deutschen Bildungsbürgertum. Die Zeit der Restauration, des

Biedermeier, der in Gang kommenden industriellen Revolution, des akademisch-liberalen Bürgersinns, wie er sich insbesondere im Südwesten Deutschlands entwickelte, weil er dort relativ am wenigsten an der Entfaltung gehindert wurde, die Zeit der sich bildenden Burschenschaften an den deutschen Universitäten, die Zeit der »Demagogenverfolgungen« nach den reaktionären Karlsbader Beschlüssen – diese Jahre der ersten Hälfte des 19. Jahrhunderts stehen unter der innenpolitischen Doppelherrschaft Preußens und Österreichs. Politischer Stillstand rangierte auf ihrem Programm ganz oben. Intellektuelle im Exil wie Heinrich Heine spotteten scharfzüngig über die künstliche Lähmung des politischen Lebens, die der Kriegsgeneration von 1813/14 mit ihren Blütenträumen von Einheit und Freiheit wie ein Albtraum vorgekommen sein muß. Während die das neue Industriesystem aufbauenden und tragenden politischen Kräfte des Bürgertums mit Hilfe der Administrationen durchaus einen Teil ihrer Vorstellungen durchsetzen konnten – die Gründung des Zollvereins ist dafür ein Zeichen –, standen die Verfechter von konstitutionellen Regimen, Rechtsstaatlichkeit und bürgerlichen Freiheiten aus dem Lager des Bildungsbürgertums in heftigen Auseinandersetzungen mit den herrschenden Mächten. Gängelung der öffentlichen Meinung, Zensur, Verhaftung, Ausweisung – die herrschenden Mächte setzten all ihre Mittel ein, um die Wurzeln eines freiheitlichen Denkens auszureißen. Dieser geistige Kampf mit ungleichen Mitteln bedeutete einen nachhaltigen Aderlaß für das sich entwickelnde demokratische Bewußtsein in Deutschland, denn viele der besten und originellsten Köpfe wurden entweder in die Emigration (wie z.B. Carl Schurz nach Nordamerika) oder in die Anpassung getrieben. Hinter den geistreichen spöttischen Versen von Heinrich Heines Epos »Deutschland, ein Wintermärchen« steckt zugleich ein Stück politischer Analyse:

»Der Zollverein« – bemerkt er –
»Wird unser Volkstum begründen,
Er wird das zersplitterte Vaterland
Zu einem Ganzen verbinden.
Er gibt die äußere Einheit uns,
Die sogenannt materielle;
Die geistige Einheit gibt uns die Zensur,
Die wahrhaft ideelle – ...«

Der Zollverein von 1834, nach schier endlosen Verhandlungen zustandegekommen, umfaßte Preußen, die beiden hessischen Staaten, die thüringischen Staaten, Sachsen, Anhalt, Württemberg und Bayern; später kamen noch Baden, Nassau und Frankfurt hinzu. Die in der Hauptsache von Preußen forcierte zollpolitische Vereinigung besaß einen ökonomischen und einen politischen Zweck. Der ökonomische stand dabei im Vordergrund: Die Vergrößerung des Wirtschaftsraums und damit die Erleichterung des Handels in diesem Raum brachten erhebliche Vorteile mit sich, die meisten übrigens für die exportintensive preußische Wirtschaft selbst. Der politische Zweck offenbarte sich nicht sogleich jedermann. Der auf die Vormachtstellung Österreichs im Deutschen Bund bauende Metternich erkannte aber sehr wohl, daß sich hier ein Rivalitätsstreben Preußens kundtat, das die österreichische Vormachtstellung gezielt schwächte. Doch noch kam es nicht zum Bruch zwischen Preußen und Österreich, denn noch war das gemeinsame Interesse an der Abwehr der »revolutionären« Kräfte stark.

Was nun diese Kräfte betrifft, die eine bürgerliche Umwälzung propagierten, so muß nüchtern festgestellt werden, daß sie sich in einem viel beklagenswerteren Zustand befanden, als es die staatlichen Behörden annahmen. Die Kluft zwischen dem Wirtschaftsbürgertum einerseits und dem Bildungsbürgertum andererseits öffnete sich mehr und mehr. Das hatte zur Folge, daß die Verfechter einer »wahrhaft ideellen« Einheit Deutschlands den Bezug zur politischen und wirtschaftlichen Realität schrittweise einbüßten, wohingegen sich die Industriellen und Wirtschaftsführer dieser Zeit auf eine enge Kooperation mit staatlichen Stellen einließen und so schrittweise den Bezug zu bürgerlich-freiheitlichen Gestaltungswünschen für Staat und Gesellschaft verloren.

Die unterschiedlichen Vorstellungen über die Lösung der nationalen Frage im Deutschland der dreißiger und vierziger Jahre des 19. Jahrhunderts lassen sich

Vorherige Doppelseite:

Alfred Rethel,
Die Harkortsche Fabrik auf Burg Wetter

Ein sinnfälliges Zeugnis des geschichtlichen Übergangs von der handwerklich-bäuerlichen Epoche des Feudalismus zum industriellen Zeitalter ist die Harkortsche Fabrik, die 1819 in die Anlage der mittelalterlichen Burg des Ruhrstädtchens Wetter eingebaut wurde. Diese Fabrik in der Burg kann als Vorläufer der heute in Wetter ansässigen Maschinenfabrik DEMAG angesehen werden. In deren Firmenbesitz befindet sich auch das abgebildete, um 1834 von dem Maler Alfred Rethel (1816–1859) geschaffene Gemälde von der Harkortschen Fabrik. Alfred Rethel ist vor allem durch Gemälde mit Motiven aus der christlichen Überlieferung und Historiengemälde aus mittelalterlicher Zeit bekannt geworden; daß er hier nun eine Industrieanlage, also ein modernes Motiv, aufgenommen hat, verweist auf die spektakuläre Entwicklung, welche die Industrie vom zweiten Drittel des 19. Jahrhunderts an auch in Deutschland genommen hat.

Hambacher Fest 1832 auf der Maxburg bei Hambach an der Weinstraße

Am 27. Mai 1832 zogen zahlreiche deutsche Liberale, Demokraten und Republikaner zu einer gemeinsamen Kundgebung ihres politischen Willens auf den Hambacher Schloßberg. Es entlud sich zum ersten Mal in weitreichender organisierter Form der Unwille der liberalen und demokratisch gesinnten Bürger darüber, daß die Befreiungskriege von den deutschen Fürsten nicht zur Errichtung eines geeinten, fortschrittlichen Reiches ausgenutzt worden waren. Auf dem Hambacher Fest sollte nun die Forderung nach »Deutschlands Wiedergeburt in Einheit und Freiheit« als Wille des deutschen Volkes manifestiert werden. Erstmals wurden hierbei schwarz-rot-goldene Fahnen als Symbole der nationalen Bewegung mitgeführt.

bei oberflächlicher Betrachtung unter der Formel »Einheit oder Freiheit« zusammenfassen. Solche schlagwortartig zugespitzten Alternativen vereinfachen die politische Wirklichkeit aber so stark, daß man sie darin oft gar nicht mehr wiedererkennen kann. Die Julirevolution von 1830 stürzte in Frankreich die Bourbonendynastie und setzte an ihre Stelle die konstitutionelle Monarchie. In England, das schon zuvor Befreiungsbewegungen in Griechenland und Südamerika unterstützt hatte (wenn auch natürlich aus politischem Kalkül heraus), wurde 1832 eine große Parlaments- und Wahlrechtsreform eingeleitet. Die liberale Begeisterung in Deutschland für die aufständischen Polen und ihren Befreiungskampf meinte eigentlich auch die Situation im eigenen Lande. »Ich will die Einheit nicht anders als mit Freiheit und lieber Freiheit ohne Einheit als Einheit ohne Freiheit«, schrieb der liberale Staatsrechtler Karl von Rotteck 1832. Die Gegenmeinung vertrat der württembergische Abgeordnete Paul Pfizer: »Lieber wollte ich den Gewalttätigsten zum Beherrscher Deutschlands als die trefflichsten und vollkommensten Verfassungen ohne nationalen Zusammenhang der einzelnen kleinen Staaten.«

Vor dem Hintergrund anhaltender obrigkeitlicher Zensur und den Nachrichten von den revolutionären Erschütterungen andernorts in Europa setzte in der deutschen Einheitsbewegung ein Prozeß der Differenzierung und Spaltung ein. Der

»radikale Flügel« setzte sich für eine egalitär-demokratische Verfassung ein, die es mittels einer Revolution zu erstreiten gelte. Zentrum dieses Flügels war die Rheinpfalz, wo Ende Mai 1832 das »Hambacher Fest« stattfand, an dem über 20000 Menschen teilnahmen. Für die Obrigkeit ging es hier um nichts anderes als um organisierte Unbotmäßigkeit, auf die man mit härteren Repressalien antworten mußte. Wie furchtsam indes die Obrigkeit war, geht aus einer Notiz des Präsidenten des preußischen Staatsrats hervor, der das dreitägige Hambacher Fest mit der Julirevolution in Frankreich verglich. Er gelangte zu dem Fazit, es hätte dieselben Folgen wie in Frankreich gehabt, wenn Deutschland ein einziges Reich wäre, das eine gemeinschaftliche Hauptstadt besäße und wenn sich die Hambacher Vorgänge in dieser Hauptstadt zugetragen hätten. Die gemäßigten Liberalen verabscheuten nicht minder alles Revolutionäre. Durch ihr politisches Phlegma halfen sie indirekt mit bei der Radikalisierung des egalitären Flügels. Die für die deutsche Geschichte so verhängnisvolle Teilung der Liberalen in einen nationalliberalen und einen sozialliberalen Flügel bahnte sich hier bereits an, lange vor der Zeit Bismarcks, für den sich die ihm erkennbare Bruchstelle als höchst nützliches politisches Instrument erwies.

1848 – weder Einheit noch Freiheit

Ein drittes Mal gab es revolutionäre Signale aus Frankreich. Im Februar 1848 stürzte der »Bürgerkönig« Louis Philippe, die Republik wurde ausgerufen. Die Nachrichten über diese Ereignisse wirkten in »Deutschland im Frühling« wie ein liberaler Wettersturz. Es kam zu Aufständen von Bauern und Arbeitern, denn längst hatte sich dem nationalen Problem die soziale Frage hinzugesellt. Massenversammlungen forderten Pressefreiheit, Aufhebung der Feudallasten, ein Volksheer; Liberale wurden eiligst in die Regierungen aufgenommen – und versicherten den Majestäten ihre Loyaliät. Nur ein einziger König stolperte, aber nicht wegen der Politik, sondern wegen einer hübschen Tänzerin, die ihm den Kopf verdreht hatte. Sowohl in Wien als auch in Berlin siegte, was man für »die Revolution« hielt.

Die Märzereignisse 1848 schienen eine deutliche Verschiebung der Machtverhältnisse zu bewirken. Am 18. Mai schon trat in Frankfurt eine gewählte Nationalversammlung zusammen, in der das liberale Bildungsbürgertum eindeutig die Mehrheit besaß. Die Herstellung der nationalen Einheit auf der Grundlage von liberalen Freiheitsrechten war das große, jedoch zu hoch angesetzte Ziel dieser Versammlung. Während sie noch arbeitete, kamen die vertriebenen konservativen Mächte wieder zu Kräften. Die Ende März 1849 in der Paulskirche verabschiedete Verfassung eines deutschen Bundesstaats mit dem Erbkaisertum der Hohenzollern und zum Ausgleich dazu mit weitgehenden legislativen Befugnissen mochte niemanden mehr richtig begeistern. Am allerwenigsten den König von Preußen. Als ihm eine Delegation der Paulskirche die Kaiserkrone antrug, lehnte Friedrich Wilhelm IV. von Preußen verachtungsvoll ab. Weitere innen- und außenpolitische Verwicklungen 1849 und 1850 ließen nicht nur die Nationalversammlung zerfallen, sondern manövrierten auch Preußen und Österreich in einen Gegensatz, der die folgenden beiden Jahrzehnte mitbestimmen sollte. Die Jahre nach 1850 brachten erneut eine Restaurationswelle. Viele, die sich in den Monaten der Unruhen engagiert hatten, mußten emigrieren; andere wanderten aus wirtschaftlichen Gründen aus. Die Anziehungskraft der USA als Land der unbegrenzten (Aufstiegs-)Möglichkeiten zog viele Deutsche über den Atlantik. Nach dem fehlgeschlagenen Aufstand von 1849 sollen allein in Baden rund 80000 Menschen das Land verlassen haben.

In Österreich etablierte sich eine Art Neoabsolutismus, gestützt hauptsächlich auf die Armee, die Beamten und die katholische Kirche. Beträchtliche Teile des Adels waren dagegen aus nationalen Vorstellungen heraus oppositionell zum Regime unter Kaiser Franz Joseph eingestellt, der 1852 seine über sechzigjährige Regierungszeit antrat. In Preußen hingegen wurde das Bündnis Krone – Adel in der zweiten Hälfte des 19. Jahrhunderts noch enger. Es gestattete in politischen Krisensituationen, aber auch generell in der politischen Kultur des Landes, die Ansprüche des Bürgertums auf Beteiligung einfach zu umgehen bzw. umzubiegen.

Aus innen-, aber auch aus außenpolitischen Gründen erschien eine »großdeutsche« Einigungslösung in diesen Jahren immer weniger wahrscheinlich. Was

Karl-Marx-Denkmal in Karl-Marx-Stadt, dem ehemaligen Chemnitz

Das Foto steht für den Beginn des nationalen Spaltungsprozesses, dessen Ergebnis heute die Existenz zweier deutscher Staaten darstellt. Die nationale Einigung, die im 19. Jahrhundert Voraussetzung für die industrielle Expansion war, wurde von dieser bald wieder in Frage gestellt. Marx' Lebenswerk widmet sich der Frage, inwiefern die Differenzierung der bürgerlichen Gesellschaft in zwei »unversöhnliche Klassen« den Produktionsgesetzen dieser Gesellschaft selbst entspringt.

man als die »Wendung zur Realpolitik« des deutschen Liberalismus bezeichne hat, ist einmal die Abkehr von »idealistischen« Einigungsvorstellungen der Deut schen und zum anderen die Hinnahme des Gedankens, daß als Mittel der Einigun bestehende militärische Machtmittel wohl unabdingbar seien. »So gewiß die Tat sache nur der Tatsache weicht, so gewiß wird weder ein Prinzip noch eine Ide noch ein Vertrag die zersplitterten deutschen Kräfte einigen, sondern nur ein überlegene Kraft, welche die übrigen verschlingt.« Dies schrieb im Jahr 185 August Ludwig von Rochau; unschwer kann man in diesen Sätzen den Keim eine Entwicklung erkennen, die zu einer folgenreichen Überbewertung staatliche Gewaltmittel zur Erreichung politischer Ziele geführt hat.

Die fünfziger Jahre brachten aber auch den Beginn der Expansionsphase de industriellen Revolution für Deutschland. Das Wachstum der Industriestädte be schleunigte sich enorm, die Bevölkerungsstatistik insgesamt wies erheblich Wachstumsraten auf, die Produktionsziffern, Betriebsgrößen und Arbeiterzahler stiegen sprunghaft. Die wirtschaftliche Entwicklung stärkte dabei die Vormacht stellung Preußens, so daß eine »kleindeutsche« Einheitslösung sich schon vor der politisch-militärischen Entscheidungen von 1866 abzeichnete.

Die Einheitskriege

So waren die fünfziger Jahre ein Jahrzehnt des politischen Mißvergnügens be wirtschaftlichem Aufschwung, wobei letzterer sich regional und individuell seh unterschiedlich auswirkte. Das Kommunistische Manifest von 1848 ist ein aufschlußreicher Text über die industrielle Revolution – ein einziger Lobgesang au die Dynamik des Kapitalismus, ergänzt durch aufrüttelnde Appelle an die im kapitalistischen Wirtschaftsprozeß zu kurz gekommenen Arbeiter, die Macht an sich zu reißen. Auch die sechziger Jahre versprachen zunächst – zumindest in Preußen – ein Jahrzehnt des Mißvergnügens zu werden. Der Streit um die Heeresreform ließ die Ohnmacht des Parlaments einmal mehr sichtbar werden. Wie so häufig in der Politik wurden die innenpolitischen Querelen jedoch bald überdeckt durch die Ereignisse der Außenpolitik, zunächst in der Frage des polnischen Aufstands von 1863, dann ein Jahr später in dem Konflikt mit Dänemark, als es dem preußischen Ministerpräsidenten gelang, eine Allianz anderer europäischer Mächte gegen Preußen zu verhindern. Der Krieg zwischen dem Deutschen Bund und Dänemark endete mit der Herauslösung der Herzogtümer Schleswig, Holstein und Lauenburg aus dem dänischen Staatsverband. Österreich und die anderen Mitglieder des Deutschen Bundes wollten ursprünglich die Bildung eines neuen Staates, Preußen wollte am liebsten diese Territorien dem eigenen Staatsverband anschließen. Der Kompromiß, auf den man sich 1865 einigte, programmierte bereits den nächsten Krieg vor, weil er nicht funktionieren konnte: Österreich sollte in Holstein, Preußen in Schleswig die gemeinsamen Rechte ausüben; Lauenburg fiel gegen eine finanzielle Entschädigung an Preußen. Kiel wurde Bundeshafen unter preußischem Befehl. Im Frühsommer 1866 kam es zum preußisch-österreichischen Krieg, von dem man nicht behaupten kann, daß er anfangs in Deutschland große Begeisterung erweckt hat. Im Gegenteil: Die allgemeine Erwartung eines lange dauernden Bruderkriegs machte die Öffentlichkeit mißtrauisch gegen Bismarck, der diesen Krieg offensichtlich angesteuert hatte. Der Stimmungsumschwung kam jedoch plötzlich und heftig. Nach dem preußischen Sieg bei Königgrätz »stürzte eine Welt ein« – auch die Verbündeten Österreichs innerhalb des Deutschen Bundes, Sachsen, Bayern, Württemberg und Hannover, wurden von den preußischen Truppen besiegt. Viele Zeitgenossen erkannten im Jahr 1866 einen Wendepunkt der deutschen Geschichte, denn nun war Österreich mehr oder weniger auf einen eigenen (und höchst problematischen) Entwicklungsweg verwiesen, wohingegen Preußen sich als alleiniges Zentrum der deutschen Politik durchgesetzt hatte. Der Preis für dieses Ereignis war jedoch die Teilung der Nation. Der Friedensvertrag stellte die Auflösung des Deutschen Bundes fest. An seine Stelle traten ein erheblich erweitertes Preußen und der Norddeutsche Bund, dem auch Sachsen beitreten mußte. Mit den deutschen Staaten südlich der Mainlinie gab es geheime Schutz- und Trutzbündnisse.

Vorgeschichte und Geschichte des dritten Einheitskrieges, des Deutsch-Französischen Krieges 1870/71, illustrieren in all ihrer Komplexität einmal mehr, ja

TOUS LES PAYS,
UNISSEZ-VOUS!
ПРОЛЕТАРИИ
ВСЕХ СТРАН,
СОЕДИНЯЙТЕСЬ!
PROLETARIER
ALLER
LÄNDER,
VEREINIGT EUCH!
PROLETAIRES DE
TOUS LES PAYS,
UNISSEZ-VOUS!
WORKING MEN OF ALL
COUNTRIES, UNITE!
ПРОЛЕТАРИИ
ВСЕХ СТРАН,
СОЕДИНЯЙТЕСЬ!
PROLETAIRES
DE
TOUS
LES
PAYS,
UNISSEZ-
VOUS!
WORKING
MEN OF ALL
COUNTRIES, UNITE!
PROLETARIER
ALLER LÄNDER,
VEREINIGT EUCH!
PROLETAIRES DE TOUS
LES PAYS, UNISSEZ-VOUS!
PROLETARIER
WORKING
MEN
OF ALL
PROLETARIER
ALLER LÄNDER,
VEREINIGT EUCH!
ПРОЛЕТАРИИ
ВСЕХ СТРАН,
СОЕДИНЯЙТЕСЬ!
PROLETAIRES
DE TOUS LES PAYS,
UNISSEZ-VOUS!

vielleicht ein letztes Mal, wie die hohe Schule der klassischen Diplomatie politikgestalterisch im Innern wie in den Außenbeziehungen zu wirken vermag. Krieg, hier übrigens schon im Erscheinungsbild der Schlachten ein durchaus »moderner« Krieg, galt dieser Diplomatie als ein jederzeit legitimes Mittel zur Fortführung politischer Operationen. Und wenn es auch gerade in diesem Kriege zum Teil zu heftigen Auseinandersetzungen zwischen den Spitzen des politischen Systems und der Streitkräfte gekommen ist, so blieb es doch bei einer Unterordnung der Militärs, ganz wie Clausewitz es zu Beginn des Jahrhunderts gefordert hatte. Der siegreich verlaufene Krieg gegen Frankreich mobilisierte in ganz Deutschland die nationale Begeisterung. Die Verhandlungen Preußens mit den süddeutschen Staaten über die Reichsgründung gestalteten sich dennoch außerordentlich schwierig. Zwar war Baden bereit, sich in das zu schaffende Deutsche Reich zu integrieren, aber Württemberg war unentschlossen. In Hessen drückte die öffentliche Meinung die Regierung, die sich dem preußischen Locken gegenüber spröde verhielt. Die Haltung Bayerns gab schließlich den Ausschlag: Durch eine Reihe von Zugeständnissen, nicht zuletzt auch durch kräftige Zahlungen in die Privatschatulle des kunstfreundlichen und baubesessenen Königs Ludwig II. von Bayern gelang die Einigung. Der bayerische König selbst war es nun, der mit einem von Bismarck entworfenen Schreiben dem preußischen König die Kaiserkrone antrug.

Am 18. Januar 1871 fand im Spiegelsaal in Versailles die Proklamation des Kaisers Wilhelm I. statt. Auf dem bekannten Bild dieser Kaiserproklamation von Anton von Werner wird dem Betrachter deutlich gemacht, daß es sich hierbei allerdings um eine obrigkeitliche Veranstaltung handelte, geprägt vom Hochadel und von den Militärs. Das Volk, obgleich es die nationale Einheit mit überschwenglicher Begeisterung begrüßte, wurde auf Distanz gehalten.

Das wilhelminische Deutschland

Vom wilhelminischen Deutschland gibt es viele widersprüchliche Geschichten. Jene Zeit scheint uns heute sehr fern gerückt, obgleich noch Zeitzeugen leben und Auskunft geben können. 1871 bis 1914 – das waren dreiundvierzig Jahre ohne Krieg, zugleich aber auch Jahre, in denen das Militär in der zivilen Gesellschaft präsent war wie vorher noch nie. Jene spezifische Form des wilhelminischen Militarismus bestimmte das öffentliche Leben. Der Leutnant der Reserve galt als unterste Sprosse für die »eigentliche« Karriere. In Garnisonsstädten und auch sonst wurden Unmassen von Militärschwänken in den Theatern aufgeführt, meist weniger komische als knallige. Die Affäre von Zabern als ein ernsthaftes, die Affäre von Köpenick als ein satirisches Indiz für den militärischen Kult des Wilhelminismus – auch damit wurden vier Jahrzehnte Frieden erkauft.

Das institutionelle politische Zentrum des Kaiserreichs waren die Streitkräfte, unbezweifelbar. Sie galten als »Schule der Nation«, womit gemeint ist, daß die Zeit des Wehrdienstes und nicht zuletzt der politische Unterricht während dieser Zeit den jungen deutschen Männern bestimmte politische Grundsätze einhämmern sollte. Einer dieser Grundsätze war: Nicht die Parteien, schon gar nicht die sozialdemokratische Partei, repräsentieren Deutschland, sondern der Kaiser und die Streitkräfte. Es wäre im übrigen verfehlt anzunehmen, das Kaiserreich sei eine durch und durch altmodische, steifkragige und letzlich eben doch ein wenig lächerliche Gesellschaft gewesen. Im Gegenteil: In der Wirtschaft wie in der Wissenschaft, in der Technik wie in den Methoden der politischen Herrschaft war das wilhelminische Deutschland hochmodern. Ein Beispiel dafür ist die Art und Weise, wie in der Ära nach Bismarck die Aufrüstung der Marine in Angriff genommen wurde. Mit der Flottenpolitik, die sich auf die mittels raffiniertester Propagandaarbeit des Reichsmarineamts zustandegebrachte Zustimmung der breiten Öffentlichkeit stützen konnte, wurde nicht nur eine Art (aussichtsloser) Rüstungswettlauf mit Großbritannien eingeleitet. Zusätzlich sollte vielmehr auch das klassische Recht des Parlamentes, das Budgetrecht, ausgehöhlt und damit auch die Marine in einem extra-konstitutionellen Raum angesiedelt werden. Die innerdeutsche Flottenpropaganda, die u.a. den Generationen von Knaben im Binnenland wenig behagenden, aber von den Eltern für den Sonntagnachmittagsspaziergang auf der Promenade hartnäckig vorgeschriebenen Matrosenanzug populär machte, arbeitete mit allen Werbetricks der Zeit. Das ging bis hin zum Einkauf von sogenannten Flotten-

Denkmal Kaiser Wilhelms I. auf der Schloßfreiheit im alten Berlin

Das etwa um 1910 von dem Maler, Fotografen und stadtbekannten Berliner Original Heinrich Zille aufgenommene Bild zeigt die alte Hauptstadt Berlin von ihrer repräsentativen Seite. Das Reiterstandbild ehrt Kaiser Wilhelm I., unter dessen Regentschaft Berlin erstmals 1871 zur deutschen Hauptstadt aufstieg. Im Schloß residierte zur Zeit Zilles Wilhelm II. Er dankte nach dem verlorenen Weltkrieg 1918 ab. Berlin aber wurde zur Zeit der Weimarer Republik zur morbid-glanzvollen Hauptstadt eines letztlich nicht lebensfähigen Staatswesens.

professoren, die dem Bildungsbürgertum die Notwendigkeit einer starken deutschen Marine einbläuten. Aufschlußreich ist, daß die deutsche Marinebegeisterung keineswegs nur auf Norddeutschland beschränkt blieb, vielmehr auf die Staaten südlich der Mainlinie übergriff und sich so als ein wichtiges Mittel der Binnenintegration des Kaiserreichs erwies.

Trotz allen äußeren Glanzes wuchsen die gesellschaftlichen Probleme des Kaiserreiches rasch an. Man hat in jüngster Zeit sogar die These aufgestellt, daß das Deutsche Reich im Grund schon zu Beginn der neunziger Jahre ein nahezu unregierbares Gebilde geworden war. Allerdings tauchen Slogans wie der von der Unregierbarkeit moderner Gesellschaften oder auch nur moderner Großstädte alle paar Jahre neu auf, und es ist schwer zu entscheiden, ob dahinter mehr als nur ein Hinweis auf Regierungsschwierigkeiten steckt. Indes war das Kaiserreich doch wohl in sich tief unsicher: Ein Vergleich der politischen Kultur des Wilhelminismus mit der in Großbritannien unter Queen Victoria und King Edward zeigt - verkürzt und nicht ohne Polemik formuliert - die Unterschiede zwischen einer selbstsicheren und einer ganz unsicheren Borniertheit auf. Diese Unsicherheit wurde leicht auf das Feld der Außenpolitik umgelenkt. Aus dem mühevoll aufgebauten Reichspatriotismus entwickelte sich ein martialisch-aggressiver Nationalismus. Man kann diese Entwicklung auf die Formel bringen, daß das von Bismarck konstruierte Reich ohne die intellektuelle Kraft eines Bismarck nicht ruhig zu steuern war. Wenn ein politisches Gebilde aber derart substantiell auf einen ganz bestimmten Lotsen zugeschnitten ist, dann ist damit schon alles über seine Lebensfähigkeit und -dauer ausgesagt.

Versailles – ein symbolisches Zentrum der Deutschen?

Politisches Zentrum – darunter braucht man nicht nur die Hauptstadt oder andere Orte eines Landes zu verstehen, in denen sich politische Macht versammelt. Zu den politischen Zentren einer Gesellschaft gehören auch jene Institutionen, innerhalb derer politische Entscheidungen vorformuliert werden. Von Max Weber stammt die Bestimmung der politischen *Partei* als einer Gruppierung von Menschen, die sich zum Zweck des Machterwerbs in einer Gesellschaft vereinigt haben. In *Verbänden*, von denen es die verschiedenartigsten Typen gibt, sammeln sich bestimmte gleichgerichtete politische Interessen von Teilen der Gesellschaft, und es ist eine der Aufgaben der Verbandsführungen, das politische Geschehen zu beeinflussen. Welche Verbände den gewichtigsten politischen Einfluß im Verlauf der deutschen Geschichte der letzten 100 Jahre ausgeübt haben, ist nicht genau festzustellen, sicher aber gehören die Wirtschaftsverbände, die Gewerkschaften und die in politikwissenschaftlicher Sicht eben auch als Verbände zu bezeichnenden Kirchen in den Kreis der einflußreichen Verbände.

Nun sind die Kirchen aber weit mehr als nur Organisationen, die die Interessen ihrer Mitglieder vertreten – sie begreifen sich und werden begriffen als organisierte Religionen. Religionen besitzen neben ihren transzendenten Aspekten aber auch diesseitsbezogene, weltanschauliche Aspekte. Weltanschauungen gibt es auch ohne religiöse Überhöhungen, und seit dem 19. Jahrhundert konkurrierten verschiedene Weltanschauungen auch im politischen Feld miteinander. Liberalismus, Konservatismus und Sozialismus hat man so als konkurrierende Weltanschauungen bezeichnet, und wenn ihre politische Wirksamkeit zumeist auch mit bestimmten Parteien verbunden war, so gibt es doch Unterschiede festzuhalten. Der politische Liberalismus des Bürgertums war (und ist auch gegenwärtig) zum Beispiel weiter verbreitet, als es die nur selten über längere Zeit hin politisch resonanzreichen liberalen Parteien anzeigen. Umgekehrt ist der Sozialdemokratie vorgeworfen worden, daß ihre praktizierte Politik mit den Vorstellungen des Sozialismus nicht (mehr) viel zu tun habe.

Die deutsche Geschichte von Bismarck bis zum Nationalsozialismus kann auch als die Geschichte des Verfalls der geistigen Zentren des politischen Lebens gedeutet werden: Verfall des Liberalismus, Verfall des Konservatismus, Verfall des Sozialismus. In dieser Ballung wirkt der Gebrauch des Begriffs »Verfall« allerdings unnötig dramatisch. Denn wenngleich in der Geschichte die Frage nach der Schuld einzelner Akteure am Scheitern einer Politik ganz gewiß genauso legitim ist wie die Frage nach dem Verdienst einzelner Akteure am Gelingen einer Politik (erstere wird jedoch nicht ganz so gern gestellt wie letztere), so darf man doch solches Fragen nicht in den Mittelpunkt historischer Untersuchungen stellen. Zeitströmungen, der jeweilige Zwang der Verhältnisse (auch wenn dieser Zwang nur subjektiv empfunden wurde), Informationsmangel der Entscheidungsträger – all dies und viel mehr »macht Geschichte«, und nur der Einfachheit halber begnügen sich viele damit, Männer Geschichte machen zu lassen. Was hier also kurz und bündig »Verfall« genannt wird, ist die Folge des Zusammenwirkens verschiedenartiger Faktoren, von denen nicht alle ohne weiteres von Menschenhand in eine andere Richtung zu bringen gewesen wären.

Schließlich gibt es noch eine dritte Art von politischem Zentrum. Hier vereinigen sich geographischer und geistiger Betrachtungspunkt und bilden gemeinsam einen neuen, einen symbolischen. Jedes Land und jede Gesellschaft mit einer bewußten Geschichte besitzt einen »heiligen Ort« (oder sogar mehrere), der so etwas wie eine mythologische Konstituierung des Gemeinwesens verkörpert. Für viele Deutsche war z.B. der Kyffhäuser ein solcher Ort – der sagenhafte Sitz von Kaiser Barbarossa, der auf seine Wiederkehr wartet, während sein Bart ein ums andere Mal länger durch den Tisch wächst. Für die Sowjetunion, um ein moderneres Beispiel zu nennen, ist das Leninmausoleum solch ein symbolisches Zentrum des Landes, der Punkt, in dem die höchsten politischen Hoffnungen zugleich als Rückblick und als Zukunftsversprechen, zugleich anschaulich und abstrakt versammelt sind.

Man kann die These wagen, daß für die Deutschen nach 1871 ein neues symbolisches Zentrum mit ähnlicher Funktion der Spiegelsaal von Versailles wurde. Das Reichsbewußtsein brauchte einen solchen Ort, und es mußte ein anderer sein als die klassischen, mit dem eben nicht neu errichteten, sondern 1806 untergegangenen Reich verbundenen Orte. Es wurde Versailles, weil sich hier der endliche

Gegenüberliegende Seite:

Schloß Linderhof bei Ettal in Oberbayern

Vorherige Doppelseite:

Schloß Neuschwanstein, der Traum des Bayernkönigs Ludwig II.

Sowohl Schloß Linderhof als auch Schloß Neuschwanstein könnte man als Denkmäler der Gründung des Deutschen Reiches im Jahr 1871 bezeichnen. Sie wurden nämlich zu einem beträchtlichen Teil mit Geldern gebaut, die der bayerische König Ludwig II. dafür erhielt, daß er seine Zustimmung zur Proklamation des preußischen Königs zum deutschen Kaiser gab. Bayern, nach der Durchsetzung der »kleindeutschen« Lösung, (Ausgrenzung Österreichs) zweitgrößtes Land im angestrebten Reich, mußte bestimmte Bedenken gegen die allzu deutliche preußische Dominanz im neuen Reich haben. Der Bayernkönig Ludwig II. interessierte sich jedoch mehr für Kunst und das Erbauen von Prachtschlössern, als für die politischen Machtfragen. So konnte ihm der preußische Ministerpräsident und designierte Kanzler des geplanten Deutschen Reiches, Fürst Otto von Bismarck, durch reichliche Geldspenden in seine Privatkasse nicht nur die Einwilligung zur preußischen Führung im neuen Reich abkaufen, sondern auch seine Unterschrift unter ein von Bismarck verfaßtes Schreiben, in dem Ludwig II. allen deutschen Fürsten die Ernennung des preußischen Königs Wilhelm I. zum deutschen Kaiser empfahl. Die als Gegenleistung erhaltenen Gelder verwendete der Bayernkönig, der sich wegen seiner Bauwut und Kunstsammelleidenschaft ewig in Geldverlegenheit befand, zur Vorantreibung seines 1869 begonnenen ehrgeizigsten Bauwerkes: Hoch auf einem steilen Felsen aus Wettersteinkalk ließ er das Schloß Neuschwanstein errichten, als bauliche Umsetzung seiner von Richard Wagners Opern beeinflußten romantischen Träume; der Bau wie auch die Innenausstattung mit prachtvollen Malereien und prunkvollen Möbeln verschlang ein Vermögen. Dennoch ließ Ludwig II. im Jahr 1874 ein weiteres Schloß bei Ettal beginnen; Linderhof, im Rokokostil mit eigenwilligen Einmischungen von barocken Verzierungen erbaut, wurde gleichzeitig mit einer äußerst aufwendigen, verspielten Parklandschaft umgeben. Jedes Maß verlierend, lebte sich Ludwig II. immer mehr in seine Traumwelt hinein, so daß er 1886 wegen drohenden Bankrotts des bayerischen Staatswesens abgesetzt werden mußte. Kurze Zeit später ertrank er zusammen mit dem ihn behandelnden Psychiater bei einer Bootsfahrt im Starnberger See. Die Existenz Ludwigs II. war ein letzter Höhepunkt des romantisch verklärten Feudalabsolutismus.

Friedrich I. Barbarossa

Die Gestalt des Stauferkaisers gehört zur skulpturalen Ausgestaltung des 1890 bis 1896 auf dem Kyffhäuser errichteten Kaiser-Wilhelm-Nationaldenkmals.

Sieg über den »Erzfeind« der Deutschen seit den Freiheitskriegen triumphal ausdrücken ließ. Versailles wurde aber auch deswegen zum symbolischen Zentrum, so paradox dieser Terminus hier klingen mag, weil die Gründung des Deutschen Kaiserreichs im Herzen Frankreichs und unter dem Vorzeichen der militärischen Niederlage Frankreichs von diesem Land als eine Provokation und Demütigung empfunden wurde. »Nie davon sprechen, immer daran denken« – das wurde die Devise vieler Franzosen, damit wurde die nationale Wunde, die der Verlust Elsaß-Lothringens Frankreich zufügte, offengehalten. Aber es ging nicht nur um territoriale Verluste, es ging darüber hinaus auch besonders um die Schmach der Reichsgründung. Das war, als wenn der Sieger sich und seine künftige Existenz immer nur demonstrativ als in der Siegerpose von 1871 begründen wollte. Versailles blieb auf diese Weise ein Zentrum des politischen Verständnisses der Deutschen. Zwar spielt sich die Geschichte nicht nach den einfachen Prinzipien des Stammtischräsonierens ab. Aber auf höherer Ebene sieht sie manchmal ähnlich aus. Versailles war eine offene Rechnung.

Das wilhelminische Deutschland – das Adjektiv bezieht sich heute schon längst nicht mehr auf den zurückhaltenden und noblen Wilhelm I., sondern auf den prahlerischen und unausgeglichenen Wilhelm II. – gab sich nicht mit dem Sieg von 1870/71 zufrieden. Nicht nur die Militärs, auch entscheidende Wirtschaftskreise und das Bildungsbürgertum steigerten sich immer mehr in die Vorstellung hinein, Deutschland müsse mehr haben: mehr Kolonien, mehr Einfluß in der Welt, einen »Platz an der Sonne«. In seiner Freiburger Antrittsrede von 1895 hat der junge Max Weber, einer der renommiertesten Sozialökonomen und Soziologen seiner Zeit, diesem Drang zur Weltgeltung stellvertretend für viele Ausdruck gegeben: »Wir müssen begreifen, daß die Einigung Deutschlands ein Jugendstreich war, den die Nation auf ihre alten Tage beging und seiner Kostspieligkeit halber besser unterlassen hätte, wenn sie der Abschluß und nicht der Ausgangspunkt einer deutschen Weltmachtpolitik sein sollte.«

Diese Botschaft fand breiten Widerhall. Gewiß wird man nicht sagen können, daß die deutsche Regierung den Krieg, so wie er im August 1914 losbrach, bewußt kalkulierend und vor allem auf diesen Zeitpunkt hin kalkulierend vom Zaune brach. Aber die Stimmung: »bald muß es sowieso zum Krieg kommen«, war stärker als alle vorsichtigeren Berechnungen. Diese Stimmung brach sich Bahn in mächtiger Begeisterung, als die Meldung vom Kriegsausbruch die Menschen in Deutschland erreichte. Jetzt gab es für eine kurze Zeit keine internen Trennungen mehr, die Welle nationalen Jubels erfaßte fast alle, gleichviel ob Konservative, Liberale oder Sozialdemokraten, ob Männer oder Frauen. Diese Welle wurde allerdings bald auch wieder gebrochen. Als sich nämlich die Siege nicht so rasch wie erwartet einstellten, als sich wirtschaftliche Probleme bemerkbar machten, als die Zahl der Opfer stieg und stieg, da wurde mancher, der vorher in den Jubel eingestimmt hatte, immer nachdenklicher. In den Kirchen und den Universitäten, in den Schulen und selbstverständlich in den bald einer immer strenger werdenden Zensur unterworfenen Zeitungen tönte es noch lange anders. Die Grenzen zwischen freiwilligen Unsinnigkeiten und gezielter Durchhaltepropaganda sind dabei nicht immer leicht zu ziehen. Am Ende des verlorenen Krieges wurde die alte Rechnung jedenfalls neu präsentiert. Der Friedensvertrag mit Deutschland besaß eine andere Qualität als die übrigen Friedensverträge. Schon allein vom Ort her gesehen: Versailles.

Galt dieser Name seit 1871 in Deutschland als ein hochmütiges Symbol für die Dynamik des Deutschen Reiches, so wurde er nach 1918 mit einem ganz anderen Nimbus umgeben. Der Vertrag von Versailles mit seinen Bestimmungen – Reparationen, Abtretungen von Territorien, Entmilitarisierung des Rheinlands, Beschränkungen für die Reichswehr, was Mannschaftsstärke und Ausrüstung betraf – wurde nunmehr in Deutschland als tiefste nationale Erniedrigung empfunden. Seltsam war das: wie schnell verdrängt wurde, was auf dieser Ebene der (eben höchst wirksamen) symbolischen Politik eineinhalb Generationen zuvor den Franzosen zugemutet worden war. Alle politischen Kräfte der Weimarer Republik wollten eine Revision der Bestimmungen des Versailler Vertrages erreichen. Dieses gemeinsame Ziel wirkte jedoch in keiner Weise integrierend. Im Gegenteil: Jene Politiker, die den Vertrag unterzeichneten und jene, die ihn als Basis ihrer Revisionspolitik fürs erste akzeptierten, wurden mit beispiellosem Haß verfolgt, einige sogar ermordet. Zwar brachte der deutsche Liberalismus mit Gustav Stresemann einen

Politiker hervor, der mit großem Geschick und einem trotz vieler Rückschläge bemerkenswerten Erfolg eine nationale Annäherung zwischen Deutschland und Frankreich anstrebte. Und auch der Zentrumspolitiker Heinrich Brüning schaffte beinahe eine wirksame und große, vor allem wirtschaftliche Erleichterungen versprechende Revision; dies allerdings bereits im Schatten der Weltwirtschaftskrise, die ebenfalls einer der Faktoren der Machtübernahme des Nationalsozialismus war. Die Weimarer Republik insgesamt schaffte es indes nicht. Gut vierzehn Jahre nach der von den Streitkräften innerlich nicht akzeptierten Niederlage im Ersten Weltkrieg, nach inneren Aufständen, nach einer Zeit der Inflation und leichten Erholung ging diese erste deutsche Republik in die Brüche, weil sie nicht genügend Kräfte für ihren inneren Zusammenhalt entwickeln konnte. Anders gesagt: weil es nicht genügend Menschen gab, die sich mit dem neuen Regime anfreunden konnten. Von den Flügeln her ohnehin unter permanenten Druck gesetzt, versagte die Republik schließlich auch in der Mitte.

Und wieder kam es zu einer Umkehrung der politischen Verhältnisse, die mit dem Namen Versailles verbunden war. Hitler und der Nationalsozialismus, zu Beginn ihrer Herrschaft tatkräftig unterstützt von den alten politischen Eliten, setzten Punkt für Punkt die große Revision des Versailler Vertrags durch. Schließlich blieb von diesem nichts mehr übrig, keine Beschränkungen der militärischen Stärke, keine entmilitarisierten Zonen, keine Gebietsabtretungen und schon gar keine Reparationen. Seit 1933 gab es in Deutschland das »Dritte Reich«. Mit dieser Bezeichnung sollte die Kontinuität zu früheren Regimen auf deutschem Boden keineswegs abgebrochen, vielmehr unterstrichen werden; Diskontinuität wurde allenfalls gegenüber der Weimarer Republik demonstriert. Zugleich jedoch sollte der Beginn eines grundsätzlich neuen staatlichen Lebens mit dieser Bezeichnung benannt werden, dessen Dauer bekanntlich großspurig für mindestens ein Jahrtausend angenommen wurde. Versailles verlor damit aber seinen informellen Status als politisches Zentrum, denn nach der Liquidierung des Versailler Vertrags gab es für die neuen Machthaber keinen Grund mehr, diesem Ort weiterhin symbolische Qualität zuzusprechen. Für Hitler, dessen zielbewußte Kriegspolitik ihm doch auch noch ein wenig Zeit ließ für Planungen, die die Zeit nach dem siegreichen Krieg betrafen, sollte Berlin allein das Zentrum Deutschlands und vielleicht gar der Welt werden. Was nicht stimmte, war die entscheidende Voraussetzung dieser Planungen: Deutschland verlor den Zweiten Weltkrieg.

Folgende Doppelseite:

Reichstagsgebäude in Berlin (West)

Das Reichstagsgebäude wurde in den Jahren 1884 bis 1894 errichtet, um für das Parlament des 1871 begründeten Deutschen Reiches eine repräsentative Tagungsstätte zu schaffen.
Mit der Proklamierung des preußischen Königs Wilhelm I. zum Kaiser des Reiches war gewissermaßen gleichzeitig die Entscheidung für die preußische Residenz Berlin als Hauptstadt des Reiches gefallen, so daß der Reichstag dort und nicht etwa in Frankfurt, das eine längere Tradition als Sitz deutscher Parlamente besaß, errichtet wurde.
Am 27. Februar 1933 fiel das ursprüngliche Gebäude einem Brandanschlag zum Opfer. Hitler, der soeben Reichskanzler geworden war, machte die Kommunisten für den Anschlag verantwortlich und nahm den Vorfall zum Anlaß, um durch sogenannte Notverordnungen zahlreiche Grundrechte außer Kraft zu setzen und ihm mißliebige Gruppierungen der Arbeiterbewegung zu zerschlagen. Es gibt auch die These, daß Hitler den Brand von einem Kommando seiner Gefolgsleute hat legen lassen, um dem Übergang zu diktatorischen Regierungsmethoden den Anschein von Legitimität zu verleihen. Nach dem Krieg wurde das Gebäude restauriert, allerdings ohne die große Kuppel.

1945 – der Rückfall in die Spaltung

Die Niederlage Deutschlands 1918 erschien den Deutschen als Demütigung; sie akzeptierten sie und ihre Konsequenzen nicht. Die Niederlage 1945 endete dagegen mit einem Zusammenbruch ohnegleichen. Trotz aller Verluste und trotz allen Leids wurde diese Niederlage aber, gerade weil die Deutschen sie letztlich akzeptierten, der Ausgangspunkt für eine nunmehr schon über fünfunddreißig Jahre währende friedliche Aufbauperiode. Der Krieg der Alliierten gegen die Achsenmächte Deutschland, Italien und Japan samt ein paar wenig ins Gewicht fallenden verbündeten Satellitenregimen veränderte die weltpolitischen Verhältnisse auf dramatische Weise. Durch den Zweiten Weltkrieg wurde der Aufstieg der USA zur Weltführungsmacht unübersehbar, wurde der Aufstieg der UdSSR zu einer zweiten, konkurrierenden Weltführungsmacht erheblich beschleunigt, wurde der Niedergang der internationalen Macht europäischer Staaten besiegelt, wurde der Prozeß der Entkolonialisierung schubartig intensiviert. Die Entwicklung der Waffentechnologie feierte einen lebensbedrohenden Durchbruch – die Nukleartechnologie samt der Technologie der Trägersysteme machte schlagartig die Einheit des internationalen Systems deutlich. Nun dauerte es nur noch wenige Jahre, bis aus den Blaupausen der Ingenieure jene Waffen Wirklichkeit wurden, mit denen ihr Besitzer praktisch von jedem Punkt der Erde jeden anderen Punkt der Erde, und sei es an ihrem entgegengesetzten Ende, zu treffen vermag. Es gibt kein besseres Zeichen für die Globalisierung der Politik.

Die Alliierten, zunächst vereint in der »Anti-Hitler-Koalition«, dann nach dem Sieg über Deutschland und Japan rasch divergierende Interessen verfolgend, wollten Deutschland zunächst zerstückeln. Aber schon früh kamen – vor allem bei Stalin – andere Vorstellungen zum Zug: Deutschland ungeteilt zu lassen, es ent-

VOLKE

Alte und neue Architektur in Bonn

Zur Gründung der Bundesrepublik Deutschland im Jahr 1949 mußte für diesen neuen deutschen Staat auch ein neuer Regierungssitz gesucht werden, da sich die frühere Hauptstadt Berlin, unter Oberhoheit der Alliierten, außerhalb des Territoriums des neuen Staates befand. Daß hierbei die Wahl auf die eigentlich wenig bedeutende, mittelgroße Stadt Bonn am Rhein fiel, hatte vor allem die Überlegung zum Hintergrund, daß in einem später wiedervereinigten Deutschland Berlin die Hauptstadtfunktion wieder übernehmen sollte. Deshalb wollte man sich einstweilen nur provisorisch in Bonn einrichten. Hätte man eine bedeutendere Großstadt wie zum Beispiel Frankfurt am Main, das sowohl durch seine geschichtliche Rolle als Sitz verschiedener deutscher Parlamente als auch durch seine weltstädtische Geltung immer schon eine heimliche Konkurrenz zu Berlin gewesen war, zum Sitz des Bundestages und der Regierung gemacht, so wäre die These von der »Bundeshauptstadt auf Zeit« weniger anschaulich gewesen. Inzwischen scheint man in Bonn allerdings bereit zu sein, den bislang bewußt provisorischen Charakter des Regierungsviertels aufzugeben; die Parteien sind längst aus ihren »Baracken« in moderne Hochhauszentralen umgezogen, und für das Regierungsviertel liegt ein riesiger Bebauungsplan vor, der Bonn endlich repräsentierfähig machen soll.

weder dem eigenen Machtbereich zuzuordnen oder zumindest zu neutralisieren. Aus westlicher Sicht kam ein Neutralisieren aber nicht in Frage. Über das Reparationenproblem kam es zwischen den Alliierten, die jeder eine Besatzungszone verwalteten, zu einem sich seit 1946/47 verschärfenden Streit. Die globale Konstellation, der *Ost-West-Gegensatz*, trat in die Phase des Kalten Krieges ein, erlaubte ohnehin den Deutschen nur ein Minimum an politischem Spielraum. Dieser wurde jedenfalls denen noch beschnitten, die in den jeweiligen Zonen mit den Konzepten der jeweiligen Besatzungsmächte nicht übereinstimmten. Die Kriegskonferenzen der Alliierten hatten vorher schon die Weichen für einige territoriale Abtrennungen gestellt, nicht immer mit der angemessenen Korrektheit, wie sich später herausstellte. Die Sowjetunion verlangte einen kleinen Teil Ostpreußens mit Königsberg für sich. Außerdem sollte Polen, weil es größere Teile seines Territoriums im Osten an die Sowjetunion abtreten mußte, durch Gebiete an seiner Westgrenze entschädigt werden. Die Franzosen stellten das Saarland unter eine besondere Verwaltung. Die Zukunft des Ruhrgebiets blieb zunächst ungewiß.

Diese territorialen Verluste, dazu die totale Besetzung und Aufteilung in Zonen (auch Berlin wurde in vier Zonen, Sektoren genannt, aufgeteilt), waren weitaus gravierender als die entsprechenden Bestimmungen des Versailler Vertrags. Außerdem waren sie noch keineswegs friedensvertraglich festgelegt; bis zum heutigen Tag gibt es bekanntlich keinen Friedensvertrag mit Deutschland, der den Zweiten Weltkrieg völkerrechtlich-formal abschlösse. Dennoch nahmen die Deutschen dieses Mal ihr Schicksal hin. In den Anfangsjahren nach 1945 sicherlich auch wegen einer Art Betäubung: »Wir sind noch einmal davongekommen.« Dieser Titel eines Theaterstücks von Thornton Wilder drückte das Lebensgefühl vieler Menschen damals aus. Im übrigen wirkte sich diese Betäubung keineswegs lähmend auf das geistige und politische Leben aus. Vielmehr waren gerade die späten vierziger Jahre in Deutschland gekennzeichnet von enormer kultureller Lebendigkeit, die vielen politisch-kulturellen Zeitschriften jener Jahre legen davon Zeugnis ab. Es gab durchaus Debatten und Kontroversen über die Deutung der Gegenwart und die Gestaltung der Zukunft. Im Bewußtsein vieler daran Beteiligter war die Kapitulation 1945 so etwas wie die »Stunde Null« gewesen, jetzt hatte man die Chance zu einem überlegten Neuaufbau.

Natürlich hat es die »Stunde Null« in Wirklichkeit nie gegeben. Der Neuaufbau von Gesellschaft, Wirtschaft und Staat wurde so in Angriff genommen, wie es die Siegermächte für richtig hielten. In der Ostzone waren von 1945 an antifaschistische Parteien und Organisationen zugelassen; Reparationen, Bodenreform, Säuberung der Verwaltung von Nationalsozialisten, demokratischer Zentralismus unter unbestreitbarer Führung der Sozialistischen Einheitspartei Deutschlands, das waren die Orientierungspunkte in der Ostzone, der SBZ. In den drei Westzonen, in denen es zunächst auch durchaus unterschiedliche Impulse der Besatzungsmächte für den Neuaufbau gab, dominierten bald die Vorstellungen der USA: Westdeutschland sollte wirtschaftlich gesunden, sich in ein durch amerikanische Hilfe unterstütztes Westeuropa integrieren und politisch und wirtschaftlich den Standards einer parlamentarischen Demokratie bzw. eines aufgeklärten Kapitalismus (soziale Marktwirtschaft) entsprechen. Die Münchner Ministerpräsidentenkonferenz vom Juni 1947 kann als der letzte Versuch betrachtet werden, die Auseinanderentwicklung von Westzonen und Ostzone aus deutscher Initiative heraus anzuhalten. Diese Konferenz brachte jedoch nicht nur keine Ergebnisse, sondern beschleunigte sogar noch die Auseinanderentwicklung.

Die Bundesrepublik Deutschland, 1949 aus den drei Westzonen hervorgegangen und in den fünfziger Jahren das Saarland (nach einer Volksabstimmung dort) in seinen Staatsverband eingliedernd, hat sich in erstaunlichem Tempo von den Folgen des Zweiten Weltkriegs erholt. Gewiß machte die weltpolitische Lage diesen Erholungsprozeß leichter. Aber die wirtschaftliche und politische Integration von vielen Millionen Flüchtlingen aus den ehemals deutschen Gebieten im Osten war z.B. doch eine Leistung, die nicht ohne weiteres als Selbstverständlichkeit erwartet werden konnte. Zumal deshalb nicht, weil die Adenauersche Politik der Westintegration der Bundesrepublik begleitet wurde von einer (zwar nur proklamierten, aber doch recht lautstark proklamierten) Politik der Wiedervereinigung, womit keineswegs nur die Vereinigung von Bundesrepublik und DDR, sondern aller Gebiete des Deutschen Reichs in den Grenzen von 1937 gemeint war.

Die Deutsche Demokratische Republik wurde folgerichtig von der Bundesregierung nicht anerkannt. Mag man 1949, als die beiden Staaten mitten im Kalten Krieg gegründet wurden, auch in Ost- wie in Westdeutschland geglaubt haben, diese beiden Staatsgründungen seien nur Provisorien, so erwiesen sich die politischen Muster des Kalten Kriegs doch als sehr zäh, zäher jedenfalls als die Gefühle nationaler Zusammengehörigkeit in den Deutschen beiderseits des Eisernen Vorhangs. Bis 1955 versuchten die beiden deutschen Regierungen und von den Alliierten (die nun schon längst nur noch so hießen) insbesondere die Sowjetunion, den Gedanken der Wiedervereinigung als Waffe gegenüber der jeweils anderen Seite einzusetzen. Die Regierung Adenauer blieb dabei in aufmerksamster Defensive, bereit, sofort und unnachsichtig jeden zurückzuweisen, der den Kurs der Westintegration in Frage stellen wollte. So blieb der Versuch der Sowjetunion, für ihre Angebote eines wiedervereinigten und im Ost-West-Konflikt militärisch und in gewissem Sinne auch politisch neutralen Deutschland in der Bundesrepublik einen Adressaten zu finden, deutlich erfolglos.

Berlin gehörte ursprünglich zu keinem der beiden deutschen Staaten, obwohl der Ostsektor auch seit 1949 als Hauptstadt der DDR fungiert. Die Deutschlandpolitik wurde seit 1949 mehr und mehr zu einem schwer durchschaubaren Gemisch aus politischen und ideologischen Erwartungen, völkerrechtlichen Konstruktionen von zuweilen recht abenteuerlichem Profil, Deklarationen, Protokollnotizen usw. Dies macht die Orientierung nicht gerade leicht, und es dürfte deshalb auch nicht leicht sein, einen nicht speziell mit der Deutschlandpolitik befaßten Mitbürger zu finden, der über alle Finessen der Situation einigermaßen Bescheid weiß.

Blick auf das alte Rathaus (oben) **und die Karl Marx-Allee in Berlin (Ost)**

Berlin ist Jahrzehnte nach dem Ende des Zweiten Weltkrieges und der Besetzung Deutschlands durch die alliierten Siegermächte formal immer noch in vier Besatzungszonen aufgeteilt und insgesamt dem Kontrollrat der Alliierten unterstellt. In der Realität ist Berlin aber längst den beiden deutschen Staaten Bundesrepublik und DDR zugeordnet worden. Die DDR hat dabei den sowjetischen Sektor Berlins, unter Billigung der Sowjetunion, zu ihrer Hauptstadt gemacht und diesen Status durch Errichtung des Volkskammergebäudes, des Sitzes des DDR-Parlaments, sowie durch einen entsprechenden architekturalen Ausbau Ostberlins unterstrichen. Eines der frühesten Großbauprojekte der DDR ist die abgebildete Karl-Marx-Allee (früher Stalin-Allee), die zwischen 1952 und 1964 erbaut wurde.

Seit 1945 hat sich folgende Situation herausgeschält: Ob das Deutsche Reich untergegangen ist oder in abstrakter oder materieller Form weiterexistiert, mag den Völkerrechtlern spannende Unterhaltung liefern; für die Deutschen hüben und drüben ist dies keine Frage. Sie leben in gesellschaftlichen und politischen Systemen, die beide auf ihre Art und vor dem Hintergrund der jeweils in Ost und West herrschenden Grundauffassungen vom angemessenen Funktionieren ihrer Ordnung als erfolgreich bezeichnet werden müssen. Der Streit, welche Ordnung im direkten Vergleich erfolgreicher ist (und was in diesem Zusammenhang dann als erfolgreich zu gelten hat), kann nicht von den Deutschen entschieden werden, ist im Grunde die Kernfrage des Ost-West-Konflikts insgesamt. Dieser Konflikt um letztlich unvereinbare Interessen hat sich in den sechziger Jahren ein wenig entspannt. Aber wenn auch mit der dadurch bewirkten Ostvertragspolitik der Bundesregierung eine Reihe beachtlicher Erleichterungen in den deutsch-deutschen Beziehungen erreicht werden konnte, so ändert dies doch nichts an der Fortexistenz dieses Konflikts, der die Grenze durch Deutschland zu einer ganz ungewöhnlichen, aber deshalb möglicherweise doch auch sehr dauerhaften Grenzlinie zwischen zwei antagonistischen Gesellschaftssystemen gemacht hat.

Man kann lange darüber spekulieren, was sich in Zukunft als die stärkere soziale Idee herausstellen wird: die Idee der Nation oder die Idee des (westlichen oder östlichen) Gesellschaftsaufbaus. Deutsche Politiker haben inzwischen den Gedanken an eine baldige Wiedervereinigung aufgegeben. Nur über eine Einigung Europas, so lautet die in allen drei Parteien des Bundestags vertretene Auffassung, könne auch eine Wiedervereinigung Deutschlands erreicht werden. Diese Voraussetzung ist aber gar nicht so einfach zu erfüllen, ja eigentlich ist sie nichts anderes als das Ende des Ost-West-Konflikts. Die Integration der DDR in eine Reihe östlicher Bündnisse und die Integration der Bundesrepublik in eine Reihe westlicher Bündnisse verweisen uns bei unserer Suche nach den politischen Zentren der beiden Deutschland wieder einmal nach außerhalb. Gewiß: in den Hauptstädten (Ost-)Berlin und Bonn wird auch souveräne Außenpolitik betrieben, aber die entscheidende Problematik der Wiedervereinigung (die ja auch die Möglichkeit eines »Lagerwechsels« umfaßt) ist natürlich niemals nur an diesen beiden Orten entschieden worden. Daß der Schlüssel zur Wiedervereinigung in *Moskau* liege, war in den fünfziger Jahren ein Spruch, mit dem die Souveränität der DDR-Regierung in Frage gestellt wurde. Zur Wiedervereinigung gab es aber immer mindestens vier

Schlüssel, denn ein weiterer lag in *Washington* und zwei kleinere lagen in *London* und *Paris*. Auch die westlichen Verbündeten haben niemals ohne Mißtrauen an eine Wiedervereinigung Deutschlands gedacht.

Und die weitere Entwicklung? Die DDR, der kleinere und ökonomisch schwächere der beiden deutschen Staaten, hat inzwischen alle Vorstellungen von einem zu neutralisierenden oder auf einem »Klassenkompromiß« beruhenden Gesamtdeutschland aufgegeben. Sie verkündet vielmehr die These von den »zwei Nationen«, der sozialistischen Nation im Osten, die alles in der deutschen Geschichte Fortschrittliche, und von der bourgeoisen Nation im Westen, die alles in der deutschen Geschichte Rückschrittliche repräsentiere. In der Bundesrepublik wird mit beträchtlichem politischem, erzieherischem und juristischem Aufwand an der These vom Fortbestand der einen deutschen Nation festgehalten; da aber niemand präzise dartun kann, was diese deutsche Nation wirklich *ist* (nicht: was damit bezeichnet werden soll), auch niemand den politischen Gehalt dieser Einheitlichkeit des Nationalen herauspräparieren kann, muß dies als eine hinhaltende Formel betrachtet werden, die in der Hauptsache akute politische Befürchtungen besänftigen und wenig realistische Optionen langfristig offenhalten soll. Es ist üblich, in der Politik so zu verfahren.

Nach wie vor kann man aber sowohl im östlichen wie im westlichen Deutschland einen eigenartigen, quasi unterkühlten und jedenfalls ganz unpathetischen Identifikationsprozeß der Bürger feststellen. Die DDR-Bürger sind gewiß weit davon entfernt, mit ihrer Regierung, mit dem Regime, in jeder Hinsicht zufrieden zu sein. Jedoch haben sie sich zu großen Teilen damit abgefunden und entwickeln in Maßen einen kleinen Stolz auf die erreichten Leistungen des Gemeinwesens. Die Bürger der Bundesrepublik wissen trotz hoher Besucherzahlen wenig von der DDR. Sie fühlen sich in erster Linie als Bürger der Bundesrepublik, wobei sie nicht ganz sicher sind, ob das sozusagen erlaubt ist, denn die staatlich gesetzten Orientierungspunkte für solche gefühlsmäßigen Loyalitäten sind Westeuropa, die atlantische Gemeinschaft oder Gesamtdeutschland – alles keine richtig faßbaren Gebilde, wohingegen die Bundesrepublik ein stabiles, freiheitliches, prosperierendes Land ist.

Selbstverständlich gibt es auch »Nebenloyalitäten« – die westdeutschen Fußballmannschaften sind dank des Westfernsehens in der DDR fast genauso gut bekannt wie in der Bundesrepublik; und beliebt auch. Und die westdeutschen Fußballfans verschmerzen schon einmal eine Niederlage der Nationalmannschaft der BRD gegen die Nationalmannschaft der DDR, auch wenn diese Mannschaft von den politisch bewußten Sportredakteuren im Westen selbstverständlich nur »DDR-Auswahlmannschaft« genannt wird.

Soll man diese Betrachtung so schließen: Seitdem es kein politisches Zentrum in Deutschland mehr gibt, seitdem die verspätete Nationsbildung endgültig – aber was heißt schon endgültig? – gescheitert ist, seitdem die Deutschen ihre politischen Entscheidungen nicht mehr auf Rechnung einer Zentralmacht in Mitteleuropa fällen, seitdem geht es ihnen vergleichsweise gut? Das klingt manchem doch wohl etwas oberflächlich. Aber meinten jene beiden Intellektuellen, von denen einer in den gemeinsam veröffentlichten Xenien das folgende geschrieben hat, nicht etwas ganz Ähnliches?

»Zur *Nation* euch zu bilden, ihr hoffet es, Deutsche, vergebens;
Bildet, ihr könnt es, dafür freier zu Menschen euch aus.«

Anmerkungen zur Kulturgeschichte Deutschlands

Die Ursprünge

Kann es in einer westlichen Industrienation noch eine spezifisch nationale Kultur geben? Betrachtet man die in den letzten Jahren in Deutschland entstandenen Kunstwerke, so fällt ins Auge, daß parallel zu der immer stärker werdenden internationalen Verflechtung auf wirtschaftlichem Gebiet auch im Kulturbereich eine Internationalisierung stattfindet. Um aber der Frage nachzugehen, ob nicht dennoch nationalspezifische Merkmale die moderne deutsche Kunst prägen, muß man solche Merkmale in der Geschichte dieser Kunst herausarbeiten. Manfred Wundram, Professor für Kunstgeschichte an der Ruhr-Universität Bochum, untersucht im folgenden Beitrag die Geschichte der deutschen Kunst seit Karl dem Großen unter dem Aspekt ihrer Unterschiede und Gemeinsamkeiten mit der sich außerhalb Deutschlands entwickelnden Kunst.

Der präzise Zeitpunkt für den Beginn einer eigenständigen deutschen Kultur läßt sich nicht festlegen. Zweifellos aber wurden die Grundlagen im Zeitalter Karls des Großen (742–814) geschaffen, wenn auch dessen politische und damit zugleich kulturpolitische Ziele auf die Erneuerung des »Imperium Romanum«, also des antiken römischen Weltreiches der Kaiserzeit ausgerichtet waren. Der Begriff des Heiligen Römischen Reiches Deutscher Nation wurzelt in dem Selbstverständnis Karls als des legitimen Nachfolgers der römischen Kaiser. Umspannt also das Herrschaftsgebiet Karls unter anderem sowohl das spätere Deutsche Reich als auch das westliche Frankenreich sowie die »romanischen« Länder südlich der Alpen, so werden doch in allen Kunstgattungen Formen geprägt, die die deutsche Kunst des Mittelalters vorbereiten.

Das Phänomen der karolingischen Kunst entsteht aus einem Zusammentreffen, Widerstreiten und teilweisen Verschmelzen germanischer und keltischer Tradition mit frühchristlicher Überlieferung und (durch Willensakt Karls des Großen zum Vorbild erhobener) römisch-heidnischer Antike: die erste »Renaissance« oder besser »Renovatio«-Bewegung des Abendlandes, zugleich die erste eminent politisch motivierte Kunst des Mittelalters. Daß diese sehr verschiedenartigen Traditionsstränge einander schon vor den Zeiten Karls beeinflußt hatten, ist selbstverständlich: Einerseits standen in den großen Städten der ehemaligen römischen Provinzen, vor allem in Köln und Trier, Werke der römischen Kunst seit Jahrhunderten vor aller Augen, andererseits sind südlich der Alpen die Grenzen zwischen Spätantike und frühem Christentum fließend, und schließlich hatten irisch-schottische Missionare keltisches Formengut bis in den Südwesten des deutschen Sprachgebietes getragen.

In welchem Grad die karolingische Kunst eine Art von Schmelztiegel für die verschiedenartigsten kulturellen Strömungen war, zeigt uns am anschaulichsten der erhaltene Bestand an Buchmalereien. In der sogenannten Hofschule Karls, als deren Sitz wir Aachen annehmen dürfen, vollzog sich im letzten Drittel des 8. Jahrhunderts ein Wandel von stark ornamental bestimmten, alle plastischen und damit figürlichen Elemente der Fläche angleichenden Gestaltungsmitteln (Godescalc-Evangelistar, Paris, Bibliothèque Nationale) zu einem durch antike Vorbilder angeregten »Realismus«, welcher Figur und Raum und deren Durchdringung thematisiert. Dabei sind die Erscheinungsformen je nach der Eigenart der antiken Vorbilder stärker von der Linie geprägt und bei der Paraphrasierung antiker Architekturformen auf die Veranschaulichung dreidimensionaler Werte ausgerichtet (sogenannte Ada-Handschrift, Stadtbibliothek in Trier), oder die Buchmaler (Illuminatoren) suggerieren Tiefenraum und Körperlichkeit mit Hilfe farbiger Modulation (Gruppe des Wiener Krönungsevangeliars). Die Vielfalt der Möglichkeiten kann in diesem Rahmen nur angedeutet werden. Wie wenig wir aber von allgemeinverbindlichen Kennzeichen der karolingischen Kunst sprechen dürfen, beweisen die unter dem Einfluß der irisch-schottischen Mönche stehenden Malerschulen wie etwa die in St. Gallen: Hier bleibt das Ornament, dessen Charakter der Formgebung sich auch Figuren und Architekturelemente nicht entziehen können, bis in das 9. Jahrhundert hinein beherrschend.

In der Architektur ist die um 780 entstandene Vorhalle des Klosters Lorsch ein eindrucksvolles Zeugnis für das Aufeinandertreffen germanischen und antiken Formengutes. Von römischen Triumphtoren beeinflußt, stellten die ausführenden Steinmetzen in Einzelformen wie Kapitellen, kannelierten Pilastern und Gesimsen

Porta Nigra in Trier

Diese Toranlage – das wohl monumentalste der erhaltenen römischen Baudenkmäler auf deutschem Boden – gehörte einst zur Befestigung der um 15 v. Chr. durch Kaiser Augustus gegründeten Stadt »Augusta Treverorum«. Im 11. Jahrhundert wurde das »Schwarze Tor« in eine Kirche verwandelt und zu Beginn des 19. Jahrhunderts auf Anordnung Napoleons I. weitgehend von den mittelalterlichen Zutaten befreit.

eine geradezu virtuose Beherrschung antiker Formen unter Beweis, interpretierten aber zugleich die gesamte Wand mit Hilfe einer farbigen Verkleidung durch quadratische, rhombenförmige und sechseckige Platten als eine »teppichartige« Fläche, die in einem gänzlich unantiken Sinne die architektonische Struktur der Fassade überspielt.

Die kulturpolitischen Ziele Karls des Großen führt dessen um 800 vollendete Pfalzkapelle in Aachen anschaulich vor Augen. Als Zentralbau mit achteckigem Kern und sechzehneckigem Umgang angelegt, steht die Kapelle sowohl in der Tradition oströmischer Herrscherkirchen wie in einer langen Reihe von Marienheiligtümern, für die seit frühchristlicher Zeit ein zentralisierender Grundriß bevorzugt wurde. 600 Jahre später wurde noch die Florentiner Domkuppel Zeugnis dieser Tradition. Auf die Vorbildlichkeit von Hofkirchen justinianischer Zeit weisen auch direkte formale Entsprechungen: San Vitale in Ravenna oder die Kirche Hagioi Sergios und Bakchos in Istanbul zeigen verwandte doppelgeschossige Emporengliederungen. Daß Karl bei der Errichtung seiner Pfalzkapelle Ravenna vor Augen hatte, bezeugt die Verwendung einzelner Architekturelemente, die – ebenso wie übrigens das bronzene Reiterdenkmal Theoderichs – aus

Ravenna übertragen wurden. Freilich ist Karls Bau auch im weiteren Sinne des Wortes nicht als Kopie eines Vorbildes zu bezeichnen: Der Innenraum wächst turmhaft steil auf, die Emporengliederung ist gegenüber den oströmischen Bauten gestrafft, und die über den Emporen steil ansteigenden Tonnengewölbe, die als Widerlager für die zentrale Kuppel dienen, dürfen als eine Vorform des Strebewerks bezeichnet werden.

Im übrigen haben wir von der karolingischen Architektur im späteren deutschen Sprachgebiet nur eine lückenhafte Vorstellung. Immerhin läßt sich aus fragmentarisch erhaltenen Bauten (wie etwa den Gründungen Einharts, des Biographen Karls, in Steinbach und Seligenstadt; der Justinuskirche in Höchst bei Frankfurt) oder wenigstens im Grundriß nachweisbarer Anlagen wie der 793 von Ratgar gegründeten Basilika in Fulda oder der Klosterkirche in Corvey an der Weser eine Vielfalt basilikaler Formen nachweisen, die vielfach auf frühchristliche, vor allem stadtrömische Vorbilder zurückgehen. Teilweise lassen sie aber auch eine Umformung dieser Vorbilder in Richtung auf die Architektur der Romanik erkennen. Es finden sich dreischiffige Basiliken mit und ohne Querhaus, Pfeiler- und Säulenbauten, gelegentlich von der frühchristlichen Tradition abweichende doppelchörige

Torbau des Klosters Lorsch

Das ehemalige Benediktinerkloster Lorsch östlich von Worms wurde um 770 gegründet und durch Karl den Großen zum Reichskloster erhoben. Seine Anfänge liegen also in der Epoche der karolingischen Kunst, deren Merkmale – die Anverwandlung von Elementen der römischen Kunst und die enge Verbindung von Kirche und Staat, von sakraler und profaner Kunst – in dem um 780 errichteten Torbau des Klosters zur Anschauung kommen. Auf den ersten Blick als antik zu erkennen sind die gliedernden Halbsäulen mit ihren korinthischen Kapitellen, ferner die das erste Geschoß gliedernden Pilaster mit ionischen Kapitellen. Aber auch das Motiv der drei Torbögen läßt sich auf die römische Architektur – beispielsweise Triumphtore – zurückführen. In dieser dreigliedrigen Halle gewährte das Reichsoberhaupt Audienzen.

FUNDAMINE TEMPLUM QUOD CAROLUS PRINCE PS CONDIDIT ESSE

Anlagen, häufig Bauten mit einem sogenannten Westwerk, das als eine Neuschöpfung der karolingischen Architektur zu gelten hat: Dem Langhaus wird im Westen eine mehrgeschossige, an drei Seiten von Emporen umgebene Anlage vorgestellt, die in einem Mittelturm gipfelt und vielfach von Treppentürmen flankiert wird.

Corvey führt uns heute diesen in seiner Bestimmung nicht eindeutig geklärten Bautyp am vollständigsten vor Augen. Handelte es sich um eine Herrschaftsempore für Besuche des Kaisers oder um Michaelskapellen? Waren die Westwerke als Pfarr- oder Taufkirchen bestimmt? Der zentralisierende Grundriß und die aufwendige Ausgestaltung mit Emporen und Türmen dürfte für die Bestimmung als »Kaiserkirche« sprechen: Die Cäsarenidee, die auch etymologisch in dem Wort »Kaiser« weiterlebt, würde in ihrem Anspruch auf Vereinigung weltlicher und geistlicher Macht in den Westwerken einen unmittelbar »sprechenden« Ausdruck gefunden haben. Baugeschichtlich sind die Westwerke die wichtigste Vorform späterer Turmfassaden.

Die allgemeinverbindliche Grundlage für die karolingische Kunst ist das Christentum, das Karl mit allen ihm zu Gebote stehenden Mitteln – auch skrupellosen, wie bei der Christianisierung der Sachsen – im fränkischen Reich durchsetzte. Welcher komplizierte Prozeß sich hier besonders in den germanischen Gebieten vollzog, beweist die vermutlich um 830 entstandene »Neufassung« der Bibel, der bruchstückhaft erhalten gebliebene Heliand. Er berichtet uns vor allem die Geschehnisse des Neuen Testaments. Zwar zeigt sich hier nicht, wie von der älteren Forschung behauptet, eine Umdeutung des Christentums ins Heidnische, aber die Akzente haben sich deutlich verlagert. Nicht die Passion steht im Zentrum, sondern die Folge von Wundertaten Christi, der hier als der mächtige König erscheint.

Die Einsicht in die Schwierigkeiten einer straffen Verwaltung des immensen Herrschaftsgebiets hatte schon Karl den Großen zu dem Plan bewogen, sein Reich zu teilen. Da aber nur sein Sohn Ludwig »der Fromme« (778 – 840) als Erbe überlebte, blieb das Karolingerreich zunächst in einer Hand. Erst Karls Enkel führten die Teilung durch. Im Vertrag von Verdun erhielt 843 Ludwig die Gebiete östlich des Rheins und der Aare als »Ostfrankenreich« – entwicklungsgeschichtlich der Ursprung des Deutschen Reiches, so daß Ludwig später den Beinamen »der Deutsche« erhielt. Einer vorübergehenden Vereinigung (885) der östlichen und westlichen Reichsgebiete unter Karl III. (839 – 888) folgte schon 887 der Aufstand einer Adelspartei unter Arnulf von Kärnten. Die Absetzung Karls und zugleich die endgültige Teilung des Karolingerreiches waren damit besiegelt. 911 folgte auf den letzten deutschen Karolinger, Ludwig das Kind, Konrad aus der lahngauischen Familie der Popponen als ostfränkischer König. Jetzt kam die Bezeichnung »Reich der Deutschen« auf, und im 11. Jahrhundert hatte sie sich bereits fest etabliert.

Die Zersplitterung der Macht und wachsende Partikularisierungstendenzen des Adels führten im fortschreitenden 9. Jahrhundert zu einem Nachlassen der künstlerischen Kräfte, obwohl speziell Buchmalerei, Goldschmiedekunst und Elfenbeinschnitzerei, nach »Schulen« deutlich unterschieden, die große Tradition der Zeit um 800 fortsetzten.

Karl der Große

Bronzestatuette (Höhe 30 cm), heute im Musée Cluny in Paris.

Aachen. Das Innere der Pfalzkapelle

Die im Auftrag Karls des Großen erbaute »Kapelle«, richtiger Hofkirche der Aachener Königspfalz, ist heute ein Bestandteil des Aachener Münsters.
Die Bauform – überkuppelter Zentralbau mit Emporen – sowie einzelne Bauglieder dokumentieren die Anknüpfung der karolingischen Architektur an die (spät-)römische Antike, wobei die Kunst im Dienst politischer Programmatik steht. Von 936 (Königskrönung Ottos des Großen) bis 1531 diente die Pfalzkapelle als Krönungskirche der deutschen Könige.
Auf der Westseite des Obergeschosses befindet sich der aus Marmorplatten gefügte Königsthron Karls.

Eine erste Blüte

Mit der Wahl des Sachsenherzogs Heinrich (875 – 936) zum deutschen König im Jahr 919 begann die erste Epoche einer eigenständigen deutschen Kultur, die in steilem Anstieg um die Jahrtausendwende zu einem in der Folgezeit selten wieder erreichten Gipfel führte. Zunächst konzentrierten sich die Kräfte jedoch auf die Sicherung der Ostgrenze des Reiches. Heinrich I. ist als der große Städte- und Burgengründer in die Geschichte eingegangen. Quedlinburg, Merseburg und Meißen waren Meilensteine in der Abwehr der Slawen durch Heinrich. Kunstgeschichtliche Leistungen traten hinter dem Bau von Befestigungen zurück. Heinrichs Sohn, Otto I. (912 – 973), später der Große genannt, setzte das Werk des Vaters fort und schlug 955 auf dem Lechfeld bei Augsburg die seit dem späten 9. Jahrhundert sowohl Italien und Frankreich als auch Deutschland verheerenden Ungarn vernichtend. Politisch gefestigt, griff er die Idee Karls des Großen von der Erneuerung des »Römischen Reiches« wieder auf und ließ sich 962 in Rom zum Kaiser krönen.

Jetzt begann ein nahezu unvergleichlicher Aufschwung der Künste. Das Schwer gewicht verlagerte sich dabei naturgemäß aus den Gebieten um Rhein, Maas un Mosel in die sächsischen Stammlande und die neuerworbenen Gebiete.

Mit der Gründung des Erzbistums Magdeburg im Jahr 968 wollte Otto den Reich ein neues Zentrum geben. Leider sind uns von dem ersten Bau des Magde burger Domes außer den enormen Abmessungen kaum die Umrisse der Grund mauern erhalten geblieben. Die 961 gestiftete Nonnenklosterkirche St. Cyriacu in Gernrode vermag uns aber in etwa eine Vorstellung von der Architekturgesin nung der Zeit zu vermitteln: eine kreuzförmige Anlage mit Westwerk, Emporen die vermutlich durch die Bestimmung als Nonnenstiftskirche bedingt sind, un einem über einer Krypta erhöhten Ostchor. Kennzeichnend ist die Selbständigkei der einzelnen Raumteile untereinander und in bezug auf das Ganze. So entsteh der Eindruck räumlicher Vielfalt, der durch den Reichtum der Gliederungsele mente noch gesteigert wird.

In der Buchmalerei gewann die sogenannte Reichenauer Schule, die nach jüngsten Forschungen vermutlich im mittelrheinischen Gebiet zu lokalisieren ist

Die »Kaiserloge« im Westwerk von Corvey

Die heutige Bezeichnung des im Obergeschoß des Westwerks gelegenen Kirchenraumes bezieht sich auf die Annahme, daß hier die Kaiser dem Gottesdienst beigewohnt hätten.

Bild rechts:

Westwerk der Klosterkirche in Corvey

Die »Orientierung« der christlichen Kirchengebäude an der West-Ost-Achse weist dem östlichen Teil den sakralen Schwerpunkt zu. Der Westteil, thematisch meist mit dem Jüngsten Gericht verbunden, bot daneben auch Raum für die Einbeziehung »profaner«, etwa auf die weltliche Herrschaft bezogener Elemente – wobei die sakrale Weihe der Herrschergewalt eine strikte Trennung ohnehin ausschloß. In diesem Sinne ist das sogenannte Westwerk frühmittelalterlicher Klosterkirchen ein selbständiger und zugleich in das architektonische und gedankliche Gesamtgefüge des Kirchengebäudes einbezogenes Bauwerk. Entwicklungsgeschichtlich ist es vor allem für die Ausbildung der westlichen Turmfassade von Bedeutung. Das am besten erhaltene Westwerk in Deutschland ist das der ehemaligen Benediktinerabtei in Corvey an der Weser, die 815/816 von zwei Vettern Karls des Großen gegründet und 822 durch Ludwig den Frommen an die heutige Stelle verlegt wurde. Das Westwerk selbst entstand in den Jahren 875–885 (die zugehörige Kirche wurde im 17. Jahrhundert durch einen Neubau ersetzt). Der Betrachter muß einen mächtigen Mittelturm zwischen den beiden erhaltenen Treppentürmen ergänzen, um eine Vorstellung von der mächtigen Wirkung der Westwerk-Front zu gewinnen.

eine Vorrangstellung. Der für den Trierer Erzbischof Egbert von verschiedenen Meistern vermutlich unterschiedlicher Altersstufen um 970–980 geschriebene und illuminierte Codex führt uns einen geistesgeschichtlichen Prozeß von größter Tragweite im Medium des Bildes vor Augen: die älteren (oder früheren?) Meister gehen noch von der antikisch bestimmten Körpervorstellung der karolingischen Buchmalerei aus, grüne und blaue Streifen deuten Landschaft und Himmel an; die »fortschrittlicheren« Blätter dagegen schalten mit der Einführung des immateriellen Goldgrundes jede Anspielung auf realistische Wirkungen aus. Anstelle modellierender Körperlichkeit tritt eine scharfkantig abgrenzende Linie, die die Figuren den Bedingungen der Fläche angleicht. Über ausgedehnten freien Flächen entfalten sich die Gebärden, in ihrer Ausdruckskraft gesteigert durch eine die natürlichen Proportionen außer acht lassende Formgebung. Entgegen der antiken Überlieferung verliert der »abbildende« Charakter seine Bedeutung. Elemente des diesseitigen Lebens, nach christlicher Auffassung lediglich ein Durchgangsstadium, werden auf ein Minimum reduziert, und zwar zugunsten der Vermittlung einer die sinnliche Erfahrung übersteigenden Botschaft. In den Prachthandschriften der Nachfolger Ottos I. – etwa im Evangeliar Ottos III. (um 990),

Gerokreuz im Kölner Dom

Der leidende Christus, dargestellt in einem frühen Werk der »expressiven« romanischen Plastik, das noch einen Nachklang der antiken »Leiblichkeit« spüren läßt. Die um 970 entstandene Skulptur aus Eichenholz (Höhe des Körpers des Gekreuzigten 1,87 m) ist nach dem Kölner Erzbischof Gero benannt, der das Bildwerk für den alten Dom gestiftet hat. Die Bemalung stammt aus gotischer Zeit, das Kreuz und der Nimbus sind moderne Ergänzungen.

n Perikopenbuch Heinrichs II. (um 1010) oder in der sogenannten Bamberger Apokalypse – werden diese von leidenschaftlichen Gebärden erfüllten »Spannungsfelder« auf die Höhe ihrer Ausdrucksmöglichkeiten geführt. Die Evangelistenbilder im Evangeliar Ottos III. lassen erstmals in der mittelalterlichen Kunst Visionen unmittelbar anschaulich werden. Der Gedanke an den vielfach vorausesagten Weltuntergang im Jahr 1000 mag diese ekstatische bildnerische Phanasie nicht zuletzt mitbestimmt haben.

Eine parallele Entwicklung, die bei aller Vorsicht vor Verallgemeinerungen ls ein Weg vom »Abbild« zum »Sinnbild« bezeichnet werden darf, zeichnet sich n der Skulptur ab: Das nach seinem Stifter, dem Erzbischof Gero, Gerokreuz enannte überlebensgroße Kruzifix im Kölner Dom zeigt in der kräftigen Modelierung der Einzelheiten noch einen Nachklang antiker »Leiblichkeit«, das Bronekreuz des Hildesheimer Bischofs Bernward aus dem frühen 11. Jahrhundert lagegen reduziert die plastischen zugunsten der linearen Werte. Zugleich kündigt ich in diesen Werken ein gegenüber der karolingischen Zeit gewandeltes Vertändnis des Christlichen an: Die ottonischen Kreuze zeigen nicht den »Christus riumphans«, sondern den leidenden Erlöser.

Huldigung an einen ottonischen Kaiser

Die Miniatur (Originalgröße 27 x 20 cm) stammt aus einem fragmentarisch erhaltenen »Registrum Gregorii« (einer Sammlung von Briefen des Papstes Gregor des Großen) des Erzbischofs Egbert von Trier, entstanden um das Jahr 990 (Musée Condé in Chantilly).
Der unbekannte, als »Gregor-Meister« bezeichnete Künstler stammt vermutlich aus der Reichenauer Schule, die Egbert auch für ein um 980 geschaffenes Evangelistar (den »Egbert-Kodex« der Stadtbibliothek Trier) in Anspruch genommen hat. In dem dargestellten Herrscher wird entweder Otto II. oder Otto III. vermutet, doch ist die eindeutige Identifizierung insofern unerheblich, als es sich hier nicht um ein individualisierendes Bildnis handelt, sondern um die Darstellung des in der Person des Kaisers verkörperten Herrschaftsgedankens. Dieser Mangel an »Realismus« schließt jedoch nicht aus, daß die Gestalt des Herrschers eine geradezu greifbare Körperlichkeit gewinnt.

Bernwardstüre und Bernwardssäule (Details)

Beide Werke der romanischen Plastik befinden sich im Hildesheimer Dom. Der oben wiedergegebene Ausschnitt aus dem rechten der in Bronze gegossenen Türflügel zeigt Maria mit dem Christuskind in der Szene der Anbetung der Könige. Das spiralförmig umwundene Säulenmonument knüpft an die antike Kunst an.

Hildesheim wird durch die Persönlichkeit des Bischofs Bernward, des Erziehers Kaiser Ottos III., für die Spanne einer Generation zu einem kulturellen Zentrum von europäischem Rang. In einer Bronzewerkstatt, deren künstlerisches und technisches Niveau einander die Waage halten, entstehen in den ersten Jahrzehnten des 11. Jahrhunderts neben dem Bernwardskreuz und anderen Werken der »Kleinkunst« die nahezu 5 m hohen und 1,40 m breiten Flügel einer Bronzetür und nach dem Vorbild antiker Säulenmonumente die Bernwardssäule. Die älteren Reliefs der Tür übernehmen das extreme Spannungsverhältnis zwischen Fläche und Gebärde aus der Buchmalerei. Die augenscheinlich von etwas jüngeren Meistern geschaffenen Darstellungen des rechten Flügels tendieren in einer etwas beruhigten Erzählstruktur bei stärkerer Betonung der »Masse« von Körpern und Architekturen zur Frühromanik. Die um 1020 gegossene Säule steht in dieser Beziehung bereits auf der Schwelle zwischen ottonischer und frühromanischer Kunst.

Eine vergleichbare Gelenkfunktion zwischen zwei Entwicklungsstufen der abendländischen Kunst kommt der von Bernward um 1007 begonnenen und nach seinem Tod 1033 geweihten Kirche St. Michael in Hildesheim zu. Einerseits noch Zeugnis des locker gefügten ottonischen Gruppenbaus, zeigen sich andererseits Tendenzen zu einer strafferen Systematisierung, die in die Zukunft weisen. Erstmals ist hier die sogenannte ausgeschiedene Vierung nachweisbar, d.h. Mittelschiff und Querhäuser durchdringen einander in gleicher Breite und Höhe – die Vierung wird durch vier Bögen derselben Höhe nach allen Seiten ausgegrenzt. Das bedeutet einerseits Verselbständigung, andererseits aber eine neue Bezugnahme der Teile aufeinander, die sich auch in der dreimaligen, jeweils durch einen Pfeiler akzentuierten Wiederholung des Vierungsquadrats im Grundriß des Mittelschiffs zeigt.

Der Übergang vom sächsischen zum salischen Herrscherhaus

Im Jahr 1024 starb mit Heinrich II. der letzte Kaiser aus dem sächsischen Herrscherhaus. Im gleichen Jahr wurde Konrad II. (990–1039) aus dem fränkischen Geschlecht der Salier in Mainz zum deutschen König gekrönt. Die Frage, ob mit dem Wechsel vom sächsischen zum salischen Herrscherhaus ein neuer Abschnitt der deutschen Kultur beginnt, wird unterschiedlich beantwortet. Von kunst-, insbesondere baugeschichtlicher Seite her darf sie entschieden bejaht werden. Zunächst verlagerte sich geographisch gesehen das Schwergewicht vom Norden beziehungsweise Nordosten des deutschen Sprachgebietes in die Region um den Mittelrhein. Bezeichnenderweise fand die Krönung Konrads auch nicht in Aachen statt. Hier wurde mit einer Tradition gebrochen, die die Ottonen in Anknüpfung an Karls des Großen Reichsidee aufrechterhalten hatten.

Um 1030 legte Konrad den Grundstein zum Neubau des Domes zu Speyer, dessen Fortführung sein Sohn Heinrich III. (1017–1056) mit allen Kräften fördert. Der »Wegcharakter« des riesig dimensionierten, in der formalen Ausgestaltung überaus repräsentativen Baus entspricht seiner Bestimmung als der neuen Krönungs- und Grabeskirche der deutschen Könige. Weder Aachen noch dem von Otto I. favorisierten Magdeburg blieb somit eine Chance, sich zum kulturellen oder gar administrativen Zentrum des Deutschen Reichs zu entwickeln. Im Unterschied zu den übrigen mitteleuropäischen Staaten, mit Ausnahme Italiens, wird Deutschland bis in das späte 19. Jahrhundert hinein keine Hauptstadt haben – und ist seit dem Zusammenbruch im Jahre 1945 letztlich wieder auf der Suche nach einem sammelnden Zentrum.

Der Speyrer Dom Konrads II. und Heinrichs III., in den Jahrzehnten um die Wende vom 11. zum 12. Jahrhundert eingewölbt und in den östlichen Teilen – Querhaus und Chor – neu errichtet, ist die reinste Verkörperung »salischer Architektur«: In der Straffheit und Einheitlichkeit der die gesamte Höhe der Wand umspannenden Durchgliederung wurde nicht nur ein »Kontrastprogramm« zu dem lockeren Gefüge verhältnismäßig selbständiger Bau- und Raumkörper der ottonischen Architektur entwickelt, sondern schon an der Schwelle zur Frühromanik ein geradezu visionärer Ausblick auf die Entwicklung im 12. und 13. Jahrhundert eröffnet. Die vielfache Parallelisierung von Vertikalen bewirkte den Wandel vom gelagerten zum aufgerichteten Raum, die starke plastische Durchgliederung der Wand trat an die Stelle kontinuierlicher Mauerflächen. In der getrennten Ausführung der tragenden Elemente einerseits und der lediglich füllenden Wandstücke unterhalb der sehr hohen und weiten Fenster andererseits wird ein erster Schritt zum »Skelettbau« (Erich Kubach) gewagt. Der salische Kaiserdom in seiner ursprünglichen Gestalt war der kühnste und »modernste« Bau der europäischen Architektur um die Mitte des 11. Jahrhunderts.

Die unterschiedlichen Bedingungen der Kunstgattungen übergreifende Phänomene kennzeichnen auch Hauptwerke der salischen Skulptur und Malerei. So darf das Bronzekruzifix in der Stiftskirche zu Essen-Werden (um 1060) in der strengen Systematisierung von Umrissen und Binnenmodellierung geradezu als der Gegenpol zum Kölner Gerokreuz bezeichnet werden, und die Verbindung absolut symmetrischer Frontalität mit klarer Betonung rechtwinklig gestufter plastischer Durchgliederung in der um 1050–1060 von Bischof Imad von Paderborn gestifteten thronenden Madonna (Paderborn, Diözesanmuseum) scheint um Welten von der spätottonischen »Goldenen Madonna« im Essener Münsterschatz (um 1000) getrennt zu sein.

Unmittelbar vergleichbar ist die Buchmalerei, die in diesem Rahmen wiederum als stellvertretend für die bis auf geringe Reste verlorene Monumentalmalerei gelten muß. Ihr Zentrum verlagerte sich im dritten Jahrzehnt des 11. Jahrhunderts nach Echternach, dessen Schule die repräsentativsten kaiserlichen Aufträge erhielt. Anstelle der ganzseitigen Darstellungen treten vorwiegend streifenförmige Kompositionen, die durch Symmetrie und »additive« Reihung gekennzeichnet sind. Sie stehen damit im Gegensatz zu den »Spannungsfeldern« der ottonischen Prachthandschriften. Die thronende Madonna auf dem Widmungsblatt des Goldenen Evangelienbuchs, das Heinrich III. und seine Gemahlin Agnes dem Dom zu Speyer schenkten, erscheint geradezu als eine Übertragung der Paderborner Imad-Madonna in Format und Medium der Buchmalerei. Das kostbare Stück befindet sich heute im El Escorial, dem spanischen Kloster-Schloß am Südhang der Sierra de Guadarrama.

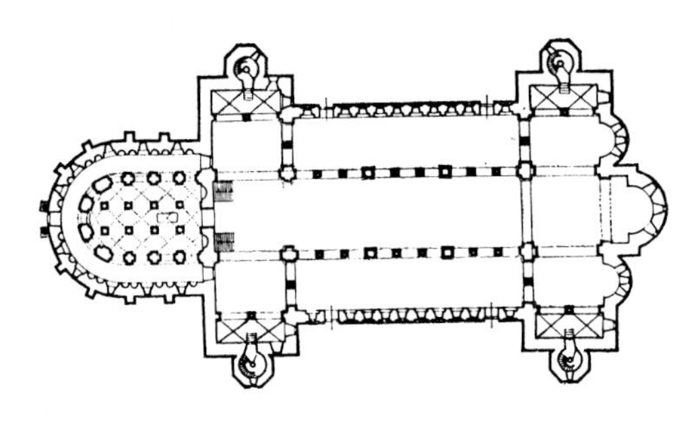

St. Michael in Hildesheim

Grundriß und Ansicht der um 1007 unter Bischof Bernward begonnenen Kirche. Sie verdeutlicht den Übergang von der ottonischen zur romanischen Baukunst, und zwar vor allem durch die Systematisierung des Baukörpers, ausgehend vom Quadrat bzw. Kubus der Vierung.

Die Geschichtswissenschaft vermittelt uns von den Persönlichkeiten Konrads II. und Heinrichs III. ein verhältnismäßig abstraktes Bild. Werfen wir jedoch einen Blick auf die Grenzen des Deutschen Reiches zur Zeit der beiden ersten salischen Kaiser und vergegenwärtigen wir uns das Verhältnis zwischen Kirche und Staat, so lassen sich die Umrisse außerordentlich starker politischer Begabungen erahnen. Unter Heinrich III. gewinnt das Deutsche Reich seine größte Ausdehnung - bei leichten Einbußen an den Ostgrenzen, aber starkem Zugewinn im Westen, vor allem im Südwesten. 1046 setzt der Kaiser auf den Synoden von Sutri und Rom drei Päpste ab. Papst Leo IX. (1049 - 1054) soll die Kirche von der zunehmenden Verweltlichung reinigen, und im gleichen Sinne unterstützt der Kaiser die vom burgundischen Kloster Cluny ausgehenden Reformbestrebungen des Benediktinerordens. Staat und Kirche scheinen unter Schutz und Schirm des Kaisers auch für die Zukunft geeinigt, und niemand dürfte um 1050 geahnt haben, daß die kaiserliche Förderung der kirchlichen Reformbewegungen zugleich die Wurzel eines die deutsche Geschichte durch Jahrhunderte mitprägenden tragischen Konfliktes zwischen Papst und Kaiser werden sollte. - Heinrichs III. politische Erfolge setzen ein zielbewußtes, straff organisiertes Herrschaftssystem voraus. Mit aller Vorsicht sei die Frage gestellt, ob die deutsche Kunst im zweiten Viertel des 11. Jahrhunderts als Spiegel der politischen Geschichte gelten darf.

Der frühe Tod Heinrichs III., der 1056 im Alter von nur 39 Jahren starb, war für die weitere Entwicklung des deutschen Kaiserhauses ein verhängnisvoller Schicksalsschlag. Während der zehnjährigen wechselnden Regentschaft für den Nachfolger Heinrich IV. (1050 - 1106), der beim Tod des Vaters sechs Jahre alt war, zerfiel die kaiserliche und wuchs die fürstliche Macht. Als Heinrich IV. 1066 die Herrschaft selber antrat, fehlten ihm Anleitung und Vorbild des Vaters. Ungeschick im Umgang mit den Stammesherzögen, besonders in Sachsen, führten zu innenpolitischen Machtkämpfen. Schwerer noch traf Heinrich IV. der Widerstand der mit Hilfe seines Vaters erstarkten römischen Kirche. Im sogenannten Investiturstreit beanspruchte Papst Gregor VII., der ehemalige Mönch Hildebrand aus dem Reformkloster Cluny, als unumschränkter Leiter der Kirche nicht nur die Einsetzung der Bischöfe; mehr noch: er forderte sogar das Recht zur Absetzung von Königen, die in seinen Augen als weltliche Amtsträger Gottes auch kirchliche Amtsträger waren. Das Verhältnis zwischen römischer Kirche und kaiserlicher Herrschaft hatte sich seit Heinrich III. in der Zeitspanne einer knappen Generation genau in das Gegenteil gewendet.

Die politische Tragweite dieses Umschwungs kann man nur ermessen, wenn man sich die Verbindung von weltlicher und kirchlicher Macht in den Händen der deutschen Bischöfe vergegenwärtigt: Die Bischöfe hatten als Territorialherren zu den verläßlichsten Lehensträgern der deutschen Könige gehört, und natürlich widersetzten sie sich zusammen mit dem jungen König den Forderungen der römischen Kirche. Auf der Synode von Worms (1076) standen sie hinter Heinrich IV., der den Papst für abgesetzt erklärte. Gregor VII. antwortete noch im gleichen Jahr mit der Exkommunikation des Königs, und die Magie des Bannstrahls verursachte den Abfall der deutschen Fürsten. Heinrich IV. mußte 1077 den Bußgang nach Canossa antreten, um sich vom Kirchenbann zu befreien. Die nahezu drei Jahrhunderte hindurch bestehende Verbindung von weltlicher und geistlicher Macht war zerbrochen, der in der Zukunft noch gesteigerte Antagonismus zwischen Kaiser- und Papsttum durchzog in den folgenden Jahrhunderten als roter Faden die deutsche Geschichte und verhinderte die Konsolidierung des »Reiches«. Das gilt besonders seit der Regierung von Papst Innozenz III. (1198 -1216), der sich nicht nur als Statthalter Petri, sondern als Statthalter Christi sah und für das Papsttum die Lehensvergabe der Reiche an die weltlichen Herrscher beanspruchte.

Einmal auf die Interaktion von politischer Entwicklung und kultureller Entfaltung aufmerksam geworden, muß man feststellen, daß Deutschland seine durch rund ein Jahrhundert behauptete Vorrangstellung in allen Bereichen der Kunst abtreten muß. Die kühnen Neuerungen des salischen Domes zu Speyer fanden ihre Weiterentwicklung im Norden Frankreichs, zunächst in den Wandsystemen der großen normannischen Kirchenbauten, dann in der Entfaltung der früh- und hochgotischen Architektur der Ile-de-France. Im Zeitalter der Gotik beanspruchte Frankreich unter einem zunehmend erstarkten Königtum die kulturelle Führungsrolle unter den europäischen Nationen, und seit etwa 1300 bereitete sich in Italien

in allen Bereichen des Geisteslebens die »Neuzeit« vor, die mit der Renaissance des 15. und 16. Jahrhunderts einsetzte. Der deutsche Sprachraum hingegen erlangte im Bereich der bildenden Künste nie wieder die Bedeutung, die er zur Zeit der ottonischen und der ersten salischen Kaiser von 960 bis etwa 1060 beanspruchen durfte. Das schließt allerdings eine Fülle von Werken höchsten europäischen Ranges in allen Epochen und eine Reihe von »Sonderleistungen deutscher Kunst« im Sinne Wilhelm Pinders nicht aus. Zu einer der Epoche von 960 bis etwa 1060 vergleichbaren kulturellen Blüte, aber in ganz anderen Medien, kam es erst wieder seit dem Beginn des 18. Jahrhunderts: in der Musik, in der »Klassik« der deutschen Dichtung und in der Philosophie des Idealismus.

Die deutsche Architektur entwickelte im Westen das von Speyer vorgezeichnete Konzept weiter, indem die Flachdecke durch die monumentale Wölbung – zunächst mit Kreuzgraten, dann mit Kreuzrippen – ersetzt wurde. Der Umbau Speyers in den Jahrzehnten um 1100 und der Neubau des Domes zu Mainz durch Heinrich IV. sind die repräsentativsten Zeugnisse einer neuen Raumauffassung, in der der Dualismus von seitlichen Raumgrenzen und oberem Raumabschluß sowohl im Material wie in der Form aufgehoben wurde. Der kühne Vorgriff auf die Gotik, der den Speyrer Urbau kennzeichnete, wurde allerdings nicht wieder erreicht. Während in Frankreich Vertikalisierung, Reduzierung der Mauer auf scheinbar schwerelose Einzelglieder und farbig gefilterte Durchlichtung zur Gotik führten, hielt die deutsche Architektur am »Massenbau« fest, den eine gesteigerte plastische Durchgliederung der Wandflächen und der zunehmende Reichtum des skulpturalen Dekors kennzeichneten. Der hinsichtlich seiner Datierung umstrittene, offenbar in einem sehr komplizierten Bauverlauf mit einer Fülle von Planänderungen entstandene Dom zu Worms ist das herausragende Beispiel dieser Epoche.

Der Dom zu Speyer

Dieser »Kaiserdom« ist im Grunde eine Grabkapelle, begonnen um 1030 unter Kaiser Konrad II. als Begräbnisstätte der salischen Herrscher. Der Bau wurde unter Heinrich III. weitergeführt und 1061 unter Heinrich IV. vollendet. Die Saliergräber befinden sich in einer der Krypta vorgelagerten Gruft. Die Aufnahme zeigt den Blick von Osten; diesen Teil ließ Heinrich IV. gegen Ende des 11. Jahrhunderts erneuern, wobei der Außenbau mit Zwerggalerien (ein Kennzeichen der Spätromanik) ausgestattet wurde; im Innern erfolgte die Einwölbung des Mittelschiffs, nachdem die Seitenschiffe schon bei der Errichtung Kreuzgratgewölbe erhalten hatten. Der östlichen Turmgruppe entspricht eine zweite Turmgruppe im Westen.

Dabei waren die kunstlandschaftlichen Unterschiede beträchtlich, allerdings ohne die für Frankreich und Italien kennzeichnende Ausbildung fest umrissener »Schulen«. Während sich am Rhein Wandgliederung und Wölbetechnik zunehmend differenzierten, hielten etwa Bayern und Schwaben erstaunlich lange an der flachgedeckten, häufig auch querschifflosen Basilika fest. Beziehungen zu den benachbarten Kunstlandschaften - Frankreich einerseits, Oberitalien andererseits - dürften hier bestimmend gewesen sein.

Die Zeit der Staufer

Im Zeitalter der staufischen Herrscher (1137-1268) war Deutschland stärker als in jeder vorangehenden Epoche von politischen und kulturellen Spannungen erfüllt. Die Idee des »Reiches« - ein großes Konzept gewiß, aber letztlich doch auch eine jede realpolitische Kontinuität verhindernde Utopie - führte in den Kämpfen vor allem Friedrich Barbarossas (1152-1190) und seines Enkels Friedrichs II. (1210-1250) mit dem Papst zu kräfteverzehrenden Anstrengungen mit wechselndem Erfolg. Friedrich II. wurde als Sohn der sizilianisch-normannischen Prinzessin Konstanze nach dem Tod seines jung verstorbenen Vaters, Heinrich VI., in Palermo erzogen. Dorthin und nach Süditalien verlegte er auch den Schwerpunkt seiner Politik. Es entstand das »Südreich der Hohenstaufen«, dessen herausragende kulturelle Leistungen der italienischen Kunst und Geistesgeschichte angehören.

Die Entfernung zwischen den deutschsprachigen Gebieten und Sizilien, dem »Zentrum« des Reiches, förderte die Machtkämpfe zwischen den deutschen Fürsten, die bereits in den Auseinandersetzungen zwischen Barbarossa und dem mächtigen Sachsenherzog Heinrich dem Löwen heftig aufgeflammt waren. Die Kreuzzüge, an denen sich alle staufischen Kaiser beteiligten, waren in der Wurzel durch die divergierenden kirchenpolitischen – Wiedergewinnung Jerusalems aus den Händen der Türken – und realpolitischen Interessen der beteiligten Regenten zum Scheitern verurteilt. Der eigentliche Gewinn der im 12. und 13. Jahrhundert zeitlich nah aufeinanderfolgenden Unternehmungen, die in der Praxis eher Beutezügen als dem Sinn der christlichen Lehre ohnehin widersprechenden »heiligen Kriegen« gleichkamen, lag auf wirtschaftlichem sowie kulturellem und nicht auf religiösem Gebiet: Von dem aufblühenden Orienthandel profitierten vornehmlich die oberitalienischen und französischen, aber auch die deutschen Städte, und speziell die Malerei und die Goldschmiedekunst erfuhren eine starke Beeinflussung durch die byzantinische Kunst. Ein Zeugnis davon legen beispielsweise die großen Schreine des Rhein-Maas-Gebiets aus dem späten 12. und dem frühen 13. Jahrhundert ab (wie etwa der Dreikönigsschrein im Kölner Dom).

Aus den Kreuzzügen gehen die Ritterorden hervor, von denen der 1190 vor Akkon als Bruderschaft zur Krankenpflege gegründete Deutsche Orden seit etwa 1225 für die Ostkolonisation eine hervorragende Rolle spielt (1309 wird die Marienburg in Ostpreußen Sitz des Hochmeisters). Schon zuvor hatten der 1098 gegründete Zisterzienserorden mit seiner Verpflichtung zu wirtschaftlicher Arbeit, vor allem aber die 1120 von Norbert von Xanten in Prémontré organisierten Prämonstratenser im sogenannten deutschen Osten umfangreiche Siedlungsarbeit geleistet. Damals wird teilweise in friedlicher Zusammenarbeit, teilweise aber auch in heftigen Auseinandersetzungen (Deutscher Ritterorden) der Keim für ein bis heute nicht normalisiertes Spannungsverhältnis zu unseren östlichen Nachbarn, speziell zu Polen, gelegt.

Welche Spannweite die europäische Kultur im Zeitalter der staufischen Kaiser kennzeichnet, hat gleichsam ex negativo die Ausstellung »Die Zeit der Staufer« 1977 in Stuttgart gezeigt. Die hochgotische Kathedrale, eine der eigenständigsten und reichsten Schöpfungen der abendländischen Kunst, die ihre »klassische« Ausprägung im frühen 13. Jahrhundert in Chartres, Reims und Amiens fand, konnte nicht berücksichtigt werden, da sich ihre Entfaltung außerhalb des staufischen Herrschaftsgebietes vollzog.

Innerhalb der abendländischen Architektur bezeichnete sie den Punkt der äußersten Entfernung von der Tradition der klassischen Antike: Das »natürliche« Gleichgewicht von Tragen und Lasten ist völlig aufgehoben, die Höhendimension in einem über das sinnliche Begreifen hinausgehenden Maß gesteigert, die Körperhaftigkeit der Bauglieder auf ein Minimum reduziert. Der über den Bereich der diesseitigen Erfahrung hinausweisende Charakter der mittelalterlichen Kunst erfährt hier eine Ausprägung, die nur dem immateriellen Goldgrund der Malerei vergleichbar ist.

In ein überraschendes Spannungsverhältnis zu diesem Phänomen tritt eine Welle der »Proto-Renaissance« in der Skulptur des frühen und mittleren 13. Jahrhunderts. Ist südlich der Alpen ein Rückgriff auf Vorbilder der Antike, etwa in den Kanzeln Nicola Pisanos in Pisa (1260) und Siena (1266), aufgrund der reicheren Überlieferung noch am ehesten verständlich, so setzt der Einfluß der Antike auf Hauptwerke der Kathedralskulptur wie die Statuen der Heimsuchung an der Fassade der Kathedrale von Reims, in Erstaunen. Die zwei Pole der staufischen Geistigkeit – weltabgewandte Frömmigkeit und weltzugewandte Lebensfreude – werden hier im Kontext eines Gesamtkunstwerkes unmittelbar anschaulich.

In Deutschland bewirkte diese über die Antike vermittelte Tendenz zu einer wirklichkeitsnahen Wiedergabe der menschlichen Figur einen Höhepunkt in der Entwicklung der Skulptur: Die sitzenden Apostel an den Chorschranken des Domes zu Halberstadt (gegen 1200) sind verhältnismäßig frühe Beispiele für eine Auffassung des bewegten menschlichen Körpers, dessen organischer Aufbau unter dem Gewand im Vergleich zu hochromanischen Bildwerken mit erstaunlicher Sicherheit erfaßt ist. Die Entwicklung gipfelte in den Bauhütten von Bamberg und Naumburg. In Bamberg gingen aus der Werkstatt des »Reiter-Meisters« um 1225–1235 neben dem bisher nicht einsichtig gedeuteten Reiter die Gruppe der Heimsuchung und die Statuen von Ecclesia und Synagoge hervor – Werke, die nicht mehr im strengen Sinne des Wortes als Gewandfiguren zu bezeichnen sind,

Die ehemalige Pfalz in Bad Wimpfen

Das Hochufer des Neckars in Bad Wimpfen wurde einst von einer um 1200 errichteten staufischen Kaiserpfalz gesäumt, deren weiträumige Anlage trotz weitgehender Zerstörung und späterer Einbauten noch gut zu erkennen ist. Die Silhouette der heutigen Uferfront wird geprägt vom »Roten Turm« mit neugotischer Bekrönung. Nach rechts schließt sich die spätgotische Evangelische Stadtkirche an.

Dreikönigsschrein des Kölner Doms

Im Jahr 1164 überführte Reinald von Dassel drei aus Konstantinopel stammende und als Gebeine der Heiligen Drei Könige verehrte Reliquien von Mailand nach Köln. Sie wurden beigesetzt in dem von Nikolaus von Verdun 1181 begonnenen goldenen Dreikönigsschrein mit einer Seitenlänge von zwei Metern.
Zu den eingearbeiteten Schmuckstücken gehören antike (heidnische) Gemmen (Abbildung oben) – eine für das Mittelalter keineswegs anstößige Form der Antikenrezeption. Die Abbildung der gegenüberliegenden Seite zeigt eine der beiden Schmalseiten, gestaltet nach 1200. Sie verdeutlicht die Grundform des Schreines in Gestalt einer dreischiffigen Basilika mit überhöhtem »Mittelschiff«, dessen Front eine von zwei Engeln flankierte Christusgestalt zeigt. Das unterste »Geschoß« zeigt die Szene der Anbetung der Könige sowie die Taufe Christi. Die besondere Bedeutung der Dreikönigsreliquien für die Stadt Köln als Wallfahrtsstätte geht nicht zuletzt daraus hervor, daß drei Kronen in das Stadtwappen aufgenommen wurden.

da körperliche Bewegung den Fall und die Anordnung der Gewänder bestimmt und auf diese Weise Körper und Gewand gleichberechtigt als Ausdrucksträger wirken. In den Stifterfiguren sowie in der Kreuzigungsgruppe und den Reliefs am Lettner im Westchor des Domes zu Naumburg (um 1245–1250) führte der ebenfalls anonyme »Naumburger Meister« die deutsche Skulptur zu einer Kraft der »Vergegenwärtigung«, die bereits die Schwelle zur Neuzeit zu überschreiten scheint.

Selten zuvor und kaum wieder in der Folgezeit sind die Verflechtungen zwischen der französischen und der deutschen Kunst derartig eng und vielfältig gewesen wie in diesen Jahrzehnten. Der Bamberger Reiter-Meister hat seine Schulung in der Bauhütte der Kathedrale von Reims erfahren. Die Heimsuchungsgruppe ist ohne das Vorbild der Reimser Portalskulpturen nicht denkbar, und der Reiter – lange Zeit in einem fehlgeleiteten Nationalbewußtsein als Inbegriff eines spezifisch deutschen ritterlichen Ideals mißinterpretiert – hat sich als getreue Kopie einer Königsstatue an der nördlichen Querhausfassade der Kathedrale in Reims erwiesen. Für den sogenannten Naumburger Meister hat sich eine Wanderschaft nachweisen lassen, die von Noyon über Metz nach Mainz (Fragmente des Weltgerichts vom Lettner des Mainzer Domes, heute im dortigen Diözesan-Museum; zugehörig vielleicht der »Kopf mit der Binde« und der Bassenheimer Reiter) und von dort erst nach Naumburg führt. Vollends verschmelzen die Grenzen nationaler Kunstäußerung in den Skulpturen, die um 1225–1230 aus der Werkstatt des Meisters des Engelspfeilers im Straßburger Münster hervorgingen: die in der Form einzigartige Übertragung des Weltgerichtsthemas auf den Mittelpfeiler im südlichen Querhausarm, die Statuen von Ecclesia und Synagoge sowie die Tympanonreliefs mit Marientod und Marienkrönung an der Querhausfassade. Körper und umgebender Raum verbinden sich in größter Freiheit, die Details der »richtig« proportionierten Figuren werden mit beispielloser Sensibilität der Meißelführung unter den fein gefältelten dünnen Gewändern herausgearbeitet. Ohne Vorbild und Kenntnis etwa der Querhausskulpturen an der Kathedrale in Chartres kann diese Werkstatt, deren Produktion durch die Zerstörungen während der Französischen Revolution für uns leider nur auf einige Hauptzeugnisse beschränkt ist, nicht entstanden sein. Hier wird sich die Frage, ob der Bauhüttenleiter ein französisch geschulter deutscher oder ein französischer Meister war, vermutlich niemals mehr eindeutig beantworten lassen.

Werden die engen Beziehungen zwischen französischer und deutscher Skulptur während der ersten Hälfte des 13. Jahrhunderts betont, so muß zugleich auf einen wesentlichen, nun tatsächlich nationalspezifischen Unterschied hingewiesen werden: Die großen Skulpturenprogramme der französischen Kathedralen sind erstens vornehmlich auf den Außenbau konzentriert und zweitens sowohl inhaltlich wie formal straff systematisiert. Jede Statue ist Teil eines übergreifenden Ganzen und zugleich streng an die Architektur gebunden. Die »Ratio« des Gesamtkonzeptes bestimmt das Verhalten (d. h. die formale Ausprägung) jedes Gliedes. Die bedeutendsten Leistungen der staufischen Skulptur in Deutschland dagegen werden, von Ausnahmen abgesehen, dem Innenraum zugeordnet und können sich hier jeweils in ihrer freien Individualität entfalten. Auch wenn wir für die Statuen des Bamberger Ostchors den Plan der ursprünglichen Aufstellung nicht kennen, so läßt sich doch in gleichem Maße wie für die Naumburger Stifterfiguren sagen, daß das Gesamtkonzept umgekehrt nur als Summe der Einzelwerke zu begreifen ist.

Hier dürfte auch der Grund für die nur zögernde Aufnahme der gotischen Architektur in den deutschsprachigen Gebieten zu suchen sein. So sehr die hochgotische Kathedrale ein über den Bereich diesseitiger Erfahrungen hinausweisendes Phänomen ist, so logisch durchdacht ist ihr Aufbau bis in scheinbar nebensächliche Details hinein. Auch hier ist eine der deutschen Kultur durchgängig fremde »Ratio« der Gestaltung am Werk. In Italien stand die durch das ganze Mittelalter hindurchwirkende antike Tradition dem »anti-klassischen« Konzept der gotischen Kathedrale entgegen. Man übernahm dort nur »Vokabeln« – Einzelformen wie Spitzbogen und Kreuzrippengewölbe –, aber nicht die »Syntax« der gotischen Architektur. Das eingeborene Bedürfnis nach festen Raumgrenzen und ausgewogenen Proportionen blieb eine Konstante, die bruchlos in die Architektur der Frührenaissance einmündete. Hans Jantzen hat für diese Sonderform der Gotik den schönen Begriff der »lateinischen Gotik« geprägt. In Deutschland

Brunnenkapelle des Klosters Maulbronn

Gegenüber dem Herrenrefektorium, dem Speisesaal der in Klausur lebenden Mönche, öffnet sich das um 1350 erbaute, in den Kreuzganggarten vorstoßende gotische Brunnengebäude.

Bild rechts:

Kilianskirche in Heilbronn

Die Abbildung der gegenüberliegenden Seite zeigt den spätgotischen Hallenchor des im 13. Jahrhundert errichteten, im 15. und 16. Jahrhundert erweiterten Kirchenbaus. Der Chor enthält einen 1498 vollendeten »ungefaßten«, d.h. unbemalten Schnitzaltar. Er besitzt zwar Seitenflügel, ist aber nicht mehr als »Wandaltar« gestaltet.

wehrte sich ein extrem ausgeprägter Individualismus gegen das hochgotische Kathedralkonzept, dessen Übernahme sich deshalb zu einem höchst differenzierten Prozeß entwickelt. Notwendigerweise vereinfachend seien hier vier Wege angedeutet, wie sich die deutsche mit der gotischen Architektur auseinandersetzte:

Erstens übernahm die Spätromanik einzelne gotische Formen wie den Spitzbogen, das Kreuzrippengewölbe und auch eine reduzierte Form des Strebewerks, ohne von dem Grundprinzip des »Massenbaus« abzuweichen. In dieser Form kam es gerade in den unmittelbar an Frankreich grenzenden Gebieten wie Nieder- und Mittelrhein zu einer reichen Entfaltung spätromanischer Architektur. Die Dreikonchenchöre in Köln, beispielsweise St. Aposteln und Groß-Sankt-Martin (spätes 12. Jahrhundert), oder der Westchor des Doms in Worms (frühes 13. Jahrhundert) sind besonders hervorzuheben. Daß wir uns hier an der Schwelle zu einer neuen Epoche befinden, wird weniger durch die Übernahme gotischer Einzelformen als vielmehr durch das Prinzip der Wandzerlegung und -aufspaltung anschaulich.

Zweitens versuchten Baumeister, die ihre Erfahrungen von den Wanderjahren in der Ile-de-France nach Deutschland zurückbrachten, die spätromanischen heimischen mit den »modernen« französischen Konstruktionsprinzipien zu verbinden. Der 1209 begonnene Neubau des Domchors in Magdeburg und der 1235 geweihte Dom zu Limburg sind herausragende Beispiele dieser Synthese von gotischen Konstruktionsprinzipien und romanischer Körperhaftigkeit. Die Herkunft der Meister ist in Bauhütten wie Laon oder Noyon zu vermuten.

Drittens hat der Zisterzienserorden für die Vermittlung gotischen Formenguts nach Deutschland (und übrigens auch nach Italien) eine bedeutende Rolle gespielt. Entsprechend seinen Zielsetzungen und den Bauvorschriften zu äußerster Schlichtheit und zu weitgehendem Verzicht auf alles schmückende Detail verpflichtet, verwendete die französische, speziell die burgundische Zisterzienserarchitektur den gotischen Formenapparat in stark reduzierter Form. Sie war insofern prädestiniert, bei Tochtergründungen im deutschen Sprachgebiet den Boden für die Aufnahme der Gotik vorzubereiten. Kloster Maulbronn, besonders das dortige Herrenrefektorium und der Kreuzgang, führt uns die frühen Formen der Zisterziensergotik in Deutschland anschaulich vor Augen. Der Weg der dort um 1210 bis etwa 1230 tätigen Bauhütte läßt sich durch den fränkischen Raum bis in das mitteldeutsche Kloster Walkenried verfolgen. Die Ruine des rheinischen Zisterzienserklosters Heisterbach, dessen Kirche 1237 geweiht wurde, steht demgegenüber mit Chorumgang und Kapellenkranz stärker unter dem Einfluß der nordfranzösischen Kathedralgotik, ohne freilich die spätromanische Tradition aufzugeben. Erst mit der 1255 begonnenen Zisterzienserabteikirche in Altenberg bei Köln mündete die Ordensarchitektur in den Strom der Kathedralgotik ein – Zeugnis der Entwicklung fast aller Reformbewegungen, die unter dem Eindruck wachsender Macht und sich vergrößernden Reichtums die ursprünglichen Ziele aus den Augen verloren.

Die vierte Möglichkeit der Öffnung gegenüber der hochgotischen Architektur ist schließlich die unmittelbare Übertragung des Kathedralkonzepts, für die der 1248 begonnene Chor des Kölner Doms das bekannteste Beispiel ist. Dem Entwurf liegt das Vorbild von Amiens zugrunde, das freilich durch eine nochmalige Steigerung der Vertikaltendenzen und die Bereicherung der Schmuckformen, besonders am Außenbau, in eigenständiger Weise abgewandelt wurde. Wie stark hier innerhalb einer Kunstlandschaft um die Mitte des 13. Jahrhunderts völlig unterschiedliche Auffassungen zusammenstießen, beweist die 1256 bis 1275 in spätromanischen Formen errichtete repräsentative Abteikirche in Essen-Werden.

Die gegensätzlichen Ausdrucksformen lassen sich durch die unterschiedlichen Absichten der Auftraggeber erklären. Hans Sedlmayr hat nachgewiesen, daß die Wahl des Kathedralkonzeptes für Köln nicht primär künstlerischen, sondern ideologischen Gründen zu verdanken ist: Die gotische Kathedrale Frankreichs war zu einem Topos für die »europäische Königskirche« geworden, und tatsächlich erfolgte die Grundsteinlegung in Köln in Gegenwart des im gleichen Jahr zum deutschen König gekrönten Wilhelm von Holland, und der Bau, der seit 1257 aufgeführt wurde, »war gemeint als Königskirche des unter Anführung des Erzbischofs von Köln gewählten und von demselben Kirchenfürsten in Aachen gekrönten Richard von Cornwallis und Poitou, dem Bruder Heinrichs III. von England« (Sedlmayr).

Der Auftritt des Bürgertums

Das 13. Jahrhundert verdient unter weiteren Aspekten besonderes Interesse. Soziale Umschichtungen, die sich bereits im 12. Jahrhundert vorbereitet hatten, begannen sich jetzt mitbestimmend in allen Bereichen der Kultur auszuwirken. Lassen sich die fünf Jahrhunderte vom Beginn der Karolingerherrschaft bis zum Ende des staufischen Kaiserhauses noch in Epochen aufteilen, die zeitlich den Dynastien entsprechen, so verliert eine solche Periodisierung zukünftig ihre Berechtigung. Ein durch die Zunahme des Geldverkehrs erstarkendes und sich seiner Möglichkeiten bewußt werdendes Bürgertum trat gleichberechtigt als Auftraggeber neben Königtum, Kirche und Adel. Seit dem 12. Jahrhundert entstanden in den Handelsstädten Zünfte, die in den Auseinandersetzungen mit dem Patriziat nicht selten die Oberhand gewannen. Sogenannte Hansen, genossenschaftliche Zusammenschlüsse von Kaufleuten, sind bereits im 11. Jahrhundert nachweisbar. 1158 wurde die Deutsche Hanse, die von Lübeck aus wichtige Handelsstädte des Nord- und Ostseeraums umfaßte und ihre Verbindungen weit in das Binnenland ausdehnte, zum ersten großen deutschen Städtebund. Reiche Handelsstädte strebten die Reichsunmittelbarkeit an, d. h. Befreiung von landesfürstlicher Oberhoheit zugunsten direkter Unterstellung unter die kaiserliche Herrschaft. Es entstanden die Freien Reichsstädte, die als gleichberechtigte Partner neben weltliche und kirchliche Fürsten traten. Ein gegenüber dem Feudalismus andersartiges Selbstverständnis, das nicht zuletzt auf stärker der alltäglichen Realität verpflichteten Zielsetzungen beruhte, führte seit dem späten 13. Jahrhundert zu neuen Ausdrucksformen der Kultur.

In diesem Zusammenhang muß auch eine der eingreifendsten Wandlungen der religiösen Gesinnung gesehen werden, die die christliche Kirche bis zu diesem Zeitpunkt erfahren hatte: Anfang des 13. Jahrhunderts gründete Dominikus – aus dem spanischen Caleruega gebürtig – den seit 1216 päpstlich anerkannten Dominikanerorden, der sich die Verfolgung der Ketzer, zunächst der Albigenser, zur Aufgabe machte und dessen Mitglieder als Wanderprediger tätig wurden. 1223 bestätigte Papst Honorius III. den Franziskanerorden, der nach dem Wunsch des Heiligen Franz von Assisi eine Kirche für die Armen und Bedrängten gründen wollte und seine Hauptaufgaben in der Erfüllung der Gebote der Nächstenliebe, der Weltabkehr und der Verbreitung der Lehre Christi erkannte. Auf den ersten Blick scheinen diese beiden – entsprechend ihrem Armutsideal als Bettelorden bezeichneten – Bewegungen in der Nachfolge der mittelalterlichen Reformbestrebungen des Mönchtums, besonders der Cluniazenser und der Zisterzienser, zu stehen. Diese Perspektive ist insoweit richtig, als auch Dominikaner und Franziskaner eine Abkehr von der Verweltlichung des Benediktinerordens anstreben. Dagegen unterscheidet sich die historische Position der Bettelorden mindestens in zwei grundlegenden Aspekten von den mittelalterlichen Reformbewegungen des Benediktinerordens: Vornehmlich die Franziskaner, in der Folgezeit aber auch die Dominikaner, wendeten sich mit ihren Predigten an breiteste Bevölkerungskreise, nicht zuletzt an die sozial Benachteiligten. Insofern trugen sie im Gegensatz zu den vornehmlich aristokratisch bestimmten Cluniazensern und Zisterziensern dazu bei, die Mündigkeit von jahrhundertelang unterprivilegierten Schichten vorzubereiten. Bezeichnenderweise lassen sich Franziskaner und Dominikaner nicht in landschaftlich bevorzugter Höhenlage wie die Benediktiner oder in ländlicher Abgeschiedenheit wie Zisterzienser und Prämonstratenser nieder, sondern in den ärmeren Bevölkerungsschichten vorbehaltenen Randgebieten der großen Städte.

Neben dem sozialgeschichtlichen ist auch ein geistesgeschichtlicher Aspekt von nicht minder zukunftweisender Bedeutung: Im Oktober 1224 schrieb der heilige Franz seinen Sonnengesang, »Il cantico di frate Sole«, einen Lobpreis der Schöpfung; Gott wird im Geschaffenen – in Sonne, Pflanzen und Tieren – verherrlicht. Nicht zufällig fehlt die Vogelpredigt des heiligen Franz in keinem Zyklus mit Darstellungen aus seiner Legende. Im Vergleich zu der Einschätzung, die die Erscheinungen der diesseitigen Welt im frühen und hohen Mittelalter erfahren hatten, darf man geradezu von einem ersten Zeugnis der »Naturschwärmerei« sprechen. Sicher nicht in unmittelbar ursächlichem Zusammenhang, aber doch in geistesgeschichtlicher Parallele wurden in der Folgezeit die sinnlich greifbaren Phänomene des Diesseits zunehmend darstellungswürdig: Der Weg vom »Abbild« zum »Sinnbild«, der am Übergang von der Spätantike in das frühe Christentum

Der Hildegardis-Codex

Die Mystik als die bedeutendste, vielfach die Grenze zur »Ketzerei« überschreitende geistige Erscheinung des Hochmittelalters läßt sich zurückverfolgen bis zu Hildegard von Bingen (Hildegardis de Alemannia, 1098–1179). Im Jahr 1141 begann sie mit Hilfe eines Mönches und einer Nonne, ihre Visionen niederzuschreiben und zu erläutern. Die Abbildung zeigt die Kopie einer Seite aus dem zwischen 1150 und 1170 im Kloster Rupertsberg bei Bingen entstandenen, im Zweiten Weltkrieg verschollenen »Hildegardis-Codex«. Er enthält das in mittellateinischer Sprache abgefaßte Werk »Scivias seu visionum ac revelationum libri III«, zu deutsch: »Wisse [die Wege des Herrn] oder Drei Bücher über Geschichte und Offenbarungen«.

begonnen hatte, wurde seit dem 13. Jahrhundert in umgekehrter Richtung beschritten.

Bereits 1885 hat Henry Thode unter dem programmatischen Titel »Franz von Assisi und die Anfänge der Kunst der Renaissance in Italien« auf diese Zusammenhänge hingewiesen. – Für den Dominikanerorden sind offenbar die restaurativen Tendenzen leichter, die prospektiven schwerer zu erweisen. Während die Franziskaner den Akzent auf ein tätiges Christentum setzen, wenden sich die Dominikaner einem kontemplativen Christentum zu: die Theologie steht im Zentrum ihres Wirkens. Gleichwohl gelten hier, wenn auch in anderer Facettierung, ähnliche Konsequenzen.

Die theologische Diskussion innerhalb des Ordens ging jedoch nördlich und südlich der Alpen sehr verschiedenartige Wege. Während sich in den romanischen Ländern die Spätscholastik und damit eine stark intellektuell und reflektiv bestimmte Richtung entfaltete, entstand in den germanischen Ländern die intuitiv bestimmte, dem Gefühl verpflichtete Mystik. Der Mensch versuchte, durch Hingabe und gedankliche Versenkung zu einer persönlichen Vereinigung mit Gott zu

Die hl. Elisabeth speist Hungrige. Fenster der Marburger Elisabethkirche

Die spätgotische Glasmalerei zeigt die 1285 heiliggesprochene Elisabeth von Thüringen (1207–1231), die durch ihre Mildtätigkeit und Nächstenliebe sehr bald zur Legendengestalt wurde. Die Tochter des Königs Andreas II. von Ungarn und Frau Ludwigs von Thüringen, deren Gebeine seit 1249 in der Elisabethkirche in Marburg aufbewahrt werden, wurde wegen ihrer Großherzigkeit gegenüber den Armen vielfach angegriffen und verleumdet, und zahlreiche Legenden berichten von dem besonderen Schutz, der ihr dabei zuteil wurde. So sollen sich, nachdem Elisabeth im Hungerjahr 1226 alles Getreide verteilt hatte, der Boden des Saales, in dem sie daraufhin angeklagt wurde, sowie die Kammern der Burg mit Korn gefüllt haben.

gelangen. Die Mystik ist einerseits zweifellos die geistesgeschichtliche Parallele zur Spätgotik, und ihr Schlüsselwort vom »Entwerden« kennzeichnet die Entwicklung, die die Kunst im späten 13. Jahrhundert auf deutschem Boden einschlug: Die Diesseitigkeit, die Kraft der »Vergegenwärtigung«, die speziell die Skulptur der »staufischen Renaissance« ausstrahlte, führte nicht geradlinig zur Renaissance der Neuzeit, sondern wich einer Welle der »Regotisierung«. Sie spiegelt ein Wort wider, das um die Mitte des 14. Jahrhunderts der Straßburger Patriziersohn Johannes Tauler geprägt hat: »Hieran liegt ja alles: an einem unergründlichen Entwerden in ein unergründliches Nichts«.

Andererseits birgt die Theologie der Mystik aber auch den Kern eines ganz neuen Individualismus, für den besonders das Werk Meister Eckeharts Zeugnis ablegt. Ihn erreichte 1339, im Jahr seines Todes, die päpstliche Bannbulle aus Avignon. Äußerer Anlaß waren 28 in der Bulle angeführte, angeblich ketzerische Sätze. Meister Eckehart hatte unter anderem geschrieben: »Alles, was Gott Vater seinem eingeborenen Sohn in der menschlichen Natur gegeben hat, das hat er völlig auch mir gegeben. Hiervon nehme ich nichts aus, weder die Einung noch die Heiligkeit; sondern er hat mir alles ebenso gegeben wie ihm«. Oder: »Laßt uns nicht die Frucht äußerer Werke bringen, die uns nicht gut machen; sondern innere Werke, die der Vater, in uns bleibend, tut und wirkt«. Das klingt in der äußeren Schicht freilich an Gotteslästerung, eine vermessene Überhöhung des Menschen an. Aber die inneren Gründe, die zum Bann führten, waren doch wohl die von Meister Eckehart vertretene Würde und zugleich Verantwortlichkeit des *Einzelnen* vor Gott, die nicht mehr unbedingt der Vermittlung der Kirche bedurften. Es handelte sich ebenso wie bei der Ablehnung der »Werkgerechtigkeit« um vorprotestantisches Gedankengut und ebenso um jene Neubewertung des Individuums, die sich in der bildenden Kunst so vielfältig spiegeln wird.

Die Römische Kirche hat die Gefahren, die ihr aus der Bettelordensbewegung drohten, frühzeitig erkannt. Der heilige Franz hat zunächst um die Anerkennung seiner Regel und dann um die Bestätigung des Ordens kämpfen müssen. Die Entscheidung, ob Ketzer oder Heiliger, dürfte zeitweise auf des Messers Schneide gestanden haben. Die Kirche hat sich in kluger Abwägung der realpolitischen Möglichkeiten zur Anerkennung entschlossen. Die neuen Ideen hatten sich zu rasch und zu weit ausgebreitet. Sollten sie nicht den Bestand der kirchlichen Hierarchie in der Grundwurzel erschüttern, mußten sie domestiziert werden. Die Kirche nahm den Franziskanerorden unter ihren Schutz und damit zugleich unter ihre Aufsicht. Das Patriziat der Städte unterstützte die Bettelordensniederlassungen von Anfang an mit reichen Stiftungen. Nirgends sonst befinden sich deshalb so viele herrschaftliche Grablegungen wie in Dominikaner- und Franziskanerkirchen. Florenz und Venedig bieten dafür heute noch die anschaulichsten Beispiele, während in Deutschland durch Bildersturm und Säkularisation vieles verlorengegangen ist.

Die Vision des heiligen Franz von einer Kirche der Armen im Sinne des frühen Christentums war auf diese Weise zum Scheitern verurteilt. Die Kirche – von Ausnahmen abgesehen – blieb, mit der Macht koordiniert, bis zum heutigen Tag eine Kirche der Reichen. Die Erfüllung der franziskanischen Idee ist eine kühne und ferne Zukunftsutopie.

Die vielfältigen Umschichtungen, die sich im 13. Jahrhundert abzeichneten, spiegeln sich besonders in der deutschen Kunst in einer Reihe von Neuschöpfungen wider, die wir teilweise als »Sonderleistungen der deutschen Kunst« bezeichnen dürfen. Um 1240 begann der gotische Neubau des Freiburger Münsters im Auftrag der Bürger. Liturgisch ist dieses Werk bis zur Erhebung Freiburgs zum Bischofssitz im Jahr 1827 Stadtpfarrkirche gewesen. Für das Langhaus bediente man sich der Formen der benachbarten Straßburger Kathedrale, allerdings unter Reduzierung des Formenapparates, wie besonders der Verzicht auf das Triforium zugunsten großer glatter Wandflächen zwischen Arkaden und Fenstern zeigt. Besonderes Interesse gewinnt das Projekt durch die westliche Turmfassade: Um 1280 legte man den Grundstein zu einem mächtigen Einzelturm mitten vor der Fassade. Bereits 1301 konnte der Unterbau geweiht werden – das einzig sichere Datum, das wir zur Baugeschichte des Turmes haben. In den nächsten beiden Jahrzehnten folgte das in Maßwerk aufgelöste Oktogon mit dem ebenfalls filigranartig durchbrochenen Turmhelm – mit einem Reichtum dekorativer Phantasie konzipiert, die an die Urbegabung germanischer Völkerschaften für das Ornament erinnern läßt. Die Freiburger setzten sich mit der Einturmfassade ihrer städtischen Hauptpfarrkirche offenbar nachdrücklich gegen die traditionelle Zweiturmfassade der hochgotischen Kathedrale ab. Die historische Überlieferung schweigt über die Gründe. Verfolgt man aber die Entwicklung der Einturmfassade durch das 14. und 15. Jahrhundert, so findet man sie immer wieder als Wahrzeichen reicher Handelsstädte vor den Fassaden der Hauptpfarrkirchen. Es dürfte kein Zweifel daran bestehen, daß sie anschauliche Verkörperungen bürgerlichen Machtbewußtseins sind. Der Turm der Martinskirche in Landshut und der Turm des Ulmer Münsters, dessen Höhe die aller anderen Kirchtürme des Abendlandes übertreffen sollte, sind markante Beispiele.

In der Skulptur entstand im späten 13. Jahrhundert die Gattung des sogenannten Andachtsbildes. Der künstlerisch am folgenreichsten ausgebildete Typ ist die »Pietà«, das Vesperbild: Maria mit dem toten Christus auf dem Schoß. Der Begriff des Vesperbilds entstand einerseits aus der Überlieferung, daß die Kreuzabnahme Christi in den Abendstunden stattfand, andererseits aus den abendlichen Andachtsstunden, die vor allem den Gedanken an die Geschehnisse der Passion gewidmet waren. Im Gabelkruzifix, dem »Crucifixus dolorosus«, wird dem »Christus triumphans« der staufischen Skulptur eine Neuinterpretation entgegen-

Das Freiburger Münster vom Schloßberg aus gesehen

Der gotische Neubau des Freiburger Münsters wurde um 1240 im Auftrag der Bürger begonnen. Von besonderer Bedeutung ist die westliche Turmfassade mit ihrem mächtigen Einzelturm, dessen Grundstein um 1280 gelegt wurde.

gestellt: Der Gläubige ist zum Miterleiden aufgefordert. Zugleich aber symbolisiert das »lebende« Holz die Überwindung des Todes in der Auferstehung. Christus-Johannes-Gruppen entstanden besonders im Südwesten des deutschen Sprachraums. Es handelt sich um *Einzel*bildwerke außerhalb eines übergeordneten zyklischen Programms – ein Rang, der zuvor dem Gekreuzigten und der thronenden Madonna vorbehalten gewesen war. Alle Andachtsbilder stehen außerhalb der traditionellen Liturgie des Altardienstes, und in keinem Falle sind sie unmittelbar aus der schriftlichen Überlieferung des Heilsgeschehens zu erklären. Da die Andachtsbilder nicht mehr zur Repräsentation vor der Gemeinde bestimmt waren, sondern sich an das mitleidende Gefühl des *Einzelnen* wendeten, standen sie in unmittelbarem Zusammenhang mit den Individualisierungstendenzen der deutschen Mystik.

Schließlich entwickelte sich im späten 13. Jahrhundert aus Reliquiensarkophagaltar und steinernem Reliquienretabel der geschnitzte Reliquienaltar mit beweglichen Flügeln – die wichtigste und wiederum spezifisch deutsche gattungsmäßige Neuschöpfung der Epoche, die deutlicher als irgendein anderes Phänomen die umwälzenden Kräfte der Zeit bekundet. Der bewegliche Schnitzaltar »ist das neue Zentrum, das die reichsten Formenzusammenhänge an sich ziehen wird...«. Mit ihm »ist eine neue Welt geschaffen, die einen Triumph der Phantasie bedeutet. Die Architektur als Herrin und Mittlerin der darstellenden Künste ist überwunden« (Wilhelm Pinder). Es wandelte sich also das Verhältnis zwischen umfangendem Innenraum und Betrachter: Dem Betrachter wurde mit dem vielschichtigen Komplex des Schnitzaltars ein neues »Gegenüber« geschaffen, der Kirchen-

Das Ulmer Münster von der Donau aus gesehen

Das Ulmer Münster (Grundsteinlegung 1377) mit dem höchsten Kirchturm der Welt (161 m) setzt die in Freiburg begonnene Tradition der Einturmfassade fort. Die historische Überlieferung gibt keine Gründe für das Abrücken von der Zweiturmfassade an. Betrachtet man jedoch die Entwicklung der einturmigen Kirche im 14. und 15. Jahrhundert, so stellt man fest, daß sie immer in reichen Handelsstädten auftaucht: Der Turm wird zum Symbol bürgerlichen Selbstbewußtseins.

raum als Gesamtkunstwerk erhielt einen »Konkurrenzwert«. Der Altar wird zur Grundlage einer neuen Optik: der Gläubige geht nicht mehr im Kunstwerk auf, sondern es entwickelt sich ein dialektisches Prinzip zwischen Kunstwerk und Betrachter, der damit einen neuen Stellenwert gewinnt.

Den Aufstieg des Bürgertums begünstigten der Niedergang des staufischen Kaiserhauses, das folgende Interregnum – die kaiserlose Zeit vom Tode Konrads IV. (1254) bis zur Wahl Rudolfs von Habsburg (1273) – sowie die Rivalität von Königen und Gegenkönigen an der Wende vom 13. zum 14. Jahrhundert. Der Traum vom »Imperium Romanum« wurde noch einmal von Heinrich VII. von Luxemburg (1308 – 1313) aufgegriffen. Von den Ghibellinen, den Kaisertreuen in Italien, enthusiastisch gefeiert, von Dante als »Befreier« begrüßt, zog Heinrich 1310 nach Italien, ließ sich 1312 zum Kaiser krönen, starb aber bereits 1313 im Alter von etwa 38 Jahren südlich von Siena. In seiner Nachfolge hielt sich Ludwig der Bayer von 1327 bis 1330 ebenfalls in Italien auf, konnte aber die Idee des von Karl dem Großen angestrebten Kaisertums, das mehr als ein halbes Jahrtausend lang die Politik der deutschen Könige mitbestimmt hatte, nicht mehr durchsetzen. Mit Ludwigs Italienzug endete ein phantastisches, vielfach eindrucksvolles, vielfach tragisches Kapitel der deutschen Geschichte.

Unter diesem Aspekt kann Karl IV. aus dem Hause der Luxemburger, der Enkel Heinrichs VII., als Repräsentant eines neuen Zeitalters betrachtet werden. Seine Persönlichkeit, die lange im Schatten seiner mittelalterlichen Vorgänger gestanden hat, ist durch die Ausstellungen zu seinem 600. Todestag im Jahr 1978 in ein neues Licht gerückt worden. Tatsächlich mangelte es dem Leben und der

Fassadenriß des Straßburger Münsters

Der Entwurf zeigt die beiden geplanten Türme der Westfassade, von denen jedoch nur einer zur Ausführung gekommen ist.

Politik Karls an jenem Glanz, der sich im Rückblick zum Mythos verklären läßt. Nüchterne Betrachtung dagegen läßt ihn als den ersten »modernen« Staatsmann auf dem deutschen Kaiserthron erscheinen. Karl hat auf die ehrgeizigen Pläne des »Imperium Romanum« verzichtet, was ihm den Haß der kaisertreuen Italiener eintrug. Besonders Petrarca hat sich über den angeblichen Kleinmut des Kaisers mit bitteren Worten geäußert. Karl hat sich während seiner Regierung nur zweimal nach Rom begeben: 1355 zur Kaiserkrönung und 1368/69 zur Rückführung des Papstes aus dem Exil in Avignon. Karls Interesse galt der Vergrößerung seiner Hausmacht und einer Stabilisierung der machtpolitischen Verhältnisse im deutschsprachigen Raum. Das erforderte Einbußen und Zugeständnisse, brachte aber unter anderem den Erfolg, daß während seiner zweiunddreißigjährigen Regierungszeit (1346–1378) ein Krieg vermieden werden konnte. Mit einem modernen Begriff zu sprechen, war Karl ein Politiker des »Machbaren«. Indem er Prag zu einem neuen Zentrum des deutschen Reiches auszubauen versuchte, gewann er für die kulturelle Entwicklung im 14. Jahrhundert entscheidende Bedeutung. Grundlegende Tendenzen der deutschen Kunst des mittleren 14. Jahrhunderts konzentrierten sich in Prag, so daß der Hof Karls IV. zu einer der wichtigsten Positionen im Vorfeld der Renaissance nördlich der Alpen wurde.

Ehe diese These kurz begründet werden kann, ist ein Blick auf die Entwicklung in der ersten Hälfte des 14. Jahrhunderts notwendig. Während in Frankreich die schöpferischen Kräfte mit der Ausformulierung des hochgotischen Kathedralsystems zu erlahmen begannen, entwickelte Deutschland mit der gotischen Hallenkirche – also einem Raum mit gleich hohen Schiffen – die eigenwilligste und bedeutendste Architekturform nördlich der Alpen. Die Hallenkirche ist weder eine »Erfindung« der Spätgotik – mehrere landschaftlich sehr verschieden gerichtete Traditionsstränge führen in die Romanik zurück – noch eine Schöpfung bürgerlicher Auftraggeber, obwohl die Bevorzugung der Hallenform gegenüber der kathedralen Basilika bei den großen städtischen Kirchenbauten im 14. und 15. Jahrhundert unübersehbar ist. Völlig neu aber ist die Interpretation, die die Halle im 14. Jahrhundert erfuhr. Am Beginn dieser Entwicklung stand die 1313 begonnene Wiesenkirche in Soest. Einerseits ist sie eine der anschaulichsten Übertragungen des mystischen Begriffs des »Entwerdens«, weil Stützen und Außenwände in ihrer körperhaften Substanz auf ein Minimum reduziert sind. Andererseits gewinnt der Zwischenraum zwischen Wänden und Stützen eine neue aktive Kraft: Nicht mehr die Raumbegrenzung dominiert, sondern die Negativform des Raumes selber, sein Volumen, entscheidet über die räumliche Qualität. Mit anderen Worten: Raumbegrenzung und Raumvolumen tauschen ihre Rollen; entgegen einer mehr als fünfhundertjährigen Tradition der abendländischen Architektur wurde das Raumvolumen jetzt zur konstitutiven Kraft. Hier liegt der Beginn einer Entwicklung, deren Hauptzeugnisse wir wiederum als »Sonderleistungen« der deutschen Kunst bezeichnen dürfen.

Haben wir die Wiesenkirche aufgrund der Immaterialität ihrer Glieder noch der Hochgotik zuzurechnen, so wandelte sich das Erscheinungsbild um die Mitte des 14. Jahrhunderts in einer Weise, die nach einer neuen Epochenbezeichnung verlangt. 1351 wurde der Grundstein zum Chor des Heiligkreuzmünsters in Schwäbisch Gmünd gelegt. Leitender Baumeister war vermutlich Heinrich Parler. Er übertrug das Prinzip des Hallenraumes auch auf den Chor, indem die Seitenschiffe in voller Höhe um den Hauptchor herumgeführt wurden: ein weiterer Schritt auf dem Weg zum Einheitsraum, der die Zäsur zwischen Langhaus und Chor aufhob. Die Choransicht von außen zeigt zwar gotische Einzelformen, die aber in einem geradezu antigotischen Kontext stehen: Horizontale und vertikale Werte sind zum Ausgleich gebracht, das »Antiponderose« (Hans Jantzen) der Gotik aufgehoben. Die Wände wurden in meßbare, klar abgegrenzte Flächen aufgeteilt. Anstelle von Linie und Umriß traten Körper und Modellierung. Im Inneren erlangte die Raumgrenze, so sehr sie an Substanz zunahm, doch nicht ihre alte Bedeutung: Das Raumvolumen behauptete seine Dominanz, gewann aber an Aktivität hinzu, indem es durch das kräftige, vor- und zurücktretende Horizontalgesims optisch eine Modellierung der Wand bewirkte. Die Forschung des späten 19. Jahrhunderts hat hier den Beginn der Neuzeit gesehen und die neue Stilepoche seit der Mitte des 14. Jahrhunderts sogar als »Renaissance« bezeichnet (August Schmarsow).

Den gleichen Wandel zeigt die Skulptur am Chor des Gmünder Münsters: Die Propheten vom Südostportal sind gekennzeichnet durch die kräftige Modellierung, die Wendung im Raum, die Betonung horizontaler Akzente, die unmittelbar in körperliche Energie umgesetzt werden, den dramatischen Kontrast im Richtungsgegensatz von Arm und Schulter. Hier griffen die ausführenden Meister, freilich ohne stilistischen Rückbezug, jene Kraft der »Vergegenwärtigung« menschlicher Figuren auf, die 100 Jahre zuvor die Hauptwerke der »staufischen Renaissance« geprägt hatte.

Schwäbisch Gmünd wurde zu einem der wesentlichen Ausgangspunkte für die Kunst am Hof Karls IV., denn 1353 wurde Peter Parler aus Gmünd, der Sohn des Meisters Heinrich, als Leiter der Dombauhütte nach Prag berufen. Karl IV. hatte 1344 die Errichtung eines Erzbistums in Prag durchgesetzt und sofort mit dem Neubau des Doms begonnen. Der entwerfende Meister, Matthias von Arras, legte dem Bau das damals bereits veraltete Schema der hochgotischen Kathedrale zugrunde – ohne Zweifel auf Wunsch des Auftraggebers, der eine »Königskirche« plante. Peter Parler fand den Domchor bis zur Höhe der Arkaden ausgeführt vor. An dem Konzept war grundsätzlich nichts mehr zu ändern. Aber durch die geniale Idee, Triforium und unteren Teil der Hochschiffenster ein- und ausschwingen zu lassen, vollendete er das in Gmünd vorgeprägte Prinzip eines »aktiven« Raumes, der seine Grenzen modelliert. Entwicklungsgeschichtlich liegen hier Wurzeln für eine der Architekturauffassungen des Spätbarock. Indem Peter Parler den Raum nach oben mit einem die Zäsuren zwischen den Jochen verschleifenden Netzgewölbe schließt – dem ersten auf dem europäischen Festland –, wird der Einheitsraum auch von seiner oberen Grenze her bestätigt.

Die Prager Dombauhütte ist nicht nur für die böhmische Architektur des fortgeschrittenen 14. Jahrhunderts von grundlegender Bedeutung geworden, sondern ebenso für die Skulptur. Die Figuren auf den Tumben der Przemysliden, der Vorgänger Karls von mütterlicher Seite, in den Chorkapellen des Domes und die Wenzelsstatue in der Wenzelskapelle am Dom setzen den Weg zu realistischer, körperhafter Erfassung der menschlichen Figur fort, der in den Skulpturen am Chor des Heiligkreuzmünsters in Schwäbisch Gmünd begonnen hatte. Vor allem aber sind es die Büsten in der Triforiumszone des Domchors, die in doppelter Hinsicht die wichtigste Position im Vorfeld der Renaissance nördlich der Alpen besetzen. Überraschend ist zunächst das ikonographische Programm: Das Chorhaupt ist nämlich den Mitgliedern der kaiserlichen Familie vorbehalten, und im Langchor folgen die ersten Prager Erzbischöfe, die Architekten und die Baurektoren. Im Unterschied zu den Königsgalerien an französischen Kathedralen handelt es sich also nicht um historische, sondern um zeitgenössische Persönlichkeiten – Zeichen eines neuen Selbstbewußtseins des Menschen in seiner individuellen Einmaligkeit. Dem entspricht der frappierende Portraitcharakter der Dargestellten, der sich gegen die typisierende Darstellungsweise mittelalterlicher Skulptur auf das schärfste absetzt. Ob es sich tatsächlich schon um Portraits im modernen Verständnis des Wortes – also »Abbilder« der jeweils dargestellten Persönlichkeit – handelt, können wir jedoch mangels Vergleichsmöglichkeiten nicht mit Sicherheit sagen. Zweifellos aber bedeutet der Zyklus der Triforiumsbüsten eine der wichtigsten Etappen auf dem Weg zum modernen Bildnis.

Die Auswirkungen der Parlerhütte sind in Architektur und Skulptur im gesamten südostdeutschen, aber auch im norddeutschen Raum auf das vielfältigste zu verfolgen. Dabei ist bisher niemals untersucht worden, wie weit die Mitglieder der Parlerhütte ihrerseits von der böhmischen Tradition beeinflußt wurden. Im Vergleich zu Gmünd besitzen die Prager Skulpturen der Parlerhütte eine eigentümliche Weichheit der Modellierung. Der immer wiederkehrende Kontrast von konvex hervor- und konkav zurücktretenden Partien mit entsprechenden schattenfangenden Höhlungen bewirkt eine »malerische« Komponente im Gesamteindruck. Sollten hier die Parler entscheidende Anregungen von den Malereien des »zweiten böhmischen Stils« verarbeitet haben?

Die Werke, die Meister Theoderich von Prag von 1357 bis 1365 für die Kreuzkapelle in Burg Karlstein gemalt hat, bieten sich zum Vergleich an. Gedrungen proportionierte Gestalten, deren Volumen die Rahmen zu sprengen scheint und deren malerische Ausführung weit über die Grenzen des Jahrhunderts in die Zukunft hinausweist: Nicht mehr die Kontur, die Linie dominiert, sondern die

Verhöhnung des hl. Thomas von Canterbury aus dem Englandfahreraltar von Meister Francke (Hamburg, Kunsthalle)

Der nach 1424 entstandene Wandelaltar für die Gesellschaft der Englandfahrer ist ein eindrucksvolles Beispiel für die Überwindung der mittelalterlichen Kunstauffassung. Anstelle der führenden Funktion der Linie tritt die Modellierung aus der Farbe heraus. Außerdem gelingt es dem Maler, die rein flächenhafte Darstellung zu verlassen und eine räumliche Tiefendimension anzudeuten – auf unserem Beispiel durch die Staffelung der Figuren, besonders des hl. Thomas und seiner Begleiter, und durch die Vorlagerung einer Felspartie, die die Beine der Pferde verdeckt. Von besonderer Bedeutung ist auch die individuelle Gestaltung der Gesichtszüge und die für diese Zeit ungewöhnlich kräftige Farbgebung.

Modellierung aus der Farbe heraus. Gegen Ende des Jahrhunderts fand dieses neue malerische Konzept in den Tafeln aus Kloster Wittingau (heute in der Nationalgalerie in Prag) seine Nachfolge, und auch von hier aus gehen zahlreiche, noch ungenügend untersuchte Auswirkungen in die verschiedensten Richtungen. Der Englandfahreraltar von Meister Francke (1424), heute in der Hamburger Kunsthalle aufgestellt, ist als Beispiel besonders hervorzuheben. Grenzen und Gefahren einer nationalen Kunstgeschichtsschreibung werden am Beispiel der Kunst im Umkreis Karls IV. einmal mehr deutlich.

Die ehrgeizigen Pläne Karls IV., das kulturelle Zentrum Deutschlands in den Südosten zu verlegen, scheiterten an der Politik seiner Söhne, des schwächlichen Wenzel (1378 - 1400) und des politisch tatkräftigeren Sigismund (1410 - 1437). Letzterer berief 1413 das Konstanzer Konzil ein und befreite die Kirche vom abendländischen Schisma, d. h. von ihrer Spaltung aus kirchenrechtlichen Gründen. Durch die rechtlich und moralisch fragwürdige Hinrichtung des böhmischen Reformators Johannes Hus, dem er zuvor freies Geleit zugesagt hatte, beschwor er jedoch die Hussitenkriege herauf. Böhmen trat an der Schwelle zur Neuzeit seinen Weg in die nationale Selbständigkeit an.

An der Schwelle zur Neuzeit

Der Übergang von der Spätgotik zur Frührenaissance, der heute allgemein in der Zeit um 1400 angesetzt wird, bedeutete mehr als eine Stilwende: Es handelt sich um den Einschnitt zwischen zwei Zeitaltern, dem Mittelalter und der Neuzeit der abendländischen Kultur. Es begann eine Epoche, der auch wir unter vielen Aspekten heute noch angehören. Die Kultur des Mittelalters war im wesentlichen auf transzendente, d. h. der unmittelbaren sinnlichen Erfahrung nicht zugängliche Werte ausgerichtet gewesen. In der Kunst wurden »Sinnbilder« für real nicht anschauliche Gestalten und Ereignisse geschaffen. Die Einheit der Neuzeit besteht dagegen in einer anthropozentrischen, auf den Menschen ausgerichteten Kultur. In der Kunst entstanden in zunehmendem Maß »Abbilder« von real erfahrbaren Gestalten, Gegenständen und Geschehnissen, die heilsgeschichtlichen Ereignisse wurden in eine menschlich begreifbare Sphäre übertragen. Vom frühen 15. Jahrhundert aus führte, bei vielerlei Schwankungen und Rückgriffen, ein Weg zum Naturalismus bzw. Impressionismus (der eine subjektive Sonderform des Naturalismus ist) des fortgeschrittenen 19. Jahrhunderts. Natürlich vereinfacht ein solcher Versuch der Begriffsbestimmung notwendigerweise die Komplexität der Phänomene, dürfte aber doch den Rahmen der Epoche in etwa umreißen.

Daß der Übergang vom Mittelalter zur Neuzeit nicht als ein genau festlegbarer Zeitpunkt, sondern als ein allmählicher Prozeß zu begreifen ist, wurde schon angedeutet. Bereits die Kunst des 14. Jahrhunderts hatte mit der Tendenz zur »Vergegenwärtigung« (= Gegenwart werden) den Betrachter nicht mehr nur in eine Welt jenseits der irdischen Realität geführt, sondern die dargestellten Gegenstände sinnlich erfahrbar gemacht, ohne bereits »Abbild« zu werden. Das frühe 15. Jahrhundert ging jedoch einen entscheidenden Schritt weiter. Drei Phänomene sind neben vielen anderen besonders hervorzuheben: Südlich und nördlich der Alpen entstand das Portrait, also die Wiedergabe der einmaligen, unverwechselbaren Persönlichkeit. Das Stifterbild wurde aus der Zwergenhaftigkeit des sogenannten mittelalterlichen Bedeutungsmaßstabs gelöst. Den Stifterfiguren wurde in Malerei und Skulptur das Format der Figuren von Heiligen zugestanden. Und schließlich wurde seit dem Beginn des 15. Jahrhunderts die Kunstgeschichte zur *Künstler*geschichte: Der Künstler begann aus der Anonymität des mittelalterlichen Bauhüttenverbands als eine fest umrissene Persönlichkeit herauszutreten. Alle drei Fälle sind Zeugnisse für den neuen Stellenwert, der der menschlichen Individualität im Gesamtzusammenhang der Schöpfung zugemessen wurde.

Eine einheitliche Epochenbezeichnung für das 15. Jahrhundert bereitet Schwierigkeiten. Bei der italienischen Kunst spricht man von Frührenaissance, bei der Kunst nördlich der Alpen jedoch von Spätgotik. Beides trifft den Sachverhalt nicht: die Frührenaissance entwickelte sich zunächst nur in der Toskana, während die übrigen Zentren, etwa Mailand und Venedig, noch durchaus der gotischen Tradition treu blieben. Andererseits läßt sich ein großer Teil der Kunst nördlich der Alpen nicht mehr unter dem Begriff der Gotik zusammenfassen. Man hat das längst erkannt und versucht, auf Begriffe wie »altdeutsch« oder »altniederländisch« auszuweichen. Für die deutsche Architektur des 15. Jahrhunderts hat Kurt Gerstenberg versuchsweise den Begriff »Sondergotik« geprägt.

In der Kunst des 15. Jahrhunderts nimmt das Altarbild, dessen Anfänge in das 12. Jahrhundert zurückreichen, eine zentrale Stellung ein. In Deutschland waren die kunstlandschaftlichen Unterschiede größer als je zuvor, aber einstweilen noch schwer auf Begriffe zu bringen. Eines ist jedoch auffällig: Speziell in den reichen Handelsstädten des Südwestens (wie übrigens auch Flanderns) setzten sich die Künstler mit den Phänomenen der diesseitigen Wirklichkeit – Figur, Raum und Landschaft – in einem Maß auseinander, das weit über alle Vorstufen im 14. Jahrhundert hinausging. Lukas Moser signierte 1431 den Tiefenbronner Altar, Hans Multscher 1437 den Wurzacher Altar, dessen Tafeln sich heute in Berlin befinden, und 1444 schuf Konrad Witz aus Rottweil mit einer Tafel des Genfer Altars – der Darstellung Christi, der über die Wogen schreitet – das erste Landschaftsbild der abendländischen Malerei, dessen Gegenstand sich eindeutig als Genfer See mit seinen Randgebirgen identifizieren läßt. Begreifen wir die Renaissance im Sinne Jacob Burckhardts als das Zeitalter der »Entdeckung der Welt und des Menschen«, so dürfen wir auch diesen Bereich der Kunst nördlich der Alpen als Frührenaissance bezeichnen. Allerdings erfaßten die Künstler in Deutschland und in den Niederlanden die Gegenstände der Natur zunächst nur intuitiv, wäh-

rend die Italiener sogleich die Gesetzmäßigkeiten in der Darstellung von Raum und Körper zu erkennen suchten. Die neue, der diesseitigen Realität zugewandte Darstellungsweise entfaltete sich in den gleichen Zentren, in denen die Bürger den neuen, vom Raumvolumen her bestimmten Typ der Hallenkirche mit den weithin sichtbaren Einturmanlagen errichten ließen. Wo dagegen Adel und Kirche als Auftraggeber wirkten, blieb die spätgotische Tradition weithin verpflichtend. Das gilt in gleichem Maß für Italien wie für Deutschland. Die Erklärung dürfte im soziologischen Bereich zu suchen sein: Das Bürgertum, als neuer Stand seiner selbst bewußt geworden, war in der Lage, die neuen Möglichkeiten zu ergreifen; nicht gehindert durch eine ihm eigene und verpflichtende Tradition, zudem im Alltag den »Realien« unmittelbar verbunden, schuf es sich eine ihm gemäße Ausdrucksform. Die Frührenaissance darf deshalb als ein vorwiegend vom Bürgertum geprägtes Phänomen bezeichnet werden. Kirche und Adel dagegen legitimierten sich von jeher durch Tradition. Insofern darf man den neuen »Realismus« in der Kunst des frühen 15. Jahrhunderts als eine Art von »Abgrenzungsproblem« des Bürgertums gegen die alten feudalen Auftraggeberschichten begreifen.

Im Gegensatz zu den starken realistischen Tendenzen scheinen die »Schönen Madonnen« zu stehen, die seit dem späten 14. Jahrhundert gerade in bürgerlichen Zentren geschaffen werden. Hier sei mit aller Vorsicht die Frage gestellt, ob diese Gattung nicht Ausdruck eines Kunstwollens ist, das den ästhetischen Reiz eines Kunstwerkes in bisher unbekanntem Maße betont.

Seit der Mitte des 15. Jahrhunderts werden allerorten – südlich und nördlich der Alpen – Anzeichen einer Regotisierung sichtbar. Über die geistesgeschichtlichen, speziell religiösen Gründe dieses Wandels ist schon viel nachgedacht worden. Ihre Rolle soll nicht bestritten werden, aber wiederum dürften gesellschaftspolitische Gründe wesentlich mitbestimmend gewesen sein. Mit wachsendem Reichtum begann das städtische Patriziat nach höfischer Selbstdarstellung zu streben – das Florenz der Medici bietet die reichste historische Überlieferung für diese Erscheinung. Den »Abgrenzungsproblemen« folgten jetzt »Angleichungsprobleme« – wie nach jeder Etablierung eines neuen Standes.

Malerei und Skulptur kehrten zur Dominanz einer reich bewegten Linie auf Kosten der körperlichen Modellierung zurück, dem kostbaren Detail wurde liebevolle Aufmerksamkeit gewidmet. Es ist die Zeit, in der der Schnitzaltar mit reliefierten oder gemalten Flügeln seine reichste Enfaltung fand: Von 1477 bis 1489 schuf Veit Stoß seinen Marienaltar in der Liebfrauenkirche zu Krakau, 1471–1481 entstand Michael Pachers Altar in St. Wolfgang, und schon jenseits der Jahrhundertwende schnitzte Tilmann Riemenschneider den Heiligblutaltar in der Jakobskirche zu Rothenburg (1501–1505) sowie 1505–1510 den Marienaltar in Creglingen – wenige Beispiele einer nahezu unübersehbaren Fülle von Werken höchsten Ranges.

Gegen Ende des Jahrhunderts, auf dem Gipfel bürgerlicher Kultur, erhob sich die deutsche Malerei zu einer seit ottonischer Zeit nicht wieder erreichten Höhe. Erstrangige künstlerische wie historische Bedeutung kommt Albrecht Dürer zu. Er stand zunächst ganz in der Tradition seiner Lehrergeneration, indem er die Linie als sein vornehmstes Gestaltungsmittel verwendete – Heinrich Wölfflin hat von der »kochenden« Linie in den Darstellungen der Apokalypse Dürers gesprochen. Kupferstich und Holzschnitt, beide im frühen 15. Jahrhundert entstanden und als Gattungen dank ihrer Reproduzierbarkeit der Keim aller modernen Massenmedien, waren zunächst seine bevorzugten Techniken. Dabei gewann die Linie eine zuvor unbekannte Ausdruckskraft. Während seiner beiden Italienreisen 1496 und 1506/1507 fand die entscheidende Begegnung mit der italienischen Kunst statt: Dürer erfuhr – wie später Goethe – die für ihn beglückende Ganzheitsvorstellung eines Kunstwerks, die im Gegensatz zu der Vereinzelung der Bildelemente in der Kunst nördlich der Alpen stand; er lernte von den Venezianern die farbige Modulation der Umrisse, und er erkannte schließlich die Notwendigkeit einer fundierten Kunsttheorie, die über die lediglich intuitive Erfassung der Gegenstände hinausgeht. Seit Dürer begann ein lebhafter Austausch künstlerischer Formen zwischen Süden und Norden.

Die Spannweite der deutschen Malerei um 1500 ist erstaunlich: Nahm Dürer seinen Ausgang vornehmlich von der Linie, so setzte Mathis Gothardt Neithardt, eher bekannt unter dem Namen Matthias Grünewald, den Akzent auf die Gestal-

Beweinung Christi. Relief (um 1522–1525) von Tilmann Riemenschneider (um 1460–1531) in der ehemaligen Klosterkirche Maidbronn bei Würzburg.

Um die Mitte des 15. Jahrhunderts wurden in der Kunst Anzeichen einer Regotisierung deutlich. Auch bei Riemenschneider ist die Rückkehr zur Dominanz der Linie auf Kosten der körperlichen Modellierung erkennbar. Gleichwohl bleibt die ausdrucksvolle individuelle Gestaltung der Gesichtszüge erhalten (in der mittleren aufrecht stehenden Figur, dem Nikodemus mit der runden Deckelbüchse, hat man ein Selbstbildnis Riemenschneiders erkannt).

Albrecht Altdorfer: Donaulandschaft bei Schloß Wörth (um 1520/25; Alte Pinakothek München)

Die Maler der sogenannten Donauschule, die mit der Reise der Maler Jörg Breus und Lucas Cranach nach Österreich ihren Anfang nahm, wandten sich in neuer Weise der Darstellung der Landschaft zu. Nachdem Konrad Witz 1444 mit einer Tafel des Genfer Altars das erste Gemälde der abendländischen Malerei mit einer identifizierbaren Landschaft (Genfer See) gemalt hatte, ist Altdorfers Donaulandschaft die erste Darstellung, in die keine menschlichen Figuren aufgenommen wurden. Landschaft enthält um ihrer selbst willen Bedeutung und wird zum Ausdruck einer die Welt durchdringenden Gottheit. Man ist versucht, von einer ersten Phase der »Romantik« in der deutschen Kunst zu sprechen.

tung aus der Farbe heraus. Sein Isenheimer Altar (um 1512 begonnen) ist der bedeutendste Beitrag zur Geschichte der Farbe, den die gesamte deutsche Kunst geleistet hat. Wieweit hier Beziehungen zu den neuen Farbtheorien Leonardos da Vinci und Giorgiones bestehen, bedarf noch der Klärung.

Von der Modulation der Farbe gingen auch die Maler der sogenannten Donauschule aus, allen voran der junge Lucas Cranach und Albrecht Altdorfer. Die Darstellung der Landschaft spielte eine hervorragende Rolle, und angesichts der »Stimmungslandschaften« von Cranach und Altdorfer ist man versucht, von einer ersten Phase der »Romantik« in der deutschen Kunst zu sprechen. Der Begriff der Donauschule wird neuerdings auch auf Phänomene der Skulptur (Hans Leinberger, Meister von Ottobeuren) und der Architektur (Domkreuzgang in Regensburg; die in Böhmen entstandenen Werke des Benedikt Ried) angewandt. – Die etwas jüngeren Vertreter der deutschen Malerei um 1500, Hans Baldung Grien und Hans Holbein der Jüngere, sind bereits von einem distanzierten Skeptismus geprägt, der die geistesgeschichtlichen Umwälzungen während des ersten Viertels des 16. Jahrhunderts widerspiegelt.

Was aber geschah in den Jahrzehnten, die man als das Zeitalter der Reformation bezeichnet? Zunächst einmal folgte dem neuen Selbstverständnis des sich seiner Individualität bewußt gewordenen Menschen eine neue Weltanschauung, und zwar im unmittelbaren Sinne des Wortes. 1492 hatte Columbus in der Absicht, Indien auf dem Seeweg zu erreichen, Amerika entdeckt. Es folgten die großen Entdeckungsreisen der Italiener, Spanier und Portugiesen sowie 1519–1522 die erste Weltumseglung durch Fernão de Magalhães (Magellan): nicht nur eine bewundernswerte Pionierleistung, sondern für die Naturwissenschaften der endgültige Beweis für die seit frühchristlicher Zeit vermutete Kugelgestalt der Erde. Die in sich ruhende »Alte Welt« wurde in ihrem Bezug auf das Ganze relativiert; sie konnte fortan nicht mehr als das von einigen mehr oder minder exotischen Randzonen umgebene Zentrum der Erde gelten, sondern lediglich noch als ein verhältnismäßig kleiner Abschnitt innerhalb eines weiten, großenteils noch unerforschten Horizonts. Die Vielfalt der Länder, Völker und Kulturen stellte Europa und seine Randgebiete als den allgemeingültigen Maßstab in Frage. Und noch in anderer Richtung änderte sich das Weltbild: Kopernikus revidierte in der Nachfolge des Regiomontanus die Lehre von der Planetenbewegung in Richtung auf ein heliozentrisches Weltbild – nicht die Erde, sondern die Sonne bildet das Zentrum der kreisförmigen Planetenbahnen, und auch die Erde umkreist die Sonne und dreht sich gleichzeitig um ihre eigene Achse. Welche Wirkungen diese Erkenntnisse und Entdeckungen auf das Bewußtsein der Zeitgenossen hatten, ist für uns im Zeitalter der scheinbar unbegrenzten technischen Möglichkeiten nur noch schwer nachzuvollziehen.

Konsequenterweise folgte dem neuen Individualismus der Frührenaissance eine religiöse Revolution. Die römische Kirche verharrte in den Traditionen des Mittelalters und sah in der Gesamtheit der Gläubigen nur das Kollektiv. Martin Luthers Thesenanschlag im Jahr 1517 war der Auftakt einer Bewegung, die die Allgemeingültigkeit des von den Reform- und »Ketzerbewegungen« niemals ernsthaft angetasteten Selbstverständnisses der römischen Kirche für alle Zukunft in Frage stellen sollte. Die katholische Kirche hat mit den Reformen des Trientiner Konzils um die Mitte des 16. Jahrhunderts zum Gegenschlag ausgeholt und das religiöse Leben in weiten Gebieten Europas restauriert. Aber es handelte sich dabei um eine unter Anspannung aller Kräfte vollzogene Re-Aktion, die den alten Zustand der Selbstverständlichkeit, der nicht hinterfragten Wahrheiten nicht wiederherstellen konnte. Und vor allem zog sich die Glaubensspaltung als ein ständiger Konfliktherd durch die folgenden Jahrhunderte der deutschen Kultur.

Luthers Lehre von der »Freiheit des Christenmenschen«, der seiner eigenen Verantwortlichkeit übergeben wird, ist zweifellos eine der größten Taten der deutschen Geistesgeschichte. Sie barg aber auch in doppelter Hinsicht Gefahren, die sich in der Zukunft mehrfach als Katastrophe auswirken sollten: Erstens überschätzte Luthers Lehre die moralische Qualität des Menschen, denn der wohlverstandene Protestantismus setzt eine elitäre Geisteshaltung voraus. Zweitens beschränkte sich Luthers Lehre auf die *innere* Freiheit des Menschen, forderte aber strengen Gehorsam gegenüber der weltlichen Macht. Auf diese Weise förderte der Protestantismus ein obrigkeitsstaatliches Denken, das auf Jahrhunderte hinaus die Entwicklung eines demokratischen Verständnisses verhindern sollte. Welchen Lernprozeß Deutschland hier nachzuholen hat, erfahren wir in der unmittelbaren Gegenwart.

Die negativen Folgen der Reformation hat Luther noch erlebt. Von 1524 bis 1526 tobten die Bauernkriege, nachdem schon zuvor etwa der Bundschuh größere Freiheiten für den Bauernstand gefordert hatte. Unter dem Eindruck der reformatorischen Lehre wollten die Bauern sich in das staatliche Leben eingliedern, verlangten Aufhebung der Leibeigenschaft und der weltlichen Kirchenherrschaft. Nach anfänglichen Erfolgen wurden die Aufständischen vernichtend geschlagen, zumal ihrer Bewegung ein koordinierender Führer fehlte. Luther versuchte zunächst zu vermitteln, stellte sich dann aber eindeutig auf die Seite der Obrigkeit.

Die Ablehnung des Bilderkultes, am schärfsten von Calvin vertreten, führte in Deutschland und den Niederlanden zu einem verheerenden Bildersturm, der nur dem Ikonoklasmus – der byzantinischen Bilderverbrennung im 8. Jahrhundert – vergleichbar ist. Das Ausmaß der Zerstörungen dürfte erst von der Vernichtungswelle durch die Luftangriffe des Zweiten Weltkriegs übertroffen worden sein.

Das Augsburger Rathaus

Der städtische Repräsentationsbau im Stil der Renaissance wurde nach den Plänen von Elias Holl in den Jahren 1615 bis 1620 errichtet. Der Querschnitt verdeutlicht die räumliche Gliederung im Innern, der die horizontale Gliederung der Fassade entspricht.

Schloß Glücksburg in Schleswig-Holstein

Das 1583–1587 erbaute Wasserschloß gehört zu den bedeutendsten Renaissance-Bauten des nördlichen Deutschland. Es wurde im Auftrag des Herzogs Johann des Jüngeren von N. Karies als geschlossener Komplex von drei symmetrisch angelegten Giebelhäusern mit vier mächtigen Ecktürmen errichtet. Architektonisch hervorzuheben sind die Betonung der Horizontalen, in die selbst die Ecktürme, die sich nur wenig über das Hauptgebäude erheben, einbezogen werden, sowie die ruhige Proportionierung der Gebäudeteile und die schlichte Fassadengliederung.

Die durch das ganze 16. Jahrhundert anhaltenden religiösen Auseinandersetzungen hatten aber für die deutsche Kultur noch eine bis in das 20. Jahrhundert nachwirkende Konsequenz, die Golo Mann am treffendsten gekennzeichnet hat: »Deutschland, das bisher alle großen Erfahrungen Europas mitgemacht hatte, Romanisierung und Christentum, Feudalismus und Kreuzzüge, Klöster und Universitäten, Städte und Bürgerstand, Renaissance und Reformation, machte nun die größte aller Erfahrungen nicht mehr mit: die beginnende Europäisierung der Welt. Seine Schiffe pflügten weder den Atlantischen noch den Indischen Ozean. Sein Handel schrumpfte, seine Städte verarmten, sein Bürgertum verknöcherte. Die unschätzbare Erziehung, welche die Kolonisation und der Kampf um die Kolonien bedeuten, die Erweiterung des Horizonts, die materielle Bereicherung und Intensivierung des Lebens, an alledem hatte Deutschland geringen Anteil.« Mit

anderen Worten: Die Reformation eröffnete der deutschen Kultur den Weg in einen gewissen Provinzialismus, den sie Jahrhunderte hindurch nicht wieder zu überwinden vermochte. Das Fehlen großer Auftraggeber machte sich schmerzlich bemerkbar. Nicht umsonst verbrachte Deutschlands bedeutendster Maler nach dem Tod Dürers, Hans Holbein, einen großen Teil seines Lebens in England. Lucas Cranach, einer der phantasiebegabtesten Maler um die Jahrhundertwende, glitt als Hofmaler Friedrichs des Weisen von Sachsen in einen kühlen, gekünstelten Ästhetizismus ab. Die Auseinandersetzung mit der Renaissance erfolgte vorwiegend im ornamentalen Bereich, wobei das Formengut meist nicht einmal direkt, sondern über die Niederlande vermittelt wurde. Der Ottheinrichsbau des Heidelberger Schlosses ist ein schönes Beispiel für die Vorherrschaft der Dekoration über die Strukturprinzipien der Hochrenaissance.

Barock und Spätbarock

Große Ansätze zeigten sich besonders in der Architektur erst wieder in der Zeit um 1600, und zwar in den von der Gegenreformation zurückgewonnenen Gebieten Deutschlands. Die Jesuitenkirche St. Michael in München, eine freie Interpretation der Kirche Il Gesù in Rom, die Jesuitenkirchen in Eichstätt und Dillingen, die Hofkirchen in Neuburg und Bückeburg, Georg Riedingers Schloßbau in Aschaffenburg und allen voran die Bauten des Elias Holl in Augsburg, Rathaus und Stadtwaage, setzten Signale, die den Anschluß an die internationale Entwicklung anzukündigen schienen. Aber die kurze Blütezeit wurde jäh durch die Wirrnisse und Schrecken des Dreißigjährigen Krieges erstickt, der sich im Gefolge der fortdauernden religiösen Auseinandersetzungen entfachte. Nach dem »Westfälischen Frieden« im Jahr 1648, in dem es Rom nicht gelang, eine komplette Rekatholisierung Deutschlands, besonders der nördlichen Gebiete, zu erreichen, ist das Reich einer totalen wirtschaftlichen Zerrüttung zum Opfer gefallen. Sie entzog allen großen kulturellen Leistungen im Bereich der bildenden Künste, wie sie gleichzeitig in Italien und Frankreich, aber auch in den früher erstarkenden Niederlanden entstanden, den Nährboden. Zu der politischen Zersplitterung kamen noch die konfessionellen Gegensätze hinzu.

In den protestantisch verbliebenen oder gewordenen Gebieten entfalteten sich jetzt jene Möglichkeiten künstlerischen Ausdrucks, die weniger als die bildenden Künste auf großzügiges Mäzenatentum angewiesen waren: Musik und Literatur. Schon vor 1648 hatten besonders sächsische und schlesische Dichter Not und Unsegen des Krieges beklagt. Günter Grass hat das in seiner Erzählung vom »Treffen in Telgte« anschaulich paraphrasiert. Ebenfalls im mitteldeutschen Raum entstand aus der Berührung mit der italienischen eine eigenständige deutsche Musik, deren Hauptvertreter neben den Komponisten Schein und Scheidt Heinrich Schütz wurde.

War die Epoche des Hochbarock an Deutschland nahezu ganz vorübergegangen, so entfaltete der Spätbarock besonders in der Architektur noch einmal einen Reichtum an Ausdrucksformen, der mit den Zeugnissen der Spätgotik wetteifern kann. Während sich in den romanischen Ländern für die bildende Kunst bereits Zeichen einer klassizistischen Abkühlung ankündigten, erwachten in den deutschsprachigen Gebieten die schöpferischen Kräfte in einer Vielfalt der Möglichkeiten, als gälte es, durch Generationen hindurch Versäumtes aufzuholen.

Zunächst waren es in Süddeutschland vornehmlich italienische Architekten, die die Formen des römischen Hochbarock über die Alpen brachten (München, Theatinerkirche von Agostino Barelli, seit 1673). Sehr bald aber traten an ihre Stelle deutsche Künstler, die in der Regel in Italien geschult wurden. Die landschaftlichen Unterschiede ergeben ein Bild von außerordentlicher Variabilität. Andreas Schlüter (1660 - 1714) begründete mit seinem 1699 begonnenen Berliner Schloß, das ein Opfer der Zeit nach dem Zweiten Weltkrieg geworden ist, einen spezifisch preußischen Barock, dessen strenge »klassische« Formen in der Nachfolge Berninis stehen. Schlüter ist zugleich der bedeutendste deutsche Bildhauer der Epoche (Reiterstandbild des Großen Kurfürsten, 1696 - 1709; Masken am Zeughaus). – Ebenfalls in Rom geschult, aber stärker den modellierenden Architekturprinzipien Borrominis verpflichtet, war der Hauptmeister des österreichischen Barock, Johann Bernhard Fischer von Erlach. Die Fassade der von Kaiser Karl VI. 1713 gestifteten Karlskirche in Wien ist ikonographisch ein Nachklang der alten kaiserlichen Reichsidee: Tempelfront und gedrehte Säulen beschwören das antike Rom, die Säulen zugleich den Salomonischen Tempel (Hans Sedlmayr), die Kuppel die Peterskirche als Zentrum der Christenheit. Aber hinter diesem Programm steht keinerlei politische Realität mehr, es entspringt rhetorischem Pathos.

In Sachsen schuf Daniel Pöppelmann in Verbindung mit dem überragenden Bildhauer Balthasar Permoser eine Vorform des Rokoko. Im Zwinger zu Dresden wurde die Architektur als Ornament interpretiert bzw. das Ornament in Architektur umgesetzt; die Fassaden wirken als nach außen gewandte Innenraumgliederungen.

Das Jahrzehnt von 1685 bis 1695 wurde zur Grundlage der bisher letzten alle künstlerischen Bereiche umspannenden Blütezeit der deutschen Kultur: 1685 wurden Johann Sebastian Bach, Georg Friedrich Händel und Dominikus Zimmermann geboren; es folgen 1687 Balthasar Neumann, 1686 bzw. 1692 die Brüder Cosmas Damian und Egid Quirin Asam, 1692 Johann Michael Fischer. Die Erscheinungs-

Die Wallfahrtskirche in der Wies

Die 1757 vollendete Wieskirche ist das letzte große Werk des Baumeisters Dominikus Zimmermann (1685 – 1766). Auf der bayerischen Waldwiese ereignete sich im Jahr 1738 der Legende nach ein Wunder, als ein Erbärmdebild, ein Christus an der Martersäule, Tränen vergoß. Der Ort wurde zum Wallfahrtsziel, und 1745 legte der Abt von Steingaden den Grundstein zu der Kirche. Im Unterschied etwa zu Johann Michael Fischer, der in seiner Klosterkirche in Rott am Inn (1759 – 1767) noch einmal mit architektonischer Strenge das Thema der Durchdringung von Längs- und Zentralbau aufgreift, löst Zimmermann architektonische Formen ins Ornament auf, wodurch die Wieskirche zum Inbegriff des bayerischen Rokoko geworden ist. Auf dem Foto ist erkennbar, wie sich die ornamentale Gestaltung nach oben verdichtet und den Blick des Besuchers in die Höhe leitet.

Caspar David Friedrich (1774–1840): Böhmische Landschaft (Staatsgalerie, Stuttgart)

Die Romantik gilt als eine besonders in Deutschland ausgeprägte Kunstauffassung und Caspar David Friedrich als ihr besonders deutscher Vertreter. Damit ist jene kontemplative, sich ins Geistige versenkende Haltung gemeint, die Hölderlin in der ersten Strophe seines Gedichts »An die Deutschen« selbstkritisch beklagt:
»Spottet nimmer des Kinds, wenn noch das alberne / Auf dem Rosse von Holz herrlich und viel sich dünkt, / O ihr Guten! auch wir sind / Tatenarm und gedankenvoll!«
In diesem Zusammenhang ist gerade in letzter Zeit oft hervorgehoben worden, daß die überkommene Aufteilung der bildenden Künste des 19. Jahrhunderts in Klassizismus und Romantik einer solchen Grundhaltung nicht gerecht wird. Bei aller romantischen Stimmung ist etwa die Komposition der »Böhmischen Landschaft« von einer geradezu klassizistischen Strenge (der Gipfel des höchsten Berges liegt fast genau im Mittelpunkt der Bilddiagonalen, also in der Bildmitte).

formen in Musik und Architektur waren gleichermaßen vielgestaltig und untereinander eng verwandt: kunstvolle polyphone Linienführung, weit ausschwingende Melodik, strahlende Akkordfolgen, eine reich variierte Verzierungskunst fanden sich in Musik und Architektur. Erstaunlich ist die Höhe des durchschnittlichen Niveaus, das sich weit über den üblichen Begriff des Handwerklichen hinaushob. Von besonderem Reiz ist die Ambivalenz dieses ausgesprochenen »Spätstils«: Zielt er einerseits auf Überwältigung bzw. Verzauberung des Betrachters, so streift ihn andererseits bereits ein Hauch von Rationalität. Schon Fischer von Erlach hatte sich mit seinem »Entwurf einer historischen Architektur« (1721) als Kind der Aufklärung erwiesen. Seit etwa 1730 wurden die Sphären des Realen und des die sinnliche Erfahrung Übersteigenden getrennt: Zwar öffnet sich die obere Raumgrenze im Fresko noch als Himmel, aber nicht mehr in Fortsetzung der gebauten Architektur (Hermann Bauer). Und etwa seit der gleichen Zeit begann man den Wert des *historischen* Baudenkmals zu erkennen. Wie Christine Liebold nachgewiesen hat, ist die häufige Umgestaltung mittelalterlicher Kirchenräume anstelle von Neubauten nur teilweise auf den Mangel an finanziellen Mitteln zurückzuführen, häufig dagegen auf ein neu erwachtes Geschichtsbewußtsein (Dom zu Freising, St. Emmeram in Regensburg, Klosterkirchen Rottenbuch und Ettal). So reich an schöpferischer Phantasie diese Epoche war, so eigenwillig war ihr Abschluß. Während die grandiose Raumkonzeption von Johann Michael Fischers Klosterkirche in Rott am Inn, die noch einmal das große Thema der Durchdringung von Längs- und Zentralbau aufgreift (1759–1767), bereits einen Hauch von klassizistischer Kühle verbreitet, ist Dominikus Zimmermanns Wallfahrtskirche in der Wies durch die völlige Auflösung der Architekturformen ins Ornament zum Inbegriff der »Bayerischen Rokokokirche« geworden (1757 vollendet).

In Preußen hatte sich am Hof Friedrichs des Großen gleichzeitig das sogenannte friderizianische Barock entfaltet, das – entsprechend den Neigungen des Königs – stark französisch beeinflußt war und ebenfalls auf das Ende der Epoche hinwies (Schloß Sanssouci in Potsdam, 1745–1747; Berliner Opernhaus, 1741–1743). Friedrich ist durch seine imponierenden Erfolge in dem David-Goliath-Kampf des Siebenjährigen Krieges, durch seine vielseitige intellektuelle und musische Bildung zu einer Art von Identifikationsfigur für die Deutschen im 19. und 20. Jahrhundert geworden. Dabei ist das moralisch Anfechtbare seiner spät-machiavellistischen Persönlichkeit nur zu gerne übersehen worden – man lese sein »Politisches Testament von 1748«! Die Bewunderung seiner Taten, die bis zum heutigen Tag in den deutschen Geschichtsbüchern fortlebt, hat nicht unwesentlich dazu beigetragen, unser Demokratieverständnis zu verzerren.

Die Moderne

Soweit wir das zur Zeit überschauen können, ist der Barock die letzte einheitliche Stilepoche der abendländischen Kunst gewesen. Man hat sich angewöhnt, vom 19. Jahrhundert als dem Zeitalter des »Stilpluralismus« zu sprechen. Die Wurzeln dieses Pluralismus reichen aber weit in das 18. Jahrhundert zurück. Im Zuge der Aufklärung machte die Reflexion der Emotion den Rang streitig. An die Stelle der Anschauung trat der Gedanke – und in seinem Gefolge das Wort. Man versuchte, den eigenen historischen Standpunkt zu bestimmen – und damit zugleich zu relativieren. Der Blick in die Vergangenheit sollte Wege für die Zukunft zeigen. Aber man verklärte die Vergangenheit zu Wunschzeiten, die in dieser Form niemals bestanden hatten. Winckelmann versucht, eine in vielen Punkten mißverstandene Antike zum Leben zu erwecken – wobei diese Einschränkung die Größe seiner wissenschaftlichen Leistung nicht schmälern soll. Der junge Goethe verherrlichte beispielsweise in seinem Aufsatz über Erwin von Steinbach in völliger Verkennung der historischen Tatsachen einen Geniebegriff, der derjenige seiner eigenen Jugend – des »Sturm und Drang« – war. Die Romantik schließlich, in allen künstlerischen Kategorien schwer einzugrenzen, wendete sich einem in wesentlichen Punkten mißverstandenen Mittelalter zu. In dieser rückblickenden Dimension lag die gemeinsame Wurzel zahlreicher Phänomene des späten 18. und des gesamten 19. Jahrhunderts. So lassen sich in der bildenden Kunst Klassizismus und Romantik auf weite Strecken nicht scheiden. Caspar David Friedrich ist nach inhaltlichen Gesichtspunkten der Romantik, nach formalen Prinzipien dem

Klassizismus zuzuordnen. Karl Friedrich Schinkel, Deutschlands bedeutendster Architekt nachbarocker Zeit, hat sich sowohl gotischer als auch antiker Vorbilder bedient. Die Auseinandersetzung mit der Vergangenheit hat, leidenschaftlich angefacht durch die Befreiungskriege, zu einer bis heute nicht revidierten »Heroisierung«, später sogar »Mythologisierung« angeblicher verlorener nationaler Größe geführt, die in den – stilistisch zwischen Spätromantik und Neobarock anzusiedelnden – Musikdramen Richard Wagners gipfelte. Leo von Klenze errichtete 1830–1842 hoch über dem Ufer der Donau bei Regensburg die Walhalla, einen »griechischen« Ruhmestempel, der die Büsten der großen Deutschen der Vergangenheit bewahrt.

Die größten kulturellen Leistungen um die Wende vom 18. zum 19. Jahrhundert lagen zweifellos auf den Gebieten von Dichtung, Philosophie und Musik. Goethe, Schiller und Kant haben sich unmittelbar für die Möglichkeit einer »Erziehung des Menschengeschlechts« ausgesprochen. Die Musik Mozarts und Beethovens gehört mittelbar in den gleichen Bereich. War dieser Appell für eine Humanisierung der Welt eine Utopie? Oder könnte das Gedankengut des »deutschen Idealismus« – die bewundernswerteste Leistung abendländischen Denkens seit der Vision des heiligen Franz von dem wahren Leben in der Nachfolge Christi – Perspektiven für die Zukunft eröffnen?

Die Einheit des 19. Jahrhunderts ist vorläufig in der Vielfalt der Erscheinungen noch nicht zu erfassen – möglicherweise werden sich später aus größerer zeitlicher Distanz verbindende Grundtendenzen abzeichnen. Unter kunstgeschichtlichen Aspekten handelt es sich zweifellos um eine eminent von malerischen Werten bestimmte Epoche. Die führende Rolle fiel dabei Frankreich zu. – In der Architektur folgten auf die »Wiedererweckung« des Mittelalters Neorenaissance und Neobarock – eine Abfolge, in der sich die Tendenz des Großbürgertums zu

Blick auf den Königsplatz in München mit den Propyläen (links) **und der Glyptothek**

Die beiden klassizistischen Gebäude wurden von Leo von Klenze (1784–1864; ab 1815 Hofarchitekt des Königs von Bayern) entworfen, wobei sich die Propyläen (1846–1860) an den von Mnesikles 438–432 v.Chr. auf der Athener Akropolis errichteten Propyläen orientieren, während die Glyptothek (1816 begonnen) der römischen Antike nähersteht als der griechischen.
Der Platz war ursprünglich begrünt und wurde erst von den Nationalsozialisten mit Platten ausgelegt. Damit wurde der kalte imperiale Charakter der Architektur noch mehr unterstrichen und konnte im Sinne der Ideologie des »Dritten Reichs« bruchlos nutzbar gemacht werden.

aristokratischer Lebenshaltung widerspiegelt. Parallelen zur Entwicklung im 15. Jahrhundert sind unübersehbar.

In gewisser Weise darf der »Jugendstil« als das Rokoko des ausklingenden 19. Jahrhunderts bezeichnet werden – nicht zuletzt wegen der Ästhetisierung der gesamten alltäglichen Umgebung bis hin zu Möbeln und Geschirr. Nahezu gleichzeitig aber meldeten sich Gegenströmungen. Der abbildende Charakter von Malerei und Skulptur, der sich seit dem Ausklang des Mittelalters zunehmend vervollkommnet hatte, wurde in Frage gestellt. Einerseits vermochte die neue Gattung der Photographie die äußere »Wahrheit« eines Gegenstandes getreuer festzuhalten als ein Kunstwerk, andererseits suchte die Kunst nach Inhalten, die hinter der äußeren Erscheinung liegen. Expressionismus in Deutschland, Fauvismus und Kubismus in Frankreich, Futurismus in Italien waren die annähernd zeitgleichen Strömungen, die das Naturvorbild zugunsten gesteigerten Ausdruckes verformten oder neue Themen wie etwa die Veranschaulichung von Bewegung suchten. In Deutschland folgte auf die Künstlergemeinschaft »Die Brücke« (seit 1905) die stärker von Frankreich beeinflußte Vereinigung des »Blauen Reiter« (seit 1910), in dessen Rahmen durch Kandinsky der Durchbruch zum gegenstandslosen Bild, zur »reinen« oder »konkreten« Kunst erfolgte.

Die Spannweite der Möglichkeiten in den ersten Jahrzehnten unseres Jahrhunderts war auch in Deutschland groß: Neue Sachlichkeit, Dadaismus, Surrealismus, Konstruktivismus folgten aufeinander bzw. durchdrangen einander. Ein sammelndes Zentrum wurde das 1919 von Walter Gropius in Weimar gegründete Bauhaus, das sich allen Kunstgattungen widmete. Hier entstand unter anderem die faszinierende These von der Lehr- und Lernbarkeit künstlerischer Ausübung, die wegweisend für den modernen Kunsterziehungsunterricht an unseren Schulen geworden ist.

Der Beginn des »Dritten Reiches« 1933 brach alle fruchtbaren Entwicklungen jäh ab. Die fortschrittlichen Tendenzen wurden als »Entartete Kunst« disqualifiziert, die offiziell anerkannte Kunst verfiel trotz eines handwerklich häufig beträchtlichen Könnens einem schwachen Eklektizismus. Nicht, daß die Kunst für propagandistische Zwecke benutzt wurde, muß als das eigentliche Verhängnis

Der Historismus in der Architektur

Während der Klassizismus und die Neugotik noch als relativ geschlossene, wenn auch »abgeleitete« Stilformen zu betrachten sind, bildete sich in der zweiten Hälfte des 19. Jahrhunderts ein Pluralismus der herangezogenen historischen Stilvorbilder heraus, der im Pomp der Gründerzeit gipfelte. Eine gewisse Ordnung ergab sich aus der Verwendung bestimmter historischer Bauformen für die einzelnen Bauaufgaben. So wurden Kirchen im romanischen oder gotischen Stil erbaut, höfische Repräsentationsgebäude im Stil des Barock.

angesehen werden – das hatte es in der mehr als tausendjährigen Entwicklung des Abendlandes häufig gegeben, beispielsweise zur Zeit Karls des Großen, in der Hochrenaissance, im Barock –, sondern die Reglementierung der formalen Mittel; sie führte die deutsche Kunst zwischen 1933 und 1945 ad absurdum.

Am Ende des Zweiten Weltkriegs befand sich die deutsche Kultur in mehrfacher Hinsicht in einem desolaten Ausnahmezustand: Zahlreiche Positionen im künstlerischen und wissenschaftlichen Bereich konnten infolge der Emigration nicht angemessen wiederbesetzt werden. Man muß sich bewußt machen, daß nicht nur zahlreiche führende Kräfte an das Ausland verlorengegangen waren, sondern daß auch die Schülergeneration eben dieser Kräfte nicht zur Verfügung stand. Ob der Anschluß wiedergewonnen werden kann, steht trotz eines mit bewundernswerter Tatkraft und Zielstrebigkeit durchgeführten Wiederaufbaus derzeit noch offen.

Zudem befand sich Deutschland in einem Grade der Verwüstung, der alle vorangegangenen Katastrophen der Geschichte weit in den Schatten stellt. Für den Wiederaufbau der Städte fehlten zunächst sowohl die finanziellen Mittel als

Neue Nationalgalerie in Berlin (West)

Die Nationalgalerie ist eine der letzten Bauten des 1969 verstorbenen Architekten Ludwig Mies van der Rohe. Sie ist ein anschauliches Beispiel für einen Baustil, der seinen ästhetischen Ausdruck aus dem Verzicht auf jegliche ornamentale Ausschmückung und aus der Reduzierung der architektonischen Form auf die klare Linie und die einfach gegliederte Fläche bezieht. Die äußere und innere Form des Gebäudes soll nicht auf eine außerhalb der architektonischen Funktion liegende Idee verweisen, sondern nur die Funktion des Bauwerks in adäquater Weise vermitteln.

auch praktikable Modelle – die Neuplanung einer nahezu unübersehbaren Fülle von Stadtgebieten war eine niemals vorausgesehene Aufgabe. Infolgedessen vollzog sich der Wiederaufbau, je nach den wirtschaftlichen Möglichkeiten, punktuell, was vielfach zu zerrissenen, jedenfalls diskontinuierlichen Stadtbildern führte. Als eine der Ausnahmen ist der Wiederaufbau Hannovers durch Rudolf Hillebrecht zu nennen.

Aber nicht nur die Stadtplanung, sondern die gesamte Architektur sah sich vor potenzierte Schwierigkeiten gestellt. Auf eine vergleichbare Fülle von Aufgaben in den Bereichen öffentlicher, industrieller, kirchlicher und privater Aufträge ist zu keinem Zeitpunkt der für uns überblickbaren Kulturgeschichte eine Architektengeneration vorbereitet gewesen. Infolgedessen mußten viele Lösungen unbefriedigend bleiben – bei herausragenden Leistungen wie den Berliner Bauten von Hans Scharoun oder den Kirchenbauten von Gottfried Böhm.

Einen ganz neuen Stellenwert gewann in diesem Rahmen die Denkmalpflege. Eine heftige Diskussion entbrannte unter breiter Teilnahme der Öffentlichkeit um die grundsätzlichen Fragen von Wiederaufbau, Neubau oder Verbindung von Altem und Neuem. Diese Diskussion ist von grundsätzlicher Natur, in deren Zentrum eine hier nur anzudeutende Frage steht: Ist in der Architektur der Entwurf, das Konzept oder aber der ausgeführte Bau als das »Original« anzusehen? Die zunächst im Bewußtsein wachsender wirtschaftlicher Kräfte häufig zugunsten der Neuschöpfung entschiedene Frage scheint neuerdings einer Befürwortung des Bewahrenden zu weichen. Wo aber in einem wiederum seiner Einheit beraubten Deutschland die Wohlstand und zunehmende Technisierung übergreifenden kulturellen Perspektiven gefunden werden können, nach denen vor allem die junge Generation in verschiedenen Richtungen auf der Suche ist, läßt sich im Augenblick nicht beantworten.

Wagner-Aufführung in Bayreuth

Auf der Suche nach zeitgemäßen, lebendigen künstlerischen Ausdrucksformen nimmt das Theater in unserer Zeit einen besonderen Platz ein. Große Bühnen wie Bayreuth, Hamburg, München, Bochum oder Stuttgart ziehen regelmäßig mit aufsehenerregenden Neuinszenierungen das öffentliche Interesse auf sich, das sich längst nicht mehr auf wenige Kunstspezialisten beschränkt. Das liegt nicht zuletzt daran, daß gerade das Theater bemüht ist, Kunstwerke der Vergangenheit durch Bezugnahme auf die Gegenwart immer wieder neu verstehbar zu machen.

Die Autoren

Alfred Herold

Geboren 1929 in Würzburg; ab 1949 Studium der Naturwissenschaften (spez. Geographie); 1956 Promotion (Dr. rer. nat.); 1964 Habilitation; 1967 Umhabilitation an die Universität Mainz; 1968 Professor an der Universität Mainz; seit 1973 Professor an der Universität Würzburg.

Veröffentlichungen:

zur Landeskunde Mitteleuropas, Nordeuropas und Südosteuropas. Spezialuntersuchungen zur Wirtschafts-, Siedlungs- und Verkehrsgeographie. Zahlreiche Arbeiten über junge Strukturwandlungen in Süddeutschland und seine Nachbarräume. Mitarbeiter an mehreren Lexika, Sachbüchern, Regionalatlanten, Reiseführern und Handbüchern.
Über 200 Auslandsreisen.
Vorlesungs- und Vortragstätigkeit, unter anderem bei der Verwaltungs- und Wirtschaftsakademie Würzburg, Schweinfurt, Aschaffenburg sowie vor zahlreichen Volkshochschulen und wissenschaftlichen Gesellschaften des In- und Auslandes.

Wilfried von Bredow

Geboren 1944, nach Gymnasium und Bundeswehr Studium der Politikwissenschaft, Literaturgeschichte und Soziologie in Bonn, Köln und Paris, Dr. phil. in Bonn (bei K. D. Bracher) mit einer Arbeit über den Wehrbeauftragten Heye, 1969; von 1969–1972 Wiss. Assistent und Akadem. Rat am Seminar für Politische Wissenschaft der Univ. Bonn; seit 1972 Professor für Polit. Wiss. an der Philipps-Universität Marburg, 1975–1977 Vizepräsident der Philipps-Universität, 1977/78 Research Fellow am St. Antony's College in Oxford.

Veröffentlichungen:

Der Primat militärischen Denkens, Köln 1969
Vom Antagonismus zur Konvergenz? Studien zum Ost-West-Problem, Frankfurt/M. 1972
Die unbewältigte Bundeswehr, Frankfurt/M. 1973
Film und Gesellschaft in Deutschland, Hamburg 1974 (mit R. Zurek)
Militär-Politik, Starnberg 1975 (mit Ko-Autoren)
Die Zukunft der Entspannung, Köln 1979
Einführung in die internationalen Wirtschaftsbeziehungen Stuttgart 1981 (mit R.-H. Brocke)
Zahlreiche Aufsätze in Fachzeitschriften.

Manfred Wundram

Geboren 1925 in Göttingen. 1946–1952 Studium der Kunstgeschichte, Archäologie, Musikwissenschaft und Germanistik an der Universität Göttingen. 1952 Promotion mit einer Arbeit über »Die künstlerische Entwicklung im Reliefstil Lorenzo Ghibertis«. 1952–1957 Forschungsstipendien am Zentralinstitut für Kunstgeschichte in München und am Deutschen Kunsthistorischen Institut Florenz. 1957–1962 Assistent am Lehrstuhl für Kunstgeschichte der Technischen Hochschule Stuttgart. 1962–1967 Lektor im Verlag Reclam, Stuttgart. 1967 Habilitation an der Universität Bochum. 1967/68 Forschungsstipendium der Harvard University. Seit 1970 Professor für Kunstgeschichte an der Universität Bochum.

Veröffentlichungen:

Donatello und Nanni di Banco, Berlin 1969. Frührenaissance, Baden-Baden 1970. Renaissance, Stuttgart 1970. Europäische Baukunst – Das Zeitalter der Renaissance, Frankfurt am Main 1972. Die berühmtesten Gemälde der Welt, Bergisch Gladbach 1976. Raffael, München 1977.
27 Beiträge zum Handbuch »Die Parler und der Schöne Stil«, Köln 1978.
Zahlreiche Aufsätze zur italienischen Skulptur des Mittelalters und der Renaissance sowie zur böhmischen Kunst des 14. Jahrhunderts in Fachzeitschriften.
Herausgeber der Kunstführer über Italien in der Reihe der Reclamschen Kunstführer und 1965 bis 1971 Herausgeber der Werkmonographien zur bildenden Kunst in Reclams Universalbibliothek.

Ferdinand Seibt

Geboren 1927, studierte in München und war dann zehn Jahre an Münchner Gymnasien tätig. 1964 habilitierte er sich an der Münchner Universität für mittlere und neuere Geschichte, 1969 wurde er als ordentlicher Professor an die Ruhr-Universität Bochum berufen. Zur Zeit lebt er auf Einladung des Zentrums für interdisziplinäre Forschung in Bielefeld.

Veröffentlichungen:

Hussitica, 1965; Die Zeit der Luxemburger... in: Handbuch der Geschichte der böhmischen Länder I 1967; Bohemica, 1970; Utopica, 1972; Deutschland und die Tschechen, 1974; Karl IV., 4. Aufl. 1979; rund 100 Fachaufsätze, Fernseh- und Rundfunksendungen.

Reiner Hildebrandt

Geboren 1933. Studium in Marburg und Bonn (Germanistik, Theologie, Psychologie). Promotion 1961. Ab 1974 akadem. Rat und Abteilungsleiter im »Forschungsinstitut für deutsche Sprache – Deutscher Sprachatlas« in Marburg. Habilitation 1970. Ab 1971 Professor für deutsche Sprachwissenschaft und ältere deutsche Literatur in Marburg. Ab 1974 geschäftsführender Direktor des Forschungsinstituts für deutsche Sprache.

Veröffentlichungen:

Ton und Topf, Zur Wortgeschichte der Töpferware im Deutschen. Gießen 1963.
Summarium Heinrici, textkritische Ausgabe, Band 1 und 2. Berlin 1974, 1982.
Zahlreiche Aufsätze und Beiträge.

Herausgeber von: Deutscher Wortatlas, Band 18–22. Gießen 1971–1980.
Siebenbürgisch-Deutscher Wortatlas. Marburg 1979.
Deutsche Dialektographie, Band 100–107. Marburg 1975 ff.

Register

Das Register gliedert sich in ein Verzeichnis der Orte, Berge und Gewässer sowie ein Personenregister. Ein (A) hinter einer Seitenzahl gibt an, daß auf dieser Seite das betreffende landschaftliche Objekt, der betreffende Ort (oder eines seiner Gebäude) bzw. die im Stichwort genannte Person abgebildet ist. Ein (W) hinter einer Seitenzahl bedeutet, daß die Abbildung dieser Seite ein Werk des betreffenden Künstlers zeigt.

Orte, Berge, Gewässer

N

O

P

Q

R

S

Personenregister

Bildnachweis

Bayer AG./Bilderdienst: 155, 166.
Bayreuther Festspiele: 305.
Bildarchiv: Joachim Kinkelin: 55, 105, 110/111, (Fotos: W. Krammisch).
Bildarchiv Marburg: 284.
Bildarchiv Preußischer Kulturbesitz: 30/31, 46, 218, 240/241, 244.
Bildarchiv K. H. Schuster: 146, 147, 151, 152, 168, 169, 170, 171, 205, 206, 208.
Heribert Bode: 259.
Deutsche Luftbild: 7, 12/13, 114, 115, 158/159, 179, 184/185, 198, (Freigabe-Nummern: S. 114: 9/44318, S. 115: 0/44607, S. 179: 6/40607, S. 184/185: 9/43498).
Flughafenverwaltung Frankfurt/M.: 200 (Freigabe-Nummer: 1995/79).
Rainer Gaertner: 75, 275, 278, 279.
Galerie der Stadt Stuttgart: 230/231.
Giroudon: 294.
Siegfried Gragnato: 8, 9, 14/15, 21, 34/35, 38, 53, 56, 68, 69, 76, 77, 80, 81, 84/85, 90/91, 95, 100, 102, 103, 107, 116, 117, 124 (2), 125, 132/133, 138/139, 163, 173, 177, 194/195, 210, 212/213, 214, 217, 222, 226, 228/229, 260, 265, 268, 269, 276, 287, 292, 296/297, 303, 304.
G. E. Habermann: 51.
Hamburger Kunsthalle: 290.
Alfred Herold: 87, 156, 187, 188/189, 190, 199, 209, 247.
Holle Bildarchiv: 32, 270, 271.
Hans Huber: 250/251.
Luftbild Brugger: 6, 10/11, (Freigabe-Nummer: 2/41767 c).
Wilhelm Mierendorf: 134.
Werner Neumeister: 6, 18/19, 167, 174/175, 235, 236, 266, 302.
Rabe-Verlagsgesellschaft: 6, 7, 16/17, 26, 40, 44, 45, 57, 60, 61, 64/65, 79, 82/83, 88, 98/99, 101, 108/109, 119, 120, 121, 122, 128/129, 131 (2), 136, 137, 144, 145, 148, 149, 160, 161, 164, 165, 192/193, 220, 233, 252, 256/257, 261, 264, 286, 299.
Verlag Schirmer/Mosel: 7, 41, 249.
Toni Schneiders: 272 (2).
Sven Simon: 219.
Staatsgalerie Stuttgart: 301.
Stern-Archiv (Hinz): 225.
Universitätsbibliothek Heidelberg: 59.
Michael Weiß: 203.
Ludwig Windstosser: 281.

Kartographie: Jürgen Breitsprecher.
Illustrationen: Heidi Wetzel.

VSLANT
NORWEGA
IBERNIA
SCOCIA
ANGLIA
DACIA
OCEANVS GERMANICVS
Hamburg
Lubick
HOLAND
LVNDEA
Prug
Antorf
Traiectum
Monster
FRISIA
Albis fl
Calis FLANDRIA
Tibulla fl
Leodium
GELRIA
WESTVALIA
Visurgus fl
OCCIDENT
Colonia
PICARDIA
BRABANCIA
Masa fluuius
Aquisgranis
MARCHA
SAXO
NOR
MANDIA
FRANCIA
GERM
MAG
Lutzelburg
Trier
Marburg
Braunsc
BRITANIA
Palantina
Paris
Mosella fl
Erfort
Mentz
Francfurt
FRANCONIA
Menus fl
Heidelberg
Erabipulis
Sala fl
MIX
Oaliens
Secana fl
Metz
Speier
Tors
Neccarus fl
Bamberg
Eger
Numberg
Argentina
Sana fl
Norling
BVRGVNDIA
Basilea
Salm
SWEVIA
Vlma
Danubius fl
Lucern
SVEVIA
BAVARIA
Lion
Lmug fl
Zurch
Volontz
Rodang fl
Constancia
Bern
Renus fl
SVEITZER
Isara fl
Genf
Iler fl
Augusta
Licus fl
Isara fl
Monchen
Enos fl
Salzburg
Auinio
Druencius fl
Athesis fl
Villach
PROVINCIA MASSILIA
LONGOBARDIA
Venecia
Triest